DER
KUNST
BROCK
HAUS
Band 4

DER KUNST-BROCKHAUS

Aktualisierte Taschenbuchausgabe
in zehn Bänden

Band 4
Gim–Ins

B.I.-Taschenbuchverlag
Mannheim/Leipzig/Wien/Zürich

Redaktion der Taschenbuchausgabe:
Eberhard Anger M. A.

Layout: Gerd Schäfer

CIP-Kurztitelaufnahme der Deutschen Bibliothek
Der Kunst-Brockhaus: Aktualisierte Taschenbuchausg. in 10 Bd. - Mannheim; Wien, Zürich: BI-Taschenbuchverlag
ISBN 3-411-02930-7
Bd. 4. Gim–Ins. - 1987
ISBN 3-411-02934-X

Lizenzausgabe mit Genehmigung des
Verlages F. A. Brockhaus GmbH, Mannheim

Druck: Druckhaus Kaufmann, Lahr
Einband: Augsburger Industriebuchbinderei GmbH
Printed in Germany
Gesamtwerk: ISBN 3-411-02930-7
Band 4: ISBN 3-411-02934-X

Gim

Gimignani [dʒimiɲ'a:ni], Giacinto, ital. Maler und Radierer, getauft Pistoia 23. 1. 1606, †Rom 9. 12. 1681, Schüler des PIETRO DA CORTONA, von N. POUSSIN beeinflußt, schuf Fresken und Altäre in Rom sowie etwa 30 Radierungen nach eigenen Entwürfen.

Gimmi, Wilhelm, schweizer. Maler und Graphiker, *Zürich 7. 8. 1886, †Chexbres (Waadt) 29. 8. 1965, ging 1908 nach Paris. Nach der Auseinandersetzung mit P. CÉZANNE und dem Kubismus entwickelte G. dort eine überlegen komponierte Malerei in einer reich gestuften, tonigen Farbskala (Figurenbilder, Städteansichten, Porträts). 1940 kehrte er in die Schweiz zurück. Hier entstanden u. a. auch Wandbilder (Muraltengut, Zürich 1953, ETH ebd. 1956).

G. PEILLER u. A. SCHEIDEGGER: W. G. (1972).

Ginori-Majoliken [dʒin'ori-], auch **Docciaporzellan** [d'ottʃa-], benannt nach Marchese C. GINORI (†1757), der 1735 in Doccia bei Florenz eine Majolika- und Porzellanmanufaktur errichtete, die noch heute besteht. Anfänglich stellte sie Hartporzellan her, im 19. Jh. in größerem Umfang Imitationen älterer Majoliken, wobei z. T. deren urspr. Marke verwendet wurde.

Gio, Stamm in Westafrika, gehört zu den →Dan.

Gioconda [dʒok'onda], Porträt von LEONARDO DA VINCI, →Mona Lisa.

Giocondo [dʒok'ondo], **Fra G.,** auch **Giovanni da Verona** [dʒov'anni-], **Fra Giovanni,** ital. Architekt, *Verona um 1433, †Rom 1. 7. 1515, tätig in Frankreich (1495 ff.), in Venedig, wo er die Brentamündung regulierte, und seit 1513 in Rom als Bauleiter der Peterskirche. Seine architekton. Werke sind nicht sicher nachweisbar. Durch Samml. von Inschriften und als Hg. röm. Schriftsteller, bes. des VITRUV (1511), trug er zur Wiederentdeckung der Antike bei.

Giordano [dʒord'a:no], Luca, ital. Maler und Radierer, *Neapel 1632 oder 1634, †ebd. 3. 1. 1705, seiner schnellen Arbeitsweise wegen **Luca fa presto** (›mach schnell‹) genannt, beeinflußt von J. DE RIBERA, später von PIETRO DA CORTONA, tätig in Neapel, Rom, Florenz, Venedig, Bergamo, 1692–1702 als Hofmaler KARLS II. in Madrid. G., der mit virtuosem Können die Stile und Malweisen älterer und neuerer Meister beherrschte, war einer der fruchtbarsten Barockmaler; prunkvolle Fresken und Ölgemälde von kräftigen Helldunkelwirkungen und glänzender Farbgebung.

HW: Fresken im Palazzo Medici-Riccardi, Florenz (1682), im Escorial (1692/94), in der Schatzkapelle von S. Martino, Neapel (1704).

Giorgio [dʒ'ordʒo], Francesco di G., ital. Baumeister, Bildhauer, Maler, →Francesco di Giorgio Martini.

Giorgione [dʒordʒ'o:ne], eigtl. Giorgio **da Castelfranco,** irrtümlich **Barbarelli,** ital. Maler, *Castelfranco (bei Treviso) 1477 oder 1478, †Venedig vor dem 25. 10. 1510, ebd. Schüler von GIOVANNI BELLINI, zeitweilig (1506) in Werkstattgemeinschaft mit V. CATENA, war um 1504 in Castelfranco und seit 1507 sicher wieder in Venedig tätig, wo er Fassadenfresken an versch. Palästen malte, bes. am Fondaco dei Tedeschi (1508; Reste in den Gallerie dell' Accademia).

Als völlig gesicherte Werke gelten nach der heutigen Forschung: Judith (Leningrad, Eremitage); Altarbild der vor einer Landschaft thronenden Madonna mit dem Hl. Ritter Liberalis und dem Hl. Franziskus (um 1504/05; Castelfranco, Dom); Porträt der Laura (1506; Wien, Kunsthistor. Mus.); die Drei Philosophen (ebd.); Das Gewitter (1507–08; Venedig, Accademia). Ausgehend vom malerischen Stil Bellinis, hat G. durch seine lichtgesättigten Farben, seine lebensvolle, flüssige Malweise und durch die Einführung neuer, persönlich empfundener Bildthemen die venezian. Malerei ihrer klass. Entfaltung in der Hochrenaissance entgegengeführt. Er hat als einer der ersten neben religiösen Bildern auch zahlreiche Werke von weltl. Charakter geschaffen, mit denen er sich an einen kleinen Kreis hochgebildeter Kunstkenner wandte. Von stärkster Wirkung auf die spätere europ. Malerei war die Betonung des landschaftl. Elements, das seinen Bildern einen tief poetischen, oft geheimnisvollen Zug verleiht.

Giorgione: Drei Philosophen, Ausschnitt; undatiert (Wien, Kunsthistorisches Museum)

WW. Frühzeit: Feuerprobe des Mosesknaben, Urteil des Salomo (Florenz, Uffizien) u. a. – Spätzeit (nach einigen Forschern Frühwerke TIZIANS): Schlummernde Venus (Dresden, Gemäldegalerie); Fête Champêtre (Ländliches Konzert, Paris, Louvre); Ehebrecherin vor Christus (Glasgow, Museum); Das ›Konzert‹ (Florenz, Palazzo Pitti). – Porträts: Jüngling (Berlin-West, Staatl. Museen); Selbstporträt (Braunschweig, Museum; umstritten). – Bes. von der ital. Forschung zugeschrieben: Hl. Familie, ehem. Samml. Benson (Washington, Nat. Gal.); Geburt Christi, ehem. Samml. Allendale (ebd.); An-

Wörter, die man unter G vermißt, suche man unter Dj, J oder K

betung der Könige (London, Nat. Gal.); Madonna in Landschaft (Leningrad, Eremitage); Hirtenknabe (Hampton Court); Knabe mit Pfeil (Wien, Kunsthistor. Museum); Sacra Conversazione (Venedig, Accademia); Lesende Madonna (Oxford, Ashmolean Museum).

G. e i giorgioneschi, Ausst.-Kat., Venedig (1955); R. ZAMPETTI: G. (Mailand 1968); T. PIGNATTI: G. (a.d. Ital., 1979).

Giornico [dʒorn'i:ko], Gem. im schweizer. Kt. Tessin, 1400 Ew. Die Kirche S. Nicolao (Mitte 12. Jh.) ist das am reinsten erh. Bauwerk der lombard. Romanik in der Schweiz; reiche Bauplastik. S. Maria di Castello (12. bis 15. Jh.) mit Fresken (1448).

Giotto [dʒ'ɔtto], **G. di Bondọne,** ital. Maler und Baumeister, *Colle di Vespignano (bei Florenz) wahrscheinlich 1267, †Florenz 8. 1. 1337, tätig in Florenz, Assisi, Rom, Padua, Rimini, Neapel, Mailand, vielleicht auch in Avignon, seit 1334 Dombaumeister in Florenz; sein Lehrer war nach alter Überlieferung CIMABUE, die neuere Forschung denkt hingegen an P. CAVALLINI. G. hat neben der florentin. und röm. Tradition auch Elemente der byzantin. Kunst, der antiken, frühchristl. Malerei in Rom sowie der frz. Gotik verarbeitet. Sein monumentaler Stil, der sich über ganz Italien verbreitete, ist die Grundlage für die gesamte ital. Malerei der Neuzeit. Unmittelbare Schüler waren B. DADDI, T. GADDI und MASO DI BANCO.

Giotto: Beweinung Christi, vermutlich 1305/06; Fresko in der Arenakapelle (Padua, Cappella degli Scrovegni)

Wegen G.s weitgespannter Entwicklung und des von ihm ausgebildeten Werkstattbetriebes ist die Zuschreibung wichtiger Werke, bes. der Fresken der Franziskuslegende in San Francesco in Assisi, noch immer umstritten. Als sichere Werke G.s gelten: die Fresken der →Arena-Kapelle in Padua (Verkündigung an Maria, 36 Szenen aus der Vorgeschichte und dem Leben der Maria und dem Leben Christi, Weltgericht, Allegorien der Tugenden und Laster, um 1305); das auf Holz gemalte Kruzifix aus der Arena-Kapelle; das Madonnenbild aus der Kirche Ognissanti in Florenz (Uffizien); die beiden seit L. GHIBERTI (um 1450) als Werke G.s geltenden Freskenzyklen der Bardi- und Peruzzi-Kapelle in Santa Croce in Florenz (Bardi-Kapelle: 6 Szenen aus der Le-

Giotto: Die Begegnung Joachims und Annas an der Goldenen Pforte; Fresko, um 1305 (Padua, Arena-Kapelle)

gende des Hl. Franziskus, über dem Eingangsbogen seine Stigmatisation, um 1325; Peruzzi-Kapelle: je 3 Szenen aus dem Leben Johannes' des Täufers und des Evangelisten, um 1320). Dazu kommt das schwer beschädigte, ehemals im Vorhof der alten Peterskirche in Rom befindliche Mosaik der ›Navicella‹ (Christus wandelt auf dem Meer und hilft dem sinkenden Petrus: Datierung umstritten; heute in den Vatikan. Grotten unter der Peterskirche). Weiterhin werden ihm von einem Großteil der Forschung zugeschrieben: Kruzifix in Santa Maria Novella (Florenz), Jubiläumsfresko in S. Giovanni in Laterano (Rom); daneben verdienen signierte Werkstattarbeiten größte Beachtung. G.s einzigartige schulbildende Wirkung, die zur Grundlage einer das ganze 14. Jh. erfüllenden Stilbewegung wurde, beruht auf der Überwindung der unräuml. Gestaltungsweise der älteren Malerei des MA., die er durch ein wirklichkeitsnäheres Bild der Welt und des Menschen ersetzte (BILD Perspektive). Er schuf einen klar überschaubaren, nach der Tiefe hin begrenzten Bildraum, in dem die Figuren in betonter Körperlichkeit hervortreten. Ihre verhaltenen, oft von kraftvollem Pathos erfüllten Bewegungen lassen sie als von echt menschl. Empfindungen geleitete, aus eigenem Antrieb handelnde Wesen erscheinen. Diese bis dahin unbekannte Autonomie der Figuren und die monumentale, plastisch klar und groß gesehene Formgebung bilden die Voraussetzung für die von G. erreichte dramat. Eindringlichkeit und Wucht der erzählenden Darstellung.

M. GOSEBRUCH: G. u. die Entwicklung des neuzeitl. Kunstbewußtseins (1962); S. EIMERL: G. und seine Zeit (Amsterdam 1973); BARBARA SCHARIOTH; Arnolfo di Cambio und G., Versuch einer vergleichenden Studie (1976); B. COLE: G. and Florentine painting (London 1977); M. IMDAHL: G. Arenafresken (1980); T. HETZER: G. (Neuaufl. 1982).

Giovanni da Bologna [dʒovˈanni da bolˈoɲa], niederländisch-ital. Bildhauer, →Giambologna.

Giovanni d'Alemagna [dʒovˈanni dalemˈaɲa], auch **G. d'Alamagna,** Maler dt. Abstammung, in der 1. H. des 15. Jh. in Padua und Venedig tätig, seit 1441 in Murano, †Padua 1450; gründete gemeinsam mit ANTONIO VIVARINI, von dem er stilistisch kaum zu unterscheiden ist, die Schule von Murano (Altarbilder).

HW: Altarwerk, Venedig, S. Zaccaria (1443); Krönung Mariä, ebd. S. Pantaleone (1444); beide mit A. VIVARINI.

Giovanni da Milano [dʒovˈanni-], ital. Maler, *Caversaccio (bei Como), tätig seit 1346 in Florenz, 1369 in Rom, gehörte zu den Nachfolgern GIOTTOS.

HW: Fresken in Florenz, S. Croce, Rinuccini-Kapelle (1365); Altarwerke in Florenz (Uffizien) und Prato (Pinakothek).

Giovanni da Modena [dʒovˈanni-], eigtl. G. **di Pietro Faloppi,** ital. Maler aus Modena, tätig in Bologna, wo er von 1420 bis 1451 nachweisbar ist.

HW: Ausmalung der Cappella di S. Giorgio in S. Petronio, Bologna.

Giovanni da San Giovanni [dʒovˈanni-], eigtl. Giovanni **Mannozzi,** ital. Maler, *San Giovanni Valdarno (Toskana) 20. 3. 1592, †Florenz 6. 12. 1636, schmückte Villen, Klöster und Tabernakel in der Toskana und in Rom mit Fresken von formaler Lockerheit und einfallsreichem, erzähler. Stil (u. a. im Palazzo Pitti, Florenz).

Giovanni da Udine [dʒovˈanni-], ital. Maler und Baumeister, *Udine 27. 10. 1487, †Rom 1564, schuf v. a. Stuck- und Freskodekorationen mit mannigfachen Abwandlungen des Motivs der Groteske.

HW: Mitarbeit an Raffaels Loggien im Vatikan (1516–19), Stuckdekorationen und Ausmalung der Villa Madama in Rom, im Dogenpalast und im Palazzo Grimani in Venedig.

Giovanni da Verona [dʒovˈanni-], **1)** ital. Architekt, →Giocondo.

2) ital. Holzschnitzer und Miniaturmaler, *wahrscheinlich Verona um 1457, †ebd. 10. 2. 1525. Seine HW befinden sich im Kloster Monte Oliveto Maggiore (nordöstlich von Siena): Osterleuchter, Eingangstür zur Bibliothek und das prachtvolle, mit Intarsien geschmückte Chorgestühl (1502).

Giovanni di Balduccio [dʒovˈanni di baldˈuttʃo], auch **Giovanni da Pisa,** ital. Bildhauer der 1. H. des 14. Jh. aus Pisa. B. arbeitete zunächst unter G. PISANO und TINO DI CAMAINO am Bau des dortigen Doms, danach in Florenz, später v. a. in Mailand; er verbreitete den von G. →Pisano ausgehenden neuen Stil in Norditalien, wobei er diesen in eine leicht vergröbernde, schwerere Körperlichkeit umsetzte.

HW (in Mailand): Sarkophag des Hl. Petrus Martyr in S. Eustorgio (1335–39); Fragmente des Grabmals für A. Visconti (Palazzo Trivulzio); Portal von S. Maria di Brera (Fragmente erh. im Castello Sforzesco).

Giovanni di Paolo [dʒovˈanni-], ital. Maler und Illuminator, *Siena um 1403, †ebd. 1482, Schüler des TADDEO DI BARTOLO und beeinflußt von GENTILE DA FABRIANO und SASSETTA, schuf Altar- und kleinere Andachtsbilder in sehr persönl. Stil und einer bizarren Natur- und Menschendarstellung. Seine wahrscheinlich von

A. LORENZETTI inspirierten Landschaftsdarstellungen verraten eine scharfe Beobachtungsgabe und einen Sinn für lyr. Naturstimmungen.

HW: Madonna mit Engeln (Castelnuovo Berardenga; 1426); Altarwerk mit der Darbringung Christi im Tempel (Siena, Pinakothek) u. Legendenszenen der Hl. Katharina v. Siena (6 Seitentafeln in Brüssel, Samml. Stoclet, 2 in New York, Samml. R. Lehmann, 1 ebd., Metropolitan Museum of Art; 1447–49); 6 Szenen aus dem Leben Johannes' d. Täufers (Chicago, Art Institute).

Gips, natürlich als Leichtspat (Alabaster) vorkommendes Kalziumsulfatdihydrat, marmorähnl., leicht zu bearbeitender Stein für Skulpturen, Vasen u. ä. Gebrannt wird er als Stuck-G., Marmor-G. u. a. zu Stuckierungs- und Putzarbeiten und für Abgüsse verwendet. Einfach gemahlen dient er als Füllstoff für reinweiße Grundierungen (Vergoldergrund), als Verschnittmittel für Buntfarben und als Substrat.

Gips|abguß, Bildhauerkunst: →Abguß.

Gipsgrund, Maltechnik: →Grundierung.

Gipsmalerei, Maltechnik: →Gessopainting.

Giralda [xir'alda], **La G.,** Minarett in →Sevilla.

Girandole [ʒirãd'ɔl, frz.], Leuchter aus Metall mit mehreren (meist 3) Armen; auch ein mit Edelsteinen besetztes Ohrgehänge.

Girardon [ʒirard'õ], François, frz. Bildhauer, *Troyes 17. 3. 1628, †Paris 1. 9. 1715, Mitgl. und Kanzler der Akademie, bildete sich in Rom an der hellenist. Antike und unter dem Einfluß der Frühwerke G. L. BERNINIS und in Paris unter F. ANGUIER. In Zusammenarbeit mit C. LEBRUN und C. PERRAULT hatte er wesentl. Anteil an der Ausstattung der königl. Bauten. Neben dekorativen Arbeiten (Skulpturen für die Apollongalerie des Louvre, 1664–71, und die Tuilerien, beide in Paris) schuf er Standbilder (bes. für den Park von Versailles, so ›Raub der Proserpina‹, 1699) und Porträtbüsten. G. gilt als Hauptvertreter der Plastik im Stil Louisquatorze.

WW: Grabmal Richelieus in der Kirche der Sorbonne (1694 voll.); Bronze-Reiterdenkmal Ludwigs XIV. auf der Place Vendôme (voll. 1699, zerstört 1792).

Girka, Bez. aus der russ. Architektur des 16. Jh. für ein pinienzapfenartiges Gebilde am Ende eines Hängebogens, auch Bez. für den ganzen Hängebogen.

Girke, Raimund, Maler, *Heinzendorf (Kr. Frankenstein i. Schles.) 28. 10. 1930, stand anfänglich der Informellen Kunst nahe, gelangte zu monochromen Strukturuntersuchungen. Seine in horizontale Bänder gegliederten Kompositionen beschränken sich auf Weiß, Grau und Schwarz. Seit 1967 arbeitet er wieder mit Farbflächen.

Girlande [ital.-frz.], Dekorationselement: Blumen- oder Blattgewinde, das oft mit Früchten durchsetzt und mit Bändern umwunden und in regelmäßigen Abständen durchhängend befestigt ist (→Feston). Die G. hat ihren Ursprung in natürl. Festdekorationen der Antike.

Girnar, mehrgipfliger Vulkanberg (bis 1117 m ü. M.) und Pilgerstätte nahe der Stadt Junagadh auf der Halbinsel Kathiawar, W-Indien. Die jinist. Tempelstadt auf halber Höhe enthält 16 Haupttempel, darunter der Neminatha-Tempel und der Drillingstempel (12.–13. Jh.), gestiftet von den Brüdern TEJAHPALA und VASTUPALA.

Girodet-Trioson [ʒirɔd'ɛ triɔs'ɔ̃], eigtl. **Girodet de Roucy** [-dərus'i], Anne-Louis, frz. Maler, *Montargis 29. 1. 1767, †Paris 9. 12. 1824, war 1790–95 in Rom, malte zwar im klassizist. Stil seines Lehrers J. L. DAVID Historienbilder, bevorzugte jedoch lyr. Stimmungen, auch in seinen Porträts; illustrierte klass. Dichtungen.

Girsu, alte sumer. Kultstadt in S-Mesopotamien (KARTE Alter Orient), heute der Ruinenhügel **Tello.** G. war Teil des benachbarten Stadtstaates von Lagasch. Frz. Ausgräber erforschten hier versch. relig. Bauten (u. a. Tempel des Gottes Ningirsu), die bis in die Anfänge der Frühdynast. Zeit (etwa 2800 v. Chr.) zurückreichen; von besonderer Bedeutung sind die zahlreichen Funde von Weihgaben, Reliefs (u. a. Geierstele) und Rundplastiken (v. a. Statuen des Gudea von Lagasch, um 2200 v. Chr.). G. war noch in altbabylon. (18./17. Jh. v. Chr.) und dann wieder in parth. Zeit (2. Jh. v. Chr.) besiedelt.

Girtin [g'ə:tɪn], Thomas, engl. Aquarellist, Radierer, *London 18. 2. 1775, †ebd. 9. 11. 1802, befreundet mit W. TURNER, der von seinen malerisch freien, empfindsamen Landschaftsaquarellen beeinflußt wurde.

Giseh, Gizeh, Gisa, Giza, ägypt. Stadt auf dem westl. Nilufer, gegenüber Altkairo; 1,379 Mio. Ew. Am Rand der Libyschen Wüste liegen 3 Pyramidenanlagen der 4. Dynastie (Mitte des 3. Jahrtsd. v. Chr.), von denen die des CHEOPS (146,6 m hoch) und des CHEPHREN (143,5 m) die größten in Ägypten errichteten Pyramiden sind, während die des MYKERINOS (66,5 m) bescheidenere Maße aufweist. Zu den Pyramiden gehören jeweils Talbau, Aufweg und Totentempel auf der Ostseite, ferner Schiffsmodelle, Nebenpyramiden für die Königinnen und ausgedehnte Friedhöfe für Beamte und Totenpriester; von Chephren stammt der gewaltige Sphinx von G. (20 m hoch, 57 m lang) als Wächter des

Thomas Girtin: The river Tweed near Kelso; Aquarell (London, Tate Gallery)

Giseh: Pyramiden von G. (von links nach rechts die Pyramiden des Cheops, Chephren und Mykerinos)

Grabbezirkes. Die Privatgräber haben meist einen massiven Oberbau in der geböschten Form der →Mastaba, in dem nur eine Kammer für den Totenkult ausgespart ist; seit Chephren wurden auch Felsgräber angelegt. Die königl. Totentempel und die Kultkammern der Mastaba-Gräber tragen Reliefschmuck, während die Sargkammern der Pyramiden und Privatgräber in dieser Zeit nicht dekoriert sind. An Beigaben haben sich v. a. zahlreiche Statuen erhalten; außerdem schlichte Sarkophage und der vollständige Grabschatz (u. a. Reisezelt, Sänfte, Möbel, alle vergoldet, ältester bekannter Kanopenkasten – Ägypt. Mus., Kairo) der Königin HETEPHERES, Mutter des Cheops. Nach der 4. Dynastie verlor G. rasch an Bedeutung, nur der Sphinx wurde noch im Neuen Reich als Bild des Sonnengottes verehrt. (BILD ägyptische Kunst)

Gisel, Ernst, schweizer. Architekt, *Adliswil 8. 6. 1922, gründete 1947 in Zürich nach seiner Mitarbeit bei A. ROTH (1942–45) ein eigenes Architekturbüro und gilt als ein Pionier der neuen schweizer. Architektur (u. a. →Tessiner Architektur). G. arbeitet beim Entwurf klar gegliederter Baukörper mit der bewußten Störung der rational hergeleiteten, harmon. Formen, um seine Architektur durch die Dimension des nur irrational Erfaßbaren zu bereichern.

HW: Mitarbeit am Märk. Viertel, Berlin-West (1966–71); Blaues Atelier für das eigene Architekturbüro, Zürich (1973); Haus Streiff, Küsnacht (1976); Rathaus Fellbach bei Stuttgart (1979 ff.).

Gisela-Kreuz, um 1006 in Regensburg entstandenes Grabkreuz (Gold über Holzkern), ein HW otton. Goldschmiedekunst (heute München, Schatzkammer der Residenz). Das Kreuz wurde von der Königin GISELA von Ungarn, der Schwester HEINRICHS II. (1002–24), gestiftet. Auf der Vorderseite sind in sehr plast. Relief Christus am Kreuz und ihm zu Füßen Gisela und ihre Mutter dargestellt. In die Rückseite ist die Figur Christi zus. mit den 4 Evangelistensymbolen eingeritzt.

Gisela-Schmuck, wichtigstes Zeugnis frühma. Goldschmucks (heute Berlin-West, Staatl. Museen), be-

Wörter, die man unter G vermißt, suche man unter Dj, J oder K

stehend aus über 20 Schmuckstücken (Halskette, Brustbehang, Tasseln, Ohr- und Fingerringe), die reich mit Perlen, Edelsteinen, antiken Gemmen, Granulierung und Filigranarbeiten überzogen sind. Von den zum G.-S. gehörenden Adlerfibeln befindet sich eine im Mittelrhein. Landes-Mus., Mainz. Der G.-S. wurde 1880 in Mainz gefunden und mit Kaiserin Gisela, der Gemahlin Konrads II. (1024–39), in Verbindung gebracht. Neuerer Forschung zufolge entstammt er jedoch versch. Quellen und dürfte schon im ausgehenden 10. Jh. entstanden sein. Byzantin. Anklänge sind deutlich.

Gisela-Schmuck: Adlerfibel; frühma. (Mainz, Landesmuseum)

Gislebertus, frz. Bildhauer des 12. Jh., namentlich bekannt nur durch seine Signatur im Tympanon der Kathedrale Saint-Lazare in Autun. Sein sehr persönl. Stil erlaubt es, ihm fast den gesamten Skulpturenschmuck, v. a. die zahlreichen Pfeilerkapitelle dieser Kirche, zuzuschreiben (um 1125/35). Innerhalb der burgund. Skulptur des 12. Jh. unterscheidet sich G. von der Skulptur in Cluny und der ungestümen Dramatik des Tympanons von Vézelay durch feinere, behutsamere Zeichnung seiner schlanken Figuren. Seine Werke gehören zu den hervorragendsten der frz. Romanik.

G., hg. v. D. Grivot u. G. Zarnecki (a. d. Frz., 1962).

Gisors [ʒizˈɔːr], Gem. im frz. Dép. Eure, Normandie; vom weiträumigen Schloß (11. bis 12. Jh.) sind v. a. der mächtige Donjon und die runde Umwallung erhalten. Die Kirche Saint-Gervais-et-Saint-Protais (13. bis 16. Jh.) besitzt einen Chor von 1240 und eine Renaissance-Fassade von 1537–62.

Gita Govinda [›Gesang des Kuhhirten‹], in Skt. verfaßtes, mystisch-erotisches Gedicht von Jayadeva, Ende des 12. Jh.; ›Govinda‹ meint den Gott Krishna, dessen Liebe zur Hirtentochter Radha bei gemeinsamen Liebesfreuden und beim Trennungsschmerz geschildert wird, wobei Krishna den höchsten Gott und Radha die Sehnsucht nach ihm verkörpert. Das G. G. war eine beliebte Vorlage für die Rajput-Malerei des 16. bis 19. Jh.

Gitschin, Stadt in der ČSSR, →Jitschin.

Giuliani [dʒuliˈaːni], Giovanni, Bildhauer, *Venedig Ende 1663, †Heiligenkreuz bei Wien (NÖ) 5. 9. 1744, vermutlich zunächst Schüler von Giuseppe Maz-

Gislebertus: Eva, Fragment des Nordportals von Saint-Lazare in Autun (Autun, Musée Rolin)

ZA in Venedig und Bologna, zw. 1680 und 1690 in der Werkstatt von A. FAISTENBERGER in München, seit 1711 im Zisterzienserstift Heiligenkreuz, das nach seinem Tod seinen gesamten Nachlaß erbte, insbes. eine in der europ. Barockskulptur einzig dastehende Samml. von Tonbozzetti (Heiligenkreuz, Stiftsmus.). – In der Kunst G.s fügt sich die Einzelfigur als rhythmisch bewegte Silhouette der Harmonie des Ganzen ein. G. führte in die Wiener Plastik den – in erster Linie von Venedig her abzuleitenden – weich modellierenden Stil ein, der zugleich auch die psych. Ausdruckswerte stark betont. Sein berühmtester Schüler war G. R. DONNER.

WW: Plast. Dekoration an der Fassade und im Treppenhaus des Stadtpalais Liechtenstein (1697–1705; Wien); Figuren zu den 3 Choraltären (1694–96) und zum Chorgestühl der Stiftskirche Heiligenkreuz (1707–09); Josephsbrunnen (1739) und Dreifaltigkeitssäule (um 1737–39; Heiligenkreuz, Stiftshof).

ELFRIEDE BAUM: G. G. (1964); P. NIEMETZ: Das Heiligenkreuzer Chorgestühl von G. G. (1965).

Giuliano da Maiano [dʒuli'a:no-], ital. Baumeister, Bruder von BENEDETTO DA MAIANO, *Maiano bei Fiesole 1432, †Neapel 17. 10. 1490, war Leiter einer Werkstatt für Schnitzerei, Intarsien und Mobiliar, 1477–90 Dombaumeister in Florenz; verbreitete die florentin. Frührenaissance in der Toskana, in Ober- und Unteritalien. Er schuf den Dom in Faenza (1474–86), in dem er die flachgedeckte Basilika F. BRUNELLESCHIS mit Gewölben weiterentwickelte. In Neapel entwarf G. die Porta Capuana (1485).

WW: Palazzo Spannocchi (1473 ff.) u. a. Paläste in Siena; Basilika von Loreto (1482–86); Sommerpalast Poggio Reale in Neapel (1487 ff., mit Gartenanlagen und Wasserkünsten).

Giulio Romano [dʒ'u:lio-], eigtl. Giulio **Pippi,** ital. Maler und Baumeister, *Rom 1499, †Mantua 1. 11. 1546, ebd. seit 1524 Baumeister und Maler des Herzogs FEDERICO II. GONZAGA, war Schüler und Mitarbeiter RAFFAELS, nach dessen Tod er die Ausführung der Fresken des Konstantin-Saals im Vatikan leitete. Bereits in den Loggien des Vatikans und der Loggia di Psiche der Villa Farnesina in Rom war G. R. maßgeblich an der Ausmalung beteiligt. Seine von Raffaels Spätstil und der Antike ausgehende Kunst entwickelte sich zum Manierismus. Sein HW ist die Errichtung und Ausmalung des Palazzo del Tè in Mantua (1526 ff.; v. a. Fresken mit Amor und Psyche, Gigantensturz).

Giunta Pisano [dʒ'u-], ital. Maler, tätig in Assisi, Pisa, Bologna, nachweisbar von 1229 bis 1254; schuf durch systemat. Vereinfachung und Verzicht auf figurenreiche Nebenszenen den klass. Typ der Kruzifixdarstellung des Duecento.

HW: Kruzifixe auf Holz, signiert, Assisi, Santa Maria degli Angeli; Pisa, Museo Nazionale di S. Matteo; Bologna, S. Domenico.

Giusto de'Menabuoi [dʒ'usto-], auch **Giusto Padovano,** ital. Maler, *Florenz, †Padua 1391, wo er seit 1370 tätig war. Seine Innenraumdarstellungen im Paduaner Baptisterium (um 1375; alt- und neutestamentl. Szenen) nehmen die Bildgattung des Interieur vorweg.

Giza [g'i:za], **Gizeh** [g'i:ze], ägypt. Stadt →Giseh.

Gjirokastër [gjirok'astər], **Gjinokastra,** grch. **Ar-**

gyrokastron, Stadt in S-Albanien, 17 500 Ew.; malerisches Stadtbild mit Moscheen (18. Jh.), Orthodoxe Kathedrale (1774), gut erhaltene türk. Festung (im 19. Jh. auf Fundamenten einer venezian. Festung des 14. Jh. errichtet); massive Bürgerhäuser mit fensterloser Fassade im Erdgeschoß. G. steht unter Denkmalschutz.

Glackens [gl'ækənz], William James, amerikan. Maler, *Philadelphia 13. 3. 1870, †Westport (Connecticut) 22. 5. 1938, studierte u. a. in Paris. Sein Bild ›Fliegende Drachen‹ (1906; Boston, Mus. of Fine Arts) entstand unter dem Eindruck von Werken É. MANETS. G. gehörte zur Ashcan School und wurde 1917 Präs. der neuen ›Society of Independent Artists‹.

Glamis Castle [glɑ:mz kɑ:sl], Schloß in der schott. Grampian Region nördlich von Dundee. Über L-förmigem Grundriß ab 1606 erbauter fünfgeschossiger Renaissancebau, dessen mit einer Balustrade abgeschlossenes Obergeschoß zw. Ecktürmen vorkragt.

Glanum, →Saint-Rémy-de-Provence.

Glanzvergoldung, Maltechnik: →Vergoldung 4).

Glarner, Fritz, schweizer. Maler und Graphiker, *Zürich 20. 7. 1899, †Locarno 18. 9. 1972, kam über den Spätimpressionismus und Kubismus, unter dem Einfluß der Abstraction-Création, 1935 zur Abstraktion. 1936 siedelte er nach New York über und trat in Kontakt mit P. MONDRIAN, dessen Erbe er konsequent und eigenständig verwaltete. G. ist ein wichtiger Vertreter der Konkreten Malerei in der Schweiz.

Wandbilder: Time-Life-Building (1958/59, New York); Hammarskjöld-Bibliothek im Gebäude der Vereinten Nationen in New York (1961).

M. STABER: F. G. (1976).

Glarus, Hauptort des schweizer. Kt. G., 6100 Ew. Nach Brand (1861) nach einheitl. Planung schachbrettartig wiederaufgebaut. Haus Brunner (1770–71) mit wertvoller Samml. (v. a. Glasmalerei, 16./17. Jh.), Kunsthaus (Schweizer Künstler, 19./20. Jh.).

Glas [ahd., urspr. ›Bernstein‹], anorgan. Schmelzprodukt, das zwar auch in der Natur (Obsidian) vorkommt, jedoch v. a. künstlich hergestellt wird. Grundbestandteil ist Quarzsand (Siliciumdioxid), dem als Stabilisator Calciumoxid (Kalkstein, Marmor, Kreide) beigegeben wird und dessen Schmelzpunkt durch Natriumoxid (Soda, Pottasche) herabgesetzt wird. Metalloxide können die Masse färben oder entfärben. In geschmolzenem, zähflüssigem Zustand läßt es sich formen. Es erstarrt beim Abkühlen, ohne zu kristallisieren.

Die Formgebung erfolgt i. d. R. durch den Glasbläser mit Hilfe der →Glasmacherpfeife, von Fall zu Fall auch mit Hilfe von Negativ-Formen. In erkaltetem Zustand kann G. mit Flußsäure geätzt, geschnitten, graviert und bemalt werden. Die Entwicklung der Glastechnologie hat die Kunstgeschichte des G. wesentlich geprägt.

Vom 4. Jahrtsd. v. Chr. an entstanden in Ägypten und Mesopotamien kleine Gefäße aus Fayence-Paste, deren Soda-Anteil ihnen einen glasartigen Charakter gab. Der Gebrauch des Werkstoffs G. ist in Mesopotamien seit dem Beginn des 3. Jahrtsd. v. Chr. durch Perlen und

Glas: 1 Krug aus azurblauem Glas, 1. Jh. **2** Prunkbecher aus Diatretglas, 4. Jh. (1 und 2 Trier, Landesmuseum). **3** Mit Emailfarben bemalte Gläser, 17. Jh. (Nürnberg, German. Nationalmuseum). **4** Deckelbecher aus Rubinglas mit Hochschnittdekor von G. Spiller, um 1700 (Hamburg, Museum für Kunst und Gewerbe). **5** Kelchglas mit Gold und Kristallemail, um 1912 (München, Samml. G. P. Woeckel)

unregelmäßige Werkstücke belegt. Erst vom 16. Jh. v. Chr. an gab es am Nil und im Zweistromland G.-Gefäße, die aus opakem Material bestehen. Zahlreiche ehem. Rezepte zur Herstellung von G. sind überliefert. Die Gefäße wurden über einem vorgeformten Kern hergestellt, seit der 1. H. des 1. Jahrtsd. v. Chr. kam die Technik der ›verlorenen Form‹ hinzu. Zahlreiche Anleitungen zur Herstellung von G. sind in Keilschrift und assyr. Sprache überliefert. Die Gefäße dienten hauptsächlich religiösen Zwecken oder Luxus-Bedürfnissen des Hofes. Die lebhaften Handelsbeziehungen um die Mitte des 2. Jahrtsd. v. Chr. führten zum Austausch von Ideen und Techniken des G. im ganzen östl. Mittelmeerraum. In Abhängigkeit von der ägypt. G.-Industrie entstand eine neue auf Zypern. G.-Objekte (Siegel, Anhänger) finden sich im kretisch-myken. Raum. Während sich in Mesopotamien die G.-Kunst kontinuierlich entwickelte (durchscheinendes grünl. G. wurde hier seit dem Beginn des 1. Jahrtsd. v. Chr. hergestellt) und unter den Assyrern um 720/705 v. Chr. einen Höhepunkt erreichte, kam es in Ägypten nach 1000 v. Chr. zu einem

Niedergang. Seit der ptolemäischen Zeit (4.–1. Jh. v. Chr.) entfaltete sich in Alexandria ein neues Zentrum der G.-Technik mit bisher unbekannten Verfahren: Guß in Negativ-Formen, Facettierung, Gravur, Vergoldung, Verschmelzen vorgeformter G.-Elemente (→Millefiori-Glas). Antiken Schriftstellern zufolge entwickelte sich an der syr. Küste, um die Region der Hafenstädte Tyros und Sidon, eine effiziente G.-Industrie, weil die Reinheit des Sandes beste Voraussetzungen für klares und sauberes Material bot. Hier soll um Christi Geburt die Technik des **Glasblasens** entdeckt worden sein. Sie war die revolutionär wirkende Voraussetzung für die G.-Produktion der röm. Zeit mit mehreren Zentren. Neben Alexandria und den syr. Städten gewannen die nördl. Adria-Küste, das Rheinland, Distrikte Galliens, später auch England und Spanien Bedeutung. Die Handwerker des röm. Reiches beherrschten praktisch bereits alle Techniken, die auch heute noch benutzt werden (ausgenommen neue chemisch-physikal. Technologien). Sie wurden in den Dienst der Alltagsproduktion (Flaschen, Schalen, Flacons), des Begräbniskults (Aschenurnen), aber auch der Luxusindustrie gestellt. Künstlerisch und technisch hochstehend waren v. a. die röm. Luxus-G.: die Millefiori-G., die Überfang- oder Kameo-G. (→Portlandvase) und die Diatret-G. mit ihren tief unterschnittenen, spitzenartigen Wandungen (→Diatreta).

In spätantiker Zeit wurde G. für die Herstellung von Fenstern und für die Komposition von Bildern aus Glasmosaik-Steinen benutzt. Die frühchristlich-byzantin. Mosaikkunst, deren bedeutendsten Zeugnisse sich in Ravenna erhalten haben, basiert auf dieser spätantiken Grundlage.

Während der ›dunklen Jahrhunderte‹ kam es zu einem fast völligen Erlöschen der G.-Technik in W-Europa, im Nahen Osten jedoch lebte die Tradition des Handwerks fort. Zw. der spätantiken und der islam. G.-Kunst stellt die sassanid. das Bindeglied dar.

In der islam. Kunst wurde G. am Bau als Mosaik oder Intarsie verwendet sowie zur Schließung von durchbrochenen Stuckfenstern. In der Kleinkunst wurden geblasene und geschliffene G.-Gefäße hergestellt; Produktionszentren waren im 8.–9. Jh. Basra, später Aleppo und Damaskus. Die auf älterer Tradition beruhenden Techniken wie Millefiori, das Einkämmen und Auflegen von Fäden, das Schleifen und Gravieren, die Auflage von Medaillons sowie die Bemalung wurden weiterentwickelt. Die Bemalung mit Silber (Lüstertechnik) erlebte im 9.–11. Jh. eine Blüte, ebenso figürl. Emailbemalung und Vergoldung syr. Gefäße des 13. bis 14. Jh. Eigene Formen islam. G.-Arbeiten stellen Moscheeampeln, Stangengläser, Spritz- und Pilgerflaschen dar. Ein Zentrum für farbige G. bis in die Neuzeit war Kum in Iran.

Über die Seidenstraße gelangten bereits sassanid. und frühislam. G. in den Fernen Osten, bis nach Japan. Chines. Motive finden sich seit dem 14. Jh. auf islam. Gefäßen. Jedoch kam es erst im 18. Jh. zur Blüte einer eigenen chines. G.-Kunst. Unter Kaiser Chien-Lung entstanden die geschnittenen, aus Schichten mehrfarbigen G. geschnittenen Gefäße, deren Ornamentik an ge-

Glas:
Wasserkännchen und Flasche; Persien, 15./16. Jh. (London, Victoria and Albert Museum)

schnittenen Lack erinnert. Im 17./18. Jh. erreichte auch das ind. G. einen Höhepunkt seiner Entwicklung.

Das westl. **Hohl-G.** des MA. entfaltete sich aus einfachsten, oft primitiven Grundlagen heraus. Die Klöster bewahrten die handwerkl. Verfahren, steigerten sie aber nicht – wie im Bronzeguß, in der Buchmalerei, in der Elfenbeinschnitzerei – auf künstler. Höhe. Die waldreichen Regionen W-Europas boten gute Voraussetzungen für den Brand der Öfen, das aus ihnen gewonnene Material blieb jedoch von geringerer Qualität, eine grünl. oder bräunl., oft blasige Masse für Gebrauchsgefäße. Als Waldglas war es im Bereich der Volkskunst bis zur Barockzeit verbreitet.

Vom 12. Jh. an gewann die →Glasmalerei dagegen wachsende Bedeutung, die in den Leistungen der Glashütten der got. Kathedralen und der spätgot. Werkstätten gipfelte.

Durch die Kreuzzüge gelangte die Kenntnis islam. Handwerkskunst in den W. Venedig, das den Handel mit dem Nahen Osten beherrschte, sicherte sich die Kenntnis der G.-Kunst und verhinderte durch ein striktes Auswanderungs-Verbot für Handwerker die Ausbreitung dieser Fähigkeiten ins übrige Europa. Millefiori-G., Faden-G. und Email-G. waren das MA. hindurch begehrte und teure venezian. Export-Artikel. Erst vom 16. Jh. an entstand Venedig nördl. der Alpen eine nennenswerte Konkurrenz. In Dtl. wurden Becher und Humpen mit Emailmalerei verziert; beliebte Motive der Dekoration waren Reichsadler, Kurfürstenwappen, Handwerks-Szenen oder histor. Vorgänge.

In der Nachahmung des Bergkristalls wurde das böhm. **Kristall-G.** entwickelt, dessen geschnittene Dekoration die Schönheit des Materials aufzeigte. So breitete sich von Prag der G.-Schnitt aus, der in Nürnberg, Böhmen, Schlesien, Thüringen, Hessen und den Niederlanden seine Blüte erlebte. Zu den luxuriösen Techniken des Spätbarock zählt das **Zwischengoldglas,** bei dem auf einen Gefäßkern eine Zeichnung aus Blattgold aufgetragen und dann mit einer zweiten, dünnen G.-Schicht überfangen wird.

1575 gründete der Venezianer G. VERZELLINI in London eine G.-Fabrik. Das dort entstandene G. folgte, ähnlich wie das niederländ. der gleichen Zeit, venezian. Vorbildern. Das 1676 von G. RAVENSCROFT entdeckte Bleikristall führte zum wirtschaftl. Erfolg des engl. und irischen Gebrauchs-G. bis zum Ende des 19. Jh. Während in England die Mechanisierung der G.-Industrie vorangetrieben wurde, behauptete sich in Böhmen das anspruchsvolle G.-Handwerk des Biedermeier mit mehrfarbigen, reich dekorierten, geschnittenen oder geätzten Gefäßen (→Mildnergläser, →Mohngläser).

Der Historismus führte mit seinen Versuchen, antikes, islamisches, indisches und chines. G. zu imitieren, zur Wiederentdeckung verloren gegangener Techniken. Maßgebend hierfür waren die Firmen LOBMEYER in Wien und BROCARD in Paris. Als ihre Erben, die auf der Grundlage der restituierten Techniken arbeiteten, können die Glaskünstler des Jugendstil (Art Nouveau) gelten. E. GALLÉ verband chines. Schnitt-Technik, Ätzverfahren und Emailmalerei in japanisierendem, floralen Dekor. L. C. TIFFANY brachte die in Böhmen erfundene Lüstermalerei mit Metallsalzen zur Blüte (Favrile-Glas). Beide Künstler fanden in Lothringen und Böhmen vielfältige Nachfolge.

Während des 20. Jh. blieb die G.-Kunst mehrere Jahrzehnte auf den ornamentfreien, funktionalen Industrie-Entwurf beschränkt. Nur das frz. G. des ›Art Déco‹ und skandinavisches G. führten anspruchsvollere Überlieferungen fort. In den 1960er Jahren setzte, ausgehend von der Studio-G.-Bewegung der USA, eine Wiederbelebung alter Verfahren ein. An der Entfaltung des Studio-G. nehmen fast alle westeurop. Länder teil, jedoch spielen in ihr auch die ČSSR, Polen, Ungarn und Japan eine wachsende Rolle, nicht nur für das Hohl-G., sondern für das plastische, funktionsfreie G.-Objekt.

G. MARIACHER u. M. CAUSA: Kostbarkeiten der G.-Kunst (1974); Gläser der Antike… Samml. E. Oppenländer, hg. v. A. v. SALDERN u. a. (1974); CLEMENTINE SCHACK: Die G.-Kunst (1977); G. SAVAGE: Zauber der G.-Kunst (a. d. Engl., 1978); BRIGITTE KLESSE u. A. v. SALDERN: 500 Jahre G.-Kunst, Samml. Biermann (1978); dies. u. H. MAYR: G. vom Jugendstil bis heute – Samml. Funke-Kaiser (1981).

Glas|architektur, Gebäude, dessen Fassaden weitgehend durch Glasflächen gebildet werden; Vorbild ist die barocke Orangerie. Anfänge der G. markieren Gewächshäuser wie Kassel-Wilhelmshöhe, 1822 (C. BROMEIS), oder Syon House, Greater London, 1830 (C. FOWLER). Die techn. Voraussetzung war die beginnende Massenproduktion von Glas im 19. Jh., Glasscheiben verwendeten bereits die Römer beim Bau der Thermen, gestaltbestimmend wurde Glas jedoch erst in Verbindung mit der →Eisenarchitektur. In England entwickelten G. MACKENZIE und J. LOUDON 1815/16 Grundrisse und Schnitte für Gewächshäuser aus Eisen mit sphärisch gewölbter Glashaut zur Aufzucht der aus den Kolonien importierten exot. Pflanzen: Bretton Hall, Yorkshire, 1827 (J. Loudon); noch erhaltener Folgebau: Kibble Palace, Glasgow, 1872 (J. KIBBLE). 1841 war mit dem Great Conservatory, Chatsworth, Derbyshire (J. PAXTON), die Experimentierphase einer eigenständigen G. abgeschlossen. Nach dessen Vorbild entstanden große Gewächshäuser und Wintergärten, Zentren öffentl. Lebens: Palm House, Kew, London 1841 (D. BURTON, R. TURNER); Jardin d'Hiver, Paris 1847 (H. MEYNADIER, M. RIGOLET). Zum Bau des Kristallpalasts für die 1. Weltausstellung in London 1851 stützte sich Paxton auf seine Erfahrungen aus dem Gewächshausbau. Mit diesem Werk der G. waren zugleich die Möglichkeiten des Bauens mit Glas sichtbar geworden. Die Rundumverglasung wurde v.a. für Ausstellungshallen weiterentwickelt. Das durchlaufende Oberlicht prägte neue Bautypen: Bahnhofs- und Markthallen, Museen, Passagen, Bibliotheken, Warenhäuser, Börsen, Fabrikhallen. Im Geschoßbau erschien Glas als großflächiges Fassadenelement gußeiserner Skelettkonstruktionen vereinzelt ab Mitte des 19. Jh.: St. Louis Riverfront, Missouri/USA, 1850–80; Gardener's Building, Glasgow, 1856.

Der Durchbruch kam Ende des 19. Jh. mit den Stahlskelettbauten der 1. Schule von Chicago (Warenhaus Carson Pirie Scott, Chicago 1899, von L. H. SULLIVAN) sowie deren europ. Varianten: Maison du Peuple, Brüssel 1899 (V. HORTA); 124, Rue Réaumur, Paris 1905. Der Stahlbeton, die letzte das Bauen revolutionierende Erfindung des 19. Jh., eröffnete der G. im Wohnungsbau neue Möglichkeiten: 25 bis, Rue Franklin, Paris 1903 (A. PERRET). Mit dem Fagus-Werk, Alfeld im Leinetal 1911 (W. GROPIUS, ADOLF MEYER), wurde die skelettfüllende Scheibe zum konstruktionsumhüllenden Vorhang (Curtain Wall). Die Fassade hatte ihre tragende Funktion verloren. Die Trennung in tragende und raumbildende Elemente führte zum fließenden Raum: Internationale Ausstellung in Barcelona, Dt. Pavillon, 1929, und zum allseitig verglasten Innenraum: Farnsworth House, Fox River, Illinois, USA, 1950, beide L. MIES VAN DER ROHE. In den 1970er Jahren begann unter funktionalen und energiepolit. Aspekten eine Renaissance der G.

W. FISCHER: Geborgenheit und Freiheit (1970); W. BENJAMIN: Passagen (1982).

Glas|ätzung wird durch Lösungen von Flußsäure oder flußsauren Salzen, oft mit Zusatz von Schwefel-, auch Salpetersäure bewirkt: Beim Blankätzen (Säurepolieren) werden Unebenheiten des Glases abgetragen; die Ätzung ist Ersatz für teure mechan. Politur bei Kristallgläsern. Tief- und Mattätzung dienen zur Herstellung von Mustern. Hierbei wird die Vorzeichnung in eine das Glas bedeckende Wachsschutzschicht eingeritzt, so daß die Ätzlösung nur an den freigelegten Stellen angreifen kann.

Gläserne Kette, Briefwechsel avantgardist. Architekten, geführt Dez. 1919 bis Dez. 1920, die sich um B. TAUT geschart hatten, um sich gegenseitig zum Austausch utop. Ideen anzuregen, u.a. M. TAUT, H. SCHAROUN, W. GROPIUS, H. FINSTERLIN, H. u. W. LUCKHARDT.

Glasfritten, mit den färbenden Metalloxiden zusammengeschmolzene (und zerstoßene) Farbgläser.

Glasgow [gl'ɑːsgəʊ], größte Stadt Schottlands in der Strathclyde Region an der Trichtermündung des Clyde, 880600 Ew.; ein bereits um 660 gegr. Bischofssitz wurde 1136 wieder errichtet. Die Kathedrale wurde Mitte des 13. Jh. innerhalb des ma. Burgbezirks mit dem frühgot. Chor über einer ausgedehnten Unterkirche beg.; zweitürmige W-Fassade des frühen 15. Jh. (1854 abgebrochen). Das Bild der heutigen Stadt mit regelmäßigem Straßennetz ist von der Stadtentwicklung im späten 18. Jh. geprägt (Trades' Hall, 1791, von R. ADAM; Royal Exchange, 1829, von D. HAMILTON). Mitte des 19. Jh. entstanden vom Greek Revival beeinflußte Bauten (St. Vincent Street Church, 1859; Caledonia Road Church, 1857). Die City Chambers wurden 1883–89 von W. YOUNG in Formen der ital. Neurenaissance erbaut, das Univ.-Gebäude 1870 von G. G. SCOTT. Um 1900 entwickelte C. R. MACKINTOSH an mehreren Bauten in Ablehnung der viktorian. Architektur seinen von klaren Kubenformen geprägten Baustil. – Bed. Samml. brit. und europ. Kunst in Art Gallery and Museum.

Glasgravierung, Ziertechnik für Flach- und Hohlgläser, früher vielfach durch Ritzen mit dem Diamanten, heute meist mit sehr kleinen und zugespitzten, senkrecht laufenden Gravierrädchen aus Kupfer ausgeführt; bes. in Holland im 17. und 18. Jh. verbreitet.

Glas|inkrustationen, in Glas eingelassene keram. Reliefs, die durch die Strahlenbrechung der mit eingeschlossenen Luftschicht metallisch schimmern.

Glas|intarsia, seltene Einlegearbeit aus verhältnismäßig großen undurchsichtigen Farbglasplatten, für Wandflächen oder einzelne Zierstücke (z. B. Möbel).

Glasklischee, Cliché verre [kliʃev'ɛr, frz.], auch **Diaphanradierung,** graph. Verfahren, das die Mittel der Photographie nutzt. Der Künstler versieht eine Glasplatte mit einer undurchsichtigen Schicht (z. B. Kollodium), in die er mit einer Radiernadel eine Zeichnung ritzt, welche die Glasplatte bloßlegt. Dieses handgemachte Glasnegativ wird auf lichtempfindl. Photopapier gelegt und dem Licht ausgesetzt. Das Produkt dieses Verfahrens ist keine Druckgraphik i. e. S., sondern eine Photographie, die ohne Kamera entsteht. C. COROT war der erste Künstler, der das G. 1853 aufgriff und in den folgenden Jahren 66 Clichés verre anfertigte. Bald folgten T. ROUSSEAU und F. DAUBIGNY.

Glasmacherpfeife, 1–1,5 m langes Metallrohr mit Mundstück und Holzhandgriff, mit dem ein Glasposten aus dem Schmelzhafen aufgenommen und mit Drehen und Schwenken zu einem tropfen- bis kugelförmigen ›Külbel‹ aufgeblasen wird.

Glasmalerei, künstler. Gestaltung zweidimensionaler Glasflächen. Glasgemälde oder G. sind 1) farbige oder weiße Fensterverglasungen mit Ornamenten sowie figürl. und abstrakten Kompositionen, 2) kleinere nicht unmittelbar in ein Fenster eingepaßte Bildscheiben. In neuerer Zeit wird der Begriff bes. in Hobbykreisen auch auf die Bemalung von Hohlgläsern ausgedehnt. Ausgangsmaterial: Traditionell sind geblasene Gläser in Form von Platten, neutral, in der Masse durchgefärbt oder nur schichtweise gefärbt (Überfangglas). Im 19. Jh. kommt außerdem gegossenes und gewalztes Glas (Kathedralglas, Opaleszentglas) zur Anwendung. Die klass. G. (beschrieben in dem ma. Re-

Glasmalerei: Thronende Madonna, Mitte 12. Jh.; Chartres, Kathedrale

zeptbuch des THEOPHILUS PRESBYTER um 1100) ist musivisch, ihre Werke bauen sich aus einer Vielzahl verschiedenfarbener, bisweilen auch nur neutraler Glasstücke auf. Dem Entwurf (Riß) folgt eine maßstabgetreue Werkzeichnung auf Holz, Papier, Karton u.a. (heute allg. Karton gen.). Nach ihr werden die Glasstücke zugeschnitten und bemalt. Als Malfarbe dient das **Schwarzlot,** eine bräunlichschwarze Farbe aus pulverisiertem Bleiglas und einem Metalloxid, mit der man Umrisse zieht, schattiert und lasiert. Ist die Malschicht getrocknet, kann sie mit Pinsel und Federkiel zusätzlich bearbeitet werden (Stupfen, Radieren u.ä.). Anschließend wird sie im Ofen dem Trägerglas aufgeschmolzen (ca. 600°). Nach Abkühlung werden die Glasstücke in Bleistege mit H-Profil montiert und die Schnittlinien verlötet. Das Bleinetz ist dabei nicht nur techn. Notwendigkeit, sondern hat eine ästhet. Funktion als Träger der Linearkomposition. Um 1300 kommen als zusätzl. Malfarbe das **Silbergelb** und später das **Eisenrot** auf. Von großer Tragweite erweist sich im 16. Jh. das Einführen der im Bereich der Hohlglasmalerei längst bekannten Email- oder Schmelzfarben sowie im 19. Jh. die Entwicklung einer ganzen Palette matter und transparenter Farben. Durch sie wird farbiges Malen auf Glas möglich, so daß sich das Bleinetz mehr und mehr erübrigt.

Bereits die Römer kannten gegossenes und geblasenes Fensterglas, das sie in zum Teil dekorativ ausgebildete Rahmen aus Holz, Stuck u.a. (claustra, transennae) steckten. Die christl. Kunst trug zur Verbreitung der glasversetzten Gitter bei. Der Islam übernahm sie und entfaltete darin besondere Pracht. Das eigtl. Bildfenster aus Blei und Glas ist indes eine Erfindung des abendländ. MA., ausgebildet wohl schon im 9. Jh. Von da bis um 1100 erscheint es, von der techn. Entwicklung her gesehen, in einer Art Frühform: Fensterfragmente mit dem Kopf eines Heiligen aus dem Reichskloster Lorsch/Bergstraße (Hess. Landes-Mus., Darmstadt), mit dem kleinen Kopf aus einer szen. Darstellung in der Abtei Schwarzach/Oberrhein und einem Kopf Christi(?) aus Weißenburg/Elsaß (Musée de l'Œuvre Notre-Dame, Straßburg) sowie als HW die Prophetenfenster im Augsburger Dom um 1100 (ältester erhaltener G.-Zyklus der Welt). In der Romanik, die im dt.-sprachigen Raum weit ins 13. Jh. reicht, wird der Denkmälerbestand dichter. HW befinden sich u.a. in den Kathedralen von Le Mans, Chartres, Poitiers und Straßburg, in der Abteikirche St. Denis, der Kathedrale von Canterbury, St. Kunibert in Köln, der Barfüßerkirche in Erfurt, der Elisabethkirche, Marburg. Hinzu kommen die Fenster der Prämonstratenserkirche in Arnstein/Lahn mit einem Porträt ihres Schöpfers GERLACHUS (Samml. Graf v. Kanitz, Leihgabe im Westfäl. Landes-Mus., Münster). Die roman. Fenster sind licht, betonen die Fläche und zeigen eine Fülle fein ausgemalter Details.

In der Gotik öffnet sich der Kirchenraum in großen diaphanen (durchscheinenden) Wänden aus Farbglas, die zur Belehrung der Gläubigen dienen; häufige Themen: Christus mit seinen Vorfahren (Wurzel Jesse), A.T. und N.T. im Spannungsverhältnis zw. Vorgegebe-

Glasmalerei: Der Prophet Daniel; Prophetenfenster des Augsburger Doms, um 1100

Glasmalerei: Christuskopf (?); Glasfenster aus der Abtei Weißenburg/Unterelsaß, Ende des 11. Jh. (Straßburg, Musée de l'Œuvre Notre-Dame)

Glasmalerei: OBEN Die Hl. Elisabeth bei der Vermögensverteilung, 1235–49; Marburg, Elisabethkirche. UNTEN Löwe mit Jungen aus St. Peter in Wimpfen im Tal, 1270–80 (Darmstadt, Hess. Landesmuseum)

nem und Ergänzung zur Fülle in Vollkommenheit (Typologien), Heiligenlegenden und Einzelfiguren von Heiligen unter hohen Baldachinen entsprechend dem ikonograph. Gesamtprogramm des Baues. Den größten Anteil an der got. G. hat Frankreich, das im 14. Jh. die Führung aber an Dtl., Österreich und England abgibt: Kathedralen von Chartres und Reims, Ste. Chapelle in Paris (BILD), Münster in Freiburg/Br., Dome in Regensburg und Köln, Kloster Königsfelden/Schweiz, Kathedralen Canterbury und York. Neben den figürl. entstehen auch reine Ornamentfenster. Zu ihrer Ausbreitung trug maßgebend der Mönchsorden der Zisterzienser bei. Da ihm die Ordensregel verbot, seine Kirchen mit farbigen Bildern zu schmücken, beschränkten sich die Mönche lange Zeit auf Grisaillefenster mit Flechtbandmuster und Blattornamenten, Formen, die zum Teil an vormittelalterl. Fenstergitter erinnern: Stift Heiligenkreuz bei Wien um 1220–95, Dom zu Altenberg bei Köln ab 1259.

Seit dem 14. Jh. zeichnen sich ähnlich wie in der Malerei Tendenzen zur Eroberung des Bildraumes ab: typisch für die Vollendung einer 1. Phase die Turmarchitekturen der großen Wiener Werkstatt in der 2. H. des 14. Jh. (u. a. Herzogenfenster in St. Stephan in Wien). Die Figuren gewinnen Realitätscharakter und werden plastisch durchgeformt. Einzigartig in seiner Prägnanz ragt in der 2. H. des 15. Jh. das Werk des Straßburgers P. HEMMEL von Andlau hervor. Bei ihm und seinen Zeitgenossen wird ersichtlich, wie Malerei und Graphik Einfluß auf die G. gewinnen, durch Vorbilder und Vorlagen sowie Entwürfe und Kartons. M. WOLGEMUT, A. DÜRER, H. BALDUNG, H. V. KULMBACH, H. HOLBEIN D. J. und N. M. DEUTSCH haben für G.-Werkstätten gearbeitet. In Italien setzte diese Bindung bereits in der 1. H. des 15. Jh. ein: Fenster im Dom zu Florenz nach A. DEL CASTAGNO, P. UCCELLO, L. GHIBERTI und DONATELLO.

In den Niederlanden, Frankreich und England entstehen während der Renaissance prunkvolle monumentale G., die die Grenzen der gebauten Architektur durch ihre Bildräume aufzuheben scheinen: St. Michel in Brüssel (Entwurf B. VAN ORLEY u. a.), St. Janskerk in Gouda (D. und W. CRABETH), Kapelle des King's College in Cambridge (Entwurf D. VELLERT). In den dt.-sprachigen Ländern bewirken Humanismus und Reformation, daß sich der Wunsch nach hellen Kirchenräumen durchsetzt. Die G. tritt in den Dienst der Profanarchitektur, was die **Kabinettscheibe** hervorbringt. Dies ist eine an keine konkrete Bauaufgabe gebundene, zumindest formal austauschbare Scheibe, die meist in Neutralverglasung aus Rauten und Butzen eingelassen wird. Im 14. Jh. wächst sie aus der Monumental-G. hervor, wobei ein Zweig mit Grisaillemalerei (mit Schwarzlot, Silbergelb und Eisenrot auf hellem Glas) arbeitet, der andere die musiv. Technik fortführt, um später auf Emailfarben überzugehen. Gefördert durch die in der Schweiz und Süd-Dtl. verbreitete Sitte der Fenster- und Wappenschenkung, wird das Wappen zum Hauptthema. Man bestellt **Wappenscheiben** in stolzem Selbstverständnis zur Dokumentation und Repräsentation. Für offizielle Stiftungen entsteht in der Schweiz der Typus der Standes- und Ämterscheibe (Kompositionen mit dem Kantons- oder den Gemeindewappen; **Schweizerscheiben**); schulemachend die Standesscheiben des Zürchers L. ZEINER für den Tagsatzungssaal in Baden/Schweiz 1500–01. Eine Parallele im mehr volkstüml. Bereich findet sich bis ins 19. Jh. in Nord-Dtl. in den **Fensterbierscheiben,** Geschenke, die man anläßlich eines Neubaus dem Bauherrn über-

Glasmalerei: Peter Hemmel, Kopf einer Stifterin; Fragment, 1478 (München, Bayer. Nationalmuseum)

Glasmalerei: Schlacht der Schweizer Landsknechte bei Novara, 1513; Kabinettscheibe von Hans Funk, 1539 (Bern, Histor. Museum; Ausschnitt)

bringt. Dieser lädt dafür beim Einsetzen der Fenster zu einem Fest, dem Fensterbier, ein.

Die Wappen begleiten Heilige und allegor. Figuren; darüber, manchmal auch als Zentralthema, erscheinen bibl. Szenen, antike Fabeln, Monats- und Berufsbilder. Dem Verlangen nach Vorlagen kommt man durch eine reiche Riß-Produktion und die Herausgabe von Musterbüchern und Bilderbibeln nach; häufig kopiert wurden J. AMMAN, C. MURER, M. MERIAN, T. STIMMER, M. VAN HEEMSKERCK u. a. Im 17. und 18. Jh. erlahmen Formenkraft und Brillanz, das Interesse an der G. schwindet. Sie verkümmert auf dem Kontinent, während sie in England und Irland eigene Blüten treibt: J. REYNOLDS als Entwerfer, R. HAND, J. PEARSON, T. JERVAIS als Glasmaler.

Im 19. Jh. erfährt die G., getragen von wissenschaftl. Interesse und romant. MA-Verehrung, neue Belebung, wobei die prakt. Impulse zunächst von der Porzellanmalerei ausgehen: S. und G. S. MOHN sowie A. KOTHGASSER in Wien, Porzellanmanufaktur Sèvres bei Paris. HW in der Franzensburg in Laxenberg bei Wien, der Grabkapelle der Orléans bei Dreux und im Kölner Dom (Bayern-Fenster aus der 1827 gegr. königl. G.-Anstalt in München). Im Ggs. zu den bildmäßig gestalteten Fenstern setzt sich in der 2. H. des 19. Jh. eine restaurative Richtung im Sinn der Neugotik durch. Nachhaltig ist der Einfluß des Engländers W. MORRIS, dessen Firma mit E. BURNE-JONES als Hauptentwerfer sehr viele Verglasungen ausführte. Zu einer eigenen Interpretation der G. kommt der Jugendstil: kostbar dekorativ und schillernd die Werke von L. C. TIFFANY in den USA, E. GRASSET und J. GRUBER in Frankreich, H. CHRISTIANSEN in Dtl., verschlüsselt und mystisch die des Westfalen M. LECHTER, der Polen J. MÉHOFFER und S. WYSPIANSKI sowie des Iren H. CLARKE. Nach 1910–20 verebbt die Bewegung. Zukunftsweisend treten die geometr. Kompositionen des Amerikaners F. LLOYD WRIGHT hervor, der in J. Thorn-Prikker bald ein europ. Gegengewicht erhält. Mit architekturorientierten Schöpfungen, bei denen nicht die maler. Wirkung, sondern den Bau interpretierende Strukturen maßgebend sind, leitet sich von ihm eine progressive, international anerkannte moderne dt. Richtung ab: G. Meistermann, L. Schaffrath, J. Schreiter, J. Klos, J. Poensgen u. a. Mehr nach der Malerei richtet sich die G. in Frankreich: M. Chagall, F. Léger, G. Rouault, A. Manessier. Allg. aktuell, bes. auch in den USA, ist das freie Glasbild (autonomous panel; vergleichbar der histor. Kabinettscheibe).

H. Wentzel: Meisterwerke der G. ([2]1954); M. Aubert u. a.: Le vitrail français (Paris 1958); G. um 800–1900 im Hess. Landesmus. in Darmstadt, bearb. v. Suzanne Beeh-Lustenberger, Bildteil (1967), Text (1973); Kat. der Samml. des Schweizer. Landesmus. Zürich, 1 und 2: Glasgemälde, bearb. v. Jenny Schneider (1971); L. Grodecki: Roman. G. (1977); L. Lee u. a.: Die Welt der Glasfenster (a. d. Engl., 1977); Eva Frodl-Kraft: Die G., Entwicklung, Technik, Eigenart ([2]1979); Das Bild im Glas. Von der europ. Kabinettscheibe zum New Glass. Ausst.-Kat., Darmstadt (1979); Architectural stained glass, hg. v. B. Clarke (London 1979); Felicitas Krettek u. Suzanne Beeh-Lustenberger: G. als Kunst und Hobby (1980).

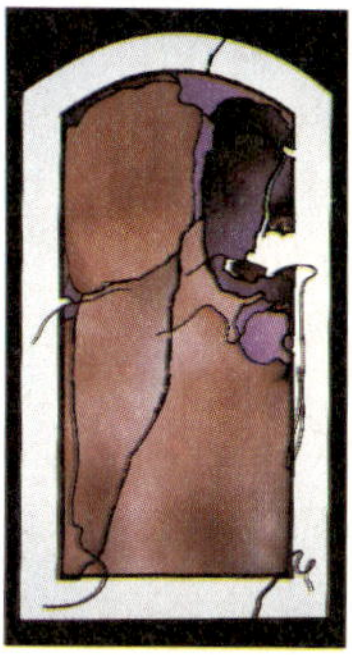

Glasmalerei: Johannes Schreiter, ›Fazit 52/1975/F‹: Alternativfenster für das Maison Stief in La Couvertoirade, Frankreich

Glas|paste, frz. **Pâte de verre** [pat dəv'ɛːr], zur Herstellung von verschiedenfarbigen Glasfiguren, Vasen u. a. wird pulverisiertes Glas mit Gummi zu Teig geknetet und in Formen bis zur Schmelze erhitzt, wobei das provisor. Bindemittel verbrennt. Seit der 2. H. des 19. Jh. bes. in Frankreich verwendete kunstgewerbl. Technik.

Glas|perlen, kugelige Körper aus Glas mit einer meist durchgehenden Öffnung. **Venezian. G.** oder **Stickperlen** wurden aus Glasrohrabschnitten durch Rollen in erhitzten Eisentrommeln, dickere G. mit der

Glasmalerei: Louis C. Tiffany, Fenster; Detail, 1920

Glasmacherpfeife hergestellt. – Perlen aus Glasmasse traten in Europa im 2. Jahrtsd. v. Chr. auf. **Röm. Perlen** werden aus Röhren vor der Lampe geblasen und mit einer irisierenden Schicht überzogen. Die Produktion von G. in Venedig, seit dem 12. Jh. nachweisbar, setzt antikes Erbe fort. Bunte G. wurden zur Stickerei verwendet; in Dtl. durch Beispiele seit dem 13. Jh. vertreten.

Glasschliff, dem →Glasschnitt ähnl. Technik der Glasveredelung. Mit einem Schneidrad werden größere Flächen abgetragen und einfache Muster (z. B. Facetten) hergestellt.

Glasschnitt, bes. im 17. und 18. Jh. beliebtes Verfahren der Glasveredelung, bei dem mit Hilfe eines Schneidrades der mit Farbe vorgezeichnete Dekor herausgearbeitet wird. G. kann als →Tiefschnitt oder →Hochschnitt ausgeführt werden.

Glastonbury [gl'æstənbərı], südlich von Bristol in der Cty. Somerset, S-England, gelegene Stadt, 6600 Ew. Die bed., im frühen MA. gegr. Benediktinerabtei verfiel nach Auflösung der Klöster 1539. Die nur als Ruine erhaltene Abteikirche wurde nach einem Brand 1184 in reichen spätroman. Formen mit der westlich gelegenen Lady Chapel beg. Dreigeschossiger Wandaufbau mit einer das Triforium übergreifenden Blendarkade ähnlich der Kathedrale von Oxford.

Glasur [dt. ›Glas‹ mit ital. Endung, die auf die Anfänge der Porzellanmanufaktur in Italien zurückgeht] *die,* glasartiger Überzug auf keram. Gegenständen und Gefäßen, der ihnen Glanz verleihen und bei porösen Massen das Eindringen von Flüssigkeiten verhindern soll. Es gibt folgende Arten von G.: **Kiesel-** oder **Erd-G.** sind i. d. R. durchsichtige Gläser, die aus Kieselsäure, Tonerde, Erdalkalien und Alkalien bestehen und strengflüssig sind (z. B. die G. des Hartporzellans). **Bleihaltige G., Blei-G.** sind durchsichtige Gläser, die schon bei einer Temperatur schmelzen, die niedriger ist als die, bei der die Masse sich gar brennt; Hafnerware und Steingut erhalten eine bleihaltige G. **Email-G.** [em'aj-] sind teils weiße, teils gefärbte undurchsichtige G., die meist Zinnoxid neben Bleioxid enthalten; sie schmelzen leicht und dienen zum Verdecken der häufig unschönen Farbe der darunterliegenden Masse. Sie finden Anwendung bei kunstkeram. Erzeugnissen. **Salz-G.** ist ein dünner, glasiger Überzug auf Steinzeug, der durch die Zugabe von Kochsalz gegen Ende des Brandes im Brennofen erzeugt wird. G. können transparent eingefärbt oder mit nichtschmelzenden Farbkörpern versetzt werden. **Kristall-G.** sind gekennzeichnet durch ausgeschiedene Kristalle, die infolge ihres metall. Glanzes in dem glatten, glänzenden Überzug eine schöne Wirkung hervorrufen. Zu ihrer Herstellung eignen sich am besten Zink- und Titanverbindungen.

Bei **Lauf-G.** werden auf das verglühte Geschirr in möglichst gleichmäßiger Dicke eine oder mehrere G. aufgebracht und getrocknet; dann wird, je nach der beabsichtigten Wirkung, in versch. Dicke eine Schicht einer farbigen, leicht schmelzenden G. aufgelegt und gebrannt, wobei die versch. G. ineinanderlaufen. – Irisie-

Wörter, die man unter G vermißt, suche man unter Dj, J oder K

render Metallbelag (→Lüster 3) ist ein weiteres Gestaltungsmittel.

Glasurrisse (→Craquelée 1) bilden sich, wenn Masse und G. mit versch. Spannung erkalten.

F. VIEHWEGER: Rezeptbuch für G. und Farben ([2]1965); W. LEHNHÄUSER: G. und ihre Farben ([3]1966).

Glatz, poln. **Kłodzko** [kł'ɔtskɔ], Stadt in der poln. Wwschaft Wałbrzych (Waldenburg/Schles.), beiderseits der Glatzer Neiße, ehem. Kreisstadt in Niederschlesien, 29000 Ew.; entstanden bei einer 981 bezeugten Burg. Spätgot. Pfarrkirche der Johanniter (15. Jh.), Franziskanerkloster und -kirche (1628–31 und 1678 bis 1731), ehem. Jesuitenkolleg (1655–90 nach Plänen von C. LURAGO); Rathaus (16.–18. Jh., umgebaut 1890) mit Renaissance-Turm (1654); Bürgerhäuser aus Renaissance und Barock.

Glauber, Jan, gen. **Polydor,** niederländ. Maler, *Utrecht 1646, †Schoonhoven um 1726, war in Paris, Rom, Venedig, Hamburg, Kopenhagen, Amsterdam, seit 1687 in Den Haag tätig. Ausgehend von den ital. Landschaften seines Lehrers N. BERCHEM entwickelte er unter Einfluß von N. POUSSIN einen klassizist. Landschaftsstil. Die Figuren seiner Bilder malte häufig sein Freund G. DE LAIRESSE.

Glauchau, Stadt im N von Zwickau, an der Mulde, 30400 Ew.; barocke Stadtkirche St. Georg (1726–28) mit Flügelaltar (1510); Schloß **Hinterglauchau** (1460 bis 1470 und 1525 ff.), heute Mus. (u. a. spätgot. Plastik, Gemälde und Plastik des 19./20. Jh.); daran nach O anschließend Schloß **Forderglauchau** (1527–34).

Gleichen-Rußwurm, Ludwig Freiherr von, Maler, *Schloß Greifenstein (Unterfranken) 25. 10. 1836, †Weimar 9. 7. 1901, Schüler von T. HAGEN, malte stimmungsvolle impressionist. Landschaften.

Gleiwitz, poln. **Gliwice** [-tsɛ], Stadt in der poln. Wwschaft Katowice (Kattowitz), am W-Rand des Oberschles. Industriereviers, 195000 Ew. Planmäßige Stadtanlage mit Zentralmarkt. Die Altstadt, im 2. Weltkrieg stark zerstört, ist z. T. wiederhergestellt. Got. Pfarrkirche Allerheiligen (15. Jh.) mit barocker Ausstattung, Kirche St. Bartholomäus (gotisch, Turm und Schiff nach 1626). Franziskanerkloster und -kirche (1655–73, umgebaut 1677, erweitert 1924–26), Barock-Palais Cetricz (Ende 17. Jh.).

Gleizes [glɛ:z], Albert, frz. Maler, *Paris 8. 12. 1881, †Avignon 23./24. 6. 1953, schloß sich 1910 den Kubisten an und war Mitgründer der Section d'Or (1912) und veröffentlichte im gleichen Jahr, zus. mit J. METZINGER, das erste Buch über den Kubismus. G. stand dem Orphismus nahe, entwickelte aber einen eigenen, auf den Kubismus gründenden, Farbe und Rhythmus betonenden, zarten, mitunter ins Dekorative gehenden Stil.

A. G., Ausst.-Kat., Dortmund (1965).

Glendalough [gl'endələk], Tal in den Wicklow Mountains, südwestlich von Dublin, Irland, mit mehreren Klostersiedlungen, deren früheste auf eine Gründung des Hl. KEVIN im 6. Jh. zurückgeht. Die meist ein-

Glendalough: St. Kevin; 10. Jh.

zelligen Kirchenbauten gehören v.a. dem 11. und 12. Jh. an, nur St. Trinity und St. Kevin's Church (›Kitchen‹) mit Tonnengewölbe, steinernem Dach und Giebeldachreiter sind noch in das mittlere 9. Jh. zu datieren. In der Nähe die Kathedrale des 1216 mit Dublin vereinigten Bistums, ein schlanker Rundturm der Zeit um 900 und St. Kevin's Cross.

Glescker, Gleßkher, Justus, Bildhauer und Elfenbeinschnitzer, *Hameln a. d. Weser zw. 1610 und 1623, †Frankfurt a. M. 2. 12. 1678, war in den Niederlanden und in Rom, ließ sich um 1648 in Frankfurt a. M. nieder. Entscheidenden Einfluß auf sein Werk übte F. DUQUESNOY (auch G. L. BERNINI) aus. Als erster international geschulter dt. Bildhauer schuf G. allansichtige Figuren; er ist damit für die Entwicklungsgesch. der dt. Barockskulptur bedeutend.

HW: Kreuzigung (zw. 1648 und 1653; Bamberg, Dom).

Gleyre [glɛ: r], Charles, frz.-schweizer. Maler, *Chevilly (Waadt) 2. 5. 1806, †Paris 5. 5. 1874, war mehrere Jahre in Italien und im Orient, seit 1837 in Paris. In seinen klassizistisch kühl und sicher gemalten Bildern mytholog., histor., religiösen Inhalts spricht romant. Empfindung mit.

Gliederpuppe, Gliedermann, ital. **Manichino** [manik'i: no], frz. **Mannequin** [manək'ɛ̃], aus Holz bis zu Lebensgröße hergestellte menschl. Figur mit bewegl. Gelenken, urspr. zu Maß- und Proportions-, später Gewand- und Bewegungsstudien benutzt. Ihre Erfindung geht in die Renaissance zurück, im Traktat des FILARETE wird sie bereits erwähnt. Über Italien gelangte sie nach Dtl., wo v. a. A. DÜRER sich ihrer bediente.

Glimmingehus [-h'y: s], Gut bei Simrishamn, S-Schweden, mit der besterhaltenen ma. Burg Skandinaviens (1499–1506); mächtiges Feldsteingebäude mit Treppengiebeln, Rittersaal, Prunkgemächern.

Gliwice [-tsɛ], poln. Name für →Gleiwitz.

Glocke, durch einen Klöppel zum Klingen gebrachte kegelförmige und unten offene Metall-Schale, seit dem 8. Jh. als Kirchen-G. in Kirchtürmen aufgehängt. Vor dem G.-Guß werden oft in die Form Inschriften und Darstellungen eingeritzt, die nach dem Guß in Art eines Reliefs hervortreten (christl. Symbole wie Alpha und Omega, Namensheilige der Kirche, z. T. auch Szenen aus der Passion und dem Marienleben), oft von kunstgeschichtl. Bedeutung (Einfluß der Bildhauerkunst und der Graphik).

Glockendon, Glockenton, bekannte Miniatorenfamilie aus Nürnberg. Albrecht (†1545) malte die Miniaturen des ›Glockendonschen Missale‹ (Nürnberg, Stadtbibl.), sein Bruder Nikolaus (†1534) für Kardinal Albrecht von Brandenburg die Miniaturen eines Missale (1524; Aschaffenburg, Bibl.) im Stil von A. DÜRER und L. CRANACH D. Ä.

Meister um Dürer, Ausst.-Kat., Nürnberg (1961).

Glockenleiste, Baukunst: →Karnies.

Glockenturm, Baukunst: neben der Kirche stehender oder in den Baukörper integrierter Turm, der die Glockenstube mit den Glocken aufnimmt. Der freistehende G. kommt zuerst bei frühchristl. Basiliken Italiens (Campanile, BILD) vor. Die Baukunst nördlich der Alpen hat die organ. Verbindung von Turm und Kirchengebäude schon in der karoling. Kunst gefunden (→Basilika). I. d. R. haben abendländ. Kirchen G.; die Bauten der Zisterzienser und die Bettelordenskirchen verfügen dagegen nur über Dachreiter.

Die frei stehenden G. in Bordeaux (St. André und St. Michel) bleiben Ausnahmen. Eine eigene vielfältige Entwicklung bis in das 20. Jh. erfährt der G. in der russ. Kirchenbaukunst **(Kolokọl'nja).** In Dtl. sind freistehende G. selten (Schwäbisch Gmünd, Johanneskirche, um 1250). Erst der moderne Kirchenbau des 20. Jh. greift auf den freistehenden G. zurück.

Glogau, poln. **Głogów** [gł'ɔguf], Stadt in der poln. Wwschaft Legnica (Liegnitz), ehem. Kreisstadt in Niederschlesien, 45 000 Ew.; aus einer Burgsiedlung (im 11. Jh. bezeugt) entstanden; wurde im 17. Jh. stark zerstört, dann zur Festung ausgebaut; im 2. Weltkrieg fast völlig zerstört, z. T. wieder aufgebaut. Die Kollegiatskirche (1413–66) ist noch Ruine, ebenso die Pfarrkirche St. Nikolaus, das Schloß des 17./18. Jh. sowie das ins 15. Jh. zurückreichende Rathaus. Wiederhergestellt wurde das Jesuitenkolleg mit Kirche von 1694–1724.

Głogówek [głɔg'uvɛk], →Oberglogau.

Glorẹnza, ital. für →Glurns.

Gloriette [glori'ɛt, frz.], offener Rundtempel oder pavillonartiges Gebäude im barocken oder klassizist. Park; oft Abschluß der Gartenachse oder auf einer Anhöhe (G. im Park von Schloß Schönbrunn, Wien, 1775).

Gloucester [gl'ɔstə], Stadt am Unterlauf des Severn, SW-England, 90 700 Ew., mit bed., 681 gegr. Benediktinerabtei. Von der 1089–1121 errichteten roman. Abteikirche (seit 1541 Kathedrale) ist das Langhaus erhalten (die urspr. Flachdecke 1242 durch ein got. Kreuzrippengewölbe ersetzt). Nach der Bestattung des 1327 ermordeten engl. Königs EDUARD II. in der Abteikirche wurden seit 1331 das südl. Querhaus und 1337–57 der roman. Umgangschor unter Durchstoßung der urspr. Apsis als erster Bau des Perpendicular Style umgestaltet: die Chorwände erhielten ein enges Maßwerkraster, die neue Ostwand ein vierzehnbahniges Fenster. Im Kreuzgang befinden sich die ältesten Fächergewölbe der engl. Architektur. In der 2. H. des 15. Jh. wurde die östl. Lady Chapel erneuert. In der Stadt haben sich v. a. Konventbauten der beiden um 1230 gegr. Bettelordenklöster sowie mehrere Pfarrkirchen des späten MA. erhalten.

Głubczyce [głuptʃ'itsɛ], polnisch für →Leobschütz.

Glücksburg (Ostsee), Stadt in Schlesw.-Holst., 7400 Ew.; 1622–1779 Residenz der Herzöge von Schleswig-Holstein-Sonderburg-G. Das monumentale Renaissance-Wasserschloß (1582–87) ist heute Mus. (Schloßkapelle, Roter Saal mit einer der ältesten Stuckdecken des Landes, Möbel, Gobelins, Ledertapeten).

Glückstadt, Hafenstadt an der Elbe, Schlesw.-Holst., 12000 Ew.; 1616 gegr., mit sternförmigem Stadtgrundriß. Kirche (1618–23) mit farbenfroher, reicher Barockausstattung; im Festsaal des Palais Wasmer (um 1715) Stuck von A. MAINI (1729), die prunkvollste spätbarocke Ausstattung im norddt. Raum; im Brockdorff-Palais (1631/32) Mus.; Rathaus (1642/43 im Stil der niederländ. Spätrenaissance).

Glurns, ital. **Glorenza,** Städtchen (seit 1304) im oberen Vintschgau, 720 Ew., Südtirol; G. hat die einzige vollständig erhaltene Stadtbefestigung Tirols mit Mauern und Toren (16. Jh.); Laubengänge; spätgot. Pfarrkirche St. Pankraz (Ende 15. Jh.).

Glykasmus, Maltechnik: festgelegte Farbmischung für den mittleren Fleischton (Inkarnat) in der byzantin. Malerei.

Glyptik [grch.], **Steinschneidekunst, Steinschnitt, Gemmoglyptik,** die Bearbeitung von Steinen, bei der vorwiegend durch Schleifen figürl. Darstellungen gewonnen werden. Erzeugnisse der G. sind v. a. die **Gemme** (im heutigen Sprachgebrauch ein Stein mit vertieftem Bild, ital. **Intaglio** [int'aʎo]) und die **Kamee** (ein Stein mit erhaben gearbeitetem Bild, ital. **Cameo**).

Älteste Beispiele geschnittener Steine sind versch. Formen von →Siegeln im Alten Orient, in Ägypten (→Skarabäus) und im ägäischen Raum. In der kretisch-myken. Kunst wurden außer in Siegel auch in Steingefäße ornamentale und figurale Motive eingeschnitten (→Schnittervase). Die Kunst der grch. Frühzeit schuf mit dem Stichel gearbeitete Darstellungen v. a. in Steatit und Serpentin, bevorzugt in dem grünl. Steatit aus Ionien (›Inselsteine‹, 7. Jh. v. Chr.). Seit dem frühen 6. Jh. v. Chr. wurde aus Ägypten der Skarabäus übernommen, der bes. in der etrusk. Kunst des 6.–3. Jh. v. Chr. eine wichtige Rolle spielte. Themen der Darstellung sind in der Frühzeit Dämonen und Tiere, in späterer Zeit zunehmend Götter und Helden. In der Kunst des 3.–1. Jh. v. Chr. wurden mehrfarbige verschieden-

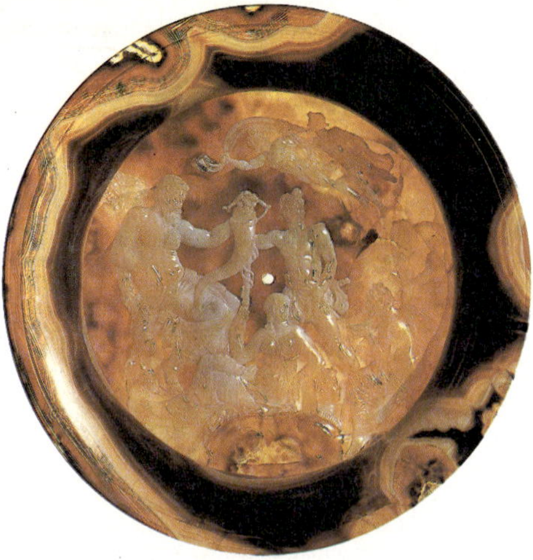

Glyptik: Kamee, Tazza Farnese (Neapel, Archäolog. Nationalmuseum)

schichtige Steine (u.a. Sardonyx) von starker Leuchtkraft beliebt, häufig in der jetzt beginnenden Kunst des Kameenschnitts bearbeitet (Tazza Farnese, Archäolog. Nat.-Mus. Neapel, →Portlandvase). In der röm. Kaiserzeit wurden dann meisterhaft geschnittene kostbare Steine, v.a. als Schmuck (Ring und Siegel zugleich) mit Signaturen der Gemmenschneider hergestellt. Zu den bisher üblichen Themen kam das Porträt, in den ›Staatskameen‹ das Kaiserporträt (→Gemma Augustea, Pariser Carneo, Louvre), prunkvolle Werke der G., die zu besonderen Anlässen für die kaiserl. Familie hergestellt wurden.

Glyptothek [grch.], urspr. eine Samml. geschnittener Steine; seit König Ludwig I. von Bayern den Namen G. für das von L. v. Klenze 1816–30 erbaute Mus. antiker Skulpturen in München gewählt hatte, wurde G. in diesem erweiterten Sinn gebräuchlich (Ny-Carlsberg-G., Kopenhagen, 1892–97).

Gmünd, Stadt am Zusammenfluß von Malta und Lieser, Kärnten, Österreich; gut erh. Stadtbild mit fast vollständiger Stadtmauer (16. Jh.) und 4 spätgot. Toren, Altem Schloß (1252 erwähnt, seit Brand 1886 Ruine) und Neuem Schloß, einer viergeschossigen Dreiflügelanlage (1651–54). Pfarrkirche mit hochgot. Chor (1339), spätgot. Langhaus (1513 gew.) und barocken Ergänzungen; got. Karner mit Fresken (14. Jh.).

Gnadenbilder, an Wallfahrtsorten (Gnadenorten) verehrte Christus-, Marien- und Heiligenbilder (→Bilderverehrung), oft Plastiken oder Gemälde von kleinem Format, als Typus verbunden mit dem →Andachtsbild 2). Im späten MA. wurden G. z.T. aus Byzanz eingeführt (dort schon seit dem 7. Jh. Ikonen als Schutzbilder einzelner Orte) und vermittelten dem Westen v.a. best. Formen des Marienbildes.

Gnadenstuhl, eine seit dem 12. Jh. nachweisbare

Form, in der die →Trinität dargestellt werden konnte: Gottvater hält den Sohn (meist als Kruzifix) im Schoß; über ihnen schwebt (als Taube) der Hl. Geist.

Gnandstein, Gem. im Kr. Geithain, Bez. Leipzig; Burg mit roman. Palas (1180–90), Bergfried (um 1100), spätgot. Burgkapelle; Kapellenflügel mit Palas und ehem. Kemenate im 18. und 19. Jh. zu einer fast regelmäßigen Dreiflügelanlage zusammengefaßt.

Gnathia|vasen, apulische Vasengattung der 2. H. des 4. Jh. v. Chr., nach einem der Fundorte in Unteritalien benannt. Die Farbigkeit der G. beruht nicht auf der üblichen Firnisbemalung und tongrundiger Aussparung, sondern auf einer vielfarbigen Übermalung (Ranken und Einzelfiguren) gänzlich schwarzgefirnißter Vasen (meist Kannen, Skyphoi und Kratere).

Gnesen, poln. **Gniezno** [gnj'ɛznɔ], Stadt in der poln. Wwschaft Poznań (Posen), 59 000 Ew. Wohl älteste und um 1000 (bei Errichtung des Erzbischofssitzes) größte Stadt Polens; seit 1320 von Krakau als Krönungsstadt der poln. Könige abgelöst. Die Kathedrale wurde 1342–1415 als spätgot. Ziegelbau an der Stelle zweier Vorgängerbauten errichtet, von deren letztem 2 Flügel einer roman. Bronzetür (um 1170) erhalten sind. Im Innern bed. Grabmäler; u. a. das des Hl. Adalbert und das Oleśnicki-Grab von V. Stoss; ferner Schatzkammer, Archiv und Kapitelbibliothek. Franziskanerkloster mit -kirche (gegr. 1259), Kanonikerstift vom Hl. Grabe (14. Jh.) und zwei Pfarrkirchen; klassizist. Bürgerhäuser.

Gniezno [gnj'ɛznɔ], poln. Name für →Gnesen.

Gnoli [ɲ'ɔːli], Domenico, ital. Maler, *Rom 3. 5. 1933, †New York 17. 4. 1970, malte in realist. Stil stark vergrößerte Details (Schuhe, Knopfleisten, gescheitelte Haarpartie) mit z. T. mag. Wirkung.

Gnesen: Domportal mit Bronzetür; um 1170

Goa, Gebiet an der W-Küste Indiens, bis 1961 unter portug. Kolonialherrschaft. Östlich der Hauptstadt Panjim (Nova Goa) liegt Alt-Goa (Velha Goa) mit prächtigen Jesuitenkirchen und -konventen in kolonialbarockem Stil (Basilika Bom Jesu mit dem Grab des Hl. Franz Xaver, 1594), z. T. Ruinen.

Gobelin [gobl'ɛ̃, n. der frz. Färberfamilie Gobelin, 15. Jh.] *der,* in Dtl. übl. Bez. für Wandteppich, →Bildwirkerei; neuerdings auch Gewebe für Möbelbezug.

Goch, Stadt im Kr. Kleve, NRW, an der niederländ. Grenze, 30 000 Ew.; Blütezeit im MA. als Wollweberei-Zentrum, im 2. Weltkrieg zu 75 % zerstört. Wenige alte Denkmäler sind wiederhergestellt: Stadtpfarrkirche (zweischiffige got. Backsteinhalle, 14.–16. Jh.); Haus zu den 5 Ringen (16. Jh., Backsteinbau mit Treppengiebel); im Steintor (14. Jh.) Mus.

Go-dai-myo-o [japan. ›Fünf Könige des geheimen Wissens‹], →Fudo-myo-o.

Godefroid de Huy [gɔdfrw'a dəɥ'i], nach späterer Überlieferung **Godefroid de Claire** [-dəkl'ɛ: r], niederländ. Goldschmied und Emailleur, *Anf. des 12. Jh., †1173 Huy (Wallonien), neben →Reiner von Huy der bedeutendste Goldschmied der maasländ. Kunst; tätig bes. in Huy, Lüttich und Maastricht. Ein auf Grund eines Briefwechsels mit dem Abt WIBALD VON STAVELOT (1130–58) bekannter ›aurifaber Godefroid‹ wurde als G. de H. identifiziert. Abt Wibald ist Auftraggeber des Kopfreliquiars des hl. Papstes Alexander aus Stavelot, um 1145 (Brüssel, Musées Royaux d'Art et d'Histoire), dessen Kopf durch stark antikisierende Tendenzen auffällt, und des Remaclusretabels von Stavelot (um 1150), von dem 2 Emailmedaillons mit allegor. Darstellung erhalten sind (das eigtl. Retabel ist nur durch eine alte Zeichnung überliefert; ein Medaillon ist in Berlin-West, Staatl. Museen, das andere in Frankfurt a. M., Mus. für Kunstgewerbe), beide Werke werden G. de H. zugeschrieben und sind HW der Maaskunst. Als weitere Werke des G. de H., von dem nichts dokumentarisch gesichert ist, werden u. a. angenommen: Armreliquiar KARLS D. GR. aus Aachen, nach 1166 (Paris, Louvre); Heribertschrein, um 1170 (Köln-Deutz, St. Heribert).

Rhein und Maas, Kunst und Kultur 800–1400, Ausst.-Kat., Köln, 2 Bde. hg. v. A. LEGNER (1972 u. 1973).

Godesberg, Bad G., Stadtteil von Bonn, NRW; seit dem 18. Jh. Badeort. Die Ruinen der Godesburg (1210–50 erbaut, 1583 zerstört) wurden 1960 von G. BÖHM mit einem Sichtbeton-Hotelbau verbunden; in der Michaelskapelle reiche hochbarocke Stukkaturen (1697 bis 1699) und Altäre. Klassizist. Kurhaus (Redoute) mit stuckiertem ›Beethovensaal‹ (um 1790); ehem. Hoftheater (1790–92), daneben das gleichzeitig entstandene Rathaus.

Godescalc-Evangeliar, früheste Hs. der Hofschule Karls des Großen (781/83; Paris Bibl. Nat.) im Auftrag König KARLS und seiner Gemahlin HILDEGARD von dem Schreiber GODESCALC geschaffen. In den ganzseitigen Miniaturen der Evangelisten und des thronenden

Christus sind antike Vorlagen deutlich spürbar, während die Initialseiten an Vorbilder der →insularen Buchmalerei anknüpfen. Mit dem G.-E. ist die Ausstattung des Evangeliars für lange Zeit festgelegt.

Godin Tepe, großer vor- und frühgeschichtl. Siedlungshügel etwa 50 km westlich von Hamadan (Iran; KARTE Alter Orient). Amerikan. Grabungen stellten seit 1966 10 Schichten fest: Unter mittelalterl. Resten krönte den Hügel ein befestigter Palast des Mederreiches (spätes 8./7. Jh. v. Chr.), dessen mit Säulenhallen geschmückte Anlage eine Vorstufe der achaimenid. Architektur darstellt. In Schicht IV (3000–2400 v. Chr.) stießen die Ausgräber auf einen Kultplatz (Reste eines großen Baus mit Ziegelmauern und -bänken). In Schicht V (3200–3000 v. Chr.) wurde ein Tempelgebäude mit altarartigem Herd freigelegt; die Anlage wird als Zwischenstufe zw. den Kulthäusern des Neolithikums (Çatal-Hüyük, Anatolien) und den sumerischen Zikkurat-Tempeln angesehen. Die Keramik, typische ›Blumentopfware‹, läßt auf mesopotam. Händler schließen; Tontafeln mit Zahlzeichen und Abrollungen von Siegelzylindern. In den Schichten VI–X (4600–3200 v. Chr.) bemalte Keramik versch. Stile.

Gödöllő [g'ødølø:], Stadt nordöstlich von Budapest, Ungarn, mit monumentaler Schloßanlage des Fürsten A. GRASSALKOVICH (1744–50), nach 1867 für die königl. Familie als Sommersitz umgestaltet; heute Hochschulgebäude.

Godopalin-Tempel, →Pagan.

Godronierung [frz. godron], Ornament aus halbrund nach außen getriebenen Rippen, die gerade oder geschweift den Randdekor bei Silber-, Zinn- und Keramikgeschirr bilden.

Goepfert, Hermann, Künstler, *Bad Nauheim 5. 11. 1926, †Antwerpen 14. 2. 1982, gehörte um 1960 zu den Pionieren der Lichtkinetik in der Bundesrep. Dtl. Sein vielfältiges Werk reicht von kinet. Objekten mit metallenen Reflektoren in der Nachfolge von L. MOHOLY-NAGY über architekton. Lichtbrunnen und -gärten bis zum Licht-Klang-Apparat des ›Optophoniums‹. (BILD S. 37)

H. G., Ausst.-Kat., Frankfurt a. M. (1972).

Goeritz, Mathias, Maler und Plastiker, *Danzig 4. 4. 1915, lebte 1940–44 in Tetuán, 1945–49 in Granada und Madrid und gründete 1948 die ›Schule von Altamira‹. G. wurde 1949 Prof. an der Escuela de Arquitectura der Universität Guadalajara (Mexiko), 1953 Prof. an der Universidad Ibero-Americana, Mexiko. Während G. in seiner Malerei vom Expressionismus ausgeht, versuchen seine 5 Turmprismen (1957) am Eingang einer Satellitenstadt von Mexico Architektur und Plastik zu einer neuen urbanen Zeichensetzung zu verbinden.

Goes [xu:s], Stadt auf S-Beveland in der niederländ. Prov. Seeland. Die Maria-Magdalenakerk ist eine stattl. fünfschiffige spätgot. Basilika (Langhaus nach Brand 1619–21), der fünfschiffige basilikale Chor (1455–70) hat die 3 polygonalen Abschlüsse der urspr. geplanten

Hermann Goepfert: Lichtkinetisches Reflektorbild; Aluminium auf Leinwand

dreischiffigen Halle beibehalten; über der Orgel (1641 bis 1643) ein barocker Baldachin; bes. reich ist die Fassade des nördl. Querschiffs im Flamboyant-Stil. Rathaus, urspr. gotisch (1463), 1771–75 erneuert, Ratssaal mit Rokoko-Ausstattung.

Goes [xu:s], Hugo van der, niederländ. Maler, *Gent um 1440, †Kloster Roodendale bei Brüssel 1482, neben ROGIER VAN DER WEYDEN der bedeutendste niederländ. Meister seit JAN VAN EYCK, besuchte in seiner Jugend wahrscheinlich Italien, wurde 1467 Meister in Gent und lebte seit 1475, zeitweise geistig umnachtet, im Kloster Roodendale. In der Feinheit der Einzelbeobachtung, dem Ernst des menschl. Ausdrucks, der atmosphär. Lichtmalerei und der unkonzentrierten Komposition scheint er noch an niederländ. Maler, etwa D. BOUTS, anzuschließen. Jedoch bringt er eine völlig neue Kraft und Körperlichkeit, eine neuartige Freiheit des Räumlichen und eine vorher nicht gekannte Intensität der Bewegungen. Lebendigkeit und Tiefe verbindet er mit einer hell belebten Tonmalerei, klarer Zeichnung und eigenwüchsiger, starker Komposition. Sein Hauptwerk ist der mächtige →Portinari-Altar mit der Geburt Christi in etwa lebensgroßen Figuren im Zentrum und Darstellungen der Stifter mit Heiligen auf den Flügeln (um 1476/78; Florenz, Uffizien). Der Altar, die einzige von G. signierte Arbeit (von G. VASARI 1550 als Werk des Ugo d'Anversa erwähnt), ist der Ausgangspunkt für die Zuschreibung seines ganzen Werks.

WW: Diptychon mit Sündenfall, Beweinung Christi u. Hl. Genoveva (vor 1470; Wien, Kunsthistor. Mus.); Anbetung der Könige aus

Hugo van der Goes: Anbetung der Hirten,
Mittelbild des Portinari-Altars; um 1476/78 (Florenz, Uffizien)

dem span. Kloster Montforte (um 1475; Mitteltafel, Berlin-West, Staatl. Museen); 2 Flügelbilder mit Heiligen u. dem schott. König Jakob III. u. seiner Frau (1478/80; Edinburgh, Nat. Gallery of Scotland); Tod der Maria (um 1480; Brügge, Groeningemus.).

F. WINKLER: Das Werk von H. van der G. (1964).

Gogh [xɔx], Vincent van, niederländ. Maler, *Zundert bei Breda 30. 3. 1853, †(Selbstmord) Auverssur-Oise 29. 7. 1890, Sohn eines Pfarrers, war zunächst Kunsthandlungsgehilfe in Den Haag, London und Paris, wurde 1876 Lehrer und Hilfsprediger in Großbritannien, studierte 1877/78 in Amsterdam Theologie und ging als freier Missionar in das belg. Grubengebiet, die Borinage, wo er den Arbeitern seine Ideen einer neuen christl. Gemeinschaft predigte und vorlebte, bis er körperlich zusammenbrach. 1883 begann er die Bauern und Arbeiter seiner Heimat in schweren, dunklen Farben und in eigenwilliger, herber Zeichnung zu malen.

1886 ging er zu seinem Bruder, einem Kunsthändler, nach Paris, wo er sich der heiteren und lichten Malerei der Impressionisten anschloß, vorübergehend die pointillist. Technik übernahm und sich für den japan. Holzschnitt begeisterte. Er malte Paris und Umgebung, Stillleben und Porträts. 1888 siedelte er nach Arles über. Das Erlebnis des Südens ließ ihn den völlig neuen und eigenen Stil seiner in fieberhaftem Schaffen entstandenen Stadt- und Landschaftsbilder, Stilleben und Porträts finden, die er in strahlenden, zu stärkster Ausdruckswirkung gesteigerten Farben malte oder mit der Rohrfeder zeichnete. Mit dem ihm nahestehenden P. →Gauguin, der ihn in Arles besuchte, kam es zum

Bruch. Auch die nun folgende Zeit der geistigen Erkrankung (1889 in der Irrenanstalt zu St. Rémy, 1890 bei Dr. GACHET in Auvers) vermochte nicht seine Schaffenskraft zu lähmen. In v. G. wird einer der Überwinder des Impressionismus gesehen; von ihm empfing die Malerei des Expressionismus starke Anregungen, auch durch sein Streben ins Weltanschaulich-Religiöse. – Das Rijksmuseum ›Vincent van Gogh‹ in Amsterdam verwaltet seinen Nachlaß.

Briefe, hg. v. F. ERPEL (1982, dt.).
H. PERRUCHOT: v. G. Eine Biographie (a. d. Frz., 1956); The works of V. v. G., hg. v. J. B. DE LA FAILLE (Amsterdam 1970); Tout l'œuvre peint de v. G., Dokumentation, hg. v. P. LECALDANO, 2 Bde. (Paris 1971); R. WALLACE: V. v. G. und seine Zeit, 1853–1890 (a. d. Engl., 1971); H. NAGERA: V. v. G. Psychoanalyt. Deutung seines Lebens an Hand seiner Briefe (1973); H. FRANK: V. v. G. in Selbstzeugnissen... (1976); R. WALLACE: V. G. (a. d. Amerikan., [5]1976); v. G. and his French friends. Cloisonism as a style 1886–1891, Ausst.-Kat., Amsterdam (1981); V. v. G., Werkverzeichnis, hg. v. P. ALETRINO, 2 Bde. (1982).

Vincent van Gogh: Selbstporträt; 1889–90 (Paris, Musée d'Orsay)

Goings [g'əuɪŋz], Ralph Ladell, amerikan. Maler, *Corning (Kalifornien) 9. 5. 1928, vertritt den →Fotorealismus mit einer typisch kaliforn. Szenerie (Autos im hellen Sonnenlicht vor Garageneinfahrten, Tankstellen, Swimmingpools).

Gol, Gem. in S-Norwegen. Die Stabkirche von G. befindet sich seit 1885 in →Bygdøy.

Gola, Volksgruppe in Westafrika, im NW Liberias und SO Sierra Leones, die ähnl. kultische Organisationen besitzt wie ihre Nachbarn im W, NW und SW (Vai, Mende und De) und deshalb auch vergleichbaren Maskentraditionen verpflichtet ist. Die Stülpmasken der G. sind allerdings etwas schlichter gestaltet als die der →Mende.

Vincent van Gogh: Brücke von Arles; 1888 (Köln, Wallraf-Richartz-Museum)

Gołąb [g'ɔłɔmp], Ort in der Wwschaft Lublin, Polen, am Mittellauf der Weichsel. Außerhalb des Ortes monumentale Pfarrkirche mit Zweiturmfassade (1628 bis 1636) im Stil der Lubliner Renaissance. Loreto-Kapelle mit Keramik-Skulpturen (um 1640).

Gölbaşı, Gölbaschı, Dorf an der türk. S-Küste, Prov. Antalya, in dessen Nähe, im antiken **Trysa,** ein z.T. aus dem Fels gehauenes, tempelartiges Heroon eines lykischen Fürsten entdeckt wurde; an den den Grabbez. umgebenden hohen Mauern waren 2 Reliefstreifen (Szenen aus der grch. Heldensage) angebracht, wohl nach grch. Vorbildern, orientalisch beeinflußt (nach 400 v. Chr.; heute Wien, Kunsthistor. Mus.).

Golconda, Golkonda, ehem. Hauptstadt der Qutb-Shahi-Dynastie (1507–1687) im Deccan, Indien, westlich von Hyderabad, von Aurangzeb 1687 erobert. G. ist von einer Verteidigungsmauer mit 87 Bastionen aus Granit und einem Graben umgeben. Die überkuppelten Königsgräber der Qutb-Shahis befinden sich unweit der Befestigungsanlagen und erheben sich jeweils auf einer von Arkaden durchbrochenen Basis. Jedem Grab ist eine kleine Moschee angegliedert. Farbige Kacheln lockern die weißen Wandflächen auf.

Gold, Edelmetall, das zu allen Zeiten in künstler. und kunsthandwerkl. Arbeiten vielfach verarbeitet wurde. In der Antike und im MA. symbolisiert G. das Göttliche, in der Neuzeit unterstreicht die prunkvolle Ausstattung fürstl. Häuser und Stiftungen den Herrschaftsanspruch. (→Goldschmiedekunst)

Goldberg, poln. **Złotoryja** [złɔtɔr'ija], Stadt in der poln. Wwschaft Legnica (Liegnitz), ehem. Kreisstadt in Niederschlesien, 13 000 Ew. Die zur Goldgewinnung gegr. mittelalterl. Bergbausiedlung besitzt Befestigungsanlagen des 14. Jh. und eine spätromanisch-frühgot. Stadtpfarrkirche (1212–41, 14. und 15. Jh.). Das Gymnasium der seit dem 16. Jh. protestant. Stadt war eine bed. humanist. Lehrstätte.

Goldbronze, Maltechnik: →Pudergold.

Goldchinesen, bes. bei der Hausmalerei beliebter Porzellandekor, der chines. Figuren, Blumen und Vögel als goldene Silhouetten auf weißem Grund zeigt.

Gold|elfenbeinwerke, →chryselephantine Bildwerke.

Goldene Legende, →Legenda Aurea.

Goldene Pforte, in der christl. Ikonographie das Symbol für die Unbefleckte Empfängnis Marias gemäß der apokryphen Schilderung über die Begegnung von Anna und Joachim an der G. P. in Jerusalem; oft dargestellt in der got. Malerei. – Portal an der Marienkirche in Freiberg (Sachsen), der einzige erhalten gebliebene Teil des alten Doms, das reichste roman. Portal mit französisch-got. Einfluß in Dtl. (um 1230); einzelne Teile waren urspr. vergoldet.

H. MAGIRIUS: Der Dom zu Freiberg ([3]1980).

Goldener Schnitt, die geometr. Teilung einer Linie in 2 ungleiche Teile: Ist eine Strecke AB durch einen

Punkt E so geteilt, daß der größere Abschnitt AE die mittlere Proportionale zu der ganzen Strecke AB und dem kleineren Abschnitt BE ist, so heißt die Strecke nach dem G. S. geteilt. Der G. S. wurde in Epochen der Kunstgeschichte angewendet, die um ›absolute Proportionen‹ bemüht waren wie die röm. Kunst und die Renaissance, jedoch darf seine Bedeutung nicht überschätzt werden, da es in der Kunst keine unveränderl. Idealproportionen gibt. So wurde z. B. beim Kompositionsaufbau der Bilder die mathemat. Grundlage durch geringe Verschiebungen aufgelockert (TIZIANS ›Himmelfahrt Mariae‹, Venedig, Accademia; RAFFAELS ›Galatea‹, Rom, Villa Farnesina; LEONARDO DA VINCIS ›Abendmahl‹, Mailand, S. Maria delle Grazie; DÜRERS ›Dreifaltigkeit‹, Wien, Kunsthistor. Mus.).

O. HAGENMAIER: Der g. S. ([3]1967).

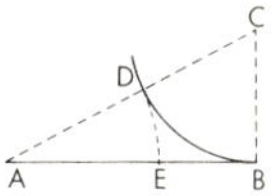

Goldener Schnitt:
$\frac{1}{2}AB = BC = CD$,
$AE = AD$;
$EB : AE = AE : AB$

Goldenes Vlies, →Vlies.

Goldene Tafel, großer spätgot. Flügelaltar aus der St. Michaeliskirche in Lüneburg (heute Hannover, Landes-Gal.), um 1420 von einem anonymen Lüneburger Meister geschaffen; so gen. nach roman. Goldschmiedearbeiten im Schrein des Altars (bis auf Weniges verloren). 36 Szenen aus dem Leben Christi und Mariä schmücken die Außenseite der G. T. Auf der Innenseite sind polychrome Figuren angebracht.

G. V. D. OSTEN: Katalog der Gemälde alter Meister in der Niedersächs. Landes-Gal. (1954).

Goldenkron, tschechisch **Zlatá Koruna** [zl'ata:-], ehem. Zisterzienserkloster (gegr. 1263), südlich von Budweis, ČSSR, an der Moldau, ein Dreiflügelbau mit Kapitelsaal (um 1290), Refektorium und der frühgot. Schutzengel-Kapelle. Die frühgotisch begonnene Kirche (voll. um 1370) ist eine große dreischiffige Basilika, die 1663 barock verändert wurde.

Goldfarbe, Maltechnik: nicht eindeutig verwendeter Begriff. Im MA. bezeichnet G. i. d. R. ein Anlegemittel (Beize) für Blattgold, seltener die ›Porporina‹, ein Amalgam aus Zinn und Schwefel. In jüngeren Traktaten ist ein Goldfirnis gemeint.

Goldfassung, Maltechnik: eine Fassung barocker Bildwerke in unterschiedlich glänzenden und strukturierten Vergoldungstechniken unter Verzicht auf farbige Partien.

Goldfiligran-Glas, Fadengläser mit eingeschmolzenen, vergoldeten Fadeneinlagen.

Goldfirnis, Maltechnik: gelber Lack auf Öl- oder Harzbasis, der, über Silber gelegt, den Eindruck von Gold erzeugt. Als färbende Substanzen dienen u. a. Gummigutt und Asphalt.

Goldgewichte, Gewichte aus Messing oder Bronze zum Wiegen von Goldstaub, der bis zum Beginn dieses Jh. bei den Akan-Völkern (Elfenbeinküste, Ghana) die gängige Währung war. Die G. sind Miniaturdarstellungen von Menschen, Tieren und Pflanzen, von Geräten und geometr. Formen. Sie werden als die beziehungsreichste aller afrikan. Kunstformen angesehen, da sie, bes. in der Darstellung von Sprichwörtern, mehr Ver-

Goldgewicht
der Ashanti, 76 g schwer, etwa 6 cm hoch; geknebelter Gefangener, von einem Aufseher angetrieben

bindung zur Lit. als irgendeine andere haben und v. a. den gesamten Lebensablauf des Menschen mit einem fast unerschöpfl. Repertoire an Motiven widerspiegeln.

Goldglas, Glas, bei dem Blattgold hauptsächlich auf kaltem Weg auf die Oberfläche aufgetragen wird. Figürl. oder ornamentale Verzierungen kommen durch Ausradieren des Blattgoldes zustande, eine Technik, die wahrscheinlich über Alexandrien im 2. Jh. nach Rom kam und dort im 4. Jh. mit frühchristl. Motiven zu großer Blüte gelangte. Eine gesonderte Gruppe bilden die **Fondi d'oro,** deren Böden mit Goldbildern geschmückt sind. Hauptfundorte dieser Gläser sind die röm. Katakomben. **Zwischengoldgläser** (Doppelgläser) entstanden, indem die mit Blattgold verzierte Fläche mit einer dünnen, farblosen Glasschicht überfangen wurde. Schon in der Antike bekannt, wurde diese Technik im 18. Jh. vor allem in Böhmen und Schlesien sehr beliebt.

Goldgrund, der für Christus-, Heiligen- und Herrscherdarstellungen gebräuchl. goldene Hintergrund, der seit dem 4. Jh. in der byzantinisch-frühchristl. Kunst anstelle des antiken realist. Hintergrundes aufkam und bis ins späte MA. bei Mosaiken und Tafelmalerei wie auch auf Altarretabeln mit figürl. Plastik zu finden ist. In der ma. Buchmalerei findet sich der G. seit otton. Zeit (Reichenauer Malerschule). Im 15. Jh. begann der G. wieder realist. Hintergründen zu weichen, war jedoch bis Anfang des 16. Jh. auf der Feiertagsseite des Flügelaltars auch über Landschaftsdarstellungen verbindlich für die Himmelszone. In der Ikonenmalerei hat sich der G. bis heute erhalten. Der G. der Tafelbilder des MA. besteht aus oft reich punzierter Polimentvergoldung oder mit Goldlack überzogener Versilberung. Der G. der Mosaiken setzt sich aus Glasplättchen zusammen, auf die Goldfolie aufgeschmolzen ist. Der G. löst heiliges Geschehen aus realist. Zusammenhang, stellt es vor eine ideale, raumlose Fläche und steigert den Eindruck des Erhabenen und Kostbaren.

Gold|imitation, Maltechnik: meist Goldfirnis auf Silber oder Zwischgold.

Goldkronen von Silla, →koreanische Kunst.

Goldmalerei, auf Tafelbildern des 13. und 14. Jh. mit Goldstaub in Eiklar (Eiweiß) aufgemalte Ornamente. – In der asiat. Lackmalerei zw. den letzten Lackschichten aufgestäubt.

Gold|ocker, Maltechnik: dunkle rötl. Ockersorte.

Goldrubinglas, durch feinverteiltes Gold rubinrot gefärbtes Glas (→Rubinglas).

Goldschmiedekunst, die künstler. Verarbeitung von Gold und Silber, heute auch Platin, zu Schmuck, Geräten, Gefäßen und Plastiken.

Technik. Die wichtigsten Bearbeitungsweisen sind: Treiben von Gold- oder Silberblech, Filigran aus Drähten, Granulieren, Tauschieren, Prägen und Gießen. Zur Verzierung werden Edel- u. a. Schmucksteine, Perlen, Glasflüsse und Email verwendet. Wegen seiner Weich-

Wörter, die man unter G vermißt, suche man unter Dj, J oder K

Goldschmiedekunst: Henne und Küken; frühes 7. Jh. (Monza, Domschatz)

heit und seines hohen Wertes wird Gold mit anderen Metallen, meist Silber oder Kupfer, legiert. Die wichtigsten Quellen zur G. stammen von →Theophilus Presbyter (12. Jh.) und B. →Cellini (16. Jh.); sie lassen erkennen, daß Handwerkszeug und Arbeitsmethoden von der Antike bis zur Renaissance wenig Änderung erfuhren. Seit dem ausgehenden Altertum wird durch →Stempelung der Feingehalt garantiert, eine besondere Form der Stempelung bildete das →Beschauzeichen. – Weiteres →Vergoldung.

Goldschmiedekunst: Maske des Tut-ench-Amun; etwa 1347–1339 v. Chr. (Kairo, Ägyptisches Museum)

EUROPA

Vorgeschichte: Neben der Bearbeitung von gediegenem Kupfer in der letzten Phase des Neolithikums (Kupferzeit) bildet die G. das älteste Metallhandwerk. In Europa stammen die frühesten Zeugnisse aus einem Gräberfeld im Gebiet des Warnasees (Bulgarien). Von Kulturen der Bronzezeit wurden Schmuck, Kultgegenstände, Prunkwaffen und Geräte aus Gold nach Art von Bronze verarbeitet (Funde von Dorset in England, von Boeslunde in Dänemark, Schifferstadt, Eberswald, Ezelsdorf). In der kretisch-myken. Kunst wurde G. seit der Vorpalastzeit für Schmuck, Metallgefäße und kostbare Waffen verarbeitet (Funde von Vaphio, Mykene, Troja; BILD Vaphio), die goldenen Gesichtsmasken (BILD) der Schachtgräber von Mykene wurden nur auf dem festländ. Bereich gefunden.

In der griechischen Kunst spielte die G. eine untergeordnete Rolle; eine Besonderheit war die Herstellung von →chryselephantinen Bildwerken.

Aus hellenist. und römischer Zeit sind eine Fülle von Kunstwerken aus Gold und Silber erh.; aus der Kaiserzeit ragen v. a. die Silbergeschirre von Kaiseraugst, Boscoreale, Hildesheim (BILD Hildesheimer Silberfund) und Mildenhall hervor.

Bei den Etruskern (BILD etruskische Kunst) erreichte die G. im 7. Jh. v. Chr. einen Höhepunkt; charakteristisch sind Arbeiten in Granulationstechnik; häufig sind auch Goldbleche mit Reihen aus Stempeln getriebener Tiere und Fabelwesen. Ringe mit reliefverzierten oder gravierten Schmuckplatten wurden v. a. im 6. Jh. v. Chr. hergestellt. Typisch für die folgenden Jh. sind Anhänger aus getriebenem Goldblech.

Die Kunst der Thraker hat sich zum größten Teil in Meisterwerken der G. manifestiert (Funde von Waltschitran, Panagjurischte), häufig im Tierstil gearbeitet

Goldschmiedekunst: Kretischer Anhänger in Form zweier Wespen; um 1700 v. Chr. (Heraklion, Archäologisches Museum)

Goldschmiedekunst: Goldene Altartafel aus dem Münster zu Basel; 11. Jh. (Paris, Musée Cluny)

(Schmuck, Gefäße, Verzierung von Waffen und Schilden; BILD thrakische Kunst).

Mittelalter. In der Völkerwanderungszeit (→Völkerwanderungskunst) waren viele Völker und Stämme (Germanen, v. a. Ost- und Westgoten; Kelten) Träger einer ausdrucksstarken, formenreichen G., die sich durch reichen Steinschmuck auszeichnete (Funde von Petrossa, Haßleben, Vettersfelde, →Childerich-Grab); der Theodolindenschatz in Monza wie der Fund von Fuente de Guarrazar bei Toledo enthalten Arbeiten der Merowingerzeit von hohem Rang.

Aus der karoling. Zeit stammt u. a. der →Tassilo-Kelch. Die byzantin. G. übernahm das Erbe der Spätantike und erlebte ihren Höhepunkt um die Jahrtausendwende, ihr ist die Entwicklung des Zellenemail (→Emailkunst) zu verdanken. Aus dem MA. sind kostbare Reliquiare (BILD), Tragaltäre, Bucheinbände, liturg. Gegenstände und Schmuckstücke (→Gisela-Schmuck) erhalten. Trier, Regensburg, die Reichenau, Essen, Hildesheim, später die Gebiete an Maas und Niederrhein, Köln und Aachen waren die Zentren der kirchl. G. Aus ihren meist klösterl. Werkstätten gingen große Meister hervor, u. a. Bischof BERNWARD von Hildesheim, ROGERUS VON HELMARSHAUSEN, EILBERTUS VON KÖLN, GODEFROID DE HUY, REINER VON HUY, NIKOLAUS VON VERDUN. Zu ihren besten Leistungen gehören Altarverkleidungen (Aachener Domschatz; Mus. Cluny, Paris, aus dem Baseler Münster) und figurenreiche, mit Email, Edelsteinen und Treibarbeiten geschmückte Reliquienschreine (Heribertschrein, Köln-Deutz; Dreikönigsschrein, Kölner Domschatz).

Die G. der Gotik brachte reiches Kirchengerät hervor; sie übernahm Zierformen der Architektur und schuf auch plast. Arbeiten, wie Statuetten und Reliquienbüsten. Zahlreich waren auch die nichtkirchl.

Aufträge für Trinkgefäße, Schmuck (Lüneburger Silberschatz). Bed. Maler und Bildhauer entwarfen in der Spätgotik und in der Renaissance Vorlagen für Goldschmiedearbeiten (A. DÜRER, H. HOLBEIN D. J., M. PACHER, V. STOSS, T. RIEMENSCHNEIDER, H. KRUMPPER, E. Q. ASAM).

In der Renaissance erfuhr die G. neue Impulse durch Aufträge von Hof, Adel und reichen Patriziern. Der Italiener B. CELLINI (BILD) gehörte zu den bed. Künstlern dieser Zeit. Die dt. G., die z. T. ital. Formengut aufnahm und selbständig weiterentwickelte, war von außerordentl. Rang, sowohl in repräsentativen Schöpfungen wie in der Vielfalt des Gebrauchsgeräts. Zu den bekanntesten dt. Meistern gehörten W. JAMNITZER (BILD), P. HÜBNER, M. WALLBAUM, H. KELLERTHALER, A. EISENHOIT. Namhafte Goldschmiede des Barock waren der Augsburger J. A. THELOT und J. M. DINGLINGER. Im 17. und 18. Jh. entstanden auch in Frankreich hervorragende Werke (Arbeiten der Familie GERMAIN), seit etwa 1800 auch in England, dessen edles, schlichtes Tafelsilber vorbildlich wurde.

Starken Auftrieb erhielt die G. während des Jugendstils. Es entstand ein neues Gefühl für die Möglichkeiten des Materials, dessen formgerechte Verarbeitung v. a. für Gebrauchsgegenstände angestrebt wurde. Die führenden Vertreter dieser Richtung waren H. VAN DE VELDE, P. BEHRENS, K. GROSS und J. HOFFMANN. R. LALIQUE lenkte die Herstellung von Schmuck in neue Bahnen; an die Stelle von Edelsteinen traten Perlen und Schmucksteine, oft kombiniert mit Email. Auch die modernen Künstler erstreben materialgerechte Verarbeitung der Edelmetalle und zeitgemäße Formen.

Goldschmiedekunst: Madonna mit Kind; 1339 (Paris, Louvre)

AUSSEREUROPÄISCHE KULTUREN

Afrika: Auch aus Ägypten haben sich prähistor. Goldarbeiten erhalten, die ebenfalls unter dem Einfluß der Bronzetechnik standen. Eine eigenständige und hochentwickelte G., die sich durch reiche Verwendung von Edelsteinen auszeichnet und bereits Einlagen in Glaspaste kannte, fand sich im Mittleren Reich (Gräber von Dahschur). Aus dem Neuen Reich stammen z. B. der Schatz der Königin Aahotep und die Grabbeigaben für Tut-ench-Amun, zu denen mit Goldblech verkleidetes Mobiliar, Goldmasken, Prunkwaffen u. a. gehörten.

Obwohl Gold bereits in früher Zeit in versch. Gebieten Schwarzafrikas gefördert wurde und über den Goldhandel die Bildung großer Reiche ermöglichte (z. B. Gana, Ashanti), ist die G. archäologisch nur in →Simbabwe nachgewiesen und in jüngerer Zeit auf das Gebiet der Akan-Völker und die Sahelzone beschränkt geblieben. Während in der Sahelzone nur Ohrgehänge aus gedrehtem und ziseliertem Goldblech v. a. von Hausa-Handwerkern für die Fulbe-Frauen gefertigt werden, verfügen die Akan-Völker (→ Baule, →Ashanti u. a.) über eine ausgeprägte und hochentwickelte G., die sich im wesentlichen auf die Bedürfnisse der Höfe konzentriert. Dabei wird das meist sehr niederkarätige Gold nach der Technik der verlorenen Form (→Bildguß) zu Würdeabzeichen oder Schmuck für die sakralen Herrscher (große Ringe, Armreifen u. a.) und ihre

Goldschmiedekunst: Goldkegel von Ezelsdorf; etwa 1000 v. Chr. (Nürnberg, German. Nationalmuseum)

Notablen gegossen, oder als Blech über hölzerne Gegenstände (Würdestäbe, Fliegenwedelgriffe, Kultobjekte) nach der Plattierungstechnik getrieben.

In Amerika war in vorkolumb. Zeit im Bereich der Hochkulturen die G. auf drei Hauptgebiete konzentriert, die metallurgisch, technisch und stilistisch zu unterscheiden sind: Peru – Bolivien (z. B. Chimú), aus dem auch der bislang älteste Goldfund von etwa 2000 v. Chr. stammt; Zentralamerika – Kolumbien (Coclé, Muisca Quimbaya u. a.); Mexiko (v. a. Mixteken). Die heute aus diesen Gebieten bekannten Goldarbeiten stammen überwiegend aus Gräbern; die span. Eroberer hatten die meisten ihrer Funde eingeschmolzen und als Goldbarren nach Europa gebracht. Gold wurde zunächst gehämmert, später in allen anderen Techniken verarbeitet. Kunstvolle ›falsche Filigranarbeiten‹, bei denen nicht feine Golddrähte gelötet, sondern die Stükke im Wachsausschmelzverfahren (→Bildguß) gegossen wurden, stellten v. a. Mixteken und Muisca her. Nachdem es gelungen war, hohe Schmelztemperaturen zu erzeugen, wurden auch Legierungen verwendet, am häufigsten eine Gold-Kupfer-Legierung (Tumbaga), die von Kolumbien bis S-Mexiko vorkommt, nicht jedoch in Peru; dort wurde eine Gold-Silber-Legierung (Elektron) bevorzugt. Die durch Legierungen entstehende Verschiedenfarbigkeit wurde bewußt zur Verzierung eingesetzt, andererseits konnte die urspr. Goldfarbe durch das Mise-en-couleur-Verfahren (Erhitzen und Behandeln mit einem bestimmten Pflanzensaft) wiederhergestellt werden. Eine Vergoldung wurde erzielt durch Überziehen anderer Materialien mit Goldfolien. Goldarbeiten wurden aber auch, v. a. an der Küste N-Perus, farbig übermalt. (→Andine Hochkulturen, →Mesoamerikanische Hochkulturen)

Außerhalb der Hochkulturen verwendeten die Indianer kaum Gold, waren in Nordamerika aber gute Silberschmiede; im 19. Jh. v. a. die Irokesen, die Anregungen der Weißen aufnahmen, im SW die Navajo, die die

Goldschmiedekunst: Tafelaufsatz, sog. Schlüsselfelder Schiff; um 1500 (Nürnberg, German. Nationalmuseum)

Goldschmiedekunst: Schmuckanhänger, Guß in verlorener Form, Darién-Stil, NW-Kolumbien, 7 cm hoch (New York, Brooklyn-Museum)

Goldschmiedekunst: Elefant der Akan, Elfenbeinküste, Guß in verlorener Form (Genf, Musée Barbier-Müller)

Silberbearbeitung von den Mexikanern lernten. Wichtigste Techniken waren Prägen, Punzen und Gravieren.

Asien: Die ältesten Zeugnisse hervorragender, figürl. G. sind die Funde von Ur in Vorderasien.

Bei den iran. Völkern wurde, dank des häufigen Vorkommens von Gold in Bergen und Flüssen des Landes, die G. seit der Vorgeschichte bes. gepflegt; Verarbeitung v. a. zu Schmuck und Trinkgefäßen sowie zur Verzierung von Waffen. In Luristan, Amlasch und Marlik (beide am Kaspischen Meer) entstanden von 1300 bis 800 v. Chr. reiche Zentren, die Anregungen aus Mesopotamien und Syrien aufnahmen, z. B. die Techniken der Granulation, des Filigrans und der Einlage von Halbedelsteinen. In der Achaimenidenzeit bereicherten ägypt. Künstler die G. durch Verwendung von Email, Beispiele haben sich bes. in den reichen Gräbern der Skythen Südrußlands erhalten. In georg. Königsgräbern von Armazi (bei Mzcheta, Georg. SSR) wurden erstmalig Werke der G. gefunden (2.–4. Jh., Mus. Tiflis), bei denen Almandine in Zellenwerk verlegt und über große Flächen verarbeitet wurden; diese Kunstform gelangte im 4. Jh. mit den Hunnen von Iran nach W-Europa und beherrschte die Völkerwanderungskunst. Eine reiche Entfaltung der G. fällt in sassanid. Zeit (3.–7. Jh. n. Chr.) mit Herstellung von silbernen und vergoldeten Schüsseln, Kannen, Vasen und Schalen mit reichem getriebenem Figuren- und Tierschmuck.

Die islam. Herrscher liebten nach einer kurzen Zeit der Enthaltsamkeit bald wieder prunkvolle Hofhaltung und förderten die G. Neben den alten Techniken wurde die Tauschierung und Niello-Verzierung zu großer Meisterschaft entwickelt.

Meisterwerke chines. G. stellen die Deckeldosen, Schalen, Henkeltassen, Kannen und Spiegel der T'ang-Zeit (618–906) dar (häufig Silber mit Teilvergoldung; Techniken: Ziselierung, Treibarbeit, Filigran), deren floraler und zoomorpher Dekor Weiterentwicklungen sassanid. Einflüsse zeigt (BILD chinesische Kunst). Arbeiten der Yüan-, Ming- und Ch'ing-Zeit weisen keine techn. Neuerungen auf; auch in ihrer ästhet. Wirkung übertreffen sie die klass. Werke der T'ang-Zeit nicht.

MILADA VILÍMKOVÁ: Altägypt. G. (Prag 1969); M. J. ARTAMONOW u. W. FORMAN: Goldschatz der Skythen (a. d. Russ., 1970); K. R.

MAXWELL-HYSLOP: Western Asiatic jewellery (London 1971); A. WILKINSON: Ancient Egyptian jewellery. Methuen's Handbooks of Archaeology (London 1971); MANE HERING-MITGAU: Barocke Silberplastik in SW-Dtl. (1973); E. STEINGRÄBER: Europ. G. von der Renaissance bis zum Jugendstil (1973); F. COARELLI u. a.: Kostbarkeiten der G. (a. d. Ital., 1974); H.-J. HEUSER: Oberrhein. G. im Hoch-MA. (1974); G. SCHADE: Dt. G. ... vom MA. bis zum beginnenden 19. Jh. (Leipzig 1974); EVA MARIA LINK: Ullstein-Silberbuch, eine Kunst- und Kulturgesch. des Silbers (Nachdruck 1975); Rhein. G. der Renaissance und Barockzeit, Ausst.-Kat., Bonn (1975); Gold der Thraker, Ausst.-Kat., Köln (1979); El Dorado, Ausst.-Kat., Hannover (1979); Tutanchamun, Ausst.-Kat., Köln (1980); H. SELING: Die Kunst der Augsburger Goldschmiede, 3 Bde. (1980); IMMINA V. SCHULER-SCHÖMIG: Werke indian. G. ([2]1981); A. V. SOLODKOFF: Russ. G. (1981); M. FRITZ: G. der Gotik im MA. (1982); R. REILING: G. (1982).

Golegã [gɔleɣ'ã], portug. Städtchen südwestlich von Tomar. Die dreischiffige Kirche Igreja Matriz (um 1495 beg.) mit schräger Holzdecke, die im Mittelschiff muldenförmig eingeknickt ist, und gewölbtem Chor wirkte in Portugal und seinen Kolonien ein halbes Jh. lang (um die Wende vom 15. zum 16. Jh.) als Vorbild für große Kirchenbauten mit wenig Aufwand (G.-Typ); Portal im Emanuelstil von D. BOYTAC(?), um 1510.

Golek, javanische Stabpuppen mit farbig gefaßtem Kopf aus Holz und Textilbekleidung zum Theaterspielen (→Wayang).

Golf-Kultur, Bez. der Archäologie für die Kultur der Anrainer-Staaten des Pers. Golfes, i. e. S. die durch die Handelsbeziehungen zw. Mesopotamien und Indien gekennzeichnete Zeit des 3. Jahrtsd. v. Chr. Nach jüngsten Forschungsergebnissen sind regionale Siedlungsspuren vom Paläolithikum an belegt. Am Ende des Neolithikums (um 4000 v. Chr.) weisen Obeid-Scherben aus NO-Arabien erste Verbindungen mit Mesopotamien auf. In den Gräbern von Hafit (südlich von Buraimi, Oman) am Anf. des 3. Jahrtsd. sind der mesopotam. Djemdet-Nasr-Keramik verwandte Gefäße gefunden worden. In die Umm-en-Nar-Phase (etwa 2500 bis 2000 v. Chr., nach einer Insel der Vereinigten Arab. Emirate im Pers. Golf benannt) fällt die Blütezeit der Handelskontakte, die über die Zwischenhändler von Tilmun (wahrscheinlich Bahrain) und dem Kupferland Makkan (wahrscheinlich Oman) abgewickelt wurden. Geometrisch verzierte Chloritgefäße, bemalte Keramik indischen und belutschistan. Stils sowie im Querschnitt dreieckige und knopfförmige Siegel mit ind. Schriftzeichen, aber auch Mesopotamien verwandten Bildszenen sind kennzeichnend für die G.-K. Auf Bahrain wurde ein aus den letzten Jh. des 3. Jahrtsd. v. Chr. stammender Tempel (Barbar-Tempel) freigelegt. – Wahrscheinlich wegen der fertig ausgebeuteten Kupfervorkommen brachen die Beziehungen zw. Mesopotamien und Indien um 1750 v. Chr. ab. Die Insel Failaka war auch in kassit. Zeit (1600–1200 v. Chr.) besiedelt, und im 1. Jahrtsd. v. Chr. begann die Kupferausbeutung wieder in Oman mit einer neuen Technik.

Golfküste, das Küstengebiet am Golf von Mexiko. In der Literatur werden gelegentlich die Kulturen der Olmeken, Totonaken und Huaxteken als **G.-Kulturen** zusammengefaßt.

Goller, Bruno, Maler, *Gummersbach 5. 1. 1901, war 1949–64 Prof. an der Akad. in Düsseldorf. Seine an F. LÉGER und dem Magischen Realismus orientierte Malerei, die Alltagsgegenstände isoliert und verfremdet, nahm noch auf dem Höhepunkt des Informel die neue Dingschärfe der 1960er Jahre vorweg.

V. KAHMEN: B. G. (1981).

Göllersdorf, Gem. im westl. Weinviertel, NÖ; im 18. Jh. einheitlich als barocker Herrschaftssitz von J. L. v. HILDEBRANDT neugestaltet: Pfarrkirche (14. Jh., 1740/41 barock umgebaut); Loretokapelle (1715), ein achteckiger Zentralbau, Begräbnisstätte der Grafen Schönborn; Schloß Schönborn (1712–17), Dreiflügelanlage mit Nebengebäuden und Orangerie.

Göllingen, Gem. südlich des Kyffhäuser, Dt. Dem. Rep.; vom ehem., vor 1000 gegr. Benediktinerkloster ist der für Zeit und Gegend baugeschichtlich bedeutsame Westturm der Kirche (2. H. 12. Jh.) erh.; im Krypta genannten quadrat. Untergeschoß skulptierte Würfelkapitelle, darüber 2 achteckige Obergeschosse.

Gọllüdağ [-da:], 2142 m hoher Berg in Zentralanatolien (KARTE Alter Orient), auf dem sich eine späthethit. Stadt (8. Jh. v. Chr.) befand. Die wenig erforschten Ruinen erbrachten u. a. ein Torgebäude mit 3 Durchgängen zu einer quergelagerten Vorhalle im Stil des nordsyr. →Hilani. Die Torlaibungen waren mit monumentalen Löwenskulpturen geschmückt.

Goltzius [x'ɔltsi:ys], Hendrick, holländ. Kupferstecher und Maler, *Mühlbracht bei Venlo 1558, †Haarlem 1. 1. 1617, Schüler D. V. COORNHEERTS; war 1590/91 in Italien, wo er u. a. Werke der Antike, RAFFAELS und MICHELANGELOS studierte und nachzeichnete. In seinen mehr als 300 Stichen nach eigenem Entwurf und nach ital., niederländ. und dt. Meistern bildete er eine neue, mit modellierend geschwungenen Strichlagen arbeitende Technik aus. G. hat außerdem radiert und für den Holzschnitt gearbeitet. Als Zeichner gehört er zu den Hauptmeistern seiner Zeit. Um 1600 wandte G. sich ganz der Malerei zu, in der sich sein in den 1580er Jahren entwickelter spätmanierist. Stil (Mitbegründer der ›Haarlemer Akad.‹ mit C. van →Mander und C. →Cornelisz, um 1593) zu einem Klassizismus beruhigte.

K. E. J. REZNICEK: Die Zeichnungen von H. G., 2 Bde. (Utrecht 1961); W. L. STRAUSS: H. G., 1558–1617 (New York 1977).

Gołuchów [gɔł'uxuf], Dorf in der poln. Wwschaft Kalisz (Kalisch). Das ehem. Leszczyński-Schloß, ein Dreiflügelbau mit Arkadenhof aus dem frühen 17. Jh. (Ecktürme des Vorgängerbaus von 1560), wurde 1872 bis 1885 im Stil der frz. Renaissance verändert; heute Teil des Muzeum Narodowe (National-Mus.) in Posen.

Gómez de Mora [g'omɛð ðe-], Juan, span. Architekt, →Mora.

Gọmmata [Skt.], ein indischer Heiliger (Tirthankara der jinist. Digambara-Sekte), dargestellt als aufrecht stehender, nackter Asket, der zum Zeichen seiner Meditation von Pflanzen umschlungen ist. Sein bekanntestes Bildwerk ist die Freiplastik von →Sravana Belgola.

Gonçalves [gõs'alviʃ], Nuno, portug. Maler, †vor 1492, als Hofmaler ALFONS V. in Lissabon 1450–71/72 nachweisbar; scheint in der monumentalen Darstellungsweise seiner Figuren von H. VAN DER GOES und J. VAN EYCK beeinflußt. Sein HW (Zuschreibung) ist das für den Konvent vom Hl. Vinzenz in Lissabon gemalte Altarwerk (St.-Vinzenz-Altar, 1465–67; Mus. Nacional de Arte Antiga, Lissabon). Es schildert auf sechs Flügeln die Verehrung des Hl. Vinzenz durch die königl. Familie, Geistlichkeit, Vertreter des Adels und des Heeres und Angehörige des Volkes (60 Porträts). Das Werk überragt in seiner ausdrucksvollen Charakterisierung der Figuren, der präzisen Detailschilderung und dem tiefen Kolorit die Malerei des 15. Jh. in Portugal. (BILD S. 51)

Gondar, Hauptstadt der äthiop. Prov. Begemder (68000 Ew.), 1632–1855 Hauptstadt Äthiopiens, mit von hoher Mauer umgebenem Palastbezirk, errichtet von Kaiser FASALIDAS (1632–67); Paläste in typisch äthiop. Bauweise mit Anregungen der portugies. Bauten in Gorgora und Guzara, in der Mitte die Bibliothek des Kaisers TSADIK YOHANNES (1667–82). Der Palast der Kaiserin MENTUAB (1730–55) umfaßt mehrere Bauten, u. a. 3 Kirchen: z. B. Ilfin Giyorgis (Hl. Georg), mit Gemälden des 15. Jh.; 1 km außerhalb die Debre Berhan Selassie (Dreieinigkeitskirche), eine Basilika in altaksumit. Stil (Gemälde des 19. Jh. im Stil des 17. Jh.).

Gongen-zukuri [-zu-, japan.], die Verschmelzung des shintoist. und buddhist. Baustils bei japan. →Schreinen seit Ende des 16. Jh. (Kitano-Schrein, in Kioto).

Gönnersdorf, Ortsteil von Neuwied, Rheinl.-Pf. Auf der Mittelterrasse des Rheins bei G. wurde 1968 bis 1976 ein Fundplatz aus dem Magdalénien untersucht. Hierbei wurden Steinplatten gefunden mit stilistisch voneinander abweichenden Gravierungen von Tier-

Gondar: Palastbezirk

und Menschendarstellungen; auch stabförmige Frauenstatuetten.

GISELA FISCHER: Mammut- und Pferdedarstellungen von G. (1980); G. BOSINSKI: G. Eiszeitjäger am Mittelrhein, Veröffentl. des Landesmus. Koblenz (1981).

Gontard [frz. gɔ̃t'a:r], Karl von, Baumeister, *Mannheim 13. 1. 1731, †Breslau 23. 9. 1791, schuf nach Ausbildung in Paris (J. F. BLONDEL) und Italien in Bayreuth für die Markgräfin WILHELMINE eine Reihe von Palais und Wohnhäusern und prägte im Dienst FRIEDRICHS D. GR. das Stadtbild von Potsdam und Berlin. Sein Baustil verbindet Formen des ausgehenden Barock mit frühklassizist. Zügen.

HW in Potsdam: Communs beim Neuen Palais (1765–69); Militärwaisenhaus (1771–75); Marmorpalais (1788–90); in Berlin: Kuppeltürme des Dt. und des Frz. Doms am ehem. Gendarmenmarkt/ Platz der Akad. (beg. 1781); Königskolonnaden; Königskammern im Schloß (1785 ff.).

Gontscharowa, Gončarova, Natalja Sergejewna, russ. Malerin, *Ladyschkino (Gouv. Tula) 4. 6. 1881, †Paris 17. 10. 1962, arbeitete seit 1900 mit M. LARIONOW zusammen; Studium russ. Ikonenmalerei, der Luboks und die Bekanntschaft mit dem frz. Fauvismus machten sie zu einer Hauptvertreterin des →Primitivismus (Themen aus dem Alltag russ. Bauern). G. beschäftigte sich auch mit dem analyt. Kubismus und unterstützte Larionows Rayonismus. Seit 1913 arbeitete sie v. a. für das Bühnenbild, u. a. für die Ballets Russes.

González [gɔnθ'alɛθ], Julio, span. Bildhauer, *Barcelona 21. 9. 1876, †Arcueil bei Paris 27. 3. 1942, kam 1900 nach Paris, wo er sich seit 1910 der Eisenplastik zuwandte, gefördert von P. PICASSO und C. BRÂNCUŞI. Seit 1927 überwand er den kubist. Einfluß und schmiedete Masken, Stilleben, später expressive Figuren mit ausgreifender Gestik aus Eisenanschnitten, Platten, Gestängen, die der Eisenplastik so einen eigenen Rang als selbständige bildner. Technik gaben. G. leitete damit nicht nur eine neue Phase der Durchdringung von Volumen und Raum in der modernen Plastik ein, sondern eröffnete der Plastik auch eine abstrakte Gebärdensprache, die auf D. SMITH, A. CARO u. a. weiter wirkte. (BILD S. 52)

V. AGUILERA CERNI: J. G. (Madrid 1973); J. G., Ausst.-Kat., Mannheim (1977).

González y Serrano [gɔnθ'alɛð i-], Bartolomé, span. Maler, *Valladolid 1564, †Madrid 1627, seit 1608 Hofmaler PHILIPPS III.; seine zahlreichen Porträts der königl. Familie haben die Entwicklung der span. Porträtmalerei (D. VELÁZQUEZ) maßgeblich beeinflußt (HW im Prado, Madrid).

Gop, vishnuit. Tempelruine im westl. Gujarat, Indien. Im 6.–7. Jh. entstanden, zeigt der quadrat. Tempelturm über der Cella, deren Außenwände zerstört sind, ein mit Kudu-Scheinfenstern eigenwillig gestaltetes Schrägdach.

Göppingen, Kreisstadt in Bad.-Württ., 53 500 Ew. Stadtkirche (1618/19 nach Entwurf von H. SCHICKHARDT); Oberhofenkirche (1436 beg., mit Gewölbe- und Wandmalereien); vierflügeliges Schloß (16. Jh.)

Nuno Gonçalves: Flügel vom St.-Vinzenz-Altar; 1465–67 (Lissabon, Museu Nacional de Arte Antiga)

Julio Gonzáles: Kaktusmensch; Eisen, 1939

mit origineller ›Rebenstiege‹ (1562). Im ›Storchen‹ (1536) Städt. Mus. (›Stauferhalle‹, Zinn, Fayencen).

Gọpura, Gọpuram [Skt.], turmartiger, reich dekorierter Torbau südind. Tempelbezirke, meist in allen 4 Himmelsrichtungen. Das G. hat sich aus dem Stadttor entwickelt und wurde nach bescheidenen Anfängen (Kanchipuram) seit dem 13. Jh. zu einem gewaltigen Bauwerk, das zunehmend den eigtl. Tempelbau überragt (→Madurai).

Gọrdion, beim heutigen **Yassı Hüyük** am Sangarios (Sakarya, Türkei), etwa 100 km südwestlich von Ankara (KARTE Alter Orient), Hauptstadt des Phrygerreiches, seit der 1. H. des 3. Jahrtsd. v. Chr. bis etwa 200 v. Chr. besiedelt, 696/65 von Kimmerern zerstört. Im Zentrum wurde ein Palastareal mit Megaronbauten festgestellt. Aus der Perserzeit stammen monumentale Tempelreste und ein Feuerheiligtum. Die phryg. Stadtmauer des 8. Jh. v. Chr. ist von einer persischen mit großem Torbau überlagert. – Im S liegt eine Nekropole mit hethit., phryg., lyd. und röm. Gräbern. Hervorzuheben sind die Tumuli (bis 50 m hoch, ∅ bis 250 m), wahrscheinlich Fürstengräber, mit Holzkammern und überaus reichen Beigaben (v. a. Bronzearbeiten).

Gọ̈reme, Dorf westlich von Kayseri, Türkei, Mittelpunkt eines Gebietes, in dem vulkan. Tuffdecken durch Erosion zu bizarren Felskegel-Formen aufgelöst worden sind; im leicht bearbeitbarem Tuff zahlreiche Höhlen, in denen schon die frühen Christen Schutz vor Verfolgung suchten. In byzantin. Zeit entstanden vom 7. bis zum 14. Jh. Höhlenkirchen und -klöster (Grundriß meist nach byzantin. Vorbildern, doch auch syr. und armen. Einflüsse; meist Typ der Kreuzkuppelkirche). Durch große Lufttrockenheit und Dunkelheit haben sich die leuchtenden Farben der Wandmalereien in den Kirchen außerordentlich gut erhalten. Christus wird meist in der Apsis dargestellt, Evangelien-Zyklen in Bildstreifen auf den Gewölben und den Seitenwänden der Schiffe (bed. in der Kirche Tokali Kilise: von Konstantinopel beeinflußte Zyklen des 9. und 10. Jh.; mit Inschrift des NIKEPHOROS II. PHOKAS 963–69 datierter Zyklus in der Kirche Çavuş In).

Göreme: Inneres einer Höhlenkirche

Gorey [g'ɔ:rı], Edward St. John, amerikan. Zeichner, *Chicago 22. 2. 1925, lebt abwechselnd in New York und Barnstable (Cape Cod), zeichnet mit feinem Strich groteske Szenen i. S. des schwarzen Humors, meist in viktorian. Kulisse. G. illustriert eigene Texte, C. BAUDELAIRE, S. BECKETT, H. G. WELLS u. a., auch Kinderbücher (GRIMMS Märchen u. a.); Bühnenbilder und Kostüme für Ballett- und Theateraufführungen.

Die wahnsinnigen Werke des E. G., 33 Bde. (1982).

Gorgo: G. vom Westgiebel des Artemistempels in Korfu; 1. Viertel des 6. Jh. v. Chr.

Gorgo, *Mz.* **Gorgonen,** grch. Mythos: ein zunächst wohl männl., der schriftl. Überlieferung nach jedoch stets weibl. Ungeheuer, Götterschrecken und Abwehrzauber, dessen Anblick versteinerte und das bei Hesiod in 3 Gestalten beschrieben wird: Steno, Euryale und die als einzige sterbl. Medusa; fratzenhafte, weitspringende, brüllende Wesen mit großen Zähnen und Schlangen im Haar, die im fernen W hausten. Perseus schlug Medusa mit abgewandtem Gesicht das Haupt ab und übergab es Athene, die dann das **Gorgoneion** (Kopf der G.) im Schild trug. Seit dem 7. Jh. v. Chr. finden sich Darstellungen der G. in vielerlei Gestalt, oft nur Medusa mit Perseus, auf grch. Vasen (Perseus und Medusa auf einer böot. Reliefamphora, 7. Jh. v. Chr., Louvre), Reliefs (Metopen des 7. Jh. v. Chr. in Syrakus, Archäolog. Mus.; des 6. Jh. v. Chr. vom Tempel C in Selinunt, Palermo, Mus.; vom Giebel des Artemistempels in Korfu, Mus., 6. Jh. v. Chr.) und v. a. auf zahlreichen Gerätschaften (→Aigis). Im 5. Jh. v. Chr. milderte sich der Ausdruck des Schrecklichen zunehmend bis in röm. Zeit (Medusa Rondanini, röm. Replik eines grch. Originals wohl des 5. Jh. v. Chr., München, Staatl. Antikensamml.). Das MA. kannte die G. vereinzelt als Fratze u. a. in der Bauplastik. Erst die Neuzeit griff das Thema bedeutungsschwer auf (LEONARDO DA VINCI, P. P. RUBENS, A. SCHLÜTER).

Gorinchem [x'ɔrkəm], Stadt in der niederländ. Prov. Südholland mit gut erhaltenen Wällen und Bastionen (›Dalempoort‹, Ende 16. Jh.). Die Kirche (1849–51) hat den Turm (Mitte 15. Jh.–1517) der gotischen Kirche einbezogen. Mehrere Bauten in klassizistischem und eklektischem Stil, kath. Kirche (1836–38), Stadthaus (1860–61), Krankenhaus (1865); Bürgerhäuser mit Renaissancegiebeln.

Gorkij, bis 1932 **Nischnij Nowgorod,** Gebietshauptstadt in der Russ. SFSR, an der Mündung der Oka in die Wolga, mit 1,36 Mio. Ew.; 1221 gegr. ma. Kultur- und Handelszentrum, seit dem späten 16. Jh. bedeutendstes Handels- (Messe-) Zentrum Rußlands. Der gewaltige 1500–1511 ausgebaute Kreml war mit seinen 11 Türmen und 2 km langen Mauern der größte Rußlands. Mitte des 17. Jh. Gründung von Klöstern, darunter des Höhlenklosters und des Verkündigungsklosters, die charakterist. Baugruppen bilden. In der 2. Hälfte des 18. Jh. wurde die Altstadtanlage reguliert und ein System von Radial- und Halbkreisstraßen geschaffen; die Kirche Mariae Geburt wurde 1718 vollendet. Die riesigen, im Stil des russ. Klassizismus nach 1817 errichteten Messehallen wurden abgebrochen. Nach 1917 Erweiterung und Umgestaltung der Stadt.

Gorky, Arshile, eigtl. Vosdaning **Adoian,** armenisch-amerikan. Maler, *Hayotz Dzore (Türkisch-Armenien) 25. 10. 1905, †Sherman (Connecticut) 21. 7. 1948, seit 1920 in den USA. Anfangs von P. PICASSO und J. MIRÓ angeregt, näherte sich G. in den 1930er Jahren dem Surrealismus, bes. R. MATTA, dessen Anregungen er zu einer biomorph-abstrakten Malerei mit flüssigen Farben, einem Automatismus dünner Linien und mehrdeutigen organ., erot. Formsymbolen weiterentwickelte. G. wurde damit zu einem der Begründer des Abstrakten Expressionismus.

A. G., Ausst.-Kat., New York (1981).

Görlitz, Stadt an der Neiße, 83 000 Ew., Blütezeit v. a. im 15. und 16. Jh. dank der wirtschaftlich günstigen Lage. Im O der Altstadt spätgot. Kirche St. Peter und Paul (beg. 1423, reichgeschmücktes Brautportal am Westbau um 1230/40), fünfschiffige Hallenkirche mit Sterngewölben in wechselnden Mustern; Rathaus am Untermarkt, im Kern 14./15. Jh., 16. Jh. umgebaut und erweitert, bes. bemerkenswert Freitreppe und Verkündigungskanzel (1537/38), im Innern Kleiner Ratssitzungssaal mit Holzdecke, Täfelung und Portal (1564 bis 1566); um den Untermarkt überaus reicher Bestand an Renaissance- und Barockhäusern, häufig mit ma. Bauteilen. Im W der Altstadt Oberkirche mit got. Chor (1371–1381) und spätgot. Langhaus (15. Jh. erweitert), Chorgestühl (1484), Schutzaltar (1510); spätgot. ehem. Annen-Kapelle (1506–12, heute Turnhalle); spätgot. Frauenkirche (1449–86); am Demianiplatz Kaufhaus (1912/13) mit Jugendstil-Ausstattung. Außerhalb der Altstadt im N die spätgot. Nikolaikirche (1452–1520). In der Kaisertrutz, einem Rest der Stadtbefestigung (beg. 1490, umgebaut 1850), Städt. Kunstsamml. (u. a. ma. Plastik und Malerei, dt. Malerei 19./20. Jh., dt. Plastik 20. Jh.).

Gortyn, antike Stadt im S von Kreta (KARTE kretisch-mykenische Kunst); hier wurde 1884 die Inschrift des ›Rechts von G.‹ gefunden, eingemeißelt in über 42 Steinblöcken eines Rundbaus des 5. Jh. v. Chr., der später in das unter TRAJAN errichtete Odeum verbaut wurde. Das Gesetz ist für die Erkenntnis des grch. Rechts von großer Bedeutung. – Schon in minoischer Zeit Siedlung, wurde G. im 5. Jh. v. Chr. Zentrum der fruchtbaren Messara-Ebene. In hellenist. Zeit rivalisierte es mit Knossos. Als Hauptstadt der röm. Prov. ›Creta et Cyrenaica‹ (seit 67 v. Chr.) wurde G. von den Kaisern sehr gefördert; Baureste bes. aus dieser Zeit: Odeum, Serapeum, Nympheum, 2 Theater, Circus, Amphitheater und ein Tempel über Resten eines Baus aus dem 7. Jh. v. Chr.

Görz, ital. **Gorizia,** ital. Stadt und Erzbischofssitz in Friaul, an der jugoslaw. Grenze, 43 400 Ew. Ausgedehnte Befestigungsanlagen der Oberstadt umschließen das von den Venezianern 1508/09 stark ausgebaute mächtige Kastell und die obere Altstadt; in der Unterstadt liegen der Dom (Chor 14. Jh., barocker Neubau 1648 ff., nach schweren Beschädigungen im 1. Weltkrieg wiederhergestellt), S. Ignazio (17./18. Jh.) und der Palazzo Attems (18. Jh.).

Wörter, die man unter G vermißt, suche man unter Dj, J oder K

Gorzów Wielkopolski [g'ɔʒuf-], poln. Name für →Landsberg (Warthe).

Goseck, Burg über dem Saaletal bei Naumburg, Dt. Dem. Rep., 1041 in ein Benediktinerkloster umgewandelt. Von der Kirche (1056 gew.) sind Querschiff und Chor erh., 1615–19 als Schloßkapelle eingerichtet. Der SW-Turm ist in das Schloß (16./17. Jh.) einbezogen.

Gosen, Theodor von, Bildhauer, *Augsburg 10. 1. 1873, †Breslau 3. 4. 1943, inhaltlich dem Historismus, formal dem Naturalismus verhaftet, gab dem Kunsthandwerk bes. durch Kleinplastiken und Medaillen Anregungen, schuf auch Bildnisbüsten und Denkmäler.

H. LOSSOW: Der Bildhauer Th. v. G. (1980).

Goshun [-ʃ-], Matsumura, japan. Maler, *28. 4. 1752, †Kioto 4. 9. 1811, Schüler des OKYO, gründete die →Shijo-Schule, mit der er eine Verbindung des Realismus der →Maruyama-Schule mit dem Individualismus der Literatenmalerei suchte.

Goslar, ehem. Reichsstadt am Harz, Ndsachs., 53 500 Ew.; um 922 gegr., Stätte vieler Reichstage. G. ist reich an kunsthistorisch wertvollen Bauten: das Kaiserhaus (11./12. Jh.) war die Lieblingspfalz des Saliers HEINRICH III. (1868–79 restauriert), daneben die Doppelkapelle St. Ulrich (1. H. 12. Jh.). In der Domvorhalle (2. H. 12. Jh.) des 1819 abgebrochenen Doms Mus. (hier u. a. der ›Kaiserstuhl‹). Romanisch mit späteren Veränderungen sind die Frankenbergkirche (um 1130/50) und die Marktkirche (um 1160/70, wertvolle Glasgemälde um 1250); in der Jakobikirche (Kern 11. Jh., 1491–1506 zur spätgot. Halle umgebaut) eine Pietà von 1520. Die doppeltürmige roman. Neuwerk-

Goslar: Huldigungssaal im Rathaus

kirche (1220/30 voll.) gehört zu einem ehem. Benediktinerinnenkloster (um 1180 gegr.); ihr originellster Schmuck sind die ösenförmigen Ausbiegungen an den Mittelschiffpfeilern. Im spätgot. Rathaus (um 1450) der vom →Meister der Goslarer Sibyllen vollständig ausgemalte Huldigungssaal (Mus.); Marktbrunnen (13. Jh.), Gildehaus ›Kaiserworth‹ (1494); Fachwerkhäuser: ›Brusttuch‹ (1526) mit reichen Renaissance-Schnitzereien, Mönchehaus (1528, Mus. für moderne Kunst), Siemenshaus (1693). Bei G. die ehem. Augustiner-Chorherrenstifte **Riechenberg** (1117 gegr., mit herrl. Krypta-Kapitellen 1150) und **Grauhof** (1527 gegr., Kirche 1708–17 mit üppiger Barockausstattung).

Gossaert [x'ɔsa:rt], Jan, gen. **Mabuse** [mab'y:z], niederländ. Maler, *Maubeuge (Hennegau) zw. 1470 und 1480, †Breda(?) 1532, wurde 1503 Meister in Antwerpen, 1508/09 begleitete er PHILIPP VON BURGUND nach Rom, um antike Bau- und Bildwerke zu zeichnen; war nach der Rückkehr für den burgund. Hof tätig (u.a. Ausschmückung des Schlosses Souburg bei Middelburg). In Technik und Stil durch die Kunst J. v. EYCKS maßgeblich geprägt, schuf er in seinen Gemälden (mytholog. Madonnenbilder, Porträts) eine Synthese altniederländ. und ital. Tradition und wurde zum Wegbereiter des Romanismus.

HW: Liebfrauenaltar (um 1511; Palermo, Nat.-Gal.); Lukasmadonna (um 1515; Prag, Nat.-Gal.); Danae (1527; München, Alte Pinakothek); Mädchenporträt (London, Nat. Gal.).

Gößweinstein, Markt im bayer. Oberfranken, 3200 Ew., mit berühmter Wallfahrtskirche von B. NEUMANN (1730–39) und festl. Innenausstattung im Spätbarockstil. Die Burg (1139–1780 Besitz des Hochstifts Bamberg) wurde im 19. Jh. neugotisch umgestaltet (Mus.).

Gostinnyj Dwor [russ.], Handelshof im alten Rußland, urspr. nur für ausländ. Kaufleute, die ausschließlich hier Geschäfte tätigen durften. G. D. existieren seit dem 13. Jh. Im 16./17. Jh. waren es große rechtwinklige

Jan Gossaert: Mädchenporträt (London, National Gallery)

Plätze mit Eck- und Tortürmen. An der Innenseite der mitunter festungsartigen Umfassungsmauern befanden sich ein- bis zweistöckige Verkaufs- und Lagerräume. Seit dem 18. Jh. gab es G. D. auch für einheim. Kaufleute mit Laubengängen an der Fassade; soweit erhalten, wurden sie zu Kaufhäusern umgebaut.

Göteborg [jø:təb'ɔrj], Stadt in Schweden, unweit der Mündung des Götaälv in das Kattegat, 444 700 Ew. Der Umfang der Altstadt zw. Fluß und Wallgraben entspricht der ehem. befestigten Stadt. Hier liegen der älteste Profanbau der Stadt, das Kronhaus (1643–54), mit Sammlungen des Histor. Mus.; Rathaus (1670–73, mehrfach verändert); Dom (1633, nach Brand 1808–25 klassizistisch wiederaufgebaut); Kristine-Kirche (1648 gew., nach Brand 1746 wiederaufgebaut); im ehem. Gebäude der Ostind. Kompanie (1750–62) Histor., Archäolog. und Ethnograph. Mus. Südöstlich der Altstadt am Götaplatz (Poseidon-Brunnen von C. MILLES, 1931) Stadttheater (1934), Konzerthalle (1935) und Kunstmus. (1921–23, v. a. nord. Kunst). Das Röhss-Mus. ist das umfassendste Kunstgewerbemus. Schwedens.

Gotha, Stadt im nördl. Vorland des Thüringer Waldes, Dt. Dem. Rep., 58 400 Ew.; 1640–1918 Residenzstadt (seit 1826 neben Coburg). Das Residenzschloß Friedenstein (1643–55) ist eine frühbarocke Dreiflügelanlage mit bemerkenswertem Festsaal, Schloßkirche (1646 gew., Renaissanceportal vom Vorgängerbau des Schlosses) und Theater (1683, Bühnentechnik weitgehend im urspr. Zustand erh.); Schloßmus. (u. a. bed. Gemäldegal., Kupferstichkabinett). An den großen Schloßpark (1806–11) grenzt das barocke Gartenparterre von Schloß Friedrichsthal (1708–11) mit 2 Orangeriegebäuden (1747–74). Die spätgot. Margarethenkirche (beg. 1494) wurde nach Zerstörung im 2. Weltkrieg wiederaufgebaut; Augustinerkirche (im Kern gotisch, 1676–80 erweitert und umgebaut). Renaissance-Rathaus (1567–77); zahlreiche Bürgerhäuser seit 16. Jh. erh. – Die 1757 gegr. Porzellanmanufaktur stellte bes. Geschirre und kleinere Service (Têtes-à-têtes) mit klassizist. Dekor (Ruinenlandschaften in brauner Camaïeu-Malerei) her.

Göthe, Eosander von G., Baumeister, →Eosander.

Gothic Revival [g'ɔθɪk rɪv'aɪvəl, engl.], →Neugotik.

Gotik, letzte der großen Stilepochen ma. Kunst in W-Europa, auf die →Romanik folgend und der →Renaissance vorangehend. Ihre Eigenständigkeit gegenüber der Antike kommt in dem an sich abwertend gemeinten Begriff (il gotico = ital. ›barbarisch‹, ›nicht antik‹) zum Ausdruck, der in der Renaissance von G. VASARI geprägt wurde. Entstehungszentrum got. Architektur und Skulptur war die histor. Landschaft Île-de-France um Paris etwa ab 1140. In den folgenden 100 Jahren drang der got. Baugedanke allmählich und keineswegs kontinuierlich in regionalen Varianten durch Mitglieder der →Bauhütten nach England, Dtl., Spanien, Skandinavien und Italien vor. Die Chronologie der Stilstufen früh-, hoch- und spätgotisch muß demgemäß für jede Region unterschiedlich gesehen werden; ebenso der Übergang der G. zur Renaissance, der in Italien um

Gotik: Madonna von Dangolsheim; Straßburg, um 1470 (Berlin-West, Staatl. Museen)

Gotik: linker Turm der Kathedrale von Reims

1420, in den nordalpinen Ländern aber erst gegen 1500 einsetzte.

An der Baukunst hat sich im frühen 19. Jh. die Begriffsbestimmung der G. entwickelt, bes. an den frz. oder von frz. Bauten beeinflußten Kathedralen. Ein neues Raumgefühl steigerte den Kirchenbau zu mächtiger Höhe; der Innenraum wurde als Raumeinheit und nicht mehr als Summe von Einzelräumen wie in der Romanik empfunden. Dem Streben des Bauwerks in die Höhe dient im Innern das Kreuzrippengewölbe (BILD Gewölbe): Die Kreuzrippe trägt das Gewölbe (Netz-, Stern-, Fächergewölbe) und leitet den Gewölbedruck zu den Pfeilern, die durch das nach außen verlegte Strebewerk von Strebebögen und -pfeilern gestützt werden.

Im Kirchenraum verschmelzen die Pfeiler mit den die Rippen aufnehmenden Diensten zu Bündelpfeilern (BILD). Die Konzentration auf das strukturelle Gerüst, auf die Pfeiler und das Strebewerk, ermöglicht eine weitgehende Auflösung und Durchlichtung der Wand (Skelettbau). Die Wandstücke zw. den Pfeilern werden durch Laufgänge und Arkaden aufgeschlitzt (Doppelschaligkeit oder auch diaphanes System). Der Rundbogen wird durch den Spitzbogen ersetzt, dessen Seitenschub geringer ist und die Aufhebung der gebundenen roman. Ordnung (→Gebundenes System) und eine rascher vorwärtsdrängende Abfolge schmaler Joche ermöglichte. Die Seitenschiffe wurden verlängert, um den Chor herumgeführt (Chorumgang), der durch einen Kapellenkranz erweitert wurde. Gleichzeitig wurde auf die Anlage einer Krypta verzichtet. Ein dreiteiliger Laufgang, das →Triforium, durchbricht in der Hochgotik die Wand zw. Bogenstellungen und Fenstern, während in der Frühgotik die aus der Romanik übernommenen Emporen noch eine wesentl. Rolle spielen. Zw. den Strebepfeilern wurden hohe Fenster eingesetzt. Maßwerk füllt die oberen Teile der Fenster, Wimperge (BILD) und Fensterrosen. Im Außenbau wurde die W-Fassade durch reiche Gliederung und mächtig emporstrebende Türme (häufig Aufgabe der Doppelturmfassade zugunsten einer Einturmanlage), deren Bau oft Jh. dauerte, betont. Fialen krönen die Strebepfeiler, Kreuzblumen die mit Krabben geschmückten Türme, Wimperge und Fialen.

Als Schöpfungsbau der G. gelten Chor und W-Bau der Abteikirche von Saint-Denis bei Paris (beg. um 1137). Weitere bed. Bauten des 12. Jh. sind die Kathedralen von Paris (Nôtre-Dame), Laon (BILD), Bourges (BILD), Sens, Senlis und Nantes. Als erster Bau im hochgot. System wird der Neubau der Kathedrale von Chartres (1194 beg.; BILD Chartres) angesehen, dem 1211 Reims (BILD) und 1220 Amiens (BILD) folgten. Um 1240 wurden die Formen reicher (Rayonnant-Stil). Die Durchfensterung der Wände nahm extreme Formen an (Sainte-Chapelle in Paris, BILD Paris). Die Spätgotik seit dem späten 13. Jh. nennt man in Frankreich der flammenden Form der Maßwerke wegen Flamboyant-Stil.

In England entstand noch im 12. Jh. unter der Leitung des Architekten der Kathedrale von Sens die Abteikirche von Canterbury. Wichtige Bauten des 13. Jh. sind hier Salisbury, Winchester (BILD), der Chor der Kathedrale von Lincoln und Westminster Abbey in London. Die Spätgotik bildete eigene Formen aus, den Perpendicular Style und den Tudor Style.

Gotik: Teil der Westfassade des Straßburger Münsters; Anfang 14. Jh.

Gotik: LINKS St. Lorenz in Nürnberg, Langhaus; 13.–15. Jh.; RECHTS Westminster Abbey in London, Innenraum nach Osten

In Spanien ist das Vorbild der frz. Bauten in den Kathedralen von Burgos und León sehr deutlich (→Mudéjar-Stil).

Dtl., Skandinavien und Italien nahmen die G. nur zögernd auf. Erste frühgot. Bauformen brachten die Zisterzienser (Ebrach, beg. 1200). Ihre Werkstätten haben auch bed. Anteil an der Vollendung des ersten Kathedralgrundrisses nach frz. Muster in Dtl.: Magdeburg (beg. 1208). Die dt. Spätromanik machte sich in einem Übergangsstil viele konstruktive Eigenheiten der G. zunutze, unterscheidet sich aber in ihrem Charakter stark von frz. Bauten. Erst mit der Elisabethkirche in Marburg (1235 beg.) und der Liebfrauenkirche in Trier (1235–50) treten die hochgot. Elemente in reiner Form auch in Dtl. auf, wenn auch in Grundriß und Aufriß den veränderten Gegebenheiten und Traditionen angepaßt. Mit dem Kölner Dom (1248 beg.; BILD Köln) ist dann erstmals ein got. Kathedralplan in Dimensionen beg. worden, die frz. Bauten nicht nachstehen. Die Fassade der Kathedrale von Straßburg (letztes Drittel des 13. Jh.) verkörpert mit ihrem wandartigen Aufbau und dem flächenbetonenden Stabwerk den Übergang zur Spätgotik. Diese gestaltete den Raum als ruhendes, von jedem Punkt zu erfassendes maler. Ganzes. Sie zog deshalb die Hallenkirche der Basilika vor. Nun traten auch, charakteristischer noch als vorher, die europ. Länder mit ihrer jeweiligen ›Sondergotik‹ hervor. Klöster, Schlösser, Burgen, später auch Rat- und Bürgerhäuser, übernahmen die Formen der kirchl. Baukunst. Erst in der G. begann die Stadt ein architekton. Ganzes zu werden. Der Aufschwung der weltl. Baukunst erklärt sich aus dem aufstrebenden Bürgertum als dem Träger des Lebens in den Städten.

In Italien waren es die Zisterzienser (Fossanova, 1208 gew.) und Franziskaner (S. Francesco in Assisi,

1228–53), die sich der frz. Formen bedienten. Die großen Predigerkirchen der Bettelorden gaben im 14. Jh. der ital. G. ein sehr schlichtes Gepräge.

Charakteristisch v. a. für den N Europas ist die **Backsteingotik** (→Backsteinbau).

Die Bauskulptur der G. ist gekennzeichnet durch vegetabile Formen, oft der natürl. Pflanzenwelt abgesehen, bes. in den Kapitellen (Blüten- oder Knospenkapitelle). In Frankreich konzentriert sich die figürl. Skulptur v. a. auf die Portale. Die Kathedralfassaden geben ein Abbild des Heilskosmos ma. Theologie. Kennzeichnend für den Beginn got. Skulptur (W-Portale der Kathedrale von Chartres, um 1140–50) ist die Einheit und gegenseitige Abhängigkeit von Architektur und Skulptur. Die →Säulenfigur nimmt die langgestreckte Form der eingestellten Säulen im Gewände auf, mit denen sie aus einem Block geschlagen wurden. Diese Bindung an die Architektur blieb auch erh., als sich die Gestalten aus ihrer anfängl. Starre zu lösen begannen und eine gewisse ›Bewegungsfreiheit‹ erhielten (Kontrapost). Die Entwicklung führte konsequent von den Skulpturen der W-Fassade von Chartres, wo sie mit einem Säulenschaft eng verbunden sind, über das Gewändeportal von Senlis (BILD), das auf diese ›Stützen‹ verzichtet und damit eine Verselbständigung der Figur erreicht, bis zu den weitgehend frei ›agierenden‹ Gestalten der klass. Kathedrale. Die Entwicklung der got. Statue bedurfte dieses architekton. Zusammenhangs mit der Wand, der Konsole unter den Füßen, des Balda-

Gotik: LINKS Gewändefiguren des mittleren Westportals der Kathedrale von Chartres; um 1150. RECHTS Grabplatte des Peter von Aspelt († 1320) im Mainzer Dom

Gotik: Inneres von St. Georg in Dinkelsbühl; 1448–99

chins über dem Haupt, um eine gewisse Räumlichkeit anzudeuten. Diese Raumbezogenheit der Skulptur stand in innerem Zusammenhang mit der Ausdrucksgestaltung, die sie durch Gewand und Faltengebung erhielt. Nur vorübergehend wurde dabei auf die Antike zurückgegriffen. Die Harmonie von Körper und Gewand der klass. Kathedralskulptur (Nôtre-Dame in Paris; Amiens; Reims; Naumburg; Bamberg, BILD) ging bald verloren. Das Gewand wurde mächtiger als der Körper, es verleugnete ihn, die Gestalt nahm eine schwingende Haltung (S-Kurve) an und verlor ihre Standfestigkeit. Diese got. Gewandfigur, eine Schöpfung der Hochgotik, leitete eine weit über die G. hinausreichende kunstgeschichtl. Entwicklung ein. Um die Jahrhundertmitte bildete sich in Paris, etwa im Figurenschmuck der Sainte-Chapelle, ein höf. Stil heran, der zu den gezierten Gestalten des 14. Jh. überleitete (Chorpfeilerfiguren des Kölner Domes, 1322). Eine Beseelung der Skulpturen ging Hand in Hand mit neuen Typen, so den von der Mystik beeinflußten Andachtsbildern (→ Andachtsbild 2), die sich ganz aus der architekton. Bindung lösten. Sie waren v. a. in Dtl. beheimatet. Um die Mitte des 14. Jh. wurde der Stil intimer, bürgerlicher und verband sich v. a. bei der Parlerschule und im Werk C. SLUTERS in Dijon mit einem frischen Wirklichkeitssinn. Seit 1380 verbreitete sich von Prag, Avignon und Burgund aus der **Internationale Stil,** auch →Schöner Stil gen.; es war die letzte einheitl. Formensprache des MA.

Ein eigener Bildtyp entstand in den →Schönen Madonnen. Seit 1420 entwickelte sich in Florenz die Frührenaissance (DONATELLO), während im N ein spätgot. Ausklang zu neuen Höhen führte (T. RIEMENSCHNEIDER, V. STOSS, H. LEINBERGER). Der spätgot. Schreinaltar vereinigte Architektur, Plastik und Malerei.

Der Malerei, die in der Romanik die Kirchengewände mit Fresken bedeckt hatte, boten die auf karge Reste

Gotik: LINKS Simone Martini, Verkündigung; Ausschnitt, 1333 (Florenz, Uffizien).
UNTEN Oberrheinischer Meister, Das Paradiesgärtlein; um 1410 (Frankfurt am Main, Städelsches Kunstinstitut)

(Pfeiler und Gewölbekappen) beschränkten Flächen des got. Kirchenraums keine Aufgabe mehr. Nur wo die G., wie in Italien, die Wandflächen bewahrte, hatte das Fresko noch Lebensraum. Dort schuf GIOTTO einen neuen monumentalen Stil, der bis in die Renaissance fortwirkte. Der reinste Vertreter der in Italien als ›dolce stil nuovo‹ bezeichneten G. war SIMONE MARTINI. Der Kirchenbau im N hingegen verwies die Malerei auf die Altäre, die so zu Wegbereitern des Tafelbildes wurden, das seit der 2. H. des 14. Jh. nördlich der Alpen den Vorrang gewann. In den Niederlanden schufen R. VAN DER WEYDEN und die Brüder VAN EYCK bedeutende Werke, in Dtl. traten u. a. A. DÜRER und M. GRÜNEWALD hervor.

Eindeutig an die Entwicklung der got. Architektur gebunden war die →Glasmalerei, die die roman. Fresken ablöste und in der diaphanen Wandgestaltung voll zur Entfaltung kam (Chartres, Paris).

Neben der Glasmalerei erlebte die →Buchmalerei eine neue Blüte; v. a. waren es Psalterien, die als private Andachtsbücher kostbar ausgestattet wurden (→Ingeborg-Psalter in Chantilly). Unter den Herzögen von Burgund, PHILLIPP III. DEM GUTEN (1419–67) und seinem Sohn KARL DEM KÜHNEN (1467–77), erlebten Burgund und die Niederlande einen Höhepunkt der Miniaturmalerei, die wiederum eine wichtige Voraussetzung für das Tafelbild wurde.

Im Kunsthandwerk der Zeit bilden Höhepunkte die kostbaren Werke der Goldschmiedekunst (Schreine, liturg. Geräte, Monstranzen, Reliquiare, BILD), Elfenbeinarbeiten, Kleinkunstwerke aus Bergkristall, verschiedenen Metallen und Holz (Minnekästchen), Bildwirkerei (Apokalypse von Angers; auch höfische Szenen, Darstellungen von Wilden Männern, besonders vom Oberrhein und Franken), englische Stickereien, schmiedeeiserne Beschläge an Türen und Truhen. –

Gotik: LINKS Pietà Röttgen; um 1300 (Bonn, Landesmuseum). RECHTS Wildweiblein mit Einhorn; Wandbehang, Straßburg, um 1500 (Basel, Histor. Museum)

Zentren waren Paris, Limoges, Flandern, Florenz, Siena und Venedig.

Wiederaufgegriffen wurden got. Formen im 18. Jh. zuerst in England (Gothic Revival). Die →Neugotik des 19. Jh. beschränkte sich in der Zeit der Romantik ganz auf Einzelheiten der Architektur. Im Historismus entstanden dann Bauten, die das got. System auch in seiner Struktur übernahmen.

O. v. SIMSON: Die got. Kathedrale (1968); W. GRON: G. und Spätgotik (1969); A. STANGE: Dt. Malerei der G., 3 Bde. (Nachdr. 1969); W. SAUERLÄNDER: Got. Skulptur in Frankreich, 1140–1270 (1970); Die Parler und der Schöne Stil, 1350–1400, Ausst.-Kat., Köln (1978); A. KAMPHAUSEN: Backstein-G. (1978); W. SCHLINK: Die Kathedralen Frankreichs (1978); E. ULLMANN: Die Welt der got. Kathedrale (1981).

Gotland, schwed. Ostseeinsel, erlebte dank der günstigen Lage im Schnittpunkt der Ostseeschiffahrt v. a. zw. dem 12. und 14. Jh. eine Blütezeit, von der außer den Baudenkmälern der Hauptstadt →Visby Burgen und über 90 Dorfkirchen zeugen. Mit der Fülle ma. Kunstwerke auf engem Raum nimmt G. eine Sonderstellung in Schweden ein. Von den Stabkirchen des 11. Jh. sind keine bed. Reste erh. Die Steinkirchen des 12. Jh. waren einschiffig mit Chor und Apsis im O und Turm im W. Im 13. Jh. baute man unter Einfluß der Visbyer Kirchen zwei- oder dreischiffige Kirchen. Häufig sind gerader Chorschluß und quadrat. Langhaus. Spitzbögen finden sich schon früh, doch sind Rippengewölbe und Strebepfeiler selten. Die meisten Kirchen sind mit Fresken geschmückt (Garde, Vamlingbo, Gothem, Bunge u. a.). Hervorragende Fenster finden sich in Dalhem, Lojsta, Lye, Skulpturen in Bunge, Grötlingbo, Garde, Holzbildwerke in Ekeby, Väte, Öja (BILD Triumphkreuz). Über bes. reiche Portale verfügen Bro, Stånga, Hablingbo, Tingstäde, Dalhem, Lärbro. Lange Zeit war G. ein Mittelpunkt der Steinskulptur, wovon auch zahlreiche Taufsteine auf der Insel und als Exportgüter in den Ländern rund um die Ostsee zeugen.

Gotland: Dorfkirche in Gothem

Gott aus dem Meer: Detail der Bronzestatue; um 460 v. Chr. (heute Athen, Nationalmuseum)

Gott aus dem Meer, Benennung der 2,09 m hohen grch. Bronzestatue eines bärtigen Gottes aus der Zeit um 460 v. Chr., die 1926/28 bei Kap Artemision (Insel Euböa, Griechenland) im Meer gefunden wurde (Athen, Nat.-Mus.), ein Werk von höchster künstler. Qualität; als Poseidon, in jüngerer Zeit als Zeus gedeutet.

Götterbild, die Darstellung von Göttern bei Völkern mit polytheist. Religionen. Die Götter wurden in Malerei und Bildhauerkunst in ihren vielfältig gedachten Erscheinungsformen (überwiegend menschlich, aber auch tiergestaltig) gesehen. Sie sind häufig gekennzeichnet durch die zu ihnen gehörenden Attribute oder bed. größer als die sie umgebenden Figuren (Priester, Anbetende) dargestellt.

Für die Vorstellung eines menschengestaltigen Gottes finden sich die frühesten Belege (seit dem Neolithikum) in G. des Alten Orients und Ägyptens. – Die einzelne Götterdarstellungen der versch. Panthea Vorderasiens können selten durch Beischriften identifiziert werden, häufig dagegen durch sie begleitende Symbole, die wiederum über Analogieschlüsse zu schriftl. Erwähnungen deutbar sind. Ikonographisch sind G. i. a. an ihrer Kopfbedeckung (Hörnerkrone, Polos u. a.) aber auch an ihrer Tracht (Falbelgewand) erkennbar; da auch Könige vergöttlicht wurden, müssen zur Unterscheidung noch die Göttersymbole hinzukommen (z. B. Waffen, Postamente, Tiere). Träger von G. sind Denkmäler der Groß- und Kleinkunst (Plastik, Relief, Rollsiegel, Terrakottarelief). Veränderungen in der Götterhierarchie machen sich auch im Denkmälerbestand bemerkbar (z. B. der Aufstieg Marduks in Babylonien oder der Assurs für das assyr. Weltreich).

Nach ihrer Landnahme in der 1. H. des 2. Jahrtsd. v. Chr. in Persien scheinen die Iranier die Götter zunächst nicht bildlich dargestellt zu haben, erst auf achaimenid. Reliefs (Bisutun) betet der König vor einer geflügelten Büste und einer Sonnenscheibe, die man als Gottheit →Ahura Masda gedeutet hat. In hellenist. Zeit haben iran. Könige in Syrien und Afghanistan in riesigen Statuen und Reliefstelen (Nemrut Dağ, Arsameia am Nymphaios) oder auf Münzen die Götter Mithra Vahran, Ahura Masda (in späterer Namensform Ormuzd) u. a. dargestellt. Auch auf den Felsreliefs der Sassaniden (Taq-e Bostan, Naksch-e Rostam, Naksch-e Redjeb) werden sie wiedergegeben, ebenso →Anahita, wie sie dem König den Ring der Herrschaft überreicht.

In Ägypten wurden Götter in der Vorgeschichte (vor 3000 v. Chr.) in Gestalt von Tieren, Pflanzen und Gegenständen (Fetisch) abgebildet; menschengestaltige Darstellungen begegnen seit der 1. Dynastie, ebenso die später so kennzeichnende Mischform von Menschenleib und Tierkopf, aber auch in Tiergestalt mit Menschenhaupt, ohne daß daneben die Wiedergabe eines Gottes in reiner Tierform verschwindet. Die ägypt. Götterwelt erscheint nicht in klar gegeneinander abgegrenzten Gestalten, sondern ein Gott kann versch. Gestalten annehmen (Amun als Mensch, Widder, Gans oder als Mensch mit Widderkopf), oder eine Erscheinungsform kann versch. Götter bezeichnen (Göttin mit Kuhgehörn und Sonnenscheibe kann Hathor aber auch

Wörter, die man unter G vermißt, suche man unter Dj, J oder K

Isis sein). In den Händen halten die Götter oft Lebenszeichen (→Anch) und Zepter. Die meisten Götterdarstellungen der ägypt. Kunst sind in Relief und Malerei wiedergegeben, Götterstatuen waren im Alten und Mittleren Reich sehr selten, erst seit AMENOPHIS II. nahmen im Neuen Reich Großplastiken der Götter zu.

In Griechenland entstand in der Antike ein G., das dem Menschenbild der damaligen Zeit entsprach. In archaischer Zeit überwog die Darstellung des bekleideten Gottes gesetzten Alters, seit dem 5. Jh. v. Chr. wurden die Götter jugendlich und nackt wiedergegeben. Von den Römern wurde v. a. dieser Typus übernommen. Göttinnen wurden bekleidet dargestellt mit Ausnahme der Aphrodite, die zuerst von PRAXITELES als Statue in völliger Nacktheit (›Knidische Aphrodite‹, um 350 v. Chr.) geschaffen wurde. Eine Fülle von Attributen kennzeichnete die versch. G. (vgl. hierzu die Artikel über die antiken Götter, v. a. Aphrodite, Apollon, Artemis, Athene, Dionysos, Herakles, Poseidon, Zeus).

Vom vorkolumb. Amerika sind aus der Inkazeit zwar Namen, aber keine sicher als Gottheiten zu identifizierende G. bekannt. Es ist überliefert, daß eine große goldene Scheibe das Symbol des Sonnengottes (Inti) war, eine silberne Scheibe das der Mondgöttin (Quilla). In Mesoamerika war die Darstellung der Götterwelt ungeheuer vielfältig. Die einzelnen Götter hatten best. Aspekte und Attribute, die aber in versch. Kombinationen auftreten konnten; Erscheinungsformen und Attribute konnten z. T. über Jh. gleichbleiben. Charakteristisch für Mesoamerika ist die Einteilung in Götter mit für den Menschen negativen (z. B. Coatlicue) oder positiven (Chac oder Tlaloc) Auswirkungen. G. finden sich als Steinskulpturen, auf Reliefs, Wandmalereien und in Bilderhandschriften.

In Ozeanien ist die Darstellung von personifizierten Göttern oder gottähnl. Schöpfergestalten auf Polynesien mit seinem umfassenden, von Priestern verbindlich interpretierten Pantheon beschränkt. Götterfiguren wurden in Stein oder Holz gearbeitet. Herausragende Beispiele sind die männl. Schöpfergottheiten von Rarotonga (Cook-Inseln) und Rurutu (Austral-Inseln) mit den vielfältigen Attributen ihrer Schöpferkraft sowie die durch Schreckgebärden imponierenden Kriegsgötter auf Hawaii (aus Holz oder Federvlies). In Melanesien sind die Bildnisse der kasuar-, krokodil-, schildkröten- oder schweinegestaltigen göttl. Schöpferwesen mehrdeutig, da die ihnen zugeschriebene Wandelbarkeit der äußeren Gestalt betont wird.

In S-Asien hat das mehrköpfige, -armige, doppelgeschlechtl. G. im gesamten Verbreitungsgebiet des Hinduismus großartige Gestaltung erfahren. (→hinduistische Kunst)

H. WALTER: Grch. Götter. Ihr Gestaltwandel ..., dargestellt an den Bildwerken (1971); M. LURKER: Götter und Symbole der alten Ägypter (1980).

Göttingen, Universitätsstadt im südl. Ndsachs., 124000 Ew.; 1351–1572 Hansestadt. Die bedeutendsten Kirchen sind got. Hallenkirchen und entstammen dem 14./15. Jh.: St. Johannis mit Doppelturmfront, St. Jakob mit 70 m hohem Westturm (1427–33) und Flügelaltar (1402), St. Alban (1423–67), St. Marien. In der ehem. Paulinerkirche (1331 gew.) die Univ.-Bibl. Got. Rathaus (1369–1444); Gänselieselbrunnen (1901). Reizvolles Treppenhaus in der ehem. Frauenklinik (1785–91); prächtige klassizist. Aula (1835–37) im Stil K. F. SCHINKELS. Viele Fachwerk- und spätklassizist. Bauten. Im Hardenberger Hof (1592) und in der Alten Post (1740–80) das Städt. Mus.; Kunst- und Völkerkundl. Samml.; Archäolog. Institut der Univ.

Gottorf, Gottorp, Schloß in →Schleswig.

Göttweig, Benediktinerabtei südlich von Krems, NÖ, gegr. um 1070, nach Brand (1718) Neubau nach Plänen J. L. v. HILDEBRANDTS (Bauleitung bis 1725), nicht voll.; Prunkstücke sind der Altmannsaal mit der ›Hochzeit von Kana‹ von J. R. BYSS (1734), die Kaiserstiege (1738) mit Deckenfresko (Kaiser Karl VI. als Apoll) von P. TROGER und die Kirche (Chor 1402 beg.) im Mittelpunkt der Gesamtanlage mit großartiger, nach abgewandeltem Entwurf v. Hildebrandts erbauter Fassade (1750–65).

Götz, 1) auch **Göz,** Gottfried Bernhard, Maler und Kupferstecher, *Wehlerad 10. 8. 1708, †Augsburg 23. 11. 1774, malte in süddt. Kirchen und Klöstern Dekkenfresken (v.a. in Birnau, 1750; ferner: Meersburg, Schloßkapelle, 1741, Schussenried, Treppenhaus, 1758) und Tafelbilder (Admont, 1745–47; Donauwörth, Pfarrkirche, 1754; Landsberg a. L., Jesuitenkirche, 1754) im Stil des Rokoko.

E. ISPHORDING: Die Ölgemälde und Handzeichnungen des G. B. G. (1976).

2) Karl Otto, Maler, *Aachen 22. 2. 1914, gilt seit 1950 als führender Repräsentant des ›Frankfurter Tachismus‹; lehrte 1959–80 in Düsseldorf. G. sucht durch ein in jahrelanger Entwicklung vervollkommnetes Schema breiter, schichtweise übereinandergelegter Schwünge Unmittelbarkeit der Handschrift mit strenger Struktur des Bildraums zu verbinden.

W. GROHMANN: K. O. G. (1962); K. O. G., Ausst.-Kat., Stuttgart (1981).

Götzens, Gem. bei Innsbruck, Österreich; Pfarrkirche St. Peter und Paul (1772–75) mit reicher Rokoko-Ausstattung, v.a. Stuckarbeiten und ungewöhnlich qualitätvollen Altarstatuen.

Gouachefarben [gu'aʃ-, frz.], Maltechnik: durch Zusatz von Pigmenten und weißen Füllstoffen deckende, kreidig wirkende Wasserfarben in Gummitemperabindung, die beim Trocknen pastellähnlich aufhellen.

Gouachemalerei [gu'aʃ-, frz.], **Guaschmalerei,** ital. **guazzo,** Malerei mit →Gouachefarben. Die Malweise mit diesen ist umgekehrt wie bei der lasierenden →Aquarellmalerei: Das Papier wird mit einer ersten dunklen Farbschicht bedeckt, häufig einer Grundierung, hellere Flächen werden darüber gemalt, bis schließlich im Deckweiß, oftmals pastos aufgesetzt, die Lichter der körperl. Modellierung den hellsten Grad erreichen. In der Miniaturmalerei gebräuchlich, gewann die G. im 18. Jh. in Italien, Frankreich und der Schweiz an Popularität. Im 19. Jh. benutzte A. MENZEL die G.

gern (›Kinderalbum‹, 1861–68) und auch die dt. Impressionisten M. LIEBERMANN und M. SLEVOGT bevorzugten sie vor der Aquarellmalerei. Häufig wurde die G. mit Aquarell kombiniert (G. DE SAINT-AUBIN, G. MOREAU, E. LAMI u. a.).

Gouda [x'ɔuda], Stadt in der niederländ. Prov. Südholland, 56400 Ew. Die St. Janskerk ist eine spätgot. Basilika mit dreischiffigem, im östl. Teil durch 2 weitere Schiffe erweitertem Langhaus (nach Brand 1552); W-Turm (14. Jh.) und Umgangschor (1485–1510) wurden beibehalten. Bes. bemerkenswert ist die vollständig erh. Reihe von Fenstern mit Glasgemälden (1555–1603). Mitten auf dem Marktplatz das spätgot. Rathaus (1448–50) mit überaus reicher Fassade, Renaissance-Freitreppe (1603). An der N-Seite des Marktes die Waage, ein Renaissancebau (1668) von P. POST. Städt. Mus. (u. a. sakrale Kunst, Malerei des 19. Jh.), ›De Moriaan‹-Mus. (u. a. Fayencen).

Goudt [xɔut], Hendrick, holländ. Radierer und Zeichner, *nach 1580, †Utrecht 17. 12. 1648, stand 1608–10 in Rom in enger Beziehung zu A. ELSHEIMER, dessen Gemälde er stach und dessen Zeichenweise er überzeugend nachahmte.

Goujon [guʒ'ɔ̃], Jean, frz. Bildhauer und Baumeister, *in der Normandie(?) um 1510, †Bologna um 1566, tätig in Rouen, Paris (1544–62), Écouen und Anet. G., der mit den Architekten P. LESCOT und P. DELORME zusammenarbeitete und mit diesen zu den Wegbereitern des frz. Classicisme zählt, kannte die ital. Kunstlehre der Renaissance und beherrschte ihre Formensprache; doch sind seine schlanken Figuren von elegantem Umriß durchaus französisch.

HW (alle im Louvre): Pietà und 4 Evangelisten (Reliefs; 1544/45); Nymphenreliefs der Fontaine des Innocents (1549); 4 Karyatiden einer Musikempore des Louvre (1550).

Govaerts [x'o:va:rts], Abraham, fläm. Maler, getauft Antwerpen 30. 8. 1589, †ebd. 9. 9. 1626, stand anfangs unter dem Einfluß der Landschaften von G. VAN CONINXLOO, arbeitete später in der Art J. BRUEGELS D. Ä.; Lehrer von F. SNYDERS.

Govardhanadhara, Darstellung des ind. Hirtengottes →Krishna, der zum Schutz vor einem Unwetter den Berg Govardhana nahe Mathura über Menschen und Vieh hochstemmt.

Goya, G. y Lucientes [g'oja i luθi'entes], Francisco José de, span. Maler, Radierer, Lithograph, *Fuendetodos (Aragonien) 30. 3. 1746, †Bordeaux 16. 4. 1828; ausgebildet in Saragossa und Madrid, ging 1770 nach Italien (Rom), kehrte 1771 zurück, seit 1775 an der Teppichmanufaktur in Madrid tätig, wurde 1785 stellvertretender Direktor der Akad. von S. Fernando, 1799 Erster Hofmaler des Königs; 1824 emigrierte er nach Frankreich.

G.s geniale Darstellungskunst umfaßt die verschiedensten Themen; er verwandte vielfältige Techniken, von denen bes. die graph. Folgen seinen internat. Ruhm begründeten und die Entwicklung der modernen Graphik entscheidend prägten (BILDER Radierung; Zeich-

Jean Goujon: Nymphenrelief der Fontaine des Innocents; 1549 (Paris, Louvre)

Francisco de Goya: Selbstporträt aus den Caprichos; Radierung mit Aquatinta

nung). In seinen Porträts nahm er die Tradition der span. Hofmaler wieder auf. Die Kirchenbilder der Frühzeit knüpften an G. B. TIEPOLO an, blieben noch traditionell. In den Teppichkartons entwickelte G. seinen ersten Stil, in dem er das span. Volksleben im heiteren Geist des Rokoko mit hellen und bunten Lokalfarben schilderte (›Der Sonnenschirm‹, 1777; Madrid, Prado). Die Porträts dieser Zeit knüpfen v.a. an A. R. MENGS und D. VELÁZQUEZ an. Den Höhepunkt seiner höf. Bildnismalerei stellen die Porträts der königl. Familie um 1800 dar (v.a. das schonungslos karikaturhafte Gruppenbild der Fam. KARLS IV., Prado). Gegen 1794 bildete sich der Stil der Reife: Zeitkritisch malte und radierte er Elend, Not und Krieg und deckte unerbittlich die Schwächen seiner Zeit auf. Der immer freier und kühner werdende Stil seiner Malerei erzielte bereits impressionist. Wirkungen. In seiner Spätzeit malte er düstere Bilder von hintergründiger, spukhafter Phantastik in grauschwärzl., schwermütig blauen und grünen Tönen; am Ende seines Lebens jedoch wieder versöhnlichere Bilder in zarten Farben (›Milchmädchen von Bordeaux‹, 1827/28; Prado).

WW. Frühzeit (1770–94): 38 Teppichkartons (seit 1776; Madrid, Prado). – Reifezeit (1795–1814): Fresken in der Ermita de San Antonio de la Florida in Madrid (1798); Nackte und bekleidete Maja (beide um 1797; Prado); Der Koloß oder die Panik (um 1810/12; ebd.); Die Erschießung Aufständischer (um 1814; ebd.). – Graphik: Caprichos (Einfälle, 80 Blätter, 1795–98); Desastres de la guerra (Schrekken des Krieges, 82 Blätter, 1808–15). – Spätzeit (1815–28): 14 phantast. Wandbilder (›Schwarze Malereien‹) aus seinem Landhaus am Manzanares (1819–23; Prado). – Graphik: Tauromaquia (Stierkampf, 38 Radierungen, 1815); Disparates (Absonderlichkeiten, 18 Blätter, postum 1850 veröffentlicht).

Francisco de Goya: Der Koloß oder die Panik; um 1810/12 (Madrid, Prado)

G. Sämtl. Radierungen und Lithographien, Einführung v. E. LAFUENTE FERRARI (a.d. Span., Wien 1961); JUTTA HELD: Farbe und Licht in G.s Malerei (1964); dies.: F. d. G. in Selbstzeugnissen und Bilddokumenten (1980); J. GANTNER: G. (1974); G., das Zeitalter der Revolution 1789–1830, Ausst.-Kat., Hamburg, hg. v. W. HOFMANN (1980); ders.: G. (Neuausg. 1981); G. A. WILLIAMS: G. (a.d. Engl., Tb. 1981); G., Zeichnungen und Druckgraphik, Ausst.-Kat., Frankfurt a. M. (1981); J. GÁLLEGO: G. und seine Welt (a. d. Frz., 1981).

Goyen [x'o:jə], Jan van, holländ. Maler, *Leiden 13. 1. 1596, †Den Haag 27. 4. 1656, Schüler des ESAIAS VAN DE VELDE in Haarlem, seit 1618 Meister in Leiden, seit 1632 Bürger in Den Haag. G. ist einer der bekanntesten und fruchtbarsten Landschaftsmaler. Seine Bilder, die anfänglich stark gefüllt, fest und bunt im Sinne van de Veldes sind, werden gegen 1630 flüssiger in den Formen; die Staffage tritt zurück und die Eigenfarbe der Gegenstände wird zugunsten einer monochromen Tonigkeit aus Gelb-, Braun- und Grünnuancen aufgegeben. Anfang der 40er Jahre herrschen leuchtende goldbraune Töne und schließlich im Spätwerk gedämpfte Farbigkeit vor. Außer atmosphärisch stimmungsvollen Dünen-, Fluß- und Weidelandschaften malte G. auch eindrucksvolle Ansichten holländischer, in Ebenen liegender Städte. BECKS Katalog seiner Bilder zählt 1207 Werke.

H. U. BECK: J. v. G., 2 Bde. (Amsterdam 1973).

Gozzoli, Benozzo, eigtl. Benozzo **di Lese di Sandro,** ital. Maler, *Florenz 1420, †Pistoia 4. 10. 1497, Schüler und Gehilfe des FRA ANGELICO, war in Umbrien, Rom, Florenz, San Gimignano und Pisa tätig. Das altertümlich bunte Vielerlei seiner Kompositionen ist mit kräftigen realist. Zügen und vielen zeitgenöss. Elementen durchsetzt.

Fresken: Szenen aus dem Leben des Hl. Franziskus (1450–52, Montefalco, S. Francesco); Engelchöre und Zug der Hl. Drei Könige durch eine Gebirgslandschaft (1459–61, Florenz, Palazzo Medici-Riccardi, Kapelle, im Reitergefolge Porträts der Medici u. a. florentin. Persönlichkeiten); 17 Szenen aus der Legende des Hl. Augustinus (1463–65, San Gimignano, S. Agostino); Fresken aus dem A. T. (24 Bilder, 1468–84, Pisa, Camposanto, 1943 schwer beschädigt, z. T. abgenommen). **Tafelbilder:** Altarbild mit der Gürtelspende (Rom, Vatikan. Pinakothek); Madonna mit Heiligen, 1454 (Perugia, Gal. Nazionale); Triumph des Hl. Thomas von Aquino (Paris, Louvre).

Grab, →Grabbau, →Grablege, →Grablegung Christi, → Grabmal.

Grabar, Igor Emmanuilowitsch, russ. Maler und Kunstwissenschaftler, *Budapest 25. 3. 1871, †Moskau 16. 5. 1960, Mitgl. des Mir Iskusstwa. Er verband die Tradition der russ. lyrischen Landschaftsmalerei mit dem westeurop. Neoimpressionismus. Nach 1917 arbeitete er als Kunsthistoriker an leitender Stelle im Museums- und Restaurationswesen; Autor zahlreicher kunsthist. Publikationen.

Grab|bau, architektonisch gestaltete Grabanlage.

In Mesopotamien und Syrien-Palästina sind aus vorhellenist. Zeit oberird. G. nicht üblich. Neben den zahllosen schlichten Kisten- oder Topfgräbern gibt es Grüfte, die aus Ziegeln gebaut und zunächst (3. Jahrtsd. v. Chr.) durch Überkragung, schon wenig später durch echte Gewölbe und gelegentlich Kuppeln eingewölbt waren. Bei den Königsgräbern der 1. Dynastie von Ur existierte ein Dromos, der jedoch nach der Belegung samt den Beigaben zugeschüttet wurde. Schon bei der 3. Dynastie von Ur (um 2000 v. Chr.) findet sich ein Einsteigschacht für Nachbelegungen. Der hier zusätzlich errichtete Oberbau in Form eines Wohnhauses erfüllte nur die Funktion der sonst gängigen Hausbestattung. – Aus achaimenid. Zeit ist aus dem Gebiet Fars (Iran) allein ein oberird. G. in Stein auf gestuftem Sokkel, von rechteckigem Grundriß und mit Giebeldach aus Pasargadae bekannt, wahrscheinlich das Grab Kyros' II. Ein ähnl. Monument existiert in Gur-e Duchtar und (unvoll.) bei Naksch-e Rostam.

In Ägypten war seit dem Beginn des Alten Reiches die →Pyramide die Form der königl. G. Erst im Neuen Reich wurde sie zugunsten versteckt angelegter →Felsengräber aufgegeben (→Tal der Könige und Tal der Königinnen). Die Form des Privatgrabes (für Priester, Beamte, Offiziere) war im Alten Reich vornehmlich die →Mastaba, im Mittleren und Neuen Reich das in den Berghang getriebene Felsengrab. In der Spätzeit wurden oberirdische tempelähnl. G. aus Stein oder Ziegel mit Vorhalle und Cella und unterird. Sargkammern angelegt (→Tuna el-Djebel).

In der minoischen Kultur Kretas dominierte seit dem Ende des 3. Jahrtsd. v. Chr. das →Tholosgrab (als Sippengruft v. a. in der Messara, aber auch unter den versch. G. von →Archanes); einmalig in Form und Aufbau unter den minoischen G. ist das um 1600 v. Chr. angelegte →Tempelgrab bei Knossos.

In der frühmyken. Epoche wurden dann die an die einfachste Grabform, die Grube, anknüpfenden →Schachtgräber angelegt (16. Jh. v. Chr.). Die myken. →Kuppelgräber des 15./14. Jh. v. Chr. sind die ersten großen erhaltenen Leistungen der europ. Architektur.

Im etrusk. Raum kamen im 7. Jh. v. Chr. monumentale G. auf, die in N-Etrurien grundsätzlich aus Steinblöcken erbaut wurden, während die Gräber im S meist vollständig in das vulkan. Tuffgestein eingehauen waren. Die nach außen hin runden, mit einem Erdhügel bedeckten Tumulusgräber besaßen in ihrem Innern ein ganzes System von Grabkammern. Ab dem 6. Jh. v. Chr. kamen lineare Grabformen (›Würfel‹- und ›Ädikula‹-Gräber) auf, die bes. in der Spätzeit aufwendige Grabfassaden in der Form von Tempeln oder Häusern aufwiesen (Sovana, Norchia, Castel d'Asso). Im Innern des Grabes wurde die Vielräumigkeit zugunsten einer einzigen Bestattungskammer (Tomba dei Rilievi in Cerveteri), später auch der Hausgedanke aufgegeben.

In röm. Zeit wurden neben verschiedensten Formen von Grabdenkmälern monumentale Rundbauten angelegt (Grabmal der Caecilia Metella, Augustusmausoleum, Engelsburg).

Im westl. Kleinasien sind die frei stehenden, auf hohen Sockeln ruhenden, hausartigen Sarkophage sowie die auf hohen Unterbauten sich erhebenden tempelartigen Heroa beheimatet. Eine Sonderform sind die lykischen Pfeilergräber (Xanthos), nach deren Vorbildern das →Mausoleum von Halikarnassos entstand. – Es finden sich daneben aber auch, bes. in Nordafrika (Kyrene) und in Petra, Felsengräber mit in den Fels gehauenen oder ihm vorgeblendeten Fassaden.

Im islam. Bereich stand man in der Frühzeit G. und Grabinschriften ablehnend gegenüber. MOHAMMED wurde im Wohnraum seines Hauses beigesetzt. Seit dem 9. Jh. entstanden jedoch zunehmend Memorialbauten mit dem Grab des Kalifen oder Herrschers ebenfalls unter dem Bau; ältester datierter G. ist die polygonale Kubba al-Sulaibija in Samarra, in der wohl der 862 gestorbene Kalif MUNTASIR beigesetzt wurde. In den folgenden Jh. dominierte der überkuppelte Zentralbau, oft in monumentaler Form; ganze Nekropolen mit architektonisch aufwendigen Bauten wurden in versch. islam. Zentren (Kairo: Mameluckengräber; Samarkand: Gräberstraße Schah-i Zinda mit Timuridengräbern) angelegt. Über O-Persien gelangte der asiat. Grabturm (Gumbad) als runder oder polygonaler G. in den islam. Raum und verbreitete sich v. a. in der Architektur der Seldschuken vom 11.–13. Jh. (Türbe). Seit dem 12. Jh. wurde der G. gerne mit anderen relig. Einrichtungen (Medrese, Moschee, Maristan) verbunden.

In Indien sind G. je nach der religiösen Richtung unterschiedlich in architektonisch-künstlerischer Bedeutung und Form. Im Buddhismus entwickelte sich aus dem ursprüngl. Bestattungshügel der →Stupa zum zentralen Kultsymbol; im Hinduismus spielen die G. kaum eine Rolle, lediglich zur Heldenverehrung (→Virakkal), zum Gedenken an Witwenverbrennungen (Sati-Steine) und für dynast. Zwecke (→Chattri) wurden Steinmale oder Pavillons errichtet. Demgegenüber entstanden in der indo-islam. Zeit zahlreiche Mausoleen und Grabmoscheen. Ab dem 13. Jh. sind diese G. meist würfelförmige Monumentalbauten, wobei zunächst Trompen (G. des Iltutmish in Delhi), später Rippenzwickel zur bekrönenden Kuppel überleiten. Im 14. Jh. betonen Mittelrisalite den Eingang und die Scheintore der 3 anderen Seiten. Die Kuppel ruht meist auf oktogonalem Tambour (G. des Firos Tughluq in Delhi). Im 15. Jh. erfährt der Baukörper mit einer auflockernden Blendarchitektur (Bara Gumbad in Delhi) oder mit zusätzl. Nebenkuppeln (G. des Hoshang Shah in Mandu) eine Erweiterung. Die G. können ab dieser Zeit auch oktogonal mit mehrfach durchbrochener Fassade sein (G. Sikander Lodis, G. des Isa Khan, beide in Delhi). Vom 16. Jh. an erheben sich die G. auf einem breiten ausladenden Sockel (G. des Sher Shah Sur in Sasaram, G. des Humayun in Delhi), und die Kuppel wird von Chattris und/oder Spitztürmchen geometrisch umsäumt. Die G. der Mogulkaiser stehen meist im Zentrum einer geometrisch unterteilten, ummauerten Gartenanlage mit je einem Portal pro Himmelsrichtung, wobei das Eingangsportal bes. hervorgehoben wird. Mit dem Aufkommen des breiten, überdimensionalen Sockels gehen einige G. in die Breite und verlieren ihre charakterist. Kuppel (G. Akbars, Jahangirs, G. des Itimad-ud-Daula in Agra). Bei vielen Mausoleen der Mogulkaiser befindet sich der eigtl. Sarkophag in einer unterird. Gruft unterhalb des steinernen Kenotaphs (G. Akbars, Jahangirs, Taj Mahal). Im 17. Jh. wurden den G. z. T. freistehende Minarette hinzugefügt (G. Jahangirs, Taj Mahal, G. der Rabia Daurani in Aurangabad).

In Indonesien entstand aus der Verbindung von Stupa und Tempel der →Candi.

In China bestanden G. seit der frühen Han-Zeit um 200 n. Chr. aus einem Verband unterirdischer, in den Felsen geschnittener oder durch Ziegelmauern gestützter Grabkammern, deren Vorstufe das Nischengrab der späteren Chou-Zeit des 4.–3. Jh. v. Chr. bildete. Die Verkleidungsplatten der Grabwände und der Opferhallen des 1. Jahrtsd. n. Chr. wurden entweder bemalt oder mit eingeschnittenen Reliefs geschmückt. Die Darstellungen zeigen Ausschnitte aus chines. Legenden, aus der Historie und aus dem Leben des Verstorbenen. Andere Grabkammern wurden mittels einfacher Backsteine ausgelegt, die noch in feuchtem Zustand mittels hölzerner Prägestempel verziert und zu Musterreihen oder Szenen zusammengesetzt werden konnten. Über den größeren Gräbern wurden seit Mitte des 1. Jahrtsd. v. Chr. Tumuli, meist in Form eines Pyramidenstumpfs, errichtet; seit dem späten 3. Jh. v. Chr. wurden Nebengruben für die Mitbestattung von tönernen Armeen angelegt (u. a. am Hof des Kaisers CH'IN SHIH-HUANG-TI; BILD Lint'ung). Die Mausoleen der Angehörigen des Hofes z. Zt. der T'ang-, Sung-, Ming- und Ch'ing-Dynastie waren angelegt nach dem Vorbild der kaiserl. Paläste von Ch'angan, K'ai-feng, Nanking und Peking. Ihre Mauern umschlossen außer den Ehrenpforten sowie langen, von Steinskulpturen gesäumten Geisterstraßen weitläufige, aus kostbaren Hölzern erbaute Opferhallen (Halle des Kaisers YUNGLO mit Sandelholzsäulen).

Die in Korea entstandenen G. im Königreich Koguryo v. a. in T'ung-kou und bei Pyŏngyang (4.–7. Jh.) sind stark von China beeinflußt (Grabkammern unter Tumuli mit skulptierten Architekturteilen). Sie sind durch ihre gut erhaltene →Wandmalerei einzigartig in der Kunst Ostasiens. Im Königreich Silla (Alt-Silla-Zeit 57 v. Chr.–668 n. Chr.) entstanden gewaltige Tumuli in der Umgebung von Kyŏngju.

In Japan waren die Grabhügel der Kofunperiode (3.–6. Jh.) mit Haniwa geschmückt.

Im vorkolumb. Amerika zeigen G. großen Formenreichtum, z. B. Urnengräber der Diaguita, gemauerte Schachtgräber von Tierradentro, unbefestigte Schachtgräber von Vicús und in den Westmexikan. Kulturen, Grabtürme (Chullpas) im Hochland Boliviens, Pyramidengräber der Maya (z. B. Palenque, Tikal).

Grablege, Anlage mit mehreren Gräbern einer fürstl. Familie (sal. Könige in der Gruft des Speyerer Doms, Habsburger in der Kapuzinergruft in Wien, frz. Könige in St-Denis in Paris, span. Könige im Escorial).

Grablegung Christi, die Darstellung der Beisetzung Christi durch Joseph von Arimathia und Nikodemus. Von ihnen wird der eingehüllte Leichnam (z. B. in byzantin. Buchmalereien des 9. Jh.) zu einem Felsengrab getragen oder (in westl. Darstellungen seit dem 10. Jh.) in einen Sarkophag gelegt. Mit der Einführung von Maria und Johannes wandelte die Szene ihren Charakter: Die Mutter erscheint zum letzten Abschied und beweint ihren Sohn. Aus diesen Motiven entstand der eigenständ. Bildtypus der →Beweinung Christi. Noch DONATELLO (1443–50; Padua, S. Antonio) verbindet jedoch die G. C. mit der Beweinung. Die bes. seit dem

14. Jh. figurenreichen Gruppen der G. C. (oft gleich ›lebenden Bildern‹ rundplastisch in eigenen Kapellen) sind aus dem Bildtypus der Kreuzabnahme entstanden und vereinigen oft Beweinung, Salbung und Einsargung; bed. die Darstellung von A. KRAFFT (1490/92). Seit der Renaissance haben bes. A. DÜRER, RAFFAEL, M. DA CARAVAGGIO, P. P. RUBENS, REMBRANDT und TIZIAN das Thema gestaltet.

Grabmal, Grabdenkmal, Gedenk- und Erinnerungsmal, meist an der Beisetzungsstelle des Toten, z. T. in monumentalen →Grabbauten.

Geschichte: G. finden sich schon in vorgeschichtl. Zeit. Auch können Menhire und →Menhirstatuen als G. gedient haben. Verzierte Grabstelen der Bronze- und Hallstatt-Zeit finden sich in N-Italien und im SW der iber. Halbinsel. Sie weisen auf der Vorderseite meist die stark schematisierte Wiedergabe eines Menschen auf, die den Toten mit seiner Ausrüstung (Dolch, Schwert, Streitaxt, Lanze, Schild) darstellt.

Im grch. Mutterland entwickelte sich seit der archaischen Zeit der frühere Erdhügel (tymbos) zum blockförmigen steinernen ›Grabtisch‹, geschmückt mit Inschrift-Stelen, Gefäßen oder Skulpturen (Statuen und Reliefs des Verstorbenen; Löwen, Sphinxen, Sirenen, Stiere als Wächter des Grabes). In klass. Zeit wurden diese Grabanlagen immer reicher gegliedert und dekoriert (Friedhof am Dipylon in Athen). Seit Ende des

Grabmal von Papst Julius II. in S. Pietro in Vincoli, Rom; von Michelangelo die 3 unteren Figuren; 1513–16

4. Jh. waren nur noch einfache Grabtische und bescheidene G. gestattet.

In röm. Zeit wurden neben monumentalen Grabbauten seit der spätrepublikan. Zeit als G. Bänke, Säulen, Altäre, Statuen, Reliefs und Sarkophage aufgestellt. Im gallisch-german. Gebiet finden sich auch Pfeilergräber (Igeler Säule, Neumagen).

In frühchristl. Zeit war v. a. in Rom die Beisetzung in →Katakomben üblich. Seit dem 3. Jh. erscheint daneben auch der →Sarkophag, der in kleinen Grabbauten aufgestellt wurde.

Im Mittelalter und in der Neuzeit wurden, abgesehen von außerhalb der Kirche aufgestellten, mit Kreuz und Namen versehenen Memoriensteinen für Laien, im wesentl. folgende Formen ausgebildet: die in den Boden der Kirche eingelassene, später meist denkmalhaft vor die Wand gestellte Grabplatte aus Stein, Bronze oder Mosaik; die frei stehende steinerne oder bronzene, über dem Bodengrab errichtete Tumba (im Spät-MA. mit Baldachin); das Wandnischengrab, das, vom Arkosolium herleitbar, aus einer Tumba in architekton., nischenbildendem Rahmen besteht; das Epitaph, das ohne Verbindung mit der Grabstätte Relief oder Tafelbild an der Kirchenwand ist und den Toten, meist in kleiner Gestalt, anbetend vor Christus, Maria und Heiligen, darstellt. Erst im 11. Jh. erhielt die Grabplatte figürl. Darstellungen. Der Tote wurde i. a. liegend dargestellt, erschien aber zugleich wie stehend (oft auf einer Fußstütze; seit dem 13. Jh. häufig auf einem Löwen); damit sollten Todesruhe und Auferstehung angedeutet werden. Seit dem 14. Jh. und bes. im Spät-MA. erschienen an den Wänden der Grabtumben Klagegestalten. Das Wandnischengrab wurde in Spanien, Frankreich und Italien ausgebildet. Über dem auf seiner Tumba ruhenden Toten erschienen, in Italien zunächst oft als Malerei, religiöse Bilder. Während in Dtl. das Epitaph entwickelt wurde, blieb Italien auch in der Renaissance beim Wandnischengrab, das von MICHELANGELO zu klass. Vollendung gebracht wurde (Medici-Gräber, Florenz). Im ital. G. des 16. Jh. erschien der Tote thronend, oft in triumphbogenartiger Architektur oder halb aufgerichtet.

Im N wurden seit Ende des 18. Jh. G. in Kirchen nur noch selten errichtet, da auch Adlige und Geistliche meist auf Friedhöfen beigesetzt wurden.

Im 19. Jh. verbreitete sich um 1820 mit der Stele und dem Grab-Monopteros (grch. Rundsäulenbau) das schon der grch. Antike bekannte Grabstandbild; die freiplast. Statue des Verstorbenen wurde damit zum eigenständ. G. Im Unterschied zum Barock (Verherrlichung des Toten) erhielt das G. nun einen neuen Inhalt; die wirklichkeitsnahe Sterbeszene zeigte anschaulich den Übergang vom Leben zum Tod. C.-D. RAUCHS Tumba der Königin Luise führt die Verstorbene in stillem Todesschlummer vor Augen. Der Todesgenius, nach antikem Vorbild eine nackte, schöne Jünglingsgestalt, steht dem Toten zur Seite (bed. Beispiele: B. THORVALDENS G. für T. v. Bethmann-Hollweg und G. SCHADOWS G. für den Grafen von der Mark). Neben dem Todesgenius mahnen auch andere Personifikationen von Tod und Trauer (Trauernde, Engel), der Würde des

Verstorbenen zu gedenken. – Die Gründerjahre nahmen das Wandgrab mit Medaillons oder Büsten und Medaillons als G. auf, seltener den Cippus; der Neubarock setzte dem Verstorbenen die umschreibende Allegorie hinzu. Den Abschluß bildete im 19. Jh. das neoklassizist. G. in Form der klass. Stele (seit 1890, um A. v. HILDEBRAND), die zwar allgemeingültig war, aber damit das individuelle Menschenbild aufgab.

E. PANOFSKY: Grabplastik ... ihr Bedeutungswandel von Alt-Ägypten bis Bernini (a. d. Amerikan., 1964); P. A. MEMMESHEIMER: Das klassizist. G. Eine Typologie (1969).

Grabreli|ef, →Stele.

Grabstichel, aus gehärtetem Stahl bestehendes Werkzeug des Kupferstechers, dessen schräggeschliffene Spitze mit vier- oder rechteckigem Schnittprofil leicht in die Kupferplatte eindringt. Die Darstellung wird Linie für Linie in die Platte eingeschnitten; dabei wird unter dem Druck der Hand das Metall als Span von der Spitze des G. ausgehoben und aufgerollt. Eine Richtungsänderung der Linie erreicht man durch Drehen der auf einem Lederkissen ruhenden Platte, indem man sie dem konstant schiebenden G. entgegenführt.

Gračanica [gratʃ'anitsa], Kloster in der Nähe von Priština, autonome Prov. Kosovo, Jugoslawien, mit der um 1315 erbauten Kirche Maria Verkündigung; im Innern reiche und bed. Wandmalereien (im wesentl. 1321 voll., bis um 1570 ergänzt).

Grades, Gem. in den Gurktaler Alpen, Kärnten, Österreich; Wallfahrtskirche St. Wolfgang (1453–74), eine spätgot. Wehrkirche, von hoher Mauer umgeben; in Langhaus und Chor Gewölbemalereien, reicher spätgot. Flügelaltar (um 1520).

Gradl, Hermann, Maler, *Marktheidenfeld 15. 2. 1883, †Nürnberg 16. 2. 1964, ebd. Prof. der Kunstgewerbeschule und der Akad.; malte süddt. Landschaftsbilder in romantisierendem Realismus, an C. SPITZWEG erinnernde Genrebilder.

Grado, Stadt in der ital. Prov. Görz, an der Adria, 10200 Ew.; in der Altstadt, einer typisch venezian. Lagunensiedlung, frühchristl. Kirchenbauten: dreischiffige Säulenarkaden-Basilika S. Eufemia (früher Dom; 579 gew.; auf 2 Vorgängerbauten des 4./5. Jh.) mit Mosaikfußboden (900 qm) des 6. Jh. und reichem Domschatz; achteckiges Baptisterium (2. Hälfte 5. Jh.); dreischiffige Basilika S. Maria delle Grazie (6. Jh.; auf 2 Vorgängerbauten des 4./5. Jh.) mit Mosaikfußboden (5. Jh.) im rechten Seitenschiff.

Graeb, Karl, Maler, *Berlin 18. 3. 1816, †ebd. 8. 4. 1884, war zunächst Theatermaler, schuf dann v. a. Architekturbilder von großem maler. Reiz.

Graeco-buddhistische Kunst, noch häufig verwendete, aber umstrittene Bez. für die →Gandhara-Kunst, in der hellenistische, aber auch römisch-parthische Elemente mit indischen zusammenfließen.

Graeser, Camille Louis, schweizer. Innenarchitekt, Maler, Bildhauer, Graphiker und Designer, *Carouge (Kt. Genf) 27. 2. 1892, †Zürich 21. 2. 1980, war Innen-

Camille Graeser: Blau-Rot 3:1, 1/48 Blau bewegt; 1876/78 (Zürich, Emmy Graeser)

architekt, bevor er sich 1933 ausschließlich der Konkreten Kunst zuwandte. 1938 wurde er Mitgl. der schweizer. Gruppe ›Allianz‹, die ein rationales, ganz auf Geometrie und Konstruktion beruhendes Bildkonzept anstrebte. In den 1940 Jahren war G. von P. MONDRIAN beeinflußt, später kam er zu ganz reduzierten Flächenrhythmen, die auch seine großen Wandgestaltungen in Zürich bestimmen.

W. ROTZLER: C. G. (1979).

Graf, Graff, Urs, Goldschmied, Glasmaler, Maler, Zeichner, Graphiker, *Solothurn um 1485, †Basel 1527/28, nahm wiederholt an Söldnerzügen nach Oberitalien teil und schilderte in Zeichnungen mit rea-

Urs Graf: Die Landsknechte, die Buhlerin und der Tod; Holzschnitt, 1524

list., kühner Strichführung das hier erfahrene Leben der Landsknechte und Lagerdirnen. Sein Stil läßt den Einfluß von H. BALDUNG erkennen. (BILD Weißschnitt)

HW: Der Krieg (Basel, Kunstmus., einziges gesichertes Gemälde); Holzschnittpassion (1503–06; Straßburg); Die Landsknechte, die Buhlerin und der Tod (1524).

Graff, Anton, Porträtmaler, *Winterthur (Kt. Zürich) 18. 11. 1736, †Dresden 22. 6. 1813, war nach Ausbildung in Winterthur und Augsburg (J. J. HAID) seit 1766 Lehrer an der Akad. in Dresden. – G. malte bed. Persönlichkeiten bes. des geistigen Dtl. in treffend charakterisierender Auffassung (Fürst K. METTERNICH, C. F. GELLERT, J. G. v. HERDER). Nach eigenen Angaben hat er über 1500 Porträtgemälde und 322 Silberstiftminiaturen geschaffen.

E. BERCKENHAGEN: A. G. (1967).

Graffiạto, Graffịto, Sgraffiạto [ital.], bei Keramiken vor dem Glasurbrand aus der Farbschicht gekratztes Schmuckmotiv; auch die durch Figuren- oder Ornamenteinlagen verzierte Marmorfliese. (→Sgraffito)

Grahi, heute **Chaiya** [tʃ-], Ort in Thailand, auf der Malaiischen Halbinsel, bed. Stätte der frühen thailänd. Kunst, z. T. javanisch beeinflußt (Shrivijaya-Stil). Das Wat Phra Mahathat, beg. 8. Jh., restauriert bis heute, erinnert in seinen Reliefs stark an →Borobudur, in seiner Ziegelstein-Architektur an die →Cham-Kunst (Dong-Duong). Das Wat Keu, 8./9. Jh., stark zerstört, scheint in seiner Architektur ebenfalls Elemente der javan. mit solchen Champas zu vereinen. Die in G. gefundenen Statuen befinden sich im Nat.-Mus. in Bangkok.

Grajal de Campos [grax'al ðe-], span. Städtchen in der Prov. León, mit Renaissance-Kastell Palacio Grajal (1540), einer quadrat. Anlage mit ungegliederter Fassade und 4 mächtigen Rundtürmen; im Innenhof mit doppelter Galerie dekorative Bauplastik.

Gran, ungar. **Esztergom** ['ɛstɛrgom], Stadt im Bez. Komárom, N-Ungarn; nach keltisch-röm. Besiedlung gründete hier König STEFAN I. kurz nach 1000 das Erzbistum G. In die klassizist. Kathedrale (1822–69) wurden einzelne Ausstattungsstücke von 2 Vorgängerbauten eingebaut: die Bakócz-Kapelle von einem Florentiner Meister (1506/07) mit dem Marmoraltar von A. FERRUCCI DA FIESOLE (1519). Andere Überreste der älteren Dome im Burgmuseum. Die Burg wurde 1173–95 erbaut, später mehrfach erweitert, umgebaut und befestigt; die Räume, 1605 von den Türken mit Erde aufgeschüttet, wurden ab 1935 freigelegt und teilweise restauriert oder rekonstruiert. Gut erhalten ist die roman. Burgkapelle vom Ende des 12. Jh. In der ehem. Jesuitenkirche (1728–38) Altarbild von M. ALTOMONTE.

Gran, Daniel, Maler, getauft Wien 22. 5. 1694, †St. Pölten 16. 4. 1757, war 1715–19 im Dienst des Fürsten ADAM FRANZ ZU SCHWARZENBERG und erhielt von ihm die Mittel zu weiterem Studium in Italien (S. RICCI, F. SOLIMENA). Seine zahlreichen Fresken zu selbst erdachten allegor. Entwürfen sind locker und weiträumig komponiert und zeigen in ihrer hellen Farbigkeit den nahezu klassizist. Akzent des österr. Barock, zu dessen bed. Freskomalern G. gehört.

HW. Fresken: Palais Schwarzenberg (1724–26) und Nationalbibl., Wien (1730); Landhaussaal in Brünn (1737–39); Schloß Hetzendorf bei Wien (1746/47); Klosterneuburg, Marmorsaal (1749).
D. G., Ausst.-Kat., Wien (1957).

Granada [gran'aða], **1)** span. Stadt und Erzbischofssitz in Andalusien, am Zusammenfluß von Genil und Darro, 214000 Ew. G. wurde 711 von den Mauren erobert und blieb fast 800 Jahre in deren Besitz. Seit 1238, als die Stadt und ihre Umgebung ein selbständiges maur. Kgr. wurden, begann die Blütezeit G.s. 1492 als letzter maur. Besitz in Spanien von den Christen zurückerobert, verlor es seit dem 16. Jh. an Bedeutung.

Das tief eingeschnittene Darrotal trennt die →Alhambra sowie die dahinter und höher liegende maur. Sommerresidenz, den Palacio del →Generalife, von dem ältesten Stadtteil Albaicín (Zigeunerviertel; Höhlenwohnungen nur noch z. T. bewohnt). – Die fünfschiffige Kathedrale wurde um 1520/23 begonnen (bis 1528 von E. EGAS, danach bis 1563 von D. DE SILOÉ erbaut; W-Fassade Ende 17. Jh. von A. CANO). Im reich ausgestatteten Inneren v. a. die Capilla Real (1506 von Egas beg.) mit den Grabmälern der Kath. Könige Isabella I. und Ferdinand II. sowie von Philipp I. und Johanna der Wahnsinnigen (u. a. von B. ORDOÑEZ) und Retabel von P. DE VIGARNY (1520–22, Reliefszenen aus dem N. T.); in der Sakristei Samml. altniederländ. Malerei (D. BOUTS, H. MEMLING, ROGIER VAN DER WEYDEN) und Skulpturen von Cano. Der Palast KARLS V. (1527 von P. MACHUCA beg.), dessen Innenhof als zweistöckiger, offener Rundbau im Stil der ital. Renaissance errichtet wurde, liegt im Alhambra-Bezirk (mit Mus. der Alhambra). Renaissance-Kirche S. Jéronimo (1519 beg.; Chorgestühl von de Siloé, 1544; Fresken des 18. Jh.). Im NW der Stadt ein Kartäuserkloster (›Cartuja‹) mit üppig spätbarock ausgestalteter Kirche. Archäolog. Mus. (röm. und islam. Kunst) und Mus. der Schönen Künste (altspan. Malerei und Skulpturen) in der Casa del Castril.

2) Stadt in Nicaragua, am NW-Ufer des Nicaragua-Sees, 47300 Ew. G. wurde 1523 gegr. und mehrfach (zuletzt 1857) durch Piraten niedergebrannt, so daß nur wenige bed. Bauwerke aus der Kolonialzeit erhalten sind, so die Barockkirche La Merced mit reich verzierter Fassade (Ende 18. Jh.) und mächtigem, gegliedertem Eckturm (1781–83, nach Zerstörung 1892 voll.). Die Kirche San Francisco besitzt eine schmucklose Fassade, die durch schlichte Säulen gegliedert und von einem breiten Giebel bekrönt wird.

Granạt [lat. granatus ›gekörnt‹] *der,* Mineral, farblos und in vielen Farben, aber nie blau. Die wichtigsten Abarten sind: **Pyrọp** aus Böhmen, dunkelrot; **Almandịn** aus Sri Lanka, rot (bis schwarz). – Die Bez. **Karfunkel** war im Altertum für alle roten Steine üblich. G. wurden bereits im alten Ägypten zu Schmuck verarbeitet. – In klaren Stücken war G. der wichtigste Edelstein der Völkerwanderungszeit und des frühen MA.

Granatapfelmuster

Granạt|apfelmuster, Flächenmuster mit stilisierten Granatapfeldarstellungen auf Samt und Seidenstoffen. Nach sarazen. Vorbildern im 15. Jh. in Italien aufgenommen, wurde es zum beliebten Muster für Prunkstoffe (Wandbespannung, Möbelbezug) und blieb bis zum 17. Jh. in Gebrauch.

Grande Chartreuse [grãdʃartr'ø:z], Gruppe der frz. Kalkalpen, zw. Chambéry im N und Grenoble im S. In 997 m ü. M. liegt das Stammkloster der Kartäuser, 1084 vom Hl. Bruno von Köln gegr. (Teile noch 12.–14. Jh., im übrigen nach dem Brand von 1676 erneuert).

Grandi, Ercole **de'G.,** ital. Maler, →Roberti.

Grandson [grãs'ɔ̃], Gem. im schweizer. Kt. Waadt, am Neuenburger See, 2000 Ew.; Schloß (13. Jh.) mit 5 Rundtürmen (Mus.); Kirche St. Jean-Baptiste (12. Jh.) mit bemerkenswerten Kapitellen.

Grandval-Bibel [grãv'al-], ein HW der Schule von →Tours.

Grandville [grãv'il], eigtl. Jean Ignace Isidore **Gérard** [ʒer'a:r], frz. Zeichner, Karikaturist, *Nancy 15. 9. 1803, †Vanves (bei Paris) 17. 3. 1847, Mitarbeiter an satir. Zeitschriften (›La Caricature‹, ›Charivari‹), illustrierte La Fontaine, Swift, Defoe. Mit seinen grotesken, oft phantastisch-surrealen Graphiken (häufig Travestien von Mensch und Tier) gehört G. neben H. DAUMIER zu den wichtigsten satir. Zeichnern seiner Zeit.

Granet [gran'ɛ], François-Marius, frz. Maler, *Aix-en-Provence 17. 12. 1775, †ebd. 21. 11. 1849, Schüler von J. L. DAVID, malte im Stil des mit ihm befreundeten J. A. D. INGRES wie auch stimmungsvolle ital. Landschaften (Italienaufenthalt 1802–19). Am bedeutendsten erscheinen heute seine skizzenhaften Landschaftsstudien in Öl und Aquarell, die in ihrer Frische und Unmittelbarkeit an die Naturstudien CLAUDE LORRAINS erinnern und ihn zu einem Vorläufer der Impressionisten werden ließen. Ab 1826 war G. Konservator am Mus. in Versailles.

Granit [ital. granito, zu lat. granum ›Korn‹] *der,* ver-

Grandville: Illustration aus ›Scènes de la vie privée et publique des animaux; 1842

breitete Gruppe der Tiefengesteine. Mineralbestand: Feldspat, Quarz, Glimmer u.a. G. sind helle, graue, gelbl., auch rötl. oder bläul. Gesteine mit körniger Struktur. – Der sehr harte G. ist gut polierbar und durch seine Wetterbeständigkeit ein beliebter Werkstein für Bauten und Skulpturen. G. wurde schon von den Ägyptern abgebaut und für Säulen, Pfeiler, Obeliske, Sarkophage, Reliefs, Plastiken und Kolossalstatuen verarbeitet. Es wurde schwarzer, grauer G. und der bei →Assuan vorkommende Rosengranit verwendet.

Gransee, Stadt nördlich von Berlin, Dt. Dem. Rep., 5300 Ew. Mit der gut erh. Stadtmauer (u.a. Ruppiner Tor und Pulverturm, 1. H. 15. Jh.) hat G. ein ma. Gepräge bewahrt. Bed. Werke der Backsteingotik: Pfarrkirche St. Marien (2. H. 15. Jh.), eine dreischiffige Hallenkirche mit Blenden- und Maßwerkgiebel im O; Reste des ehem. Franziskanerklosters (um 1300); Spitalkapelle (14. Jh., Mus.).

Granulation [zu lat. granulum ›Körnchen‹], dem →Filigran verwandte Technik, bei der Schmuck durch aufgelötete Gold- und Silberkügelchen verziert wird. Frühe Zeugnisse der Technik aus dem 2. Jh. v. Chr. fanden sich in Troja, Kreta, Ägypten. In Etrurien wurden in bes. kunstvoller G. Tiergestalten gebildet (BILD etruskische Kunst). Im MA. lebte die G., häufiger in Verbindung mit Filigran, fort. Wohl antikem Vorbild folgend, erlangte die G. um 1800 erneut Bedeutung; sie ist charakteristisch für den Schmuck der Biedermeierzeit.

Graphik [grch. ›Schreibkunst‹], Teilgebiet der bildenden Kunst, umfaßt alle künstlerisch gestalteten Erzeugnisse auf Papier: Handzeichnungen (→Zeichnung) und →Druckgraphik.

Graphik-Design [-dɪz'aɪn, engl.], **Gebrauchsgraphik,** Sammelbegriff für jene graph. Arbeitsgebiete, die mit Hilfe von Schrift, Farbe und Form gezielte, von einem Auftraggeber vorgegebene Informationen in eine Bildsprache übersetzen. Verwendet werden fertige Schriften, Photographie, chem. Verfahren, Elektronik und Laserlicht. Die **Werbegraphik** mit ihren Auftraggebern aus Handel, Industrie, Presse, Film und Fernsehen umfaßt als größtes aller Gebiete Schutzmarken, Warenzeichen, Signete, Plakate, Anzeigen, Prospekte, Kataloge, Warenverpackungen, Schallplattenhüllen sowie Entwürfe für Schaufenster, Messestände, Ausstellungsbauten, Lichtreklamen u. a. Die **bewegte Graphik** (Zeichentrickfilm) wird v.a. im Fernsehen eingesetzt. Weitere Zweige des G.-D. sind die **Buchgraphik** mit dem Entwerfen von Bucheinbänden, Schutzumschlägen, Illustrationen, Exlibris. Die **Schriftgraphik** entwirft Anzeigen, Einladungskarten, Kalender, Festprogramme, Glückwünsche u.a., die **amtliche Graphik** Wappen, Siegel, Geldscheine, Postwertzeichen u.a.

Die Geschichte des G.-D. ist verbunden mit der Geschichte der versch. graph. Techniken. Holzschnitt, Kupferstich und andere Verfahren auf Metallplatten wurden seit ihrer Erfindung nicht nur in der freien Kunst, sondern auch zweck- und auftragsgebunden eingesetzt. Mit dem Steindruck, der →Lithographie, ist die Entstehung des farbigen, auf Fernwirkung zielenden Plakats verbunden. Heute werden die Werke des G.-D. maschinell vervielfältigt: meist im Offset-, aber auch im Hoch- und Tiefdruckverfahren. – Die **Graphik-Designer** sind in Dtl. im ›Bund Deutscher Graphik-Designer‹ e. V. zusammengeschlossen.

Große Designer in der Werbegraphik, hg. v. H. HILLEBRAND, 2 Bde. (1971/72); P. CROY: Graphik, Form und Technik ([4]1975); W. PREISS: Praxis der Werbegraphik ([2]1981). – Fachzeitschrift: Gebrauchsgraphik (1924–72, seit 1972; novum gebrauchsgraphik).

Gras, Caspar, Bildhauer, *Mergentheim(?) um 1585, †Schwaz (Tirol) 3. 12. 1674, nach 1602 Schüler von H. GERHARD in Innsbruck, seit 1613 ebd. in erzherzogl. Dienst, entwickelte seinen manierist. Stil nach dem Vorbild GIAMBOLOGNAS.

HW (in Bronze): Monumentalbrunnen mit der Reiterstatue Herzog LEOPOLDS V. (1621–32; Innsbruck, Hofgarten); Pegasusbrunnen (1661; Salzburg, Mirabellgarten).

Grass, Günter, Schriftsteller, auch Graphiker, Bildhauer, *Danzig 16.10.1927, studierte Bildhauerei; schuf, z. T. als Illustration seines dichter. Werks, seit 1954 Zeichnungen, die die literar. Motive seiner Lyrik und Prosa bildnerisch darstellen (Nonnen, Windhühner, Fische, Schnecken, Köche, Mumien); seit 1980 gestaltet er diese Themen auch als Bildhauer.

G. G., Zeichnungen und Texte. 1954–77, hg. v. SIGRID MAYER (1982).

Grasse [gras], Stadt im frz. Dép. Alpes-Maritimes, nordwestlich von Cannes, auf einem Bergabhang gelegen, 35 000 Ew., maler. Stadtbild mit got. Kathedrale (12./13. Jh.) und Resten des ehem. Bischofspalastes (13. Jh.; jetzt Rathaus); Musée Fragonard (Kunst und Gesch. der östl. Provence, Werke von J. H. FRAGONARD).

Grässel, Hans, Baumeister, *Rehau (Oberfranken) 18. 8. 1860, †München 11. 3. 1939, stand seit 1888 im Dienst der Stadt München und hatte seit 1900 wesentl. Anteil an der Stadterweiterung und an Neubauten. Richtungsweisend wurden seine Friedhofsanlagen.

H. G. 100 Jahre, hg. v. H. THIERSCH (1960).

Grasser, Erasmus, Bildhauer und Baumeister, *Schmidmühlen (Oberpfalz) um 1450, †München zw. 8. 4. u. 1. 6. 1518, seit 1474 ebd. nachweisbar, schuf 1480 für den Tanzsaal des alten Münchner Rathauses 16 ›Moriskentänzer‹ (10 erhalten; München, Histor. Stadtmus.), unterlebensgroße Holzfiguren in farbiger Fassung, dargestellt in heftigen, ineinander verschränkten Bewegungen. 1490–1502 war G. Baumeister der Kirche in Schwaz (Tirol). BILD S. 84

WW: Marmor-Epitaph für Ulrich Aresinger (1482; München, Peterskirche); Sandsteingruppe der Beweinung Christi (1492; Freising, Dom); Halbfiguren von Propheten und Aposteln (1502; München am Chorgestühl der Frauenkirche, z. T. Werkstattarbeit); Achatius-Altar (1506; Reichersdorf).

JOHANNA MÜLLER: Studien zum Frühwerk des Bildhauers E.G. (Diss. München 1970).

Grassi, 1) Anton, Bildhauer, *Wien 26. 6. 1755, †ebd. 31. 12. 1807, arbeitete nach Studien an der Wiener Akad. 1768–74 bei F. X. MESSERSCHMIDT, wurde 1778 Modelleur, 1784 Modellmeister, künstler. Leiter der Wiener Porzellanmanufaktur. Seine Werke sind an-

Erasmus Grasser: Moriskentänzer; 1480 (München, Histor. Stadtmuseum)

fangs im Stil des Rokoko, nach seiner ital. Reise (1792) im klassizist. Stil (Biskuitgruppen) gehalten. G. schuf auch Porträtbüsten (JOSEPH II., FRANZ I., J. HAYDN).

Wiener Porzellan 1718–1864. Ausst.-Kat., Wien (1970).

2) Giorgio, ital. Architekt, *Mailand 27. 10. 1935, einer der radikalsten Vertreter der Rationalen Architektur in Italien. G. wendet sich mit seinen Entwürfen gegen das (seiner Auffassung nach) verkrampfte Suchen der Architekten seiner Generation nach neuen Bauformen. Seine durch Proportion und Geometrie bestimmten Entwürfe versuchen darzustellen, daß die Baugeschichte bereits in ausreichendem Maß über Bautypen (Archetypen) verfügt, die das Spektrum möglicher Bauaufgaben abdecken können. In der Kargheit seiner Bauten verdeutlicht G. sein Idealbild einer Staatsform kollektiver Lebensweise.

HW: Umbau des Castello Visconti in ein Rathaus, Projekt, Abbiategrasso (1970); Schule in Tollo, Projekt (1975); Studentenheim. Chieti (1976 ff.); Wohnpark Lützowplatz Wettbewerbsbeitrag, Berlin-West (1981).

E. BONFANTI u. a.: Architettura Razionale (Mailand 1973); G. G., Projekte und Entwürfe, Ausst.-Kat., Berlin-West (1981).

3) Giovannino de' G., ital. Baumeister, Bildhauer, Maler, †Mailand 5. 7. 1398, wirkte seit 1389 am Mailänder Dombau mit. Aus seinem Kreis stammt das ›Musterbuch in Bergamo‹, dessen Tierdarstellungen zu den Vorstufen der Zeichenkunst des PISANELLO gehören.

4) Josef, Porträt- und Miniaturmaler, *Wien um 1758, †Dresden 8. 1. 1838, wurde 1800 Prof. an der Akad. ebd. Er malte in klassizist. Stil v. a. Frauenporträts in kräftigem Hell-Dunkel-Kontrast.

Grat, Graphik: der vom Kupferstecher beim Bearbeiten der Metallplatte mit dem →Grabstichel zu beiden Seiten der Furche aufgeworfene Rand. Diese Erhebungen werden mit dem Polierstahl oder dem Schaber entfernt. Dagegen läßt man bei der Bearbeitung der Platte mit der →kalten Nadel die sehr deutl. G. stehen. Da die Druckfarbe an den Außenseiten der G. haftet, entstehen in den ersten Abzügen die charakteristisch samtigen, verwischten Linien der Kaltnadeltechnik. Die G. sind sehr empfindlich und werden bereits nach wenigen Abzügen niedergepreßt; deshalb versucht man, durch Verstählung der Platte (→Galvanoplastik) eine höhere Auflage guter Drucke zu erreichen.

Gratbogen, Baukunst: Schnittlinie zweier Gewölbekappen eines rippenlosen Kreuzgewölbes (Gratgewölbe) oder eines Tonnengewölbes mit Stichkappen.

Grätz, 1) poln. **Grodzisk Wi|elkopǫlski** [gr'ɔdzjizg-], Stadt in der poln. Wwschaft Poznań (Posen), 9700 Ew. Die Pfarrkirche (bis 1648 erbaut) hat eine Chorkuppel und Kuppeln über den Querhäusern; im Innern Altargemälde von B. STROBEL. Ehem. Bernhardiner-Kloster mit Kirche (1662, Giebel 2. Viertel 18. Jh.).

2) tschechisch **Hradec u Opavy** [hr'adɛts 'uɔpavi], Ort im Nordmähr. Kr., ČSSR, westlich von Troppau. Die auf der Grundlage einer 1061 bezeugten slaw. Burg errichtete got. Burg wurde um 1600 zum Renaissance-Schloß umgebaut, nach Brand (1795) in Empireformen wieder aufgebaut (›Weißes Schloß‹); die Toranlage mit Reithalle in romant. Stilformen wird ›Rotes Schloß‹ genannt. Beethoven-Gedenkstätte (Aufenthalt 1806 und 1811 als Gast des Fürsten Lichnowsky).

Graubner, Gotthard, Maler, Graphiker, *Erlbach (Vogtland) 13. 6. 1930, war 1969–76 Prof. an der Akad. in Hamburg, danach in Düsseldorf. G. malt seit 1959 Bilder, seit 1963 auch kissenartige Objekte, in denen er die Licht- und Raumqualität der Farbe, oft an der Grenze zur Monochromie, zu ›Farbräumen‹ oder ›Farbraumkörpern‹ verdichtet. Seine Arbeiten auf Papier erzielen mit wechselnden Verfahren ähnl. Wirkungen (›Schwammgouachen‹, ›Fließblätter‹). 1968 bis 1972 weitete G. sein Konzept auch zu Environments aus (›Nebelräume‹).

G. G., Ausst.-Kat., Baden-Baden (1981).

Graudenz, poln. **Grudziądz** [gr'udzjɔnts], Stadt in der poln. Wwschaft Toruń (Thorn), am rechten Weichselufer, 87 000 Ew. Die im Hoch-MA. dem Dt. Orden gehörende Stadt und Burg kam 1466 an den König von Polen und wurde ab 1772 unter preuß. Herrschaft zur Festung ausgebaut; im 2. Weltkrieg zu etwa 60 % zerstört. Teilweise erhalten oder rekonstruiert sind die Stadtmauern des 14. und späten 18. Jh. mit Getreidespeichern. Die Pfarrkirche (1. Hälfte 14. Jh.) ist eine Pseudobasilika aus Backstein; Heilig-Geist-Kirche (ehem. Spital-Kapelle des 14. Jh.), heute Stadtmuseum; Jesuitenkirche (1648, 1682–1715) und -kolleg (1648 bis 1680); Franziskanerkirche und -kloster (barock, 1750 bis 1751; Kloster seit 1804 Gefängnis).

Graue Kreide, Steinkreide, →Kreide.

Grau-in-Grau-Malerei, →Grisaille.

Grau-in-Grau-Schnitt, Camaïeu-Holzschnitt [kamaj'ø-], →Farbholzschnitt.

Grau|untermalung, Maltechnik: Anlegen der Licht- und Schattenmodellierungen eines Bildes in Grauwerten, die anschließend mit halbdeckenden oder lasierenden Buntfarben überdeckt werden. Die G. erlaubt ein experimentierendes Herantasten an die endgültige Form, ohne daß die Komposition an Frische verliert.

Gravelot [gravl'o], Hubert-François, eigtl. H.-F. **Bourguignon** [burgiɲ'ɔ̃], frz. Buchillustrator und Maler; *Paris 26. 3. 1699, †ebd. 19. 4. 1773, Schüler von F. BOUCHER, lebte 1732–45 in London, wo er zeitweise mit W. HOGARTH arbeitete; G. gilt als der 1. Meister der Vignette, zeichnete Karikaturen, illustrierte viele Bücher, so BOCCACCIOS ›Decamerone‹ (1757, dt. 1912).

Gravieren [frz., zu graben], das Einritzen von Zeichnungen, Schrift, Muster, Verzierungen auf Gebrauchs-, Zier- und Schmuckgegenständen, Prägewerkzeugen (z. B. für Münzen, Druckplatten für Banknoten, Musiknoten, Urkunden) auf Metall, Glas, Stein, Perlmutter u. a. Beim G. wird der Werkstoff mit einem Stichel aus dem Werkstück herausgearbeitet. Das G. mit der **Graviermaschine** ist ein Ritzen mit der Kontaktnadel eines elektr. Apparats.

Das G. wird seit der Bronzezeit angewandt. Bes. die Antike kannte die lineare Verzierung bei Geräten und Schmucksachen. Das 18. Jh. brachte versch. Sticheltechniken zu hoher künstler. Vollendung. Metallgravierungen wurden mit Hilfe des Grabstichels und der Graviernadel, vielleicht auch mit Punze und Meißel ausgeführt, Glasgravierungen mit Schleifrädchen. Eine besondere Art des G. ist das →Ziselieren.

Gravina di Puglia [-p'uʎa], Stadt und Bischofssitz in Süditalien, Prov. Bari, 34 500 Ew., am Rand einer Schlucht, in der sich Höhlenwohnungen und Grottenkirchen befinden, so v. a. die fünfschiffige, aus dem Tuffsteinfelsen gehauene Kirche S. Michele (darüber die Kirche S. Mano), ferner die Grotte der Madonna della Stella u. a. (z. T. mit Resten byzantin. Fresken). Der Dom wurde 1092 gegr., im 15. Jh. umgebaut und erweitert. Mus. mit archäolog. Funden. Auf einem Hügel liegt die Ruine eines von Kaiser FRIEDRICH II. erbauten Kastells und das Schloß der Adelsfam. Orsini.

Gravisca, der etrusk. Hafen von Tarquinia (heute Porto Clementino, Italien), seit 181 v. Chr. röm. Kolonie. Freigelegt wurden Reste der etrusk. und röm. Stadt sowie ein im 6. und frühen 5. Jh. von grch. Handelsleuten besuchtes Heiligtum. Die Funde erbrachten Hinweise auf die Kontakte zw. Etruskern und Griechen.

Graz, Hauptstadt des österr. Bundeslandes Steiermark, 249 100 Ew., Bischofssitz und Univ.-Stadt; seit 1379 Sitz der Leopoldin. Linie der Habsburger, 1564 bis 1749 Hauptstadt von Innerösterreich. Östlich der Mur unterhalb des Schloßbergs (mit Uhrturm 1561, Glockenturm 1588; Festung 1809 geschleift) liegt die Altstadt, die ihre 1. Blüte unter Kaiser FRIEDRICH III. erlebte: Es entstanden die Stadtburg (1438–53), 1494 bis 1500 um den Maximiliansbau und den Treppenturm mit der künstlerisch und als techn. Leistung bed. gegenläufigen Doppelwendeltreppe erweitert, und die spätgot. Domkirche St. Ägydius (1438–62) mit reicher, v. a. barocker Ausstattung. Spätgotisch sind auch die Bür-

Wörter, die man unter G vermißt, suche man unter Dj, J oder K

gerspitalskirche (1461–98), die Franziskanerkirche (um 1500) mit got. Kreuzgang und die Dominikaner- (Stadtpfarr-) Kirche (15./16. Jh.). Älteste Kirche der Stadt ist die frühgot. Leechkirche (1275–93). Das Landhaus (1527–67) mit dreigeschossigen Bogengängen im Hof und prunkvoller Einrichtung des 18. Jh. wurde Vorbild der frühbarocken Schloßbauten in der Steiermark. Der spätere Kaiser FERDINAND II. ließ seit 1614 das Mausoleum errichten, eines der bedeutendsten österr. Bauwerke im Übergang zum Barock, wobei der 1. Entwurf noch an A. PALLADIO angelehnt war und während der Bauzeit zum Barock hin abgewandelt wurde; im Innern hervorragende Stuckarbeiten, Hochaltar nach Entwurf von J. B. FISCHER VON ERLACH (1695–97). Die zahlreichen Palais zeigen die Entwicklung des Palastbaus (u. a. Haus des Dt. Ritterordens, ›Krebsenkeller‹, Dompfarrhof, 16. Jh.; die Palais Kollonitsch, Lengheimb, Welsersheimb, 17. Jh.; die Palais Attems, Wildenstein, 18. Jh.). In den westl. Vororten die Schlösser Eggenberg (1625–35, mit wertvoller Innendekoration, Mus.) und Gösting (1724–28). Zahlreiche Bürgerhäuser seit 16. Jh. erh., z. T. mit Laubengängen und Arkadenhöfen. Im Joanneum Mus. für Kulturgesch. und Kunstgewerbe, got. Samml. (Alte Gal.), Barockmus.; im Palais Herberstein Neue Gal. mit Werken seit 1800.

Grazi|en, lat. Name der →Chariten.

Great Malvern [greɪt m'ɔːlvən], Stadt südwestlich von Worcester, Mittelengland, mit im späten 11. Jh. gegr. Benediktinerkloster. Die Kirche (1460 gew.), eine dreischiffige Querhausbasilika, wurde 1860 von G. G. SCOTT restauriert; das flachgedeckte Innere mit Blendmaßwerk im Perpendicular-Style und Maßwerkfenstern; Vierungsturm mit strebepfeilerartigen Pilastern und Maßwerkzinnen. – Im 19. Jh. entstanden mehrere neugot. Kirchen sowie das 1862 gegr. Malvern College mit Kapelle (1897–99) von A. W. BLOMFIELD und Memorial Library (1924) von A. WEBB.

Great Witley [greɪt w'ɪtlɪ], Ort nördl. von Worcester, Mittelengland, von der Pfarrkirche St. Michael und den Ruinen des 1937 ausgebrannten Schlosses Witley Court überragt. Die Kirche (1735 gew.) mit eingezogenem Westturm besitzt im Innern reiche Stuckarbeiten. Die nördlich anschließende Schloßruine, eine dreiflügelige Anlage, wurde um 1860 unter Verwendung älterer Teile von S. DAWKES umgestaltet; Hauptfassade mit achtsäuligem ionischen Portikus des frühen 19. Jh.

Grebber [x-], **1)** Frans Pietersz. de, holländ. Maler, *Haarlem 1573, begraben ebd. 6. 3. 1649, malte Porträts und Schützenstücke von nüchterner Farbgebung.

2) Pieter Fransz. de, holländ. Maler, Sohn von 1), *Haarlem um 1600, †ebd. 1652/53, Schüler seines Vaters und von H. GOLTZIUS, malte unter dem Einfluß flämisch-ital. Schulen großfigurige bibl. und mytholog. Bilder.

Greco, 1) El G. [span. ›der Grieche‹], eigtl. Domenikos **Theotokopulos,** span. Maler grch. Herkunft, *Phodele bei Heraklion auf Kreta um 1541, †Toledo 6. oder 7. 4. 1614, kam um 1560 nach Venedig, wo bis etwa 1570 sein Stil durch das Studium der Werke TIZIANS,

El Greco: Begräbnis des Grafen Orgaz; um 1586 (Toledo, S. Tomé)

TINTORETTOS und J. BASSANOS die erste Formung erhielt. Nach weiteren Stationen in Italien (Rom 1570/72) ist er seit 1577 in Toledo nachweisbar. Sein erster dortiger Auftrag war der vielteilige Hochaltar für Santo Domingo el Antiguo (Apostel ebd.; Himmelfahrt Mariä, Chicago, Art Institute; Gnadenstuhl, Madrid, Prado). Für die Sakristei der Kathedrale von Toledo malte er zw. 1577 und 1579 die ›Entkleidung Christi‹. Die damals einsetzende und sich seitdem stetig verstärkende Neigung zur expressionist. Abstraktion der körperl. Erscheinungen bis hin zu einer visionären Übersteigerung der gesamten Gegenstandswelt in seinen Bildern sowie seine Vorliebe für eine unwirkliche, kalte und leuchtende Farbgebung führten rasch zu heftigen Kontroversen zw. dem Künstler und seinen Kritikern, so daß sein Name bald in aller Munde war. 1579 malte er im Auftrag PHILIPPS II. für den Escorial die ›Anbetung des heiligsten Namens Jesu‹, auch ›Traum Philipps II.‹ genannt, und 1580/84 das ›Martyrium des Hl. Mauritius und der Thebaischen Legion‹. Da letzteres dem König mißfiel, erhielt er von diesem keine Aufträge mehr. Für das relig. Empfinden der Zeit bes. aufschlußreich ist das ›Begräbnis des Grafen Orgaz‹ (um 1586, S. Tomé in Toledo). Dem währenddessen in Toledo entstandenen, umfangreichen Werkstattbetrieb G.s entstammen auch viele Repliken seiner Altarbilder.

WW (nach 1600): Auferstehung Christi, Pfingstwunder (beide Prado); Toledo im Wetterleuchten, Porträt des Fernando Niño de Guevara (beide New York, Metropolitan Mus.); Laokoon (Washington, Nat. Gal.).

H. E. WETHEY: El G. and his school, 2 Tle. (Princeton, N. J., 1962); G. J. REIMANN: El G. (1966); G. MANZINI: L'opera completa del G. (Mailand 1969); J. GUDIOL: D. T. El G. 1541–1614 (a.d. Span., 1973); El G. von Toledo, Ausst.-Kat., Madrid (1982).

2) Emilio, ital. Bildhauer, *Catania 11. 10. 1913, seine Skulpturen, v. a. von badenden und tanzenden Mädchen, zeigen einen eleganten, manieristisch beeinflußten klassizist. Stil.

B. DEGENHART: Der Bildhauer E. G. (1962); E. G., Ausst.-Kat., Melbourne (1966).

Emilio Greco: Badende; Bronze, 1957 (München, Bayer. Staatsgemäldesammlungen)

Greek Revival [gri:k rɪv'aɪvəl], klassizist. Richtung der engl. Architektur im frühen 19. Jh., die durch die engl. Erforschung der Baukunst des klass. Griechenlands seit 1750 (R. WOOD, J. STUART) angeregt ist und sich an grch. Vorbildern orientiert. HW ist das British Mus. in London (1823–47) von R. SMIRKE.

Green [gri:n], Valentine, engl. Kupferstecher, *Salford bei Evesham 3.(?) 10. 1739, †London 29. 6. 1813, bekannt durch Frauenporträts in Schabkunstmanier nach Arbeiten von J. REYNOLDS (z. B. Mary Isabella Herzogin von Rutland, 1780), G. ROMNEY und B. WEST.

Greenaway [gr'i:nəweɪ], Kate, engl. Buchillustratorin, *Hoxton 17. 3. 1846, †Hampstead (bei London) 6. 11. 1901. Wohl von L. RICHTER beeinflußt, konzentrierte sie sich bei ihren Kinderdarstellungen zu Wiegenliedern und eigenen Texten auf eine verhaltene Wiedergabe in schlichten Farben.

Greenough [gr'i:nəʊ], Horatio, amerikan. Bildhauer und Kunstessayist, *Boston 6. 9. 1805, †Somerville (Massachusetts) 18. 12. 1852, studierte bei B. THORVALDSEN in Rom (1825), schuf u. a. die Statue G. WASHINGTONS (1841; Washington, Smithsonian Institution) in klassizist. Manier. Seine Schriften, 1947 unter dem Titel ›form and function‹ wiederveröffentlicht, beeinflußten die Theoretiker des →Funktionalismus in der Architektur.

Greenwich [gr'ɪnɪdʒ], Stadtbez. im östl. London, am S-Ufer der Themse, 209 800 Ew., seit dem späten MA. Residenz der engl. Könige. Von einem 1660 von J. WEBB geplanten Schloßbau wurde nur der W-Flügel ausgeführt und nach 1695 von C. WREN in das von Königin Anna gegr. Marinehospital (G. Hospital) eingegliedert. Anstelle der projektierten Dreiflügelanlage entstanden seit 1699 zwei gegenüberliegende Baublökke mit Tambourkuppeln über Hall (1704) und Kapelle (1735). Zw. beiden stellen Kolonnaden eine Sichtbeziehung zu dem 1616–35 von I. JONES als palladian. Landhaus errichteten Queen's House her. – Das oberhalb des Parks gelegene Observatorium wurde 1675 von C. WREN erbaut.

Gregor I., der Große, Papst (590–604) und Kirchenlehrer, *Rom um 540, †ebd. 12. 3. 604, dargestellt (nicht porträtähnlich) auf einem Konsular-Diptychon Anfang des 6. Jh. (Monza); mit dem Attribut der Taube (des Hl. Geistes, als Symbol seiner Inspiration) bes. in der Buchmalerei des 9.–11. Jh., v. a. auf einem Fresko in S. Maria Antiqua, Rom (707/09; Einfluß auf die ostkirchl. Bildtradition); mit Pluviale und Buch (Fresko in Subiaco, Sacro Speco, 1228, Meister der Gregoriuskapelle); mit Szenen nach der Legende von der Befreiung des Kaisers Trajan durch sein Gebet (11. Jh.) auf dem Wolfgangsaltar (1479) und dem Kirchenväteraltar (1482/83) von M. PACHER.

Gregor-Homilien, Samml. der Predigten des GREGOR VON NAZIANZ (329–90), erhalten v. a. in einer bed., für Kaiser BASILEIOS I. zw. 880 und 883 geschriebenen und bildreich illustrierten Hs. (Pergament-Codex, Paris, Bibliothèque Nat.). In ihrem monumental wirkenden, klassisch gestimmten Figurenstil (Darstellungen zum A. T. und N. T., Heiligenbilder und histor. Szenen) gehört sie zu den HW der Buchmalerei der makedon. Dynastie.

Gregormeister, ma. Buchmaler, benannt nach 2 Miniaturen für ein ›Registrum Gregorii‹, die er kurz nach 983 schuf (Stadtbibl. Trier; Musée Condé, Chantilly). Er ist in einer Reihe von Miniaturen des Egbert-Codex (→Reichenauer Malerschule) faßbar und war das Haupt einer Malerschule in Trier. Seine künstler. Leistung ist eine Figurenauffassung, die die Körperlichkeit betont und in den Hintergrund integriert.

B. NITSCHKE: Die Hss.-Gruppe um den Meister des Registrum Gregorii (1966).

Gregorsmesse, Darstellung einer Messe Gregors d. Gr. in S. Croce in Gerusalemme (Rom) mit seiner Vision, daß Christus zum Erweis seiner Realpräsenz in Brot und Wein überaus realistisch als Schmerzensmann auf dem Altar erschienen sei. Das Urbild dieser Darstellung des Schmerzensmannes ist eine Mosaikikone des 13./14. Jh. in S. Croce; oft wird er als Halbfigur mit vor der Brust gekreuzten Händen dargestellt. Die G. war ein beliebtes Thema des Spät-MA. (B. NOTKE, 1504; Lübeck. A. DÜRER, Kupferstich von 1511).

Die Messe Gregors d. Gr. Vision – Kunst – Realität, Ausst.-Kat., Köln (1982).

Greif, Fabeltier des Altertums und des MA.; ikonographisch stammt der G. aus dem Alten Orient. In Mesopotamien findet sich seit dem letzten Drittel des 4. Jahrtsd. v. Chr. der Vogelgreif in der Glyptik, meist in aggressiver Geste. Seit der Akkade-Zeit (etwa 2350 v. Chr.) trat daneben der Löwengreif, der den Wagen des Wettergottes ziehen kann. Erst in Reliefs des 1. Jahrtsd. v. Chr. wurden Adlergreifen zu geflügelten Genien mit schützender Funktion. In Ägypten ist der Vogelgreif schon aus protodynast. Zeit (vor 3000 v. Chr.) bezeugt. Der G. drang von der Kunst des Alten Orients in die orientalisierende archaische Kunst Griechenlands ein; er war Apoll und Artemis heilig. Meist wurde er mit geflügeltem Löwenkörper und Adlerkopf dargestellt. – Die röm. Kunst verwendete ihn ornamental auf Sarkophagnebenseiten, paarweise als Vasenrelief u. ä. Pers. und islam. Sagen machten den G. erneut dem Abendland bekannt; in der Alexandersage trägt er Alexander gen Himmel. In der Buchmalerei begegnet er unter den Tieren der Arche, in der symbol. Tierlehre des Christentums seit dem →Physiologus bis in die Naturbücher des Hoch-MA. und von da in der Kunst, v. a. der roman. Zeit.

Greifenfresko, eine Wandmalerei im Thronsaal des Palastes von Knossos (Kreta): 2 lagernde, flügellose Greife, wappenförmig zu beiden Seiten des Thrones angeordnet (frühestens um 1400 v. Chr., ergänzt von A. EVANS). BILD kretisch-mykenische Kunst

Greifenkessel, tiefbauchige Bronzekessel der früharchaischen Periode Griechenlands (etwa 700 bis frühes 6. Jh. v. Chr.), ohne Standfläche, auf hohe Stabdreifüße aufgestellt; zahlreiche Fragmente von G., die als Weihgeschenke dienten, wurden überall in der antiken Welt, v. a. in den großen Heiligtümern (Olympia, Samos, Delphi) gefunden. Auf der Schulter dieser Gefäße waren meist 6 Greifenprotomen (getrieben, später gegossen), nach außen blickend, angebracht.

Greiffenberg in Schles., poln. **Gryfów Śląski** [gr'ifuf sjl'õski], Stadt in der poln. Wwschaft Jelenia Góra (Hirschberg im Riesengebirge), 6700 Ew. Spätgot. Pfarrkirche (bis 1512) mit Renaissance-Sgraffiti im Gewölbe und bed. Renaissance-Grabmälern. Das Rathaus des 16.–17. Jh. wurde 1777 und im 19./20. Jh. (Turm) verändert. Bed. Bürgerhäuser des 16.–18. Jh., bes. um den Marktplatz.

Greifswald, Stadt am Ryck, unweit dessen Mündung in die Ostsee, Dt. Dem. Rep., 57 300 Ew. Zahlreiche Gebäude in der Innenstadt zeugen von der Blütezeit der Hansestadt (seit 1281). Got. Backsteinkirchen: Marienkirche (beg. Ende 13. Jh.), eine dreischiffige Hallenkirche mit Spitzbogenblenden am Ostgiebel und gedrungenem Turm mit Blendengliederung; Nikolaikirche (Dom, beg. 2. H. 13. Jh.), eine dreischiffige Basilika mit reich gegliedertem hohem Turm; Jakobikirche, eine dreischiffige Hallenkirche (beg. 2. H. 13. Jh., Umbau um 1400). Rathaus, urspr. gotisch (Mitte 14. Jh.), nach Bränden im 18. Jh. erneuert; Hauptgebäude der 1456 gegr. Univ. 1747–50. Viele bemerkenswerte Bürgerhäuser seit der Spätgotik.

Greiner, Otto, Maler und Graphiker, *Leipzig 16. 12. 1869, †München 24. 9. 1916, lebte 1898–1915 in Rom, schuf, beeinflußt von M. KLINGER, realistisch erfaßte mytholog. u. a. ideale Szenen; auch Porträts.

Greising, Greißing, Joseph, Baumeister, *Hohenweiler am Bodensee 9. 1. 1664, †Würzburg 12. 12. 1721, stammt aus der →Vorarlberger Bauschule und gehört wie A. PETRINI und B. NEUMANN zu den bed. Baumeistern des Würzburger Barock. Sein Kuppelbau der Neumünsterkirche (1711 ff.) und die Fassade der Kirche (mit J. DIENTZENHOFER?) geben dem Stadtbild einen ausdrucksvollen Akzent. Der Baukörper des Rückermainhofs (1715–23) ist durch Doppel-Pilaster gegliedert. – G. schuf ferner in Würzburg zahlreiche Wohnbauten.

Greiz, Stadt im Vogtland an der Weißen Elster, Dt. Dem. Rep., 36600 Ew., bis 1918 Residenz der Fürsten Reuß (ältere Linie); über der Stadt Oberes Schloß, unregelmäßige Anlage (ma. Kern, 16. und 18. Jh.); in der Stadt das klassizist. Untere Schloß (nach Brand 1802 bis 1809 wiederaufgebaut). Das frühklassizist. Sommerpalais (1779–89) beherbergt die Staatl. Bücher- und Kupferstichsamml. (u.a. größte Samml. engl. Schabkunstblätter auf dem europ. Festland); großer Landschaftspark (um 1800). Die gesamte innere Stadt wurde nach Brand 1802 erneuert.

Grenadillholz, fälschlich auch **Senegal-Ebenholz**, sehr schweres, dichtes, braun- bis blauschwarzes Kernholz afrikan. Tropenbäume; Drechslerholz.

Grenoble [grən'ɔbl], frz. Stadt und Bischofssitz am linken Ufer der Isère, 170000 Ew. Die Altstadt mit engen Gassen und vielen Plätzen ist reich an Bauwerken des MA. und der Renaissance, u.a. Kirche St. André (ehem. Kapelle der Dauphins, 13. Jh.), Kathedrale Notre-Dame (12./13. Jh.; im Chor 14 m hohes steinernes Ciborium, 15. Jh.), Justizpalast (15./16. Jh.; holzgetäfelte Innenräume), Rathaus (ehem. Palais des 17. Jh.); auf dem rechten Isère-Ufer unterhalb der Bastille (ehem. Fort, 500 m ü.M.) die Kirche St. Laurent (11. Jh.) mit merowing. Krypta (6. oder 7. Jh.). Mehrere Museen; im Mus. an der Place de Verdun bed. Gemäldesamml., bes. moderner und zeitgenöss. frz. Maler.

Greuze [grø:z], Jean-Baptiste, frz. Maler, *Tournus (Saône-et-Loire) 21. 8. 1725, †Paris 21. 3. 1805. Sein Ziel, ein gefeierter Historienmaler zu werden, erreichte

Jean-Baptiste Greuze:
Die Klagen der Uhr; 1775
(München, Alte Pinakothek)

er nicht, doch malte er vom Publikum seiner Zeit sehr geschätzte moralisierende Genrebilder (›peinture morale‹), häufig eine Mischung aus Unschuld und Erotik (Die Klagen der Uhr, 1775; München, Alte Pinakothek), in denen sich die Sinnlichkeit des Rokoko mit der Sentimentalität der Zeit und einer schon klassizist. Malweise verbinden. Überzeugend sind seine Porträts.

WW (alle Louvre): Die Dorfbraut (1761); Der väterl. Fluch (1777); Der bestrafte Sohn (1778); Die Unschuld wird von der Liebe fortgerissen und von der Reue verfolgt; Der zerbrochene Krug (1785).

Greyerz, frz. **Gruyère** [gryj'ɛ:r], Gem. im schweizer. Kt. Freiburg, 1250 Ew.; Schloß (Turm 13. Jh., Wohnbauten neu nach Brand 1493) mit Mus., Großer Salon 1855–58 von C. COROT und B. MENN ausgestattet; spätgot. Bürgerhäuser (16./17. Jh.).

griechische Kunst, im Sinn der klass. Archäologie die Kunst der Griechen vom 11. bis 1. Jh. v. Chr. Sie war in vielfacher Hinsicht Grundlage und Vorbild der →römischen Kunst, wobei dem Hellenismus (3.–1. Jh. v. Chr.) eine vermittelnde Rolle zukam. Vom Ende des 4. Jh. n. Chr. an läßt sich der Gesamtbereich der griechisch-röm. Kunst von der byzantin. nicht mehr trennen (→byzantinische Kunst).

Als Weiterführung der spätmyken. Kunst (→kretisch-mykenische Kunst) entwickelte sich auf dem grch. Festland Ende 11. Jh. v. Chr. die geometr. Kunst; seit dem 9. Jh. v. Chr. gab es Kleinplastik aus Ton und Bronze, Geräte aus Eisen und Bronze, aber keine monumentale Plastik, hingegen möglicherweise hölzerne Idole. – Am Ende des 8. Jh. löste sich der geometr. Stil auf, es folgte die archaische Kunst mit monumentaler Plastik und Architektur, erzählendem Bilderstil in der Vasenmalerei (7.–6. Jh.). Das 5. Jh. brachte die 1., das 4. Jh. die 2. Blüte der klass. Kunst. Nach dem Tod Alexanders d. Gr. (323 v. Chr.) ging sie in die hellenist. Kunst über (Ende 4. bis 1. Jh.).

GEOMETRISCHE KUNST

Die Bez. geometr. Kunst geht auf die Linienornamentik (geometr. Ornamentik) der Tongefäße zurück. An die Stelle des naturhaften Schwellens der kretisch-myken. Formensprache tritt in der geometr. Kunst ein

griechische Kunst: attisch-geometrische Kanne; 750/25 v. Chr. (Hannover, Kestner-Museum)

griechische Kunst: Junge Männer beim Ringkampf, Basrelief; um 510 v. Chr. (Athen, Nationalmuseum)

griechische Kunst: Olympieion, korinthisch; um 175 v. Chr., Athen

mathematisch-ordnender Stilwille. Ihre früheste protogeometr. Phase (1050–900 v. Chr.) bildet die spätmyken. Gefäßformen im Sinne schärferer Gliederung um und betont durch einfache Ornamente die für den Gefäßaufbau wichtigen Stellen. Neu ist die Verwendung des Lineals für die umlaufenden Reifen, des Zirkels für die konzentr. Halb- und Vollkreise. Straffere, gespanntere Formen, neue Gefäßtypen, vielfältigere, ausdrucksvollere Ornamente, wie den Mäander und das Hakenkreuz, bringt die strenggeometr. Stufe des 9. Jh. v. Chr. Die Gefäße sind oft ganz mit schwarzem, glänzendem Überzug versehen, aus dem nur an Hals und Schulter ornamental verzierte Bildfelder ausgespart sind (Schwarzdipylon). In der reifgeometr. Phase (800 bis 750 v. Chr.) werden die differenzierteren Gefäßformen von Ornamenten dicht überzogen. Trotzdem behält jedes Zierglied seine Funktion im Aufbau des Ganzen. Neben die Tierfriese tritt das Menschenbild, v. a.

griechische Kunst: Hephaisteion, dorisch; um 450 v. Chr., Athen

die figurenreiche Totenklage (Dipylonvasen). Der spätgeometr. Stil (750–700 v. Chr.) bietet übermäßig geschwellte oder zugespitzte Formen, malerisch flimmernde Ornamente, Darstellungen wie Totenaufbewahrung, Totenklage, Krieger- und Wagenzüge, Leichenspiele, Schlachten- und Schiffsszenen.

Die gleichen geometr. Stilgrundsätze wie die Tongefäße zeigen Schmuckstücke und Geräte sowie Kleinplastiken aus Metall, Elfenbein, Ton.

ARCHAISCHE KUNST

Baukunst. Die grch. Baukunst entwickelte sich im 8. und 7. Jh. v. Chr. am Tempelbau, dessen Grundform die langgestreckte Cella, oft mit Innenstützen und Vorraum, bildet. Um die Cella wurde seit dem 7. Jh. eine Ringhalle von hölzernen Stützen gelegt (Peristase); ihr ebenfalls hölzernes Gebälk bestand aus dem Architrav, den Triglyphen, Metopen und dem Gesims; die Cellamauer aus Lehmziegeln mit eingezogenen Balken. Das hölzerne Satteldach trug eine Lehmschicht oder Terrakottaziegel. Im späteren 7. Jh. wurden die am Holz-Lehm-Bau entwickelten Formen in Stein übertragen, z. T. imitiert. Seit der Mitte des 6. Jh. besitzt der dorische Baustil (Ordnung) seine kanonische Prägung (Korinth, Ägina, Korfu). Die Säulenform ist gedrungen, das Gebälk schwer und lastend. Plast. Darstellungen schmükken die Metopen (Selinunt) und Giebel (Korfu, Akropolis von Athen). Im Grundriß wurden Cella und Ringhalle, im Aufriß Säulen, Gebälk und Giebel in feste Proportionen gebracht. Das Material ist Kalkstein und Marmor; der Kalkstein wurde verputzt.

An der kleinasiat. Küste Ioniens findet sich seit dem Ende des 7. Jh. ein proto-ionischer (äolischer) Stil, dessen flächige Kapitelle aus 2 großen Voluten bestehen (Lesbos, Neandria in der Troas). Im 6. Jh. entwickelte sich die kanon. Form des ionischen Kapitells; mit ihm der ionische Baustil (Ordnung): schlanke Säulen auf rei-

griechische Kunst: weibliche Statuette aus Auxerre; Höhe 75 cm; Mitte des 7. Jh. v. Chr. (Paris, Louvre)

griechische Kunst: Reiterrelief vom Parthenon, Athen; 447–432 v. Chr. (London, Brit. Museum)

griechische Kunst: Kuros von Anavyssos; Höhe 1,94 m; um 530–520 v. Chr. (Athen, Nationalmuseum)

cher Basis, die Kanneluren durch Stege getrennt; der Architrav ist in horizontale Streifen zerlegt; darüber statt des Triglyphonen-Metropenfrieses das Gesims als Zahnschnitt, in hellenist. Zeit als durchlaufender Fries mit Zahnschnitt darüber. In Ephesos (BILD), Samos, Didyma standen Riesentempel mit doppelter Ringhalle (Dipteros).

Plastik. Archaischer Stil (650–500 v. Chr.). Seit der Mitte des 7. Jh. v. Chr. entwickelte sich eine monumentale grch. Plastik in Marmor und Kalkstein, Bronze und Ton. Als Kunstzentren waren die nordöstl. Peloponnes (Argos, Korinth, Sikyon), die Kykladen (Naxos, Paros, Chios) und Kreta (Prinias) beteiligt. Im Typus der nackten Jünglingsfigur (Kuros) wurden Götter, Verstorbene oder siegreiche Wettkämpfer verkörpert; daneben entstand die bekleidete weibl. Figur als Göttin, Verstorbene oder als Weihgeschenk in der Form der spätarchaischen Mädchenfiguren (Koren). Der Kuros-Typus leitet sich von orientalischen, bes. ägypt. Vorbildern ab in seiner strengen Frontalität, dem Schrittstand, in der Haltung der anliegenden Hände. Diese feste Formel wurde bis zum Ende des 6. Jh. beibehalten, künstlerisch immer reicher, anatomisch immer genauer durchgebildet. Eine Statuette aus Auxerre (Paris, Louvre) verkörpert den weibl. Typus zu Beginn der Entwicklung (etwa 650–30 v. Chr.); die überlebensgroße Göttin mit Granatapfel (Berlin-Ost, Staatl. Museen, Antikensamml.) ist ein attisches Werk um 580–60 v. Chr. Die Koren von der Akropolis zeigen den attisch-ionischen Typ des späten 6. Jh. v. Chr.

Gleichzeitig mit der Freiplastik entwickelte sich die grch. Reliefkunst. Die Metopen der 1. dorischen Steintempel tragen Reliefs, deren kräftige Formgebung sich zw. den strengen Triglyphen behaupten mußte (Metopen von Mykene, Mitte 7. Jh.; Selinunt 540–20 v. Chr.). Giebelkompositionen aus weichem Kalkstein (Poros) mit reicher Bemalung entstanden auf der Akropolis während des 6. Jh. als Schmuck von Tempeln und Schatzhäusern. Als Einzeldenkmäler wurden in Athen

griechische Kunst: Faustkämpfer des Apollonios; Höhe 1,28 m; Bronze; 1. Jh. v. Chr. (Rom, Thermenmuseum)

schmale hohe Grabstelen mit dem Bild des Verstorbenen, in Sparta Heroenreliefs mit dem thronenden Heros und seiner Gemahlin geschaffen.

Malerei. Die große grch. Malerei ist, soweit sie Wand- oder Tafelmalerei war, völlig verloren. Die Entwicklung dieser Kunstgattung könnte der grch. Plastik analog und ebenbürtig verlaufen sein. Einige zufällig erhaltene Tafeln aus Ton (Metopen von Thermos, Ende des 7. Jh.) oder Marmor (Scheibe mit Bild des Arztes Äneas, Athen, Nat. Mus.) zeigen flächig kolorierte Umrißzeichnungen. Etwaige Vorstellungen von der Monumentalmalerei vermitteln die zahlreich erhaltenen Vasenbilder, bes. diejenigen des Rotfigurigen Stils (→Vasen); in jüngerer Zeit gefundene Grabmalereien (Elmalı, in Lykien, Tomba del Tuffatore in Paestum) bestätigen die grundsätzl. Verwandtschaft von Vasenmalerei und Monumentalmalerei vor der Mitte des 5. Jh. v. Chr.

Kleinkunst. Statuetten aus Ton und Bronze, Menschen, Tiere, myth. Wesen darstellend, gibt es seit der geometr. Zeit. Im 6. Jh. wurden im Bronzeguß vorzügl. Werke der Kleinplastik geschaffen, auch die glypt. Arbeiten waren von hoher Qualität. Die Münzen zeigen Bilder von Gottheiten und deren Symbolen.

KLASSISCHE KUNST

Baukunst. Die klass. Baukunst klärte und verfeinerte Formen und Proportionen der Tempel: Zeus-Tempel von Olympia 470–60 v. Chr.; Parthenon 447 bis 432 v. Chr. (BILD); Poseidon-Tempel von Sunion 2. H. 5. Jh. v. Chr., Hera-Tempel von Paestum um 450 v. Chr. Im 4. Jh. wurde der dorische Stil für Tempelbauten selten (Tegea, Nemea), in hellenist. Zeit kaum noch verwendet (Athena-Tempel von Pergamon 3. Jh., Tempel auf Kos 2. Jh. v. Chr.). – Die attische Klassik des 5. Jh. entwickelte eine reichere, attisch-ionische Kapitellform an den Bauten der Akropolis (Erechtheion, Nike-Tempel); ferner das mit Skulpturen geschmückte Friesband, darüber das vorspringende Gesims (Geison). Im 4. Jh. blühte die ionische Baukunst v. a. im Osten: im neuen Artemis-Tempel von Ephesos, im Grabmal des

griechische Kunst: Weihrelief, Opferszene in ländlichem Heiligtum; 3. Jh. v. Chr. (München, Staatl. Antikensammlung)

Mausolos von Halikarnassos um 350, im Athena-Tempel von Priene, 334 von ALEXANDER D. GR. geweiht.

Das korinthische Kapitell wurde Ende des 5. Jh. angeblich von KALLIMACHOS erfunden: um einen korbartigen Kern wurden Akanthusblätter gestellt. Im Lauf des 4. Jh. setzte sich die korinth. Ordnung durch.

In der klass. Baukunst wurde der Tempel noch wie in archaischer Zeit als selbständiger Einzelbau und plast. Körper begriffen, an dem bes. die Gliederung der Außenseiten interessiert; dennoch wurden bereits erste Versuche unternommen, einen Architekturkomplex zu schaffen (Propyläen der Athener Akropolis); wichtig wurde diese Konzeption für die hellenist. und bes. die röm. Baukunst.

Als große, fast quadrat. Räume mit vielen Säulen im Innern sind das Telesterion in Eleusis, das Odeion in Athen angelegt. Als umfangreiche Profanbauten wurden seit dem 4. Jh. steinerne Theater gebaut. Über dem Rund der Orchestra steigt das Halbrund der Sitzreihen auf; meist wurde ein Berghang benutzt. Die Orchestra ist von Zugängen (Parodoi) flankiert, vom Bühnenhaus (Skene) abgeschlossen. Säulenhallen dorischer und ionischer Ordnung schmückten Märkte und Heiligtümer.

Plastik. Strenger Stil (500–450 v. Chr.). Die frühe Klassik des 5. Jh. wird als Strenger Stil bezeichnet. Die Zeit der Perserkriege (Schlacht von Marathon 490, von Salamis 480) bedeutete eine entscheidende Wandlung

griechische Kunst: Hirschjagd, Kieselmosaik aus Pella; um 320 v. Chr.

griechische Kunst: Würdenträger auf einer Kline; Wandmalerei in einer Grabkammer bei Elmalı (Lykien)

auch auf dem Gebiet der Kunst. Die starren Formen archaischen Bildens wurden gesprengt. Der menschl. Körper wurde anatomisch studiert, organisch erfaßt. Ein neues Ethos spricht aus den Gestalten. Die Ägineten, kämpfende Krieger aus den Giebeln des Tempels der lokalen Göttin Aphaia auf Ägina (BILD), stehen noch an der Wende der Jahrhunderte und Zeitalter. Die Giebelskulpturen und Metopen von Olympia sind nach ihrem äußeren Maß, ihrer inneren Größe, der Wucht ihrer Formen die gewaltigste Leistung des Strengen Stils, die uns erhalten ist. Der Wagenlenker von Delphi (470–60 v. Chr.) und der ›Gott aus dem Meer‹ (BILD) von Kap Artemision (um 460 v. Chr.) sind kostbare Beispiele klass. Erzgießerkunst. Die meisten Werke der großen Klassiker sind jedoch nur als Kopien aus röm. Zeit erhalten, die in großer Zahl vom 1. Jh. v. Chr. bis 3. Jh. n. Chr. gefertigt wurden. Mit ihrer Hilfe muß, zusammen mit den Resten tekton. Skulpturen und den zahlreichen Grab- und Weihreliefs, die Kunstgeschichte der beiden klass. Jahrhunderte aufgebaut werden. Die Gruppe der beiden Tyrannenmörder Harmodios und Aristogeiton (Neapel, Archäolog. Nat. Mus.) sind Kopien nach der verlorenen Bronzegruppe des KRITIOS und NESIOTES (477). Der Kasseler Apoll ist kopiert nach einem Meisterwerk des Strengen Stils, vielleicht des PHIDIAS.

Hohe Klassik (5. Jh.). MYRONS Werk leitete über von der strengen zur hohen Klassik des 5. Jh. (Diskuswerfer; Athena-Marsyas-Gruppe; Athleten, BILD Myron). PHIDIAS (BILD) und POLYKLET (BILD) sind die beiden größten Namen des Jh. Letzterer schuf überwiegend Athletenfiguren aus Erz. Sein Speerträger (Doryphoros), der die Binde umlegende Jüngling (Diadumenos) sind in zahlreichen Kopien erhalten. Phidias, der berühmteste Künstler des Altertums, wirkte in der Zeit des PERIKLES (450–30), dem er freundschaftlich verbunden

griechische Kunst: Wasserkrug mit Götterdarstellung, von links nach rechts Artemis, Apoll, Athena, Hermes, Ariadne, Dionysos; 2. Hälfte 6. Jh. v. Chr. (München, Staatl. Antikensammlung)

war. Sein thronender Zeus in Olympia, die stehende Athena Parthenos im Parthenon waren Riesenstandbilder aus Gold und Elfenbein (über einem Holzkern), die bis in späteste Zeit bewundert wurden; zwei 1972 vor der Küste Kalabriens bei Riace gefundene Kriegerfiguren aus Bronze sind möglicherweise Originalwerke aus der Hand des Phidias (BILD Riace). Beim Bau des Parthenons entstanden die gesamten Skulpturen unter Phidias' Leitung: 92 Metopen, 160 m Fries, die beiden großen Giebelkompositionen; mindestens die Entwürfe stammen von seiner Hand. Seine Mitarbeiter und Schüler beherrschten die Entwicklung bis ans Ende des Jh. (ALKAMENES, KRESILAS, AGORAKRITOS, KOLOTES).

Klassik (4. Jh.). Im 4. Jh. wich der Stil der großen Klassiker einer romantisch-persönl. Auffassung. KEPHISODOT fertigte um 375 v. Chr. eine Skulptur der Friedensgöttin Eirene mit dem Plutosknaben im Arm. Das Original stand auf dem Markt von Athen. PRAXITELES (tätig zw. 380 und 340, BILD Praxiteles) und LYSIPP (tätig zw. 370 und 320, BILD Lysipp) bestimmten die Entwicklung des Jh.: Praxiteles durch Werke von großer Anmut und Darstellung seel. Empfindungen sowie höchster Meisterschaft der Marmorbehandlung (Einschenkender Satyr; Apollon Sauroktonos, der Eidechsentöter; Hermes mit dem Dionysosknaben; Aphrodite von Knidos; angelehnter Satyr). Lysipp führte schlankere Proportionen, beweglichere Körper, freiere räuml. Motive ein. Von ihm sind in Kopie ein Athlet mit Schabeisen (Apoxyomenos), ein Herakles (Farnese), Eros mit dem Bogen u. a. erhalten. Als bed. Bildhauer wirkten TIMOTHEOS, EUPHRANOR und SILANION in der 1. Hälfte, SKOPAS (BILD) und BRYAXIS um die Mitte, LEOCHARES in der 2. Hälfte des Jh. Leochares wie auch Lysipp schufen Statuen ALEXANDERS D. GR. Silanion galt als Meister des Porträts. Während des ganzen Jh. blühte in Athen die Herstellung von Grab- und Weihreliefs, deren Ausfuhr die att. Kunst weit verbreitete.

Malerei. Bedeutendster Maler der 1.H. des 5.Jh. v.Chr. war POLYGNOT, in dessen Werk (nur in Beschreibung überliefert) die für die Kunst der frühen Klassik typ. Veränderungen ebenso stark zum Ausdruck gekommen zu sein schienen wie in den erhaltenen Werken der Plastik dieser Zeit (Olympia-Skulpturen). MIKON wirkte als attischer Maler neben und mit ihm. In der letzten Generation des 5.Jh. wurde der zeichnerisch-flächige Stil in einen malerisch-räuml. gewandelt. Bahnbrechend wirkten ZEUXIS von Herakleia, AGATHARCHOS von Samos, APOLLODOROS von Athen, PARRHASIOS von Ephesos durch die Einführung von Licht und Schatten sowie räuml. Perspektive. Doch kennt man von ihren Werken durch antike Beschreibungen nur Inhalt und Charakter, nicht den Stil. Das gleiche gilt von den Meistern des 4.Jh.: EUPHRANOR, NIKIAS, APELLES, dem Hofmaler Alexanders d. Gr. Pompejanische Fresken geben nur Anlehnungen in Aufbau und Umriß einzelner Gestalten. Am ehesten vermag die Mosaikkopie der →Alexanderschlacht aus Pompeji einen Eindruck von dem verlorenen Original, einem spätklass. Monumentalgemälde (wohl zu Unrecht für ein Werk des PHILOXENOS von Eretria gehalten), zu erwekken. Von besonderer Bedeutung sind die gut erhaltenen Fußbodenmosaike in Eretria (1. Drittel des 4.Jh. v.Chr.) und von Pella in Makedonien (wohl Ende des 4.Jh.), deren Farb- und Formenreichtum eine lebendigere Vorstellung vermitteln.

Kleinkunst. Im 5.Jh. wurde im Bronzeguß die Überlieferung der archaischen Zeit fortgesetzt. Im 4.Jh. überwog die Terrakottakunst (→Tanagra). Die Glyptik erreichte im 5.Jh. ihren Höhepunkt. Die Münzprägung brachte in allen Zeiten neben Gebrauchsmünzen bed. Kunstwerke hervor.

griechische Kunst: Aristionstele des Aristokles; Höhe 2,02 m; um 510 v.Chr. (Athen, Nationalmuseum)

griechische Kunst: LINKS Sich waschende Männer von einer schwarzfigurigen attischen Hydria, Ende des 6.Jh. v.Chr. (Leiden, Rijksmuseum Oudheden); RECHTS Muse mit Leier von einer weißgrundigen Lekythos; um 440 v.Chr. (München, Staatl. Antikensammlung)

griechische Kunst: Wagenlenker aus Delphi; Höhe 1,80 m; um 470–460 v. Chr. (Delphi, Museum)

HELLENISTISCHE KUNST

Im Anschluß an die Eroberungen ALEXANDERS D. GR. beherrschte die g. K. das Mittelmeer wie den Orient; Auswirkungen lassen sich bis nach Indien und Turkestan feststellen. Unter den Diadochen diente sie der Ausgestaltung königlicher Residenzen mit repräsentativer, oft barocker Pracht (Pergamon, Alexandria, Antiochia).

Baukunst. Die Kenntnis hellenist. Architektur muß notgedrungen unter der Tatsache leiden, daß vergleichsweise kleine Herrscherresidenzen wie Pergamon und Pella recht gut bekannt sind, die großen Hauptstädte Antiochia und Alexandria hingegen kaum. Im Tempelbau herrschten die ionische und die korinth. Ordnung vor. Die seltene Form des Rundbaus findet sich bei dem Arsinoeion, das die ptolemäische Fürstin Arsinoe in Samothrake errichten ließ. In den Städten entstanden weiträumige Märkte mit Hallen, Tempeln, Rathäusern. Einen neuen Bautypus bildeten die Bibliotheken, bekannt ist die von Alexandria, erhalten die von Pergamon. Einzelne grch. Theater gehen auf hellenist. Zeit zurück; Bühnengebäude fanden sich in Priene, Ephesos, Oropos. Gymnasien, Palästren, Bäder gewannen an Umfang und Pracht der Ausgestaltung durch Plastiken, Mosaiken und Wandmalereien. Mächtige Befestigungen sind in Herakleia am Latmos (bei Milet), Magazine in Pergamon erh. Reiche Privathäuser mit säulenumzogenem Hof und Gartenanlagen (Priene, Delos) bezeugen die gesteigerte Wohnkultur.

Plastik. LYSIPP und seine Schule leiteten zur hellenist. Plastik über. Sein Schüler EUTYCHIDES schuf um 300 v. Chr. ein in Statuettenform kopiertes Bild der sitzenden Stadtgöttin (Tyche) von Antiochia, POLYEUKTES in den Jahren nach 280 v. Chr. eine Statue des Demos-

griechische Kunst: spätgeometrische Amphora; um 700 v. Chr. (Paris, Louvre)

thenes. Das Mädchen von Antium (Mitte des 3. Jh.) stellt das anmutige Motiv einer zum Opfer schreitenden Dienerin dar. Zahlreiche Statuen schmückten die Bauten und Terrassen von Pergamon, so eine große Galliergruppe, aus der in Kopien der Gallier mit seinem Weib und der sterbende Gallier erhalten sind (→Attalische Weihgeschenke). Am Altar von Pergamon (BILD Pergamonaltar) war auf einem umlaufenden Fries von 120 m Länge der Kampf der Götter und Giganten (BILD Giganten) mit ›barockem‹ Pathos, auf einem kleinen Fries die Geschichte des Telephos mit malerischem Reichtum geschildert. Zu Beginn des 2. Jh. v. Chr. wurde die Nike von Samothrake, gegen Ende des 2. Jh. die Aphrodite von Melos (BILD) geschaffen; beide stammen wohl aus einer rhodischen Schule. Endpunkt und letzte Steigerung der hellenist. Plastik bedeutet die Gruppe des Laokoon (BILD) und seiner Söhne, deren Datierung wohl in das 1. Jh. v. Chr. gehört; mit ihr verwandt ist ein herrlicher, oft kopierter Kopf des blinden Homer. Seit dem 1. Jh. v. Chr. wuchs eine klassizist. Richtung heran, der wir die kunstvolle Komposition des →Dornausziehers verdanken. Bed. Gruppen dieser Zeit sind: Menelaos mit der Leiche des Patroklos (→Pasquino) und der Farnes. Stier (→Apollonios). Zahlreiche Musenstatuen wurden im 2. und 1. Jh. geschaffen. Die Porträtplastik stand in hellenist. Zeit in hoher Blüte.

Malerei. Wie Lysipp für die hellenist. Plastik, so war APELLES der Ausgangspunkt für die hellenist. Malerei. Histor. Themen, Porträts, Genre- und Schauspielerbilder waren ihr Gegenstand. Doch sind alle Originale (Tafel- und Wandbilder) verloren. Die kostbaren Mosaikbilder des DIOSKURIDES von Samos mögen einigen Ersatz bieten, die röm. Fresken Pompejis nur in vereinzelten Fällen (Medea nach Timomachos von Byzanz). Eine Vorstellung von späthellenist. Malerei des 1. Jh. v. Chr. geben die Wandgemälde der Villa von Boscoreale (bei Neapel), der Mysterienvilla von Pompeji und die →Aldobrandinische Hochzeit.

Kleinkunst. Terrakotten und Bronzestatuen folgten der Entwicklung der großen Kunst, ebenso die Kunst der Gemmen und Münzen, beide mit vorzügl. Leistungen der Porträtdarstellung. Die Keramik erzeugte aus Formen gepreßte Gefäße mit Reliefdarstellungen (Megarische Becher). – Vgl. auch die Artikel Säulenordnung, Tempel, Vasen.

E. LANGLOTZ: Die Kunst der Westgriechen (1963); ders.: G. K. in heutiger Sicht (1973); P. DEMARGNE: Die Geburt der g. K. (1965); K. SCHEFOLD: Die Griechen und ihre Nachbarn (1967); E. KIRSTEN u. W. KRAIKER: Griechenlandkunde, 2 Halbbde. ([5]1967); W. FUCHS: Die Skulptur der Griechen (1969); J. CHARBONNEAUX u. a.: Das archaische Griechenland (a. d. Frz., 1969); dies.: Das klass. Griechenland (a. d. Frz., 1971); dies.: Das hellenistische Griechenland (a. d. Frz., 1971); W. H. SCHUCHARDT: Gesch. der g. K. (1971); J. BOARDMAN: Die g. K. ([3]1976); G. GRUBEN: Die Tempel der Griechen ([2]1976); R. SPEICH: Südgriechenland (Reiseführer) I (1978), II (1980); R. LULLIES: Grch. Plastik ([4]1979); H. KNELL: Grundzüge der grch. Architektur (1980); R. HAMPE u. ERIKA SIMON: 1000 Jahre frühgrch. Kunst (1980); GISELA M. RICHTER: Hb. der g. K. (1980); K. PAPAIOANNOU: G. K. (a. d. Frz., [4]1980); J. BOARDMAN: Grch. Plastik (1981); Kunstdenkmäler in Griechenland, hg. v. R. HOOTZ, Bd. 1 (1982).
Weitere Lit.: →Vasen.

griechische Kunst: Kore vom Erechtheion, Athen; um 420/413 v. Chr. (London, Brit. Museum)

griechische Kunst: Hermes mit dem Dionysosknaben, Werk des Praxiteles; Höhe 2,15 m; um 330/320 v. Chr. (Olympia, Museum)

HAP Grieshaber: Tod und Ratsherr; Holzschnitt aus dem Totentanz von Basel, 1968

Grien, Beiname des Malers Hans →Baldung.

Grieshaber, Helmut Andreas Paul (HAP), Graphiker, *Rot an der Rot (Oberschwaben) 15. 2. 1909, †Reutlingen 12. 5. 1981, zog sich 1933 nach Reutlingen zurück, trat erst 1947 wieder öffentlich hervor. Seine Farbholzschnitte, häufig myth., relig. oder politisch engagierten Inhalts, zeigen Menschen, Tiere und Pflanzen in großflächigen, kräftigen Formen.

Edierte Holzschnittfolgen. HAP G.: Totentanz von Basel (1968); ders.: Ein Gespräch über Bäume zwischen R. Hagelstange u. HAP G., 10 Holzschnitte (1971); ders.: Josef (1972).

HAP G., Der Drucker u. Holzschneider, hg. v. MARGOT FUERST (1965); dies. u. W. SANDBERG: G., der betroffene Zeitgenosse (1978); Malbriefe aus drei Jahrzehnten, hg. v. dems. (1968); HAP G., Ausst.-Kat., Berlin-West (1977/78); Die Gouachen zum Totentanz, hg. v. W. SCHOEN (1982).

Griffen, Gem. bei Völkermarkt, Kärnten, Österreich, mit ehem. Prämonstratenserstift; spätroman. ehem. Stiftskirche (1272 gew.) mit prächtigem Rokokoaltar (1776); Alte Pfarrkirche (1. H. 13. Jh.); das Kloster war mit Zinnenmauern und Wehrgängen befestigt.

Griffier [grifj'e], Jan, holländ. Maler, *Amsterdam 1652 oder 1656, †London 1718, 1667–95 und seit 1705 in England tätig; schuf Rhein- und Mosellandschaften in der Art von H. SAFTLEVEN.

Grigorescu, Nikolae Ion, rumän. Maler, *Pitaru (Bez. Dîmboviţa) 15. 5. 1838, †Cîmpina (Karpaten) 21. 7. 1907, malte unter dem Einfluß der frz. Freilichtmalerei (Schule von Barbizon) in hellem, impressionistisch getöntem Kolorit und lebhaftem Pinselduktus Landschaftsbilder und Volksszenen aus Rumänien, auch Schlachtenbilder (russisch-türk. Krieg 1877/78).

HW: Sonnenuntergang bei Barbizon (nach 1862; Bukarest).
N. G., Ausst.-Kat., Klausenburg (1967).

Wörter, die man unter G vermißt, suche man unter Dj, J oder K

Grimbergen [xr'imbɛrxə], Gem. in der belg. Prov. Brabant, nördlich von Brüssel, mit ehem. Norbertinerabtei (um 1128 gegr., im 16. Jh. zerstört). 1834 wurde von Prämonstratensern ein neues Abteigebäude errichtet. Die Kirche St. Servatius (1660 beg.) gilt als eine der schönsten Barockkirchen Belgiens; einheitl. Ausstattung, u. a. Beichtstühle von H. VERBRUGGEN.

Grimm, 1) Ludwig Emil, Bruder der Germanisten Ludwig und Wilhelm (Gebrüder) G., Maler und Kupferstecher, *Hanau 14. 3. 1790, †Kassel 4. 4. 1863, war ebd. seit 1832 Prof. an der Akad. und war häufig in →Willingshausen. G. malte v. a. Porträts von Bürgern und Bauern.

A. HÖCK: L. E. G. Bilder aus Hessen (1970).

2) Dawid Iwanowitsch, russ. Architekt, *St. Petersburg 1823, †ebd. 1898, versuchte, den nationalruss. Stil für Kirchenbauten wiederzubeleben; baute u. a. die russ. Kirchen in Genf, Nizza, Kopenhagen und Gethsemane und machte die russ. Stilformen in Westeuropa bekannt.

Grimma, Kreisstadt südöstlich von Leipzig, Dt. Dem. Rep., 16 800 Ew.; Schloß (um 1200, älteste Teile romanisch, 1389–1402 ausgebaut, 1509–18 umgestaltet); Frauenkirche, frühgot. dreischiffige Pfeilerbasilika mit spätroman. Westbau (13. Jh.); frühgot. Augustinerkirche (beg. um 1290, Anf. 15. Jh. erneuert); in der Friedhofskirche (1566 beg., 1910 umgebaut) spätgot. Altar mit Gemälden der Cranach-Schule. Bürgerhäuser seit dem 16. Jh. Große Muldebrücke nach Plänen von M. D. PÖPPELMANN (1716–19, Mittelteil modern).

Grimmen, Stadt in Vorpommern, an der Trebel, Dt. Dem. Rep., 14 500 Ew. Von der Stadtbefestigung sind 3 spätgot. Tore (15. Jh.) erh.; got. Marienkirche (2. H. 13. Jh.), eine Backstein-Hallenkirche; got. Backstein-Rathaus (14. Jh.) mit prachtvoll gegliedertem Giebel.

Grimsthorpe [gr'ɪmzðɔ:p], Landschloß, in der Cty. Lincolnshire, O-England. Anstelle der 1147 gegr. Zisterzienserabtei Vaudey 1722–27 von J. VANBRUGH errichtet und ab 1811 von H. GARLING in Formen der Tudor-Gotik voll. Die barocke N-Fassade, flankiert von massigen Eckpavillons, rahmen rustizierte dor. Säulenpaare. Hinter ihren in 2 Geschossen angeordneten 7 rundbogigen Fensterachsen befindet sich die Hall.

Gripsholm, Schloß am Mälarsee, Schweden, bei Mariefred, südöstlich von Strängnäs, 1537 durch GUSTAV WASA an der Stelle einer Burg des 14. Jh. errichtet; Anlage um sechseckigen Burghof mit 4 runden Ecktürmen, Um- und Neubauten unter Königin HEDWIG ELEONORA, deren Witwensitz G. 1660–1715 war, Theater (1781) von E. PALMSTEDT. Das Schloß beherbergt eine der ältesten und größten Porträtsamml. der Welt. (BILD S. 106)

Gris, Juan, eigtl. José Victoriano **Gonzales** [gɔnθ'ales], span. Maler und Graphiker, *Madrid 23. 3. 1887, †Paris 11. 5. 1927, nach dem Studium in Madrid kam er 1906 nach Paris, wo er sich P. PICASSO anschloß. G. hatte entscheidenden Anteil an der Entwicklung des →Kubismus, bes. der analyt. Phase. Er malte Stilleben,

Gripsholm: Schloß; 1537 errichtet

Figurenbilder, Porträts, wobei er sich jeweils auf die Kontrastierung weniger, reich abgestufter Farbwerte beschränkte. Außerdem schuf er Bühnendekorationen für die ›Ballets russes‹, Karikaturen und Buchillustrationen.

D.-H. KAHNWEILER: J. G., Leben u. Werk (a. d. Frz., 1968); J. G., Ausst.-Kat., Baden-Baden (1974); D. COOPER u. MARGARET POTTER: J. G., Catalogue raisonné (Paris 1977).

Grisaille [griz'a:j, frz.], auch **Grau-in-Grau-Malerei,** eine Ton-in-Ton-Malerei in Grau, Steinfarben oder Bräunlich. Sie ist als bewußte Abkehr von der Farbe zuerst in der Glasmalerei bekannt bei Bauten der Zisterzienser, denen farbige Fenster verboten waren. Später häufig benutzt zur Nachbildung plast. Steinbildwerke durch Malerei. Frühe Beispiele sind die personifizier-

Juan Gris: Pierrot; 1922 (Wuppertal, Von-der-Heydt-Museum)

Wörter, die man unter G vermißt, suche man unter Dj, J oder K

ten Tugenden und Laster in der Sockelzone der von Giotto ausgemalten Arenakapelle in Padua (um 1303 bis 1313); Johannes der Täufer und Johannes der Evangelist auf der Außenseite des Genter Altars von Jan van Eyck (1432). In Renaissance und Barock verwendeten Stecher häufig eine G.-Skizze anstelle des Originals zur Arbeitserleichterung.

Grisaille:
Mathias Grünewald, ›Laurentius‹ (Frankfurt am Main, Städelsches Kunstinstitut)

Grodno, Gebietshauptstadt in der Weißruss. SSR an der Memel (Njemen), 202 000 Ew.; schon 1128 erstmals erwähnt. Im Gebiet der Alten Burg die Untere Kirche (1. Hälfte 12. Jh.), die Obere Kirche (14./15. Jh.) und das Schloß des poln. Königs Stephan IV. Báthory (1586, heute Mus.). Das Neue Schloß entstammt der Mitte des 18. Jh. In der Stadt die Kirchen der Jesuiten (1667 geweiht), der Bernhardiner (1595–1618) und des Birgitten-Klosters (1634–42).

Grodzisk Wi|elkopọlski [gr'ɔdzjizg-], Stadt in Polen, →Grätz 1).

Grof, Groff, 1) Guillelmus de, Vater von 2), Bildhauer, Gießer und Stukkateur, getauft Antwerpen 13. 11. 1676, †München 16. 8. 1742, arbeitete nach Lehrjahren in Antwerpen seit 1700 in Paris (Einfluß des frz. Spätbarock) und trat um 1713 in die Dienste des Kurfürsten Max Emmanuel von Bayern; ihm folgte er 1716 aus den Niederlanden nach München. 1737 schuf G. die Figur des Kurprinzen Maximilian Joseph (vom Kurfürsten nach Altötting gestiftet; dort in der Hl. Kapelle aufgestellt), eine der schönsten europ. Silberfiguren des Spätbarock. Von großer Bedeutung war G. für die Entwicklung des Münchner Rokoko (profane und kirchl. Bildwerke, Möbel, Plaketten).

Kurfürst Max Emmanuel, Bayern und Europa um 1700, Ausst.-Kat., München (1976).

2) Karl (Charles) de, Sohn von 1), Bildhauer und Gießer, *Paris 1712 oder 1713, †München 20. 9. 1774, übernahm nach dem Tod seines Vaters dessen Werkstatt (seit 1742 kurbayer. Hofbildhauer). G. schuf v. a. Porträtbüsten und Bronzemedaillen. Er setzte die Tradition seines Vaters fort, ohne jedoch den Rang von dessen Kunst zu erreichen.

Gröger, Friedrich Carl, Maler, *Plön 14. 11. 1766, †Hamburg 9. 11. 1838, schuf sachl. Porträts (auch als Miniaturen und Lithographien).

Gromaire [grɔm'ɛːr], Marcel, frz. Maler und Graphiker, *Noyelles-sur-Sambre (Dép. Nord) 24. 7. 1892, †Paris 11. 4. 1971. Seine Bilder sind architektonisch fest gebaut, in monumentalen Formen und düsteren Farben, dabei von expressionist. Aussagekraft. Mit J. Lurçat arbeitete er in der Gobelinmanufaktur Aubusson zusammen und trug mit diesem zur Erneuerung der Bildwirkerei bei.

Groningen [xr'oːnɪŋə], Hauptstadt der niederländ. Prov. G., 163 400 Ew., Univ.-Stadt und kath. Bischofssitz, ehem. Hansestadt. Im Mittelpunkt der Altstadt liegt der Grote Markt mit monumentalem klassizist. Rathaus (1810 voll.), Martinikerk (15./Anf. 16. Jh.), einer dreischiffigen spätgot. Kirche mit Resten eines romanisch-got. Baues, hohem W-Turm und umfangreichen Fresken der Renaissance (1.H. 16.Jh.) im Umgangschor, und Goldkontor, einem als Steueramt 1635 errichteten Renaissancebau mit reich geschmückten Volutengiebeln. Nahe der Martinikerk der Prinzenhof (15.Jh.), urspr. Kloster, 1594 für den Statthalter erweitert, mit großer Sonnenuhr (1730). Got. A-kerk (15.Jh.) mit romanisch-got. Bauteilen und sehr hohem Umgangschor; Nieuwe Kerk (1665) in Form eines grch. Kreuzes, einheitl. Ausstattung der Erbauungszeit, u.a. reich geschnitzte Kanzel. Neugotisch sind St. Joseph (1886) und St. Martinus (1895), beide von P. CUYPERS.

Gröningen, Stadt an der Bode, Kr. Oschersleben, Dt. Dem. Rep. Vom 936 gegr. Benediktinerkloster ist die Kirche z.T. erh. Über der in den Westbau eingefügten Kapelle eine Brüstung mit Stuckreliefs (um 1170), Christus und die 12 Apostel darstellend (Nachbildungen; Originale Berlin-Ost, Staatl. Museen).

Gröninger, Bildhauerfamilie in Westfalen seit Ende des 16.Jh., die im Stil der fläm. Skulptur (Antwerpen) kirchl. Ausstattungen und aufwendige, hochbarocke Grabdenkmäler schuf.

Johann Mauritz (*Paderborn 1652, †Münster 21.9. 1707) war seit 1674 Hofbildhauer des Fürstbischofs C. B. VON GALEN, für den er um 1678 das Grabdenkmal schuf. Seine Grabmäler sind in schwarzem Marmor und Alabaster, oft nach Vorbildern ital. und frz. Meister, gearbeitet. Die Grabmäler seines Sohnes Johann Wilhelm (*Münster 1675/77, †ebd. nach 1732), der seine Werkstatt übernahm, zeigen bereits den Übergang zum Rokoko. Zu seinen besten Werken gehört das Grabmal für FERDINAND VON PLETTENBERG (1712; Münster, Dom, Johanneschor).

Gropius, 1) Martin, Baumeister, *Berlin 11. 8. 1824, †ebd. 13. 12. 1880, seit 1869 ebd. Direktor der Kunstschule. Gemeinsam mit W. SCHMIEDEN schuf G. in klassizist. Stil viele öffentl. Bauten (Krankenhäuser in Berlin und Wiesbaden, das Neue Gewandhaus in Leipzig, die Univ. in Kiel und das Kunstgewerbemus. in Berlin, heute Ausstellungsgebäude Martin-Gropius-Bau).

Walter Gropius: Fagus-Werk in Alfeld/Leine; 1911–18

2) Walter, Architekt, *Berlin 18. 5. 1883, †Boston (Massachusetts) 5. 7. 1969, arbeitete 1907–10 bei P. BEHRENS; 1919 Direktor der Kunst-Akad. und der Schulen für angewandte Künste in Weimar, die er im →Bauhaus zusammenfaßte. 1928–34 arbeitete G. in Berlin, 1935 bis 1937 in London, 1937–53 als Prof. an der Harvard Univ. in Cambridge (Massachusetts). G. war seit 1910 an wesentl. architekton. Bewegungen beteiligt: Industriebau (u. a. verwendete G. als erster eine vorgehängte Stahl-Glas-Fassade, ›Curtain Wall‹, beim Bau des Fagus-Werkes), industrielle Formgebung, Leitung des Arbeitsrates für Kunst (1919), Massenwohnungsbau, Siedlungswesen, Aktivitäten in den →CIAM. (BILD S. 108)

HW: Fagus-Werk, Alfeld/Leine (1911–18, mit A. MEYER); Entwurf Totaltheater (1927, für E. PISCATOR); Bauten für das Bauhaus Dessau (1925/26); Siedlung Dessau-Törten (1926–27); Wohnblöcke Berlin-Siemensstadt (1929–30); eigenes Haus, Lincoln, Massachusetts (1937, mit M. BREUER); Harvard University Graduate Center, Cambridge/Massachusetts (1950); Porzellanfabrik ›Rosenthal am Rothbühl‹, Selb (1967, mit A. CVIJANOVIĆ); Bauhaus-Archiv für Darmstadt (1966 Entwurf, 1976–78 mit Veränderungen durch A. CVIJANOVIĆ in Berlin (West) ausgeführt).

Schriften: Idee und Aufbau des Staatl. Bauhauses Weimar (1923); Internat. Architektur (1925); Scope of total architecture (1956, dt.); Apollo in der Demokratie (1967).

S. GIEDION: W. G., Mensch und Werk (1954); G. C. ARGAN: G. und das Bauhaus (a. d. Italien., 1962); M. FRANCISCONO: W. G. and the creation of the Bauhaus in Weimar (Urbana, Illinois, 1971); Bauhausbauten Dessau, hg. v. H. M. WINGLER (Nachdr. 1974).

Gros [gro], Antoine-Jean Baron (1827), frz. Porträt- und Historienmaler, *Paris 16. 3. 1771, †Meudon 26. 6. 1835, Schüler von J. L. DAVID, ging 1793 nach Italien und malte, nach dem Zusammentreffen mit NAPOLEON, Bilder aus der Zeitgeschichte, die wie seine Porträts von realist. Auffassung und kräftiger Farbgebung sind und den heroischen Geist der Epoche zeigen (›Bonaparte auf der Brücke von Arcole‹, 1796; Paris, Louvre). Später, in Paris, folgte er wieder mehr dem Klassizismus Davids.

Groß Ammensleben, Stadt nördlich von Magdeburg, Dt. Dem. Rep., mit ehem. Benediktinerkloster. Klosterkirche, urspr. dreischiffige roman. Pfeilerbasilika (1140 gew.), spätgotisch verändert (15./16. Jh.), in der Ausstattung hölzerner Schmerzensmann (Anf. 16. Jh.), 2 Heiligenfiguren aus Sandstein (2. H. 14. Jh.), Grabdenkmäler (16.–18. Jh.). Von den Klostergebäuden nur der Marstall des Wirtschaftshofs erh. (1600).

Großbundenbach, Gem. im Kr. Pirmasens, Rheinl.-Pf. In der Pfarrkirche got. Wandmalereien aus der 1. H. 14. Jh. und Grabsteine der ehem. Ortsherren (von Steinkallenfels und die schott. Familie von Cathcart zu Carbiston).

Große Mauer, →Chinesische Mauer.

Großenhain, Kreisstadt nördlich von Dresden, Dt. Dem. Rep., 18400 Ew.; Marienkirche, nach Stadtbrand unter Verwendung erh. Teile 1744–48 von J. G. SCHMIDT, einem Schüler G. BÄHRS, gebaut, Barockbau mit T-förmigem Grundriß, Chor im O der Langseite.

Grosseto, ital. Stadt und Bischofssitz in den toskan.

Maremmen, 67900 Ew. In der von einer sechseckigen Befestigungsanlage (16. Jh.) umschlossenen Altstadt liegen der Dom (seit 1294, Fassade mit roten und weißen Marmorschichten inkrustiert) und die got. Kirche S. Francesco; Museo Nazionale della Maremma (v. a. etrusk. Funde), Museo d'Arte Sacra (Gemälde sienes. Künstler). Nordöstlich von G. lag die etrusk. Stadt Rusellae.

Großgriechenland, →Magna Graecia.

Großkọchberg, Gem. im Kr. Rudolstadt, Dt. Dem. Rep.; Schloß (16./17. Jh.), unregelmäßige Vierflügelanlage in schlichten Renaissanceformen unter Einbeziehung eines älteren Wohnturms (heute Goethe-Gedenkstätte).

Großmann, Rudolf, Maler und Graphiker, *Freiburg i. Br. 25. 1. 1882, †ebd. 28. 11. 1941, malte zunächst in Paris unter dem Einfluß von P. CÉZANNE großzügige Landschaften, war dann in Berlin bes. als Graphiker tätig (Buchillustrationen, Zeichnungsfolgen, Porträts berühmter Zeitgenossen).

Groß-Mẹseritsch, tschechisch **Velké Meziříčí** [v'ɛlkɛ: m'ɛʒirʒi: tʃi], Stadt im Südmähr. Kreis, ČSSR, etwa 7000 Ew., mit einer urspr. spätgot. Burg, die im 16. Jh. im Sinne der Renaissance umgebaut, später mit barocken und romant. Anbauten versehen wurde. Got. St. Nikolauskirche (Anf. 14. Jh.); Renaissance-Gebäude des luther. Gymnasiums.

Groß Rauden, poln. **Rudy,** Ort in der poln. Wwschaft Katowice (Kattowitz). Ehem., 1252 gegr. Zisterzienserkloster, dessen spätroman. Kirche, eine Basilika aus Backstein, 1670–85 barock umgestaltet wurde; Turm 1724, Marienkapelle 1723–26. Die barocken Klostergebäude (1671–79) enthalten Bauteile des 13. Jh.; Abtspalast (1730) mit Landschaftspark (18. bis 19. Jh.).

Großsẹdlitz, Teil von Heidenau, südöstlich von Dresden, Dt. Dem. Rep.; Barockpark (1719–23), 1723 von AUGUST DEM STARKEN erworben, danach Neugestaltung nach Versailler Muster: Obere (1720) und Untere Orangerie (um 1725, Neubau 1861–64), Fontänenanlage ›Stille Musik‹. Friedrichsschlößchen (1872–74).

Groß-Ụllersdorf, tschechisch **Velké Losiny** [v'ɛlkɛ: l'ɔsini], Dorf im Nordmähr. Kreis, ČSSR, etwa 3000 Ew. Schloß (um 1590), ein bed. Renaissance-Bau mit dreigeschossigem Arkadenhof; figuraler und ornamentaler Schmuck der Kapelle von J. C. HANDKE (1742); Pfarrkirche St. Johannes (1600–1603) in nachgot. Formen mit Grabkapelle der mähr. Adelsfamilie Žerotin.

Groß-Umstadt, Stadt im Odenwald, Hessen, 18300 Ew., besitzt neben der spätgot. Pfarrkirche (1490–94) und mehreren Schloßbauten und Adelshöfen (15. bis 18. Jh.) den repräsentativsten Renaissance-Rathausbau in Südhessen (1596–1625).

Großwardein, rumän. **Orạdea,** Hauptstadt des Kr. Bihor, NW-Rumänien, 178000 Ew. Von der schon im 13. Jh. zerstörten, im 15. Jh. wiederaufgebauten Festung (Biharia-Burg) sind nur 5 Türme, ein Tor und Wehrmauern erhalten. Die kath. Kathedrale wurde im wesentl. 1752–56, die orthodoxe 1784–90 im Barockstil erbaut; das bed. barocke Bischofspalais (1772–76, von F. A. HILDEBRANDT) ist heute Museum.

Grosz [grɔs], George, eigtl. Georg **Ehrenfried,** Maler und Graphiker, *Berlin 26. 7. 1893, †ebd. 6. 7. 1959, ging 1932 nach New York, wurde 1937 amerikan. Staatsbürger. G. nahm Anregungen vom Futurismus auf, war entscheidend an der Dada-Bewegung beteiligt und geißelte in krassen Karikaturen gesellschaftl. Zustände der 1920er Jahre: Militarismus, Kapitalismus, Bourgeoisie, und wurde neben O. DIX Hauptvertreter des Verismus. Seine klassenkämpfer. Haltung gab er in Amerika zugunsten eines anspruchslosen Realismus auf. In seinen Porträts verbindet er psycholog. Schärfe mit Stilmitteln der →Neuen Sachlichkeit.

Autobiogr.: A little Yes and a big No (1946, dt.).
G. G., Ausst.-Kat., Karlsruhe (1976); H. HESS: G. G. (1982); Der Sozialkritiker G. G., Ausst.-Kat., Bremen (1982).

Groteske [frz., von ital. grotta ›Höhle‹], Ornamentgattung von pflanzl. Formen, Tieren, Halbmenschen und Fabelwesen, die auf eine meist durch einen Kandelaber gebildete Mittelachse bezogen sind. Vorbilder sind Wanddekorationen der röm. Antike, die um 1520 bei Grabungen, z. B. in der ›domus aurea‹ des NERO, gefunden wurden. RAFFAELS Dekorationen der Loggien des Vatikan sind ein Hauptbeispiel der Verwendung der G. in der Hochrenaissance. In der dt. Renaissance wurde die G. von den Kleinmeistern viel benutzt und lebte weiter bis in den Frühbarock. Wiederaufgegriffen

George Grosz: Früh um 5 Uhr! Zeichnung aus ›Das Gesicht der herrschenden Klasse‹, 1921

Groteske: Dekorationen von Raffael in den Loggien des Vatikan

wird die G. während der Gründerjahre in Dtl. um 1870.

C.-P. Warnecke: Die ornamentale G. (1979).

Grottaferrata, Gem. in der ital. Prov. Rom, in den Albaner Bergen, 14000 Ew. Ursprung des Ortes ist das 1004 gegr. Kloster, erbaut über den Resten einer röm. Villa, seit 1579 Hauptkloster der ital. Basilianer (reiche Samml. grch. Hss.). Mittelpunkt der Ende des 15. Jh. von Festungsmauern umschlossenen Abtei ist die Kirche S. Maria, 1025 gew., mit barocker Innenausstattung, Mosaiken aus roman. Zeit und Freskenzyklus (1609–10) von Domenichino in der Kapelle des Hl. Nilus.

Grotte *die,* ital. **Grotta** [aus lat.-grch. crypta], natürliche oder künstliche gewölbte Höhle, meist von geringer Tiefe. G. waren im Altertum oft Gottheiten oder Nymphen geweiht (G. der Egeria bei Rom), in der Renaissance und im Barock als Bestandteil des Gartens meist künstlich angelegt (**Grottenwerk,** frz. rocaille, danach benannt: →Rokoko).

Grottentempel, →Höhlentempel.

Grottger, Artur, poln. Maler und Zeichner, *Ottyniowice (Galizien) 11. 11. 1837, †Amélie-les-Bains-Palalda (O-Pyrenäen) 13. 12. 1867, schuf um die Zeit des poln. Aufstands (1863) im Stil eines histor. Romantizismus die anklagenden graph. Zyklen ›Warszawa‹ (Warschau, Nat.-Mus.), ›Polonia‹ (London, Victoria and Albert Mus.) und ›Lithuania‹ (Krakau). Als Maler (›Im Sächs. Garten‹, 1863; Warschau, Nat.-Mus. – Selbst-Porträt, 1867; ebd.) stand G. der süddeutsch-österreich. Schule nahe.

Poln. Malerei von 1830 bis 1914, hg. v. J. C. Jensen (1978).

Grötzinger Malerkolonie, eine Gruppe von Schülern und Künstlern der Karlsruher Akad., die sich zw. 1890 und 1920 in Grötzingen (heute Kr. Karlsruhe) sammelten, um hier in der ländl. Idylle nach dem Vorbild der Schule von →Barbizon schlichte, stimmungsvolle Bilder nach der Natur zu malen. Zur G. M. gehörten v. a. F. →Kallmorgen und G. →Kampmann. – Die G. M. verfeinerte auch die Technik der farbigen Lithographie.

Die G. M., Ausst.-Kat., Karlsruhe (1975).

Groupe de Recherche d'Art Visuel [grup də rəʃ'ɛrʃ da:r vizy'ɛl], Abk. **GRAV**, 1960 in Paris gegründete Künstlergruppe, die sich für die experimentelle Untersuchung visueller Phänomene, für eine Öffnung zur Technologie hin und eine Kunst der gezielten opt. Effekte, der Bewegung (Kinetik) und des Lichts einsetzte. Mitgl. waren u. a. F. MORELLET, J. LE PARC, H. GARCIA-ROSSI, J. STEIN, J. P. YVARAL (Sohn von V. Vasarely).

Grubenschmelz, frz. **Émail champlevé** [em'aj ʃãləv'e], Technik der →Emailkunst.

Grudziądz [gr'udzjɔnts], poln. für →Graudenz.

Grünau, Renaissance-Jagdschloß des Pfalzgrafen OTTHEINRICH, nordöstlich von Neuburg a. d. Donau, Bayern, 1530–55 erbaut, mit bed. Wand- und Deckenfresken des 16. Jh. (Mus.).

Grünberg, Stadt bei Gießen, Hessen, 11 400 Ew.; ehem. Antoniterkloster und landgräfl. Renaissanceschloß (vor 1242 gegr., Schloßbau 1578–82); Rathaus (1586/87); ehem. Augustinerinnenkloster (um 1500).

Grund, 1) Norbert, Maler, *Prag 4. 12. 1717, †ebd. 17. 7. 1767, schuf nach niederländ., ital. und frz. Vorbildern im Stil des Rokoko kleinformatige, geistreich gemalte Genre- und Schlachtenbilder, Landschaften.

N. G., Ausst.-Kat., Wien (1967).

2) Peter, Architekt, *Pfungstadt (Hessen) 15. 11. 1892, †Darmstadt 26. 1. 1966, 1933–38 Prof. und Direktor der Düsseldorfer Kunst-Akademie. Als Leiter des Wiederaufbaus von Darmstadt (seit 1947) bemühte er sich um die Harmonie moderner Baubestrebungen mit traditionellem städtebaul. Denken.

HW: Nikolaikirche, Dortmund (1930, 1. dt. unverputzte Eisenbetonkirche); Industrie- und Handelskammer, ebd. (1929); Kaufhof, Frankfurt a. M. (1951).

Gründerzeit, Gründerjahre, die Jahre nach der dt. Reichsgründung (1871). Die Architektur der G. (Banken, Geschäftshäuser, Fabrikgebäude, Villen) war, wie der auf sie folgende Wilhelminismus, dem Historismus verpflichtet. Hauptvertreter der Malerei waren A. v. FEUERBACH und A. BÖCKLIN, die ihre Themen aus der Mythologie bezogen. In der Skulptur blieb die Kunst der G. dem maler. Spätklassizismus, der Spätphase der Rauchschule, verpflichtet und wurde von der Generation der um 1830 Geborenen getragen (A. CALANDRELLI, R. SIEMERING, C. F. HARTZER, F. SCHAPER, E. ENCKE). Nur R. BEGAS formulierte schon frühzeitig seine Kunst in Inhalt und Form neubarock (Schiller-Denkmal, 1871). Wichtig wurden die Siegesmäler; die erste dekorierte Allee entstand 1871 für den Einzug der Truppen in Berlin; Monumente mit überregionalem Anspruch (Niederwalddenkmal) folgten im gesamten Reich.

R. HAMANN u. J. HERMAND: Gründerzeit ([2]1974).

Grundierung, erste, maltechnisch wichtige Schicht beim Aufbau eines Bildes oder einer →Fassung 1), bestehend aus Füllstoff (Kreide, Gips o. ä.) in Leim, Öl (Ölgrund) oder Emulsionsbindemittel. Technisch vermittelt sie Haftung, regelt die Saugfähigkeit und ermöglicht Hochglanzpolituren. Künstlerisch hat die G. die Aufgabe, Licht zu reflektieren und Strukturen zu erzeugen oder zu tilgen. Bei histor. Skulpturen ist die geglättete und bildhauerisch überarbeitete G. meist Träger der endgültigen plast. Form. Sie bietet zudem die Möglichkeit, z. B. textile Strukturen, Muster u. a. einzugravieren oder anzutragen. Durch eingebettete Materialien (z. B. Gewebe, Schnüre u. ä.) sind weitere plast. Bereicherungen möglich. Bei Gemälden wird die Leuchtkraft der Farben wesentlich durch die Helligkeit der G. gesteuert, durch →Farbige Grundierung erhält das Bild ein verbindendes Gesamtkolorit (→Tonmalerei).

Grundig, Hans, Maler und Graphiker, *Dresden 19. 2. 1901, †ebd. 11. 9. 1958, lehnte sich in symbolhaften Gemälden und Radierungen gegen die Unterdrückung durch den Nationalsozialismus auf; seit 1928 ∞ mit der Malerin Lea G. (*Dresden 23. 3. 1906, †ebd. 10. 10. 1977), die sich in realist. Bildern bes. für die Interessen der Arbeiterklasse einsetzte.

H. G. – Lea G., Ausst.-Kat., Dresden (1958); Lea G., Ausst.-Kat., Berlin-Ost (1975).

Grundriß, waagerechter Schnitt durch ein Bauwerk, meist in Fensterhöhe, der Auskunft über die Raumeinteilung, die Lage und Maße der Treppen, Türen und Fensteröffnungen gibt. Der G. ist in versch. Abstraktionsgraden üblich, von der einfachen Graphik zur Orientierung bis zum G. der exakten Bauaufnahme, die u. a. die genaue Darstellung voneinander abweichender Mauerstärken und winkelgenaue Wiedergabe der Räume fordert.

Gründungsdepot [-dep'o], in Mesopotamien und Syrien häufig in den Fundamenten bed. Gebäude, bes. Tempel, ausgesparte Kapseln, in denen ›auf reiner Erde‹ unter rituellen Handlungen Objekte wie Perlen, Muscheln, Metallsplitter, aber auch Tontafeln sowie Gründungsplatten, -nägel oder -figuren niedergelegt wurden. Beabsichtigt war damit wohl eine spezif. Gabe an die Gottheit, die oft auch im profanen Bereich (Grundstücksrecht) ihre Entsprechung hatte.

Gründungsfigur, in Mesopotamien und Syrien seit etwa 2600 v. Chr. gebräuchl. Typ von Weihgegenständen im Gründungsdepot. Es kommen Figuren (Bronze, Kupfer, Stein) vor, die entweder kniend einen Pflock halten oder im Unterkörper nagelförmig auslaufen (›Nagelmenschen‹), während der Oberkörper im Gebet oder als Ziegelträger (mit dem Ziegelkorb auf dem Kopf) dargestellt ist. In der Spätzeit gab es auch aus Ton oder Holz gearbeitete Götter oder Vögel als G.

Grüne Erden, Maltechnik: Böhmische und Veroneser grüne Erdfarben (Eisensilikate). Durch Brennen werden G. E. rotbraun.

Grüne Lacke, Maltechnik: verlackte Farbstoffe,

früher aus Pflanzensäften (Malve, Lilie, Aloë), heute aus Teerfarbstoffen hergestellt. Alte G. L. gehören zu den am wenigsten lichtechten Farben und sind kaum irgendwo erhalten.

Grünes Gewölbe, Dresden, urspr. Schatzkammer der sächs. Kurfürsten im Residenzschloß. In den Räumen des G. G. wurde 1723–24 das 1. Schatzkammer-Mus. eingerichtet. Im 2. Weltkrieg waren die Bestände (v. a. Goldschmiedearbeiten und Kleinplastiken) ausgelagert und sind seit 1959 im →Albertinum der Öffentlichkeit wieder zugänglich. Das G. G. ist 1945 ausgebrannt.

Grünewald, 1) Isaac, schwed. Maler, *Stockholm 2. 9. 1889, †(Flugzeugabsturz) S-Norwegen 22. 5. 1946, Schüler von H. MATISSE, führende Gestalt der jungen schwed. Expressionisten, schuf später große dekorative Arbeiten in üppigen Farben, auch farbenprächtige, phantasievolle Theaterdekorationen.

2) Mathias (Mathis, Mathäus) Gothart Nithart (Neithardt), Maler, Baumeister, Wasserbautechniker, *Würzburg(?) um 1480, †Halle/Saale vor dem 1. 9. 1528; seine biograph. Daten sind umstritten. Die Identifizierung G.s als ›Mathis von Aschaffenburg‹ mit ›Mathis Godthart Nithart‹ gelang 1919/23. Warum ihm in früheren Jahrhunderten der bis heute übl. Name G. gegeben wurde (so J. V. SANDRART, 1675), konnte noch nicht ermittelt werden. G. selbst signierte mit einem ›M‹ mit eingezogenem ›G‹ und einem manchmal angehängten ›N‹. Für ein verstecktes Selbstporträt wird der Hl. Paulus auf einem Flügel des Isenheimer Altars gehalten. – Über seine Ausbildung ist nichts überliefert. Die Werke seiner Zeitgenossen A. DÜRER, L. CRANACH D. Ä. und A. ALTDORFER (mit der Donauschule) waren ihm bekannt; vielleicht hatte er auch persönl. Kontakte mit ihnen. Wohl durch Italienaufenthalte (v. a. Einfluß von LEONARDO DA VINCI) kannte G. die Formenwelt der Renaissance; sein Werk läßt auch auf genauere Kenntnis der niederländ. Malerei schließen (D. BOUTS, ROGIER VAN DER WEYDEN, H. BOSCH). Zeugnisse dafür sind (vermutlich auf Grund seiner introvertierten Lebens-

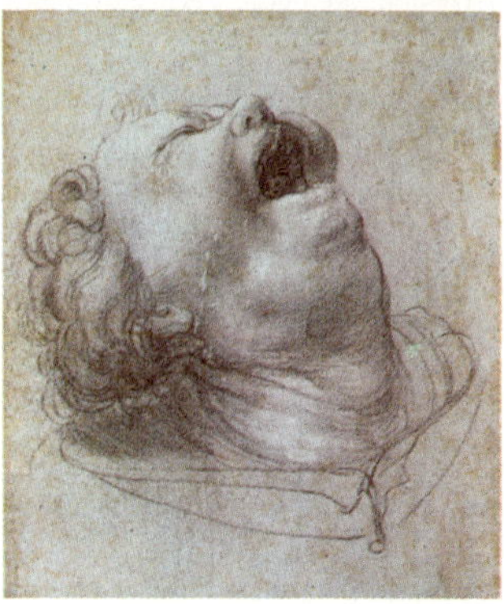

Mathias Grünewald: Kopf eines Schreienden; Kreidezeichnung mit Weißhöhung; um 1520 (Berlin-West, Staatl. Museen)

Mathias Grünewald: Kreuzigung, um 1525 (Karlsruhe, Kunsthalle)

weise und der Wirren der Zeit) nicht erhalten. 1509 wurde G. Hofmaler des Mainzer Erzbischofs ULRICH VON GEMMINGEN in Aschaffenburg und leitete dort als Baumeister und Steinmetz die Umbauten des Schlosses. Um 1513 muß G. sein HW, den →Isenheimer Altar, begonnen haben. 1516 nahm ihn sein Mäzen Kardinal ALBRECHT VON BRANDENBURG mit festem Gehalt in kurmainz. Dienste. Die großen Aufträge lassen erkennen, daß er nun zu den führenden Meistern seiner Zeit gezählt wurde. In den Wirren des Bauernkrieges mußte G. sein Hofamt aufgeben, war 1527 in Frankfurt a. M. und ging 1528 als ›Wasserkunstmacher‹ nach Halle. – Als Jugendwerk G.s gilt ein 14-Nothelfer-Altar (1503; Fragmente seit 1685 in der Kirche von Lindenhardt bei Bayreuth). Viele seiner Werke müssen wie 3 für den Mainzer Dom gemalte und im Dreißigjähr. Krieg von den Schweden verschleppte (dann mit dem Schiff untergegangene) Altäre zugrunde gegangen sein. Graph. Arbeiten, die bei A. DÜRER und anderen dt. Künstlern seiner Zeit einen wesentl. Teil ihres Schaffens bilden, sind nicht bekannt. Die erh. Zeichnungen (etwa 40) sind Entwürfe und Studien für Altarbilder. In ihrem Reichtum an maler. Valeurs und ihrer Spannweite des Ausdrucks gehören sie zu den eigenwilligsten und bedeutendsten Zeugnissen abendländ. Zeichenkunst. Sein Werk insgesamt verbindet in dem Ausdrucksmittel der Farbe tiefe Innerlichkeit und große Kraft des Mitleidens mit äußerstem Realismus und myst. Formensprache. (Weiteres BILD Grisaille)

WW: Verspottung Christi (um 1504; München, Alte Pinakothek); Kreuzigung (um 1505/06; Basel, Kunst-Mus.); Heller-Altar (um 1510, 4 Flügel zum von A. Dürer gemalten Mittelbild: Hl. Laurentius und Hl. Cyriakus, Frankfurt, Städelsches Kunstinstitut; Hl. Elisabeth und Hl. Lucia, Karlsruhe, Kunsthalle. – Grisaillen); Maria-Schnee-Altar (1517–19; urspr. Aschaffenburg, Stiftskirche, Maria-Schnee-Kapelle, Mitteltafel vermutlich die Stuppacher Madonna, Stuppach bei Bad Mergentheim; ein Flügel: Das Schneewunder; Freiburg i. Br., Augustinermus.); Das kleine Kruzifix (um 1519/20; Washington, Nat. Gal.); Mauritius-Altar (um 1522; urspr. Halle/Saale, Stift St. Moritz und St. Maria Magdalena; Mitteltafel: Erasmus-Mauritius-Tafel, München, Alte Pinakothek); Passions-Altar (1523–24; Tauberbischofsheim; davon Kreuzigung und Kreuztragung in Karlsruhe, Kunsthalle); Beweinung Christi (stark beschnitten, um 1525; Aschaffenburg, Stiftskirche).

W. K. ZÜLCH: Der histor. G. Meister Gothart Nithart (1958); J. K. HUYSMANS u. E. RUHMER: Die Gemälde (1959; vollständige Ausgabe); E. RUHMER: G. Zeichnungen (a. d. Engl., 1970); L. BEHLING: G. ([2]1981); W. LÜCKING: Nachforschungen über G. (1982). – Oper: P. HINDEMITH: Mathis der Maler (1934/35).

Grünspan, Kupfergrün, Spangrün, Maltechnik: in der Antike als ›viride graecum‹ bekanntes Kupferacetat, ein bis in die Neuzeit verwendetes Grünpigment.

Grünstein, Groenesteyn, Anselm Franz Freiherr von, Ritter zu, Baumeister, *Mainz(?) um 1694/95, †Kiedrich (Rheingau) 30. 5. 1765, wurde 1730 nach Ausbildung in Frankreich kurmainz. Oberbaudirektor und vermittelte dem mittelrheinisch-fränk. Baustil Anregungen des frz. Spätbarock. HW in Mainz: Deutschhaus (1730–32) und Bassenheimer Hof (1750–55).

Grupello, Gabriel Ritter von, fläm. Bildhauer, Bronzegießer und Elfenbeinschnitzer ital. Abstammung, *Geraardsbergen (Ostflandern) 22. 5. 1644, †Schloß Ehrenstein bei Kerkrade (Prov. Limburg) 20. 6. 1730, Schüler von A. QUELLINUS D. Ä. in Antwerpen, wurde 1673 zum Hofbildhauer KARLS II. von Spanien in Brüssel ernannt, desgleichen seit 1695 beim pfälz. Kurfürsten JOHANN WILHELM in Düsseldorf. Seit 1719 stand er in Diensten Kaiser KARLS VI. in Brüssel.

HW: Reiterstandbild Johann Wilhelms (Jan Wellem), um 1703 bis 1711, Düsseldorf, Marktplatz; allegor. Figurenpyramide, um 1722, Mannheim, Paradeplatz.

Gruppenbild, Gruppenbildnis, Gruppenporträt, die Bildniskomposition mehrerer Personen, im wesentlichen eine Schöpfung der Niederländer des 16. und 17. Jh. Vorstufen sind die Stifterbildnisse und die Porträts der Angehörigen geistl. Korporationen. Anfänglich waren die wesentlichsten Förderer des profa-

Gabriel von Grupello: Reiterstandbild Johann Wilhelms in Düsseldorf; um 1703–11

Gruppenbild: Frans Hals, ›Festmahl der Offiziere der St.-Georgs-Schützengilde‹; 1627 (Haarlem, Frans-Hals-Museum)

nen G. die niederländ. Schützengilden. Die frühen Schützenstücke oder Doelenstücke (das älteste von DIRCK JACOBSZ, 1529, Amsterdam) sind jedoch noch unkomponierte Ansammlungen halbfigürl. Einzelporträts. Die Möglichkeit zu durchkomponierter Gestaltung bot sich erst, als man dazu überging, die Vielzahl der Personen in einer Handlung zu vereinen, z. B. beim Mahl oder Auszug der Schützen. Das 1. Motiv wurde schon 1533 von CORNELIS TEUNISSEN (Amsterdam), das 2. erst 1581 von CORNELIS KEITEL (nur als Skizze erhalten) verwendet. Bedeutsam war, daß sich die Schützengilden inzwischen militärisch organisiert hatten. Die Unterordnung der Einzelfigur wurde zugunsten der Gesamtkomposition aufgegeben, so in den Schützenstücken von T. DE KEYSER, F. HALS, B. VAN DER HELST, v.a. aber in REMBRANDTS ›Nachtwache‹. Rembrandt ging dabei kompositionell und malerisch so weit, daß viele Dargestellte porträtmäßig nicht mehr zur Geltung kamen. Bewahren ließ sich der Porträtcharakter nur bei Beschränkung der Personenzahl. Das war bei den Korporationsbildern der Ärzte (→Anatomie), der Vorsteher von Kaufmannsgenossenschaften und Wohltätigkeitsinstitutionen, den Regentenstücken, gegeben. Das älteste ist das der Wardeine der Tuchmacher von AERT PIETERS (1599, Amsterdam), die bedeutendsten sind die ›Staalmeesters‹ von REMBRANDT (1661/62, Amsterdam) und die ›Regentinnen des Altmännerhauses‹ von F. HALS (1664, Haarlem).
Das G. überdauerte fast nur als →Familienbildnis.

Gruppe progressiver Künstler, Kölner Künstlergruppe, die 1929 mit der Gründung der Ztschr. ›a bis z organ der g. p. k.‹ offiziell unter diesem Namen auftrat. Vorläufer war die Gruppe ›stupid‹, die Wurzeln in der Kölner Dada-Bewegung hat. Im Mittelpunkt stand eine formal an Konstruktivismus, Surrealismus, F. LÉGER und ideologisch an sozialist. Ideen orientierte Malerei. Wichtige Mitgl.: H. HOERLE, F. SEIWERT, G. ARNTZ, J. ADLER, O. FREUNDLICH, anfangs auch A. RÄDERSCHEIDT.

Vom Dada-Max zum Grüngürtel, Ausst.-Kat., Köln (1975).

Gruppo 7, eine 1926 in Mailand gegr. Gruppe junger ital. Architekten, die funktional-analyt. Entwurfsprinzipien vertraten, z. B. G. FIGINI, G. FRETTE, S. LARCO, G. POLLINI, C. E. RAVA, G. TERRAGNI, U. CASTAGNOLA (bis 1927), A. LIBERA (seit 1927) und mit ihren Veröffentlichungen in der Ztschr. ›Rassegna Italiana‹ von Dezember 1926 bis Mai 1927 die theoret. Grundlagen der ital. Rationalen Architektur schufen.

L. BENEVOLO: Gesch. der Architektur des 19. und 20. Jh., 2 (a. d. Italien., 1964).

Grusi, Grussi, Gurunsi, Gourounsi, Volk in Westafrika, in S-Obervolta und N-Ghana, über 500 000 Menschen. Die G. haben ähnl. Maskentraditionen wie die benachbarten →Bobo, Nounouma u. a. Die Masken sind abstrakt gestaltet, mit Tendenz zum Kubismus. Die Figuren dagegen, die eine gewisse Ähnlichkeit mit denen der Mosi zeigen, wirken eher naturalistisch; lediglich das Gesicht ist meist ganz flach konzipiert. Masken und Figuren sind häufig bemalt, jedoch nur in den Farben rot, schwarz und weiß. Wichtigste Maskentypen sind die ›Doyo‹-Maske des ›Do‹-Bundes (ähnlich denen der Bobo), die seltenen Schmetterlingsmasken sowie die ›Bedu‹-Masken, 1–3 m große Gebilde mit einer Scheibe (weiblich) oder einem Hörnerpaar (männlich) über dem Gesicht.

Grüssau, poln. **Krzeszów** [kʃ'ɛʃuf], Gem. in der poln. Wwschaft Jelenia Góra (Hirschberg im Riesengebirge) in den Sudeten, 3600 Ew. Ehem. bed. Zisterzienserkloster, gegr. 1292, 1427 weitgehend zerstört. Die Abteikirche (1728–35) bildet mit ihrer Doppelturmfassade und der maler. und bewegl. Ausstattung ein einheitl. Gesamtkunstwerk und gilt als bedeutendste Barockkirche Schlesiens. Die barocken Klostergebäude von 1662 wurden 1768 spätbarock erweitert. Pfarrkirche St. Joseph (1690–96) mit maler. Dekoration von M. WILLMANN (1695).

Grützke, Johannes, Maler, *Berlin 30. 9. 1937. Seine Bilder persiflieren den banalen Alltags- und Massenmenschen, dem sie, in einer akademisch virtuosen Malerei zw. kunstgeschichtl. Zitat und Zeitkritik, manierist. oder barocke Stilmuster überstülpen. G. gründete 1973 die Schule der →Neuen Prächtigkeit.

Grützner, Eduard von (1916), Maler, *Groß-Karlowitz (Schlesien) 26. 5. 1846, †München 2. 4. 1925, Schüler von K. v. PILOTY, zu seiner Zeit angesehen wegen seiner Genrebilder mit trinkfreudigen Mönchen und historisch kostümierten Zechern in gefälligen Varianten.

Die Münchner Schule 1850–1914, Ausst. Kat., München (1979).

Gryfów Śląski [gr'ifuf sjl'ɔ̃ski], poln. Name für →Greiffenberg in Schlesien.

Gryllen, grch. **Grylloi** [›Ferkel‹], phantast. Zerrbilder von Mensch und Tier; angeblich erfunden von dem grch. Maler ANTIPHILOS (4. Jh. v. Chr.).

Waldemar Grzimek: Eltern; zweite Fassung, Terrakotta, Höhe 66 cm (1978)

Grzimek [gʒ'imɛk], Waldemar, Bildhauer, * Rastenburg (Ostpr.) 5. 12. 1918, † Berlin 26. 5. 1984, war 1942 in Rom, lehrte seit 1968 als Prof. an der TH Darmstadt. G. vertrat einen expressiv gesteigerten, zu barockem Pathos neigenden Traditionalismus, der um die menschl. Figur, v. a. als Aktdarstellung, kreist.

E. Roters: Der Bildhauer W. G. (1979, mit Werkverz.).

Guadalajara [guaðalax'ara], **1)** span. Stadt in Neukastilien, am Henares, 38 200 Ew. Der Palast des Duque del Infantado (1461–80 unter der Leitung von J. Guas erbaut, 1936 stark beschädigt, später restauriert) gehörte zu den prächtigsten Beispielen der Durchdringung von Mudéjar-Stil und Isabellinischem Stil; original erh. ist die mit diamantförmigen Quaderspitzen bedeckte Fassade sowie der reich verzierte Innenhof mit doppelstöckiger Arkadengalerie (1570 umgebaut).

2) Hauptstadt des Staates Jalisco, Mexiko, kath. Erzbischofssitz, 1,64 Mio. Ew. Die Kathedrale (1561 bis 1618), eine dreischiffige Basilika mit 6 Querschiffen und got. Gewölbe, wurde oft umgebaut. Die Portale im Renaissance-Stil sind von klassizist. Säulen flankiert, im Innern bed. Gemälde (u. a. B. E. Murillo) und Skulpturen. Die hochbarocke Kirche Santa Mónica (gew. 1723) hat eine reich ornamentierte Fassade. Das neoklassizist. Hospicio Cabañas wurde 1803 nach Plänen von M. Tolsa als Waisenhaus erbaut (mit 23 Patios); in der Kapelle hervorragende Fresken von J. C. Orozco, von dem auch die Fresken im Regierungspalast (ehem. ›Casas Reales‹, 17. Jh., barock mit klassizist. Einfluß) stammen. Im Museo del Estado archäolog. Samml., Gemälde, Trachten, Volkskunst u. a.

Guadalupe [guaðal'upe], **1)** Stadt in der span. Prov. Cáceres, rd. 3500 Ew., Wallfahrtsort zum Marienheiligtum des 1340 gegr. festungsähnl. Klosters; dreischiffige Klosterkirche (1389–1412) mit prächtiger feingliedriger Fassade im gotisch geprägten Mudéjar-Stil und barocker Marienkapelle ›Camarín‹ (mit Gemälden von L. Giordano); in der Sakristei der Hieronymiten-Gemäldezyklus von F. de Zurbarán (1638/39); zweistöckiger Großer Kreuzgang (1405/06) mit Brunnenturm, dreistöckiger Kleiner Kreuzgang (1502–15). Bild S. 121

2) Wallfahrtskirche in →Mexiko.

Guadalupe 1): Fassade des Klosters

Guadix [guað'iks], span. Stadt und Bischofssitz in der Prov. Granada, 19 800 Ew.; Stadtteile mit Höhlenwohnungen (Tuffstein); Reste der Stadtmauer mit Türmen und maur. Alcazaba (9./14. Jh.) erh. Die Kathedrale (Anf. 16. Jh.–1796; Chor von D. DE SILOÉ, 1541 bis 1549) bietet ein reizvolles Stilgemisch (komplizierte Gewölbestrukturen, wuchtige Pfeiler, churriguereske Ausstattung, Barockfassade mit plateresken Elementen).

Guadrọne [ital. ›Beule‹], Verzierung an wulstartig ausgebauchten Stäben. Der G. ist, vom ionischen Kyma (Eierstab) abgeleitet (→Kymation), eine Erfindung der ital. Renaissance.

Guanajuato [guanaxu'ato], Hauptstadt des Staates G., Mexiko, 46 000 Ew.; einst Mittelpunkt eines reichen Silberbergbaus, heute Zentrum des Kultur- und

Guanajuato: La Valenciana; 1765–88

Geisteslebens. Das maler. kolonialzeitl. Stadtbild steht unter Denkmalschutz. Die Kirchen San Roque (1726) und Guadelupe (1732) sind frühbarock. An der Kirche San Diego leitet die Ornamentik der Portale zum Rokoko über. Die Jesuitenkirche La Compañía (1747–65) hat eine churriguereske Fassade und klassizist. Kuppel. Die klassizist. ›Casa Rul‹ wurde Ende 18. Jh. für die Besitzer der Silberminen erbaut (F. E. TRESGUERRAS zugeschrieben). Das Geburtshaus von DIEGO RIVERA ist heute Museum. – 5 km außerhalb der Stadt auf einem Hügel die Kirche **La Valenciana** (1765–88), ein Meisterwerk des mexikan. Hochbarock; Fassade mit filigranartigen Steinmetzarbeiten; im Innern Altartafeln mit prächtigem vergoldeten oder bemalten Schnitzwerk.

Guangzhou [-dʒɔu], Stadt in China, →Kanton.

Guarda, Stadt und Bischofssitz in NO-Portugal, 14600 Ew. Die Kathedrale (1390–1516) ist ein festungsartiger Granitbau mit prächtigem Dekor im Emanuelstil von D. BOYTAC (um 1510); im Inneren steinernes Retabel mit Szenen aus dem Leben Jesu von J. DE ROUÃO (1550); barocke Misericórdia-Kirche (18. Jh.).

Guardi, 1) Francesco, ital. Maler, *Venedig 5. 10. 1712, †ebd. 1. 1. 1793, Bruder von 2), mit dem er lange in Werkstattgemeinschaft arbeitete, war bes. begabt auf dem Gebiet der Vedutenmalerei, die er nach 1760 fast ausschließlich betrieb. In seinen Ansichten von Venedig, seinen stimmungsreichen Lagunenlandschaften und Schilderungen venezian. Feste vollzog G. die Loslösung von der klaren, perspektivisch sorgsamen und realist. Vedutenmalerei von CANALETTO. Er gestaltete in seiner temperamentvollen, lockeren Technik atmosphärische, impressionistisch anmutende Visionen.

HW: Piazzetta in Venedig (Berlin-West, Staatl. Museen); Dogen-

Francesco Guardi: Santa Maria della Salute in Venedig (London, National Gallery)

palast in Venedig (London, Nat. Gal.); S. Maria della Salute in Venedig (ebd.).

2) Giovanni Antonio, ital. Maler, getauft Wien 27. 5. 1699, †Venedig 22. 1. 1760, Bruder von 1), seit 1717 selbständig in Venedig tätig und anfangs lange Zeit im Dienst des Feldmarschalls von der Schulenburg stehend, schuf er Bildnisse, Andachtsbilder sowie Darstellungen aus Mythologie und Sage, häufig in Zyklen; daneben zahlreiche Kopien nach zeitgenöss. und früheren venezian. Gemälden.

A. MORASSI: A. e F. G., 2 Bde. (Venedig 1973).

Guariento, ital. Maler, †wohl um 1370, der bedeutendste Maler in Padua um die Mitte des 14. Jh. (dort nachweisbar von 1338–65). Zunächst unter dem Einfluß GIOTTOS stehend, kam er später in enge Berührung mit der Malerei PAOLO VENEZIANOS. Für die Familie Carrara malte er die Kapelle ihres Palastes in Padua aus. Im Auftrag Venedigs schuf er in den letzten Lebensjahren im Dogenpalast eine monumentale Darstellung der ›Marienkrönung‹, die im 16. Jh. von TINTORETTOS ›Paradies‹ überdeckt wurde. G. erreichte in seinem Figurenstil eine sehr differenzierende Typisierung und wurde durch seine kühnen Architekturdarstellungen zum Vorläufer ALTICHIEROS.

WW: Kruzifix (Bassano del Grappa, Mus.; einziges signiertes Werk); Fresken im Chor der Eremitani-Kirche in Padua (teilweise 1944 zerstört); Tafeln aus dem Carrara-Palast im Mus. in Padua; Putzzeichnung der ›Marienkrönung‹ in Venedig, Dogenpalast.

Guarini, Guarino, ital. Baumeister, Mathematiker, Theatinermönch, *Modena 17. 1. 1624, †Mailand 6. 3. 1683. In erster Linie Mathematiker, führte er die von F. BORROMINI eingeleitete Entwicklung der Barockarchitektur v. a. in Turin zu einem Höhepunkt (BILD Barock). Er gestaltete Räume in der Durchdringung zylindr. Raumkörper, mit ineinanderschneidenden Gewölben und gebrochenen, in ihrer opt. Wirkung schwingenden Wänden, wobei auch der Langbau zentralisierenden Tendenzen unterliegt. Seine von freiliegenden Rippen vergitterten Kuppeln erzeugen eine verklärende Lichtwirkung. Er lieferte auch Entwürfe für Kirchen in Paris und Lissabon. Die Kunst G.s war, durch Stiche und Schriften verbreitet (›Architettura civile‹, 1686, vollständige Ausg. hg. von B. VITTONE 1737, Neuausg. Mailand 1968), von bed. Einfluß auf den süddt. und böhm. Barock (Brüder DIENTZENHOFER, B. NEUMANN).

HW (in Turin): Palazzo Carignano (1680); S. Lorenzo (1687 voll.); Cappella della S. Sindone (an den Dom angebaut; 1694 postum voll.).

Guas, Juan, wahrscheinlich aus Lyon oder aus Flandern stammender span. Baumeister und Bildhauer, †Toledo um 1495, ein Hauptvertreter des →Isabellinischen Stils. Als Bildhauer zeichnete er sich durch den plast. Schmuck an der Puerta de los Leones der Kathedrale von Toledo aus. HW sind Kloster und Kirche S. Juan de los Reyes in Toledo (1476 ff.) und der Palast des Duque del Infantado in Guadalajara (1461–80; zus. mit seinem Bruder Enrique G. und maur. Künstlern).

Guaschmalerei, →Gouachemalerei.

Guatemala, Ciudad de G. [siuð'að-], Hauptstadt der Rep. G., 1493 m ü. M. im zentralen Hochland, 1,4 Mio. Ew. G. wurde 1776 als Ersatz für die durch Erdbeben zerstörte Hauptstadt Antigua gegr.; aus deren Kirchen wurden viele Kunstwerke nach G. gebracht, das selbst auch mehrfach durch Erdbeben (1917/18, 1976) stark beschädigt wurde. Die fünfschiffige Kathedrale (beg. 1782, gew. 1815; Türme nach Erdbebenschäden erneuert) besitzt, v. a. in der Seitenkapelle Sagrario, einen silbernen Reliquienschrein, Altartafeln und Gemälde aus der frühen Kolonialzeit. Kirche San Francisco (1851) mit Mus. für Sakralkunst; in der Kirche La Merced (1792) mit eleganter klassizist. Kuppel Barockretabel und kolonialzeitl. Malerei, ebenso in der Kirche S. Rosa (1787); in der Kirche S. Domingo wertvolle polychrome Holzskulpturen. Museen für moderne und zeitgenössische Kunst und für Volkskunst. Im Nationalmus. für Archäologie und Ethnologie Funde aus vorkolumb. Zeit (v. a. Stelen aus Piedras Negras), ebenso im Popol-Vuh-Museum.

Gubbio, Stadt und Bischofssitz in der ital. Prov. Perugia, Umbrien, 31 900 Ew. G. ist das röm. **Iguvium** (Reste eines Theaters und Mausoleums); gut erhaltenes Stadtbild mit Bauten des MA. und der Renaissance, darunter zahlreiche Kirchen: S. Francesco, S. Giovanni Battista und S. Domenico aus dem 13. Jh., Dom (an einem Bergabhang; 13./14. Jh.), S. Maria Nuova (14. Jh.) u. a. Unter den Palästen ragen die Palazzi Ducale (seit 1476, nach Vorbild des Herzogspalastes von Urbino), del Bargello (Mitte 13. Jh.), Pretorio (1349 beg.) und v. a. dei Consoli (1332–37) hervor, das Wahrzeichen von G. (im Inneren Mus., u. a. mit den 7 Iguvin. Bronzetafeln mit Aufzeichnungen in altumbr. und neuumbr. Sprache, aus dem 2. vorchristl. Jh.).

Gubbio-Majolika, in der ital. Stadt Gubbio (Prov. Perugia) hergestellte Fayence mit reichem Gold- und Rubinlüster, der im 16. Jh. zu hoher Vollendung entwikkelt wurde; Mitte des 19. Jh. wieder aufgenommen.

Gubler, Max, schweizer. Maler, *Zürich 26. 5. 1898, †ebd. 29. 7. 1973, wurde durch seinen Aufenthalt auf der Insel Lipari bei Sizilien (1923–27), wo impressionist. Gemälde entstanden, entscheidend geprägt. Seine Landschaften, Figurenbilder und Stilleben zeigen zunehmend abstraktere Formen und expressive Farbwirkungen.

M. G., Ausst.-Kat., Zürich (1975).

Gude, Hans, norweg. Maler, *Christiania (heute Oslo) 13. 3. 1825, †Berlin 17. 8. 1903, studierte bei J. W. SCHIRMER und A. ACHENBACH in Düsseldorf, wurde 1854 Prof. an der Akad. ebd., 1864 in Karlsruhe, 1880 in Berlin. Er malte v. a. norweg. Gebirgs- und Seemotive und war ein bed. Lehrer.

Gudea, sumerischer Fürst (etwa um 2150 v. Chr.) der babylon. Stadt Lagasch, der einen großen Tempel für seinen Gott Ningirsu errichtete und darüber in literarisch bedeutsamen Hymnen berichtete. Von G. sind etwa 15 Stand- und Sitzbilder meist aus Diorit überliefert, die ihn in anbetender Haltung zeigen. Die nicht gut proportionierten Bildwerke (Überbetonung des Kopfes) im Stil der sumer. Renaissance sind technisch meist vorzüglich gearbeitet, künstlerisch wenig originell. (BILD sumerische Kunst)

Gudin [gyd'ɛ̃], Théodore Baron, frz. Maler, Lithograph und Radierer, *Paris 15. 8. 1802, †Boulogne-sur-Seine 12. 4. 1880, malte, von T. GÉRICAULT und E. DELACROIX beeinflußt, diese aber an Dramatik noch übertreffend, effektvolle See- und Marinebilder sowie 12 Ansichten russ. Häfen für Zar NIKOLAUS I.

Gudula, Gudila, Heilige der Merowinger-Zeit, aus vornehmer Familie in Brabant, †712(?), Gebeine seit 1047 in Brüssel (Saint-Michel) oft mit Elementen der Legende der Genovefa von Paris (Auslöschen der Kerze) dargestellt, auch mit Buch (B. BRUYN, um 1550; Köln, St. Severin).

Guebwiller [gebvil'ɛ:r], frz. für →Gebweiler.

Guedes [g'edɪs], Joaquim, brasilian. Architekt, *São Paulo 18. 6. 1932, seit 1958 Prof. an der Univ. ebd., beschäftigt sich sowohl mit Einfamilienhausbau als auch mit Stadtplanung. Seine früher ausschließlich an der Konstruktion orientierte Entwurfsweise wird in jüngerer Zeit durch Überlegungen zur Einpassung eines Neubaus in seine Umgebung und der Beteiligung der Nutzer bei der Planung geprägt, mit dem Ziel großer formaler Vielfalt und hoher Nutzbarkeit.

HW: Haus Cunha Lima, São Paulo (1958); Wohnviertel in Campinas, ebd. (1974); Stadtplanung für Barcarena, Belém (1979).

J. G.: Arquitectura Brasileira após Brasilia/Depoimentos (Rio de Janeiro 1978).

Guelma [gɛlm'a], Stadt in NO-Algerien, 65 km südlich von Annaba, Puniergründung; Reste des röm. **Calama,** v.a. eines der besterhaltenen röm. Theater N-Afrikas (1908 restauriert, heute Stadttheater); daneben das Archäolog. Mus. (röm. Skulpturen). 7 km südwestlich das Ruinenfeld von **Announa** (röm. Thibilis) mit Forum, Haus der Antistii und byzantin. Zitadelle.

Guêpière [gɛpj'ɛ:r], Pierre Louis Philippe de la G., frz. Baumeister und Theoretiker, *in Frankreich um 1715, †Paris 30. 10. 1773, brachte die klassizistisch strengen Formen des Louis-seize nach Dtl.; war als württemberg. Oberbaurat (1752–68) an den Schloßbauten in Stuttgart und Karlsruhe beteiligt.

HW: Solitude bei Stuttgart (1763 ff.; zus. mit J. F. WEYHING); Monrepos bei Ludwigsburg (1760–64). – Recueil d'esquisses d'architecture (1760; mit Stichen).

Guercino [guertʃ'i:no], eigtl. Giovanni Francesco **Barbieri,** gen. **il G.** [›Der Schielende‹], ital. Maler, getauft Cento (bei Bologna) 8. 2. 1591, †Bologna 22. 12. 1666, von unbed. Lokalmalern ausgebildet, während kurzer Aufenthalte in Bologna durch L. CARRACCI und in Venedig (1618) von TIZIAN beeinflußt. Bis 1642 blieb G. in seiner Heimatstadt und hielt sich nur vorübergehend in Rom (1621–23) auf. Nach dem Tod seines Rivalen G. RENI hatte er für über 20 Jahre die führende Stellung im Kunstleben Bolognas inne. In seiner frühen und mittleren Zeit gelangen ihm lebensvolle Bilder in malerisch weicher, doch kraftvoller Helldunkelmalerei.

Guercino: Aurora, Deckenfresko im Casino Ludovisi in Rom; 1621

Die Werke seiner von Reni beeinflußten Spätzeit (seit etwa 1640) erscheinen dagegen kälter.

HW: Einkleidung des Hl. Wilhelm von Aquitanien (1620; Bologna, Pinakothek); Grablegung der Hl. Petronilla (1621; Rom, Kapitolin. Museen); Aurora (1621; Deckenfresko, Rom, Casino Ludovisi).

Il G., hg. v. D. MAHON, Ausst.-Kat., Bologna (1968).

Guéridon [gerid'ɔ̃, frz.], meist rundes Abstelltischchen auf baluster- oder säulenförmiger Stütze mit Dreifuß als Leuchtertisch, gelegentlich mit kleinem Rand als Teetisch, im 17./18. Jh. bes. in Frankreich beliebt.

Guérin [ger'ɛ̃], Pierre-Narcisse Baron (seit 1829), frz. Maler, *Paris 13. 3. 1774, †Rom 16. 7. 1833, Schüler von J.-B. REGNAULT; malte klassizist. Bilder aus der antiken Geschichte und Dichtung, deren Pathos schon auf die Romantik deutet; war Lehrer von T. GÉRICAULT und E. DELACROIX.

Guerrero [gɛrr'ɛro], Bundesstaat in SW Mexiko; auch Stilbez. der →Westmexikanischen Kulturen.

Guffens [x'yfəns], Godfried, belg. Maler, *Hasselt 22. 7. 1823, †Schaerbeek bei Brüssel 11. 7. 1901, Schüler von N. DE KEYSER, schuf mit J. SWERTS (*1825, †1879) im Stil der Nazarener relig. Wandgemälde (1859–71; Antwerpen, St. Georg) und weltl. Fresken (1873–76; Kortrijk, Rathaus).

Guggenbichler, Johann Meinrad, Bildhauer, getauft Einsiedeln (Kt. Schwyz) 17. 4. 1649, †Mondsee (OÖ) 10. 5. 1723, seit 1679 ebd. mit einer großen Werkstatt nachweisbar, die Kirchen der Gegend (Irrsdorf, Michaelbeuren, St. Wolfgang, Mondsee) mit Skulpturen versorgte. In der leidenschaftlich bewegten Gestalt seiner (fast immer farbig gefaßten) Figuren, deren wichtigster Ausdrucksträger die Gewandung ist, wirken Formkräfte der spätgot. Plastik.

H. Decker: M. G. (1949).

Guggenheim, 1) Peggy, eigtl. Marguerite, amerikan. Kunstsammlerin, Nichte von 2), *New York 26. 8. 1898, †Venedig 23. 12. 1979, baute zus. mit M. Duchamp eine der bedeutendsten Privatsamml. moderner Plastik und Malerei auf, mit HW von M. Ernst, mit dem sie 1941/42 verheiratet war, R. Magritte, J. Miró, P. Picasso, H. Arp, F. Léger, P. Mondrian u.a. 1941 wurden die Kunstwerke nach New York ausgelagert, 1947 im Palazzo Venier dei Leoni (18. Jh.) in Venedig untergebracht, wo P. G. bis zu ihrem Tod lebte. 1976 bestimmte sie die Stadt Venedig zur Eigentümerin des Palazzo und die Solomon R. Guggenheim Foundation in New York zur Erbin der Sammlung.

2) Solomon R., amerikan. Unternehmer, Onkel von 1), *Philadelphia (Pennsylvania) 2. 2. 1861, †Long Island (New York) 3. 11. 1949, gründete in New York die ›Solomon R. Guggenheim Foundation‹ zur Förderung abstrakter Kunst und das 1956–59 nach einem Entwurf von F. L. Wright erbaute Museum.

Guido da Siena, ital. Maler, tätig in Siena um 1270, gilt als der 1. sienes. Meister vor Duccio; trotz gelegentl. got. Anklänge bleiben seine Gemälde im Bereich der byzantin. Bildtradition (→Maniera Greca).

Werke (in Siena): Thronende Madonna (Palazzo Pubblico); Tafelbilder in der Pinakothek.

Guildford [g'ılfəd], Stadt in der engl. Cty. Surrey, südwestlich von London, 58 500 Ew.; Kirche St. Mary (um 1180); aus nachmittelalterl. Zeit sind die 1557–86 erbaute Royal Grammar School und das 1619 von Erzbischof John Abbot gestiftete Abbot's Hospital, ein in klaren Spätrenaissanceformen errichteter Backsteinbau mit vorspringenden Eckflügeln und zentralem, von oktogonalen Ecktürmen eingefaßtem Torturm, erh. 1927 wurde G. Bischofssitz, die Kathedrale, ein Backsteinbau mit Werksteingliederung, wurde ab 1936 nach einem Plan von E. Maufe als Querhausbasilika erbaut.

Guilin, Stadt in China, →Kweilin.

Guillaumin [gijom'ɛ̃], Armand, frz. Maler, *Paris 16. 2. 1841, †ebd. 26. 6. 1927, kam durch C. Pissarro zu den Impressionisten, näherte sich später den Fauves. G. ist ein bed. impressionist. Landschaftsmaler; malte außerdem Stilleben und Pastellporträts.

Guilloche [gij'oʃə, frz.] *die,* ineinander verschlungene Linienraster oder -ornamente auf Gegenständen aus Metall, Elfenbein, Holz u.a. zur Verzierung (bes. beliebt bei Dosen aus dem späten 18. Jh. und bei Taschenuhren), auf Banknoten, Wertpapieren, Urkunden zum Schutz gegen Fälschung; hergestellt mit der Liniengraviermaschine **(Guillochiermaschine),** auch mit Schablonen, photomechanisch oder durch Photomontage.

Guimarães [gimar'ãiʃ], Stadt im nordportug. Distrikt Braga, 33 000 Ew. Auf dem Burghügel (›Colina Sagrada‹) Reste der Burg (um 1110 wurde hier der 1.

portug. König, ALFONS I., geboren) mit Wehrturm (10. Jh.), Umfassungsmauern und Ecktürmen (um 1100), roman. Kapelle São Miguel (1105); got. Palast der Herzöge von Bragança (15. Jh.) mit prächtiger Innenausstattung des 16.–18. Jh.; vor der Kirche Nossa Senhora da Oliveira (12.–16. Jh.) kleine got. Siegeshalle (nach Sieg über die Mauren 1342 errichtet); im anschließenden Kreuzgang das Mus. de Alberto Sampaio (Skulpturen- und Gemäldesamml.); im ehem. Dominikanerkloster das Mus. Martins Sarmento (prähistor. Funde, v. a. die skulptierte Tür eines kelt. Verbrennungsofens für den Totenkult); Rathaus im Emanuelstil (16. Jh.); Kirche São Francisco (14. Jh.).

Guimard [gimˈa:r], Hector, frz. Architekt, *Paris 10. 3. 1867, †New York 2. 6. 1942, bed. Vertreter der ›Art Nouveau‹; beeinflußt von V. HORTA, exzentr. Vertreter eines eigenen ›Style Guimard‹.

HW: Castel Béranger in Paris (1894–97); Métro-Eingänge ebd. (1898–1901); Inneneinrichtungen.

H. G., Ausst.-Kat., Münster (1975).

Hector Guimard: Métro-Eingang; Paris, 1900

Guisando [gisˈando], Name eines span. Klosters (südwestlich von Ávila). Dort befinden sich auf freiem Feld die ›Stiere von G.‹, keltiber. Stierskulpturen aus Granit (vermutlich 4./3. Jh. v. Chr.); die schweren, gedrungenen Gestalten sind als mag. Beschützer der Herden gedeutet worden.

Gül [pers. gul ›Rose‹], achteckiges oder rautenförmiges Ornament bei turkmen. Teppichen, →Orientteppiche.

Gulbạrga, Gulbụrga, Stadt im Deccan, in Karnataka, 145 600 Ew.; war erste Hauptstadt der Bahmani-Dynastie (1347 bis etwa 1425). Zahlreiche Baudenkmäler aus dieser Zeit; die 1367 erbaute Freitagsmoschee ist die einzige Moschee Indiens mit einer überkuppelten Hofzone.

Gulbenkiạn [engl. gʊlbˈeŋkjən], Calouste Sarkis, armen. Erdölmagnat, seit 1902 brit. Staatsbürger, *Konstantinopel 14. 4. 1869, †Lissabon 20. 7. 1955.

Seine Samml., seit 1969 als Stiftung G. im Mus. G. in Lissabon, umfaßt ägypt., grch., röm. und islam. Kunst, chines. und japan. Keramik, Drucke und Lackarbeiten, ma. Manuskripte und Elfenbeinschnitzereien, ital. Bronzen, Keramik, Bücher, Textilien, Teppiche, europ. Malerei, Plastik und Kunsthandwerk vom 17.–20. Jh.

Gulbransson, Olaf, norweg. Graphiker, *Christiania (heute Oslo) 26. 5. 1873, †Tegernsee 18. 9. 1958, kam über Paris 1902 nach München, wurde dort mit seinen ironisch-naiven Zeichnungen von äußerst spannungsreicher Ökonomie der bedeutendste graph. Mitarbeiter des ›Simplicissimus‹. 1929 wurde er Prof. der Münchner Akad. G. hat auch Plakate geschaffen, Bücher illustriert und Porträts gemalt.

Olaf Gulbransson: Karikatur auf Menzel; Federzeichnung

Berühmte Zeitgenossen (1905); Aus meiner Schublade (1911); Es war einmal (1934, Autobiogr.); Idyllen und Katastrophen (1941); So siehst Du aus (1955).

DAGNY GULBRANSSON-BJÖRNSON: O. G. (1967).

Guler, ehem. Kleinstaat im westl. Himalayavorgebirge, Himachal Pradesh, Indien, in dem sich 1700 bis 1850 ein eigener Malstil entwickelte, →Rajput-Malerei.

Gulpaigan, Gulpayagan, Stadt in SW-Iran. Aus der Seldschuken-Zeit (Anfang 12. Jh.) ist u. a. eine Moschee erhalten; das Innere der Kuppel zeigt reiches Ziegelornament und Kufi-Inschriften.

Gulpen [x'ylpə], Gem. im S der niederländ. Prov. Limburg; Schloß Neubourg, ausgedehnte Anlage v. a. des 17. Jh., wurde 1732 von J. C. SCHLAUN umgebaut.

Gumbad [pers.], **Kümbed** [türk.], polygonale oder runde, gelegentlich turmartige Grabbauten der islam. Architektur (ältester G. in der Gorgan-Ebene, →Gumbad-i Kabus, 1006), bes. in der seldschuk. Architektur verbreitet (→Türbe).

Gumbad-i Kabus, Stadt in N-Iran, in der Gorgan-Ebene, etwa 25 000 Ew. In der Nähe Mausoleum eines Ziyariden-Herrschers (Regierungszeit 978–1012), ein zylindr. Ziegelturm, 41 m hoch, durch winkelförmige

Strebepfeiler vom Boden bis zum kegelförmigen Ziegeldach in 10 Paneele unterteilt, die außer einem Band mit arab. Inschriften in Kufi oberhalb des Tores und unter dem Dachgesims keinen Schmuck tragen (1006 bis 1007).

Gummi, *Mz.* **Gummen,** Maltechnik: im Unterschied zu den lösemittellösl. Harzen ist G. das wasserlösl. Sekret bestimmter Bäume oder Sträucher. In der Malerei werden Gummen als Bindemittel und zu Überzügen gebraucht. Das am häufigsten gebrauchte G. ist das **G. arabicum** (Akazien-G. als Bindemittel für Aquarellfarben).

Gummigutt, Maltechnik: gelbes, transparentes Farbharz des Garciniabaumes. Sein Anteil an wasserlöslichem Gummi erlaubt, G. ohne zusätzl. Bindemittel zu verwenden. Das seit dem 17. Jh. in Europa bekannte giftige Harz wurde früher häufig zu Lasuren oder als Aquarellfarbe verwendet.

Gummitempera, Maltechnik: wasserlösliche Tempera auf der Basis von Gummen für Gouachefarben.

Gumpp, Tiroler Baumeister-Familie, die Anregungen des ital. (v. a. röm.) Barock in Kirchen und Palästen ihrer Heimat verarbeitete.

M. KRAPF: Die Baumeister G. (1979).

1) Christoph d. J., Vater von 3), *Innsbruck 28. 5. 1600, †ebd. 2. 3. 1672, wurde 1668 Hofbaumeister LEOPOLDS I. Er errichtete in Innsbruck ein Opernhaus (1629), die Mariahilfkirche (1648/49) und die Stiftskirche Wilten (1651–65).

2) Georg Anton, Sohn von 3), *Innsbruck 12. 10. 1682, †ebd. 19. 12. 1754, schuf ebd. in Formen des röm. Hochbarock das Landhaus (1725–28) und die Johanneskirche (1729–33), ferner die Vorhalle der Stiftskirche Wilten (1716).

3) Johann Martin d. Ä., Sohn von 1), Vater von 2) und 4), *Innsbruck 7. 11. 1643, †ebd. 3. 7. 1729, setzte in seinen Innsbrucker Palastbauten (Palais Fugger, 1679–90; Umgestaltung des alten Regierungsgebäudes, 1690–92) Anregungen durch Genueser Palastfassaden um. In Innsbruck baute er ferner die Spitalskirche (um 1700) und die Ursulinenkirche (1700–05).

4) Johann Martin d. J., Sohn von 3), *Innsbruck 26. 7. 1686, †ebd. 21. 9. 1765, war Festungsbaumeister (u. a. in Kufstein) und hatte wesentl. Anteil am Neubau der Innsbrucker Hofburg (seit 1754).

Gundelach, Gondelach, Franz, Glasschneider, *Almerode bei Kassel um 1663, †um 1726. Seine Gläser zeigen in Hoch- und Tiefschnitt v. a. Porträts, Wappen und Monogramme. Einige Arbeiten sind mit einem achtzackigen Stern gezeichnet.

Gundelsheim, Stadt bei Heilbronn (Nordwürtt.), 6300 Ew., überragt vom ehem. Deutschordensschloß **Horneck** (G. war seit etwa 1258 Sitz der Ballei Franken und 1420–1525 des Deutschmeisters); der siebeneckige Bau (15.–18. Jh.) ist nach Heidelberg das größte aller Neckarschlösser (Mus.).

Gundestrup [g'unəsdrob], Ort im dän. Amt Ålborg

in Jütland, bekannt durch ein im Moor gefundenes Kultgefäß, den ›Kessel von G.‹ Der Silberkessel ist mit 12 versilberten Kupferplatten belegt, die mit Götterbildern und Kultszenen in Reliefdarstellung verziert sind. Der 1891 entdeckte Votivfund hat in kunst- und religionsgeschichtl. Hinsicht zu vielfältigen Hypothesen Anlaß gegeben. Ikonographisch bestehen Zusammenhänge mit der kelt. Mythologie (Hirschgott Cernunos), stilist. Indizien weisen auf südosteurop. (thrakisch-sarmat.) Herkunft (1. Jh. v. Chr.).

Güns, ungar. **Kőszeg** [k'ø:sɛg], Stadt im Bez. Vas, Ungarn, 12000 Ew. Die Burg, deren Anfänge ins 9. Jh. zurückreichen, wurde im wesentl. nach 1327 und nach 1482 erbaut; sie war seit 1492 in habsburg., seit 1695 in Esterházy-Besitz; nach Brand 1777 wurde sie im Barockstil wiederaufgebaut. Die 1403–07 errichtete spätgot. Pfarrkirche St. Jakob enthält Wandmalereien aus wenig späterer Zeit.

Guntersblụm, Gem. im Kr. Mainz-Bingen, Rheinl.-Pf.; im 18. Jh. Sitz der Grafen von Leiningen-G. Die Pfarrkirche besitzt eine bemerkenswerte roman. Doppelturmfassade (um 1200) mit orientalisch beeinflußten steinernen Turmkuppeln.

Günther, 1) Ignaz (Franz Ignaz), Bildhauer, *Altmannstein (Oberpfalz) 22. 11. 1725, †München 27. 6. 1775, war ebd. 1743–50 Schüler von J. B. STRAUB, arbeitete 1751/52 bei P. EGELL in Mannheim und besuchte 1753 die Akad. in Wien. Seit 1754 war G. in München v. a. für kirchl. Auftraggeber tätig.

Mit der Vornehmheit und schwingenden Musikalität seiner Bildwerke, denen die zarten Farben der Fassung einen besonderen Zauber verleihen, vollendet im anatom. Aufbau, virtuos in der stoffl. Charakterisierung,

Ignaz Günther: Pietà in der Friedhofskapelle in Nenningen; 1774

steht G. an der Spitze der Bildhauer dt. Rokoko-Plastik. (BILDER Rokoko, Holzbildhauerei)

HW: Hochaltar und Monstranz (1752/53; Geppersdorf, tschech. Kopřivná, Bez. Mährisch-Schönberg, Pfarrkirche); Heilige (1755; Starnberg, Mus.); Madonna (um 1762; Attel, ehem. Klosterkirche St. Michael); Schutzengel (1763; München, Bürgersaal); Tabernakel und Prozessionstragfiguren (1763–64; Weyarn, Klosterkirche); Madonna (vor 1770; Cleveland/USA, Museum of Art); Pietà (1774; Nenningen/Württ., Friedhofskapelle). – Kirchenausstattungen: Rott am Inn, ehem. Klosterkirche (1762); Neustift bei Freising, ehem. Klosterkirche (1765/66); Starnberg, Pfarrkirche (1766–68); Mallersdorf, ehem. Klosterkirche (1768–70).

A. SCHÖNBERGER u. G. WOECKEL: I. G. – Ausst.-Kat., München (1951); G. WOECKEL: I. G. Die Handzeichnungen des kurfürstlich bayer. Hof-Bildhauers F. I. G. (1975); ders.: F. I. G. (1977); P. VOLK: Rokokoplastik in Altbayern, Bayerisch Schwaben und Franken (1981).

2) Matthäus, Freskomaler, *Tritschengreith bei Unterpeißenberg (Oberbayern) 7. 9. 1705, †Haid bei Wessobrunn (heute Kr. Weilheim-Schongau) 30. 9. 1788, Schüler von C. D. ASAM, 1731 Meister in Augsburg, seit 1762 ebd. Direktor der Akad. In Zusammenarbeit mit Wessobrunner Stukkatoren schuf G. in süddt. Rokokobauten (ehem. Abteikirche Amorbach, 1745–47; Wilten bei Innsbruck, 1754; Wallfahrtskirche Käppele, Würzburg, 1752 und 1781; Großer Saal und Kapelle im Schloß in Sünching/Oberpfalz, 1761; ehem. Abteikirche Rott am Inn, 1763) zahlreiche hellfarbige Deckengemälde, die in ihrem Stil an der Wende vom Spätbarock zum Klassizismus stehen.

Gunungan, blattförmige Lederfigur, sog. Pausenzeichen im javan. und balines. (dort Kekayon genannt) Schattenspiel (Wayang Kulit); vielschichtiges Symbol, bes. als Himmelsberg und Lebensbaum.

Günzburg, Stadt im bayer. Schwaben, 13 400 Ew.; Ursprung im Römerkastell **Gontia,** 1304–1805 Verwaltungssitz der österr. Markgfsch. Burgau. Schloß (1609) und Hofkirche (1579) in wohlproportionierten Renaissanceformen; schönster Profanbau das Palais Brentano (um 1760). Die Frauenkirche von D. ZIMMERMANN (1736–41) ist eine Vorstufe zur Wieskirche (→Wies).

Gupta-Kunst, die klassische Phase der →indischen Kunst z. Z. der Gupta-Herrscher von N-Indien (4. bis 6. Jh.), die als Mäzene viele Kunstschulen und relig. Zentren förderten.

Gurk, Markt- und Wallfahrtsort im Gurktal, Kärnten, 1500 Ew. Der Dom (um 1140–1200) ist eines der bedeutendsten roman. Bauwerke Österreichs, eine dreischiffige Pfeilerbasilika, mit ihren schlanken Pfeilern schon auf die Gotik hinweisend; im Innern Monumentalmalereien der Westempore (nach 1260), die im urspr. Zustand erh. sind; der geschnitzte Hochaltar (1626–32) ist der erste im dt. Sprachraum, der die Apsidennische in voller Höhe und Breite ausfüllt; Kreuzaltar (1740), die letzte Arbeit von G. R. DONNER. Die hundertsäulige roman. Krypta (1174 gew.) wurde für die Stifterin Gurks, die Gräfin HEMMA, errichtet. (BILD S. 133)

Gurlitt, 1) Louis, Maler, *Altona 8. 3. 1812, †Naundorf (Erzgebirge) 19. 9. 1897, wurde 1839 Mitgl. der Akad. in Kopenhagen und ging 1843 nach Düsseldorf,

Gurk: Dom; um 1140–1200

wo er die Wendung der Landschaftsmalerei zum Naturalismus wesentlich mitbestimmte.

Lit.: →Düsseldorfer Schule.

2) Wolfgang, Kunsthändler und Verleger, *Berlin 15. 2. 1888, †München 26. 3. 1965, gab Bücher mit Werken von L. CORINTH, J. HEGENBARTH, A. v. JAWLENSKY, M. PECHSTEIN u. a. heraus, war ein geschätzter Mäzen und Förderer (›Brücke‹-Maler). Nach der teilweisen Vernichtung seiner Samml. (1943) eröffnete er nach dem Krieg neue Gal. Das A.-Kubin-Kabinett und das O.-Kokoschka-Archiv gehen auf ihn zurück.

Gurnia, minoische Siedlung an der N-Küste Kretas (KARTE kretisch-mykenische Kunst). Die auf einer Anhöhe am Meer mit 2 schmalen Ringstraßen und vielen (Treppen-)Gassen angelegte, dicht gedrängte Kleinstadt mit einem kleinen Palast als polit. und wohl auch kult. Zentrum hatte ihre Blüte (Landwirtschaft, Fischfang, Handwerk, Handel) in der spätminoischen Zeit des 16./15. Jh. v. Chr. Nach einer Brandzerstörung um 1450 v. Chr. (durch Erdbeben oder Krieg) kam es im 14./13. Jh. v. Chr. zu einer Nachbesiedlung.

Guro, Volksgruppe im Zentrum der Rep. Elfenbeinküste, mit ähnl. Kunststil wie bei den benachbarten Baule und Yaure. Die Schnitzkunst der G. zeigt sich v. a. in ihren Masken. Gegenüber den i. a. kräftigeren Baule-Masken sind die der G. durch ihr oft langgezogenes Gesicht und die meist mandelförmigen Augen etwas feinnerviger und subtiler im Ausdruck. Eine Besonderheit stellt die stets polychrome Antilopenmaske des ›Zamble‹-Bundes dar. Die Figuren ähneln denen der Baule. Wie die Baule sind die G. Meister in der Herstellung von Webrollenhaltern, die meist mit Mädchen- oder Antilopenköpfen geschmückt sind.

Guro: Webrollenhalter (München, Privatsammlung)

Gurtbogen, Traversalbogen, Baukunst: rippenförmige Gewölbeverstärkung oder ein Mauerbogen, der den Raum quer zu seiner Längsachse in einzelne Abschnitte (Joche) teilt.

Gurtgesims, Baukunst: waagerechtes →Gesims,

das ein Gebäude außen in Höhe einer Decke oder einer Fensterbrüstung umzieht.

Gurtgewölbe, Baukunst: langes Tonnengewölbe, das durch Gurtbögen in Joche unterteilt ist.

Guß|eisen, →Eisenkunstguß.

Güssing, Stadt im südl. Burgenland, Österreich, 4100 Ew. Die Burg über G. (12. Jh.), seit 1524 im Besitz der Grafen BATTHYÁNY, wurde im 17. Jh. ausgebaut; im Burg-Mus. Samml. von Werken der Renaissance und des Barock (u. a. 3 Gemälde von L. CRANACH D. Ä.).

Guß in verlorener Form, →Bildguß.

Gußmauerwerk, Technik des Mauerbaus, bei der nur die Außenseiten und Ecken gemauert werden und das Innere mit Steinbrocken und Mörtel gefüllt wird. Die seit der Antike als ›opus incertum‹ bekannte Technik, die in ihrer einfacheren Form auch nur zw. Schalungen ausgeführt werden kann, ist ein Vorläufer des Bauens mit →Beton.

Gussow [g'uso], Karl, Maler, *Havelberg 25. 2. 1843, †Pasing (heute zu München) 27. 3. 1907, lehrte an den Kunstschulen in Weimar und Karlsruhe, seit 1875 an der Akad. in Berlin. G. malte Genreszenen und Damen-Porträts von großer Naturtreue.

Güstrow [-o], Stadt im Bez. Schwerin, Dt. Dem. Rep., 36700 Ew.; 1556–1695 Residenz der Herzöge von Mecklenburg-G. In der Altstadt gut erh. Straßenbild, Marktplatz mit klassizist. Rathaus (1797/98) und Marienkirche (14. Jh. beg.), zur fünfschiffigen spätgot. Hallenkirche umgebaut (1522 voll.), mit wertvollem Schnitzaltar (1520–22, wohl von J. BORMAN D. J.). Der got. Dom, 1226 als dreischiffige Backsteinbasilika beg., um 1350 voll., enthält wertvolle Ausstattungsstücke: Flügelaltar (um 1500), Apostelfiguren von C. BERG (nach 1532), Grabmäler Güstrower Fürsten (16. Jh.), u. a. Wandgrab des Herzogs Ulrich mit 3 knienden Figuren (1584–99), Neuguß des 1937 eingeschmolzenen Güstrower Ehrenmals (Schwebender Engel) von E. BARLACH (1927). Das Schloß (1558–94 von F. PARR u. a.) ist ein HW der norddt. Renaissance. Bürgerhäuser v. a. 16. und Ende 18. Jh. – Ernst-Barlach-Gedenkstätte mit zahlreichen Plastiken in der spätgot. Gertrudenkapelle (15. Jh.); im Barlach-Haus der Nachlaß des Künstlers (Graphiken, Gipsmodelle u. a.).

Gutai-Gruppe, 1954 von dem japan. Maler J. YOSHIHARA in Osaka gegr. Gruppe abstrakter Maler, die sich in Abkehr vom altjapan. Gildensystem zusammenschlossen (Gründungsmitgl. u. a. SADAMASA MOTONAGA, KOZUO SHIRAGA und ATSUKO TANAKA). Mitte bis Ende der 1950er Jahre trat die G.-G. mit Aktionen, Materialdemonstrationen, phantasievollen Einmann-Performances hervor, die zu den frühesten Happenings gehören. Um 1960 vertraten mehrere Mitgl. der Informellen Kunst nahestehende Tendenzen, während sich im Lauf der 1960er Jahre Parallelen zur Op Art, monochromen Malerei und zur Lichtkinetik ergaben. 1972, nach dem Tod Yoshiharas, löste sich die Gruppe auf.

Gutai, Ausst.-Kat., Köln (1966).

Gutbrod, Rolf, Architekt, *Stuttgart 13. 9. 1910. Für seine Entwürfe bildete das Gedankengut der Anthroposophie den geistigen Hintergrund. Die Außenform eines Gebäudes ergibt sich aus den Prozessen, die in dessen Innerem stattfinden, der Entwurf entsteht also ›von innen nach außen‹. Schiefwinkligkeit, Schwingungen und das Prinzip der Vielfalt prägen die Formensprache der Planungen.

HW: Liederhalle in Stuttgart, zus. mit A. ABEL (1954–56); Dt. Botschaft in Wien (1959–65); Dt. Pavillon in Montréal, zus. mit F. OTTO (1966/67); Gebäude der Waldorf-Schule, Stuttgart (1973).

Gutenzell, ehem. Zisterzienserinnen-Reichsstift an der Oberschwäb. Barockstraße bei Biberach, Bad.-Württ.; die 1755/56 barockisierte Kirche ist durch das Zusammenwirken von D. ZIMMERMANN und F. X. FEUCHTMAYER von großer Bedeutung.

Guter Hirte, in frühchristl. (Katakombenmalerei, Sarkophagreliefs u. a.), aber auch spätgot. und barokker Zeit das Bild des ›Christus Soter‹ (Erretter) mit dem Lamm auf der Schulter oder inmitten seiner Herde, oft nach dem Vorbild antiker Hirtengestalten in bukol. Szenen gestaltet, später (als Hinweis auf den Bußgedanken: das verlorene Schaf) als Halbfigur auf barocken Beichtstühlen, verkleinert auch an Schalldeckeln von Barockkanzeln. (BILD frühchristliche Kunst)

Gütersloh, Albert Paris, eigtl. Albert Conrad **Kiehtreiber,** Maler und Schriftst., *Wien 5. 2. 1887, †Baden b. Wien 16. 5. 1973, Prof. in Wien (Kunstgewerbeschule, Akad. der bildenden Künste); begann als Schauspieler, Regisseur und Bühnenbildner, seit 1921 nur noch Schriftsteller und Maler, Schüler von G. KLIMT. Als Maler gehört G. zur →Wiener Schule des Phantastischen Realismus, den seine Schüler E. FUCHS, R. HAUSNER, W. HUTTER u. a. weiterführten.

Schrift: Die Bekenntnisse eines modernen Malers (1926).

A. P. G., Ausst.-Kat., Wien, Albertina (1970); A. P. G., Retrospektive, Ausst.-Kat., Baden b. Wien (1982).

Gutsche *die,* vom Bildhauer benutztes hohlgeformtes Stecheisen.

Guttae [lat. ›Tropfen‹], kleine Stifte an der Unterseite von →Mutulus und →Regula des dorischen Tempels.

Guttuso, Renato, ital. Maler, Graphiker, *Bagheria b. Palermo 2. 1. 1912, † Rom 18. 1. 1987, kam um 1940, v. a. durch die Auseinandersetzung mit P. PICASSOS Bild ›Guernica‹, zu einem antifaschistisch engagierten Realismus, der die kubist. Raumdarstellung verarbeitet. In den 1950er Jahren trat das kubist. Element zugunsten einer von G. COURBET beeinflußten volkstüml. Wirklichkeitsdarstellung zurück, die G., Mitgl. der Kommunist. Partei Italiens, zum Hauptvertreter eines sehr individuellen Sozialist. Realismus in Italien machte (Bilder von Bergarbeitern, Fischern, Bergleuten, polit. Diskussionen). Seit Mitte der 1960er Jahre verschmilzt G. in einer Art realist. Collagenmalerei verschiedene Stil- und Realitätsebenen.

R. G., Ausst.-Kat., Berlin-West (1972); R. G., Opere dal 1931 al 1981, Ausst.-Kat., Venedig (1982).

Constantin Guys: Dame mit Krinoline; Aquarell (Wien, Albertina)

Guys [gɥi], Constantin, frz. Zeichner, *Vlissingen 3. 12. 1805, †Paris 13. 3. 1892, Kriegszeichner für die ›Illustrated London News‹ (u.a. im Krimkrieg), lebte in London und seit 1860 in Paris. Seine mit wenigen Strichen treffsicheren Zeichnungen (bes. Frauen, Pferde, Reiter), die er oft lavierte und mit zarten Farben überging, schildern das Pariser Leben seiner Zeit.

Guzạna [-z-], Name der Hauptstadt des Aramäerstaates Bit Bachiani (9. Jh. v. Chr.) am Oberlauf des Chabur, heute die Ruinenstätte →Tell Halaf (KARTE Alter Orient). Auf der Burg stand der Tempelpalast des Herrschers Kapara mit Kolossalstatuen als Träger des Daches der Eingangshalle, an den Wänden Orthostatenreliefs. Fundort zahlreicher aramäischer Plastiken und Reliefs.

Gwạlior, Stadt in Madhya Pradesh, N-Indien, 552900 Ew. Oberhalb der Stadt liegt auf einem Tafelberg die gewaltige Festung, deren Ursprünge in das 10. Jh. zurückreichen. Hinduist. Tempel des 11. und 12. Jh. und jinist., im 15. Jh. aus dem Felsen gemeißelte Kolossalfiguren (bis 17 m hoch) zeugen von der einstigen Bedeutung der von einer 3 km langen Mauer umgebenen Verteidigungsanlage. Bekanntester Tempel ist der Teli-ka-mandir (BILD indische Kunst) wegen seines altertüml. Tonnendachs. Der mit farbig glasierten Fliesen verzierte mehrstöckige Man-Singh-Palast aus dem 15./16. Jh. zählt zu den besten Beispielen hinduist. Palastarchitektur. Nach der Eroberung durch die Moguln unter Akbar entstanden auch außerhalb der Festung Paläste und Grabmäler (Grab des islam. Hl. Mohammed Ghaus). BILD S. 137

Gyạraspur, Stadt in Madhya Pradesh, Indien, mit mehreren hinduist. (heute teils jinist.) Steintempeln im Nagara-Stil der Pratihara-Dynastie. Aus dem 9./10. Jh. stammt der an einem Hügelabhang gelegene Maladevi-Tempel. Nahebei liegt die Ruine eines buddhist. Stupas

Gwalior: Festung

des 6./7. Jh. mit 4 Buddhastatuen in den Haupthimmelsrichtungen.

Gymnasion [grch., zu gymnos ›nackt‹], im antiken Griechenland eine Anlage für sportl. Betätigung und später auch für geistige Bildung. Zu einem G. gehörte eine Ringschule (Palästra) und eine Laufbahn (Dromos). Die Räume der Palästra (Übungs-, Unterrichts-, Aufenthalts- und Waschräume) waren um einen meist quadrat. Peristylhof angeordnet. Bed. G. wurden u.a. in Delphi, Olympia, Epidauros und Priene freigelegt.

Győr [djø:r], Stadt in Ungarn, →Raab.

Gysis [j'izis], Nikolaus, grch. Maler, *Sklavohony auf Tinos 1. 3. 1842, †München 4. 1. 1901, Schüler von K. v. Piloty, seit 1888 Prof. an der Akad. in München. G. malte Genreszenen aus dem grch. Volksleben.

Gyula [dj'ulɔ], Stadt im Bez. Békés, SO-Ungarn, 29000 Ew. Die Burg des 14. Jh., ein massiver Ziegelbau, ist heute Mus. Das ab 1745 erbaute ehem. Schloß Harruckern mit schönem Mittelrisalit wurde nach einem Brand (1795) mit 29 Achsen und 2 quadrat. Ecktürmen 1798–1803 neu errichtet.

H

Haacke, Hans, Künstler, *Köln 12. 8. 1936, seit 1967 in New York. H. stand um 1960 der Gruppe →Zero nahe. 1963 stellte er seine Arbeit auf ›Realzeitsysteme‹ um (tatsächliche physikal., biolog., meteorolog. Abläufe, in Modellsituationen einsehbar; Kondensationskästen, Brutkästen, Demonstration der Windrichtung). Um 1970 dehnte er seine Untersuchungen auf Sozialsysteme aus (Dokumentation des Immobilienbesitzes in Manhattan). H. nahm Ansätze der Prozeßkunst wie der Concept Art vorweg.

E. Fry: H. H. (a. d. Engl., 1972)

Haag, Den Haag, amtlich niederländ. **s'Gravenhage** [sxra:vənh'a:xə], königl. Residenz und Regierungssitz der Niederlande, Hauptstadt der Prov. Südholland, 479400 Ew. H. entstand um ein Schloß der Grafen von Holland, den Binnenhof, dessen ma. Gebäude im wesentl. erh. sind. Zu seinen ältesten Teilen gehören der spätroman. Rolsaal (um 1250) und der unter Graf Floris V. (1256–96) erbaute frühgot. Rittersaal mit offenem Dachstuhl; im südöstl. Anbau an den Rolsaaltrakt ehem. Wohnraum der Gräfin, 1688 als Ratszimmer des Gerichtshofs von G. de Lairesse mit Wandgemälden ausgestattet (Lairessesaal); übrige Bauten v. a. 17. u. 18. Jh., u. a. ehem. Sitzungssaal (1652–57) der holländ. Stände (Staaten) mit bemalter Holzdecke sowie der ehem. Sitzungssaal der niederländ. Generalstaaten und der Trêves-Saal, beide von D. Marot (1697). Südwestlich des Binnenhofs liegt die Grote Kerk, ein eigenartiger spätgot. Bau (15. Jh.), bei dem an die 4 Joche des Langhauses im W je eine Kapelle, dann drei Querschiffe anschließen; dreischiffiger Chor mit Umgang, darin Grabmal des Admirals J. van Wassenaar Obdam (1667), Wappenschilder der Ritter vom Goldenen Vlies (16. Jh.) und Glasmalerei (um 1545). Die Kloosterkerk, eine got. Kirche mit Hauptschiff und Chor (um 1400) und südlich angebautem Seitenschiff (um 1500) mit 3 Querkapellen, enthält Glasmalerei (1925) und ein Mosaik von J. Thorn-Prikker. Die Nieuwe Kerk, ein Renaissancebau (1649–56), wirkt trotz des rechteckigen Grundrisses durch die 6 angebauten Apsiden wie ein Zentralbau. Die altkath. Kirche, eine ›Versteckkirche‹ (1772 voll.), hat eine vorzügl. Stuckdecke im Stil D. Marots und reiche Schnitzarbeiten, bes. die Kanzel (1729). Unter den Profanbauten ragt das Rathaus (1564–65) heraus, einer der reichsten Bauten der niederländ. Frührenaissance. Das königl. Lustschloß Huis ten Bosch, 1645 von P. Post beg., 1734–37 von D. Marot erweitert, enthält Malereien von T. van Thulden, C. B. van Everdingen, J. Lievens, G. van Honthorst, J. Jordaens u. a. Die Dt. Botschaft befindet sich in einem 1715 von D. Marot aus 2 Häusern geschaffenen Gebäude mit reich stuckiertem Treppenhaus. Aus dem 17. Jh. stammt der ehem. Palast Noordeinde, aus dem 18. Jh. der königl. Palast Voorhout. Ins 20. Jh. gehören u. a. der Friedenspalast (1909–13) in eklektischem Stil, das Kaufhaus ›De Bijenkorf‹ (1926) als Beispiel der ›Amsterdamer Schule‹, Bauten von H. P. Berlage, darunter das Gemeente-Mus. (1927–35; Kunstgewerbe, Malerei). An 1. Stelle der zahlreichen Museen steht das →Mauritshuis, ferner das Rijksmuseum H. W. M. Mesdag (frz. und niederländ. Malerei des 19. Jh.), Mus. Bredius (Malerei des 17. Jh.).

Haagen [h'a:xə], Joris van der, holländ. Landschaftsmaler, *Dordrecht oder Arnheim um 1615, begraben Den Haag 23. 5. 1669; Nachfolger von J. VAN RUISDAEL, malte groß gesehene Waldlandschaften und Panoramen. Die Qualität seiner eklekt., schwer zu datierenden Bilder ist unterschiedlich; Staffage u. a. von A. VAN DE VELDE.

Haarlem, Hauptstadt der niederländ. Prov. Nordholland, 165 900 Ew. Den Mittelpunkt der Stadt bildet der Grote Markt mit der Grote Kerk oder St. Bavokerk, einer spätgot. kreuzförmigen Basilika mit hölzernem Vierungsturm; Chor (Ende 14. Jh.) und Langhaus (1470 beg.) haben hölzerne Sterngewölbe; in der Ausstattung prächtige Kupferarbeiten (Lesepult 1499, Chorgitter 1509–17), große Orgel (1735–38) mit Dekorationen nach Entwurf von D. MAROT, darunter Marmorrelief von J. B. XAVERY (1738–41). Ebenfalls am Markt liegen die Fleischhalle (1602/03), ein HW der holländ. Frührenaissance von L. DE KEY (BILD Key), und das Rathaus (im Kern 14./15. Jh.). Weitere Bauten von de Key: der Renaissanceturm (1613) der Nieuwe Kerk, 1645–49 als Zentralbau über grch. Kreuz an der Stelle einer älteren Kirche gebaut; das ehem. Altmännerstift (1608), heute Frans-Hals-Mus. (niederländ. Malerei, bes. späte Schützen- und Regentenstücke von F. HALS); das Ostportal (1620) der Bakenesserkirche (Ende 15. Jh.); vermutlich auch die Waage (1597/98) in holländisch-manierist. Stil. Im ›Teylers Mus.‹ u. a. bed. Samml. von Zeichnungen; in der Schatzkammer der Kathedrale St. Bavo, einer Basilika von P. CUYPERS im romanisch-byzantin. Stil (1898), sakrale Kunst seit dem 15. Jh.

Haas, Johannes Hubertus Leonardus de, niederländ. Maler, *Hedel (Nordbrabant) 25. 3. 1832, †Königswinter a. Rh. 4. 8. 1908, malte atmosphärisch reizvolle Tier- und Landschaftsbilder.

Habaner Fayencen [-faj'ãsən], Hafnerware, die von den Habanern, Mitgl. einer Wiedertäufersekte, gegr. 1529, nach ihrem Gründer J. HUTTER auch Huttersche Brüder genannt, hergestellt wurde. Die meist aus Schwaben und Italien stammenden Habaner siedelten in Böhmen, Niederösterreich und Ungarn; die Blütezeit ihrer Fayencen lag im 16. und 17. Jh.

Habb, Habbiya, pers. Bez. für ein großes Keramikgefäß (häufig mit Reliefdekor) für Wasser oder Wein, das in einen Sockelstuhl gesetzt wird (seit dem 13. Jh. v. a. im nördl. Irak).

Habelschwerdt, poln. **Bystrzyca Kłodzka** [bistʃ'itsa kł'ɔtska], Stadt in der poln. Wwschaft Wałbrzych (Waldenburg), ehem. Kreisstadt in Niederschlesien, an der Glatzer Neiße, 11 000 Ew. Die Stadtmauern des frühen 14. Jh. und Tore des späten 16. Jh. sind z. T. erh. Got. Pfarrkirche, eine später oft umgebaute Halle mit reicher Ausstattung des 15.–18. Jh. Das Rathaus wurde im 19. Jh. im Stil der florentin. Renaissance erneuert. Am Marktplatz Bürgerhäuser bes. des 17. Jh.

Habermann, Hugo Freiherr von, Maler, *Dillingen a.d. Donau 14. 6. 1849, †München 27. 2. 1929, bildete sich ebd. seit 1873 bei K. v. PILOTY und wurde hier 1904 Präs. der Sezession, 1905 Prof. an der Akad. Mit dekorativem Pinselduktus und delikatem Kolorit verlieh H. bes. seinen weibl. Porträts und Akten einen morbiden erot. Reiz.

Habich, Ludwig, Bildhauer, *Darmstadt 2. 4. 1872, †Jugenheim 20. 1. 1949, war 1899–1906 Mitgl. der Darmstädter Künstlerkolonie, lehrte 1910–37 in Stuttgart. Er schuf Kolossalfiguren, Brunnen, Denk- und Grabmäler.

Jugendstil, Ausst.-Kat., Darmstadt (1976).

Habuba Kabira, Ruinenstätte im Bereich des Assad-Stausees am Euphrat (KARTE Alter Orient). Umfangreiche Grabungen in den 1970er Jahren erschlossen (zus. mit dem benachbarten **Tell Qannas**) vor der Überflutung durch den Stausee eine spätchalkolith. syr. Stadt (3500–3300 v. Chr.) von beträchtl. Ausdehnung mit Akropolis, 3 m breiter Stadtmauer mit Bastionen oder Türmen sowie eng aneinandergebauten Häusern. Die gefundenen Rollsiegel und Tontafeln weisen auf ein reges Wirtschaftsleben hin und bezeugen zus. mit der Bauweise stark südmesopotam. Einfluß.

EVA STROMMENGER: H. K. (1981).

Hacha ['atʃa, span. ›Axt‹], dünne, steinerne Platte, die vielfach v.a. an der Golfküste Mexikos gefunden wurde und aus der Kultur der klass. Epoche der vorkolumb. Kulturen (200–1000) stammt. Der Umriß erinnert entfernt an eine Axt, eine Kante zeigt die Profildarstellung eines Menschen- oder Dämonengesichtes. H. wurden bei den für Mesoamerika typischen rituellen Ballspielen verwendet.

Hachenburg, Stadt im Westerwald, Rheinl.-Pf., 5100 Ew.; 1652–1799 Residenz der Linie Sayn-H. Mächtiges Schloß (ma. Kern, 1717–46 von J. L. ROTHWEIL zur barocken Hufeisenanlage erweitert); reizvoller Marktplatz mit Barockbrunnen (1702), Pfarrkirche (1775/76) und ehem. Franziskaner-Klosterkirche (1729–39). Im Ortsteil **Altstadt** spätroman. Pfeilerbasilika des 12. Jh.

Haçıbektaş [h'adʒıbɛktaʃ], türk. Ort unweit von Kayseri (4000 Ew.), mit der Türbe des HACI BEKTAŞ (†1367) und dem Hauptkloster der von ihm gegr. Bektaş-Derwische.

Hacılar [h'adʒılar], neolith. bis frühchalkolith. Siedlung in Zentralanatolien (KARTE Alter Orient). In den keramiklosen Schichten des Neolithikums (7. Jahrtsd. v. Chr.) Funde von Steinwerkzeugen und Schädeldeponierungen. In Schicht VI (spätes Neolithikum, um 5600 v. Chr.) wurde bäuerl. Kultur mit dünnwandiger, gut gebrannter Keramik (als Kultgerät auch in Tierform) und zahlreichen Statuetten dickleibiger, naturalistisch geformter ›Muttergottheiten‹ festgestellt; in der etwas jüngeren Schicht II (um 5350 v. Chr.) sind diese Kultfiguren stärker stilisiert. Die Keramik, bes. eine rot bemalte Ware, wie sie später auch in Thessalien auftauchte, hat sehr lebhafte geometr. Muster.

Hacılar: Sitzende Frau mit Kind im Arm; ungebrannter Ton, Höhe 6,6 cm (Ankara, Archäolog. Museum)

Hack, Wilhelm, Kaufmann und Kunstsammler, * Köln 29. 11. 1899, † ebd. 23. 6. 1985; seine Samml. mit den Schwerpunkten Völkerwanderungszeit (Gondorfer Fund), Kunst des MA. und Kunst des 20. Jh. (Konstruktivisten, Kubisten, Blauer Reiter, Dadaisten, MAX ERNST usw.) war 1969 in Düsseldorf ausgestellt. H. schenkte sie 1973 der Stadt Ludwigshafen a. Rh., die 1975–78 dafür ein eigenes Mus. (Wilhelm-Hack-Mus., Gestaltung der Südwand durch J. MIRÓ) erbaute.

Hackaert [h'aka:rt], Jan, holländ. Maler, getauft Amsterdam 1. 2. 1628, †ebd. nach 1685, reiste 1653–58 durch die Schweiz und Italien, malte ital. und heim. Landschaften in warmer Tonigkeit.

Hackert, Jacob Philipp, Maler, *Prenzlau 15. 9. 1737, †S. Pietro di Careggi bei Florenz 28. 4. 1807, ließ sich nach Studien in Berlin und Aufenthalten in Schweden und Paris 1768 in Rom nieder und wurde 1786 in Neapel Kammermaler König FERDINANDS IV. Seit 1787 war H. mit J. W. v. GOETHE befreundet, der 1811 H.s Biographie verfaßte. – H. malte klassizist. Landschaftsbilder und sachl. ital. Veduten.

Hạdamar, Stadt im Westerwald, Hessen, 10500 Ew.; 1303–94 und 1607–1711 Residenz der Grafen von Nassau-H.; nach Brand schachbrettartige Neuanlage um 2 große Marktplätze (um 1600). Dreiflügeliges Renaissanceschloß (1566–1629); spätgot. Liebfrauenkirche (14./15. Jh.) mit figurierten Gewölben; Nepomukkirche (1753–55) mit ehem. Jesuitenkolleg (18. Jh.).

Hadda, Ruinenstätte in O-Afghanistan, mit buddhist. Kultbauten aus dem 4.–5. Jh. Mehrere Hundert meist kleinformatige Stupas der späten Gandhara-Kunst mit Stuckplastiken an den mehrfach gestuften, pilastergegliederten Basen wurden freigelegt (Mus. Kabul).

Haddon Hall [h'ædn hɔ:l], Schloßanlage in der Cty. Derbyshire, Mittelengland, nördlich von Derby; Bau (15. Jh.) mit Torturm und unregelmäßiger Grundrißanordnung um mehrere Höfe. Teile der Originalausstattung erhalten; spätgot. Vertäfelungen (um 1500), Gal. mit Spätrenaissanceformen und Stuckdecke.

Haden [heɪdn], Sir (1894) Francis Seymour, engl. Graphiker, *London 16. 9. 1818, †Woodcote Manor bei Alresford 1. 6. 1910, als Mediziner ausgebildet, radierte H., geschult an REMBRANDT und später beeinflußt von seinem Schwager J. WHISTLER, bes. Landschaften.

Hadersleben, dän. **Haderslev** [h'a:ðərsleu], Stadt in Südjütland, 30200 Ew.; got. Dom mit spätroman. Resten (13.–15. Jh.), bronzenes Taufbecken (1485), Kanzel (1636); St. Severin (12. Jh., gotisch verändert, spätgot. W-Turm).

Hades [›der Unsichtbare‹(?)], grch. Mythos: der Gott der Unterwelt, Sohn des Kronos und der Rhea, Gemahl der Persephone. Nach dem Titanenkampf fiel ihm bei der Teilung der Welt das Reich der Toten zu, über das er düster, auch als Richter, herrschte. Wohltätige Züge gewann er als Herr über die Schätze der Erde, indem er mit Pluton verschmolz. Seit dem 5. Jh. v. Chr.

mehrten sich Darstellungen des H.-Pluton u. a. bei Götterversammlungen, mit Persephone, Kerberos und beim Raub der Kore auf grch. Vasen und Reliefs, dann v. a. auf röm. Sarkophagen, aber auch als freiplast. Bildungen. Im MA. wurden v. a. Hölle und Teufel mit H. identifiziert. Die Neuzeit stellte vorwiegend den Raub der Persephone dar (G. L. BERNINI, REMBRANDT).

Hadmersleben, Stadt südwestlich von Magdeburg, Dt. Dem. Rep.; frühgot. Kirche des 961 gegr. ehem. Benediktinerinnenklosters, im W Nonnenempore über roman. Krypta (im Kern um 1100), Ausstattung v. a. barock; vom Kloster Kapitelsaal (Ende 12. Jh.) erh. Barocke Stadtkirche (nach 1664) mit frühgot. Westturm und Resten eines roman. Baus. Ehem. Schloß, im Kern 16. Jh., vielfach verändert.

Hadra|vasen, hellenist. Hydrien, meist als Aschenurnen verwendet, benannt nach dem Fundort Hadra (Nekropole bei Alexandria); gelegentl. Inschriften mit Namen und Todesdatum des Verstorbenen ermöglichen die Datierung der H. (2. H. 3. Jh. v. Chr.); schwarzfigurige oder polychrome, meist ornamentale Dekoration.

Hadrian, röm. Kaiser (117–38), *Italica(?) in Spanien 24. 1. 76, †Baiae 10. 7. 138, hochgebildeter Herrscher mit besonderer Neigung zur grch. Literatur und Kunst. H. entfaltete eine große Bautätigkeit; seine Lieblingsstadt war Athen, das er erweiterte (Hadriansstadt) und verschönte (Olympieion, Hadriansbibliothek u. a.). Sinnfälliger Ausdruck für die Vielfalt seiner Interessen wurde die von ihm angelegte →Hadriansvilla. Zu den bedeutendsten Bauten, die er in Rom errichten ließ, gehören →Pantheon, →Engelsburg (sein Mausoleum) und der gewaltige Tempel der Venus und Roma.

Hadriansmausole|um, →Engelsburg.

Hadriansvilla, ital. **Villa Adriana,** von Kaiser HADRIAN unterhalb von Tivoli, dem antiken **Tibur,** etwa 25 km östlich von Rom angelegt: Um eine ältere Villa des 1. Jh. v. Chr., die in augusteischer Zeit erweitert wurde, entstanden nach 118 n. Chr. auf den südl. und westl. Hangterrassen riesige Bauten, die ¾ km² umfaßten, mit weitläufig um Säulenhöfe und Gärten gruppierten Wohnräumen, Prunksälen, Säulenhallen, Thermen und einem Theater. Diese Bauwerke gaben in umgewandelter Form Erinnerungen des Kaisers an von ihm bewunderte Kunstdenkmäler, die er auf seinen Reisen gesehen hatte, wieder. Zahlreiche Funde (v. a. Statuen, Mosaikschmuck) wurden seit dem 16. Jh. ausgegraben (in den Vatikan., Kapitolin. u. a. röm. Museen).

Hadrianswall, von Kaiser HADRIAN 122–26 in Britannien zw. dem Solwaybusen und der Tynemündung angelegter Schutzwall, ein etwa 80 röm. Meilen langer Doppelwall mit 17 Kastellen, 80 Toren, 320 Türmen. Unter Kaiser ANTONINUS PIUS wurde 138 die N-Grenze als Antoninuswall nach N zw. Forth und Clyde (Schottland) vorverlegt.

Hae|insa, Tempelgruppe in S-Korea auf dem Berg

Kaya, Prov. Süd-Kyŏngsang (KARTE koreanische Kunst). Die urspr. Anlage wurde 802 von buddhist. Mönchen errichtet. Die erh. rd. 50 Bauten stammen aus dem 15.–18. Jh. In 2 Hallen werden die 81258 Druckstöcke der buddhist. Hs. ›Tipitaka‹ aufbewahrt.

Haesler, Otto, Architekt, *München 13. 6. 1880, †Wilhelmshorst/Mark 2. 4. 1962, war 1906–34 in Celle, 1946–53 in Rathenow (Bez. Potsdam) tätig und seit 1926 Mitgl. des →Ring. Von 1950–52 war er Direktor der Hochschule für Baukunst in Weimar. H. konzentrierte sich bes. auf den Massenwohnungsbau und dessen Rationalisierung und Industrialisierung.

HW (in Celle): Siedlungen Maria Glück (1920) und Ital. Garten (1924); Volksschule (1929; multifunktionale zentrale Halle); Kleinstwohnungssiedlung Blumenlägerfeld (1930/31). – In Kassel: Siedlung Kassel-Rothenberg (1929–31); Altersheim (1930/31). – Aufbauplan für die Altstadt von Rathenow (bei Potsdam), Bebauungsplan, Wohnbauten ebd. (1946–52).
Schrift: Mein Lebenswerk als Architekt (Berlin-Ost 1957).

Hafnerware, Hafnerkeramik, Töpferware, handwerksmäßig hergestelltes Geschirr (›Hafen‹) und Ofenkacheln aus Ton (Irdenware) mit einem Überzug aus farbiger Bleiglasur. Die erhaltene H. des MA. ist einfache Gebrauchsware, zunächst nur mit Innenglasur, und zeigt nur in den späteren Ofenkacheln die farbigen Angüsse (Engoben), wie sie für die bunten Zierstücke der nachmittelalterl. Zeit typisch sind. Teller, Schüsseln und Krüge sind durch Ritztechnik, mit dem Malhorn oder durch Reliefauflagen ornamentiert. Neben den grünen, gelben und braunen Bleiglasuren wurden undurchsichtige Zinnglasuren verwendet. Die Blütezeit der H. lag im 16. Jh. mit den Zentren Nürnberg, Köln, Schlesien, Sachsen, Salzburg und Schweiz.

E. MEYER-HEISIG: Dt. Bauerntöpferei (1955); P. STIEBER: Dt. Hafnergeschirr, in: Keysers Kunst- u. Antiquitätenbuch, hg. v. H. SELING, 3 (1967, mit Lit.).

Hageladas, auch **Ageladas,** grch. Bronzebildhauer des 5. Jh. v. Chr. aus Argos, von dessen einst berühmten Werken (Sieger-, Zeus-, Heraklesstatuen) bisher keines in röm. Marmorkopien nachgewiesen werden konnte.

Hagemeister, Karl, Maler, *Werder a. d. Havel (heute: Bez. Potsdam) 12. 3. 1848, †ebd. 6. 8. 1933, Schüler von F. PRELLER D. Ä. in Weimar, weitergebildet auf Reisen nach Belgien (1873), den Niederlanden, Italien (1876) und Paris (1884/85). Hier lernte H. den frz. Impressionismus kennen, der in seiner Kunst ebenso spürbar ist wie die Tonmalerei des seit 1873 mit ihm befreundeten C. SCHUCH. In breiter Strichführung malte H. großformatige, stilisierte Landschaften (bes. Havel-Motive und Seebilder).

Aufbruch zur modernen Kunst, Ausst.-Kat., München (1958).

Hagen, Stadt im Sauerland, NRW, 225000 Ew.; Osthaus-Mus. (1900–02 von H. VAN DE VELDE im Jugendstil ausgestattet; v.a. Gemälde des Expressionismus) und Westfäl. Freilicht-Mus. techn. Kulturdenkmale. In **H.-Delstern** Eduard-Müller-Krematorium (Jugendstilbau von P. BEHRENS 1906/07); in **H.-Haspe** Haus Harkorten (1756/57), das beste Beispiel für ein bergisches Bürgerhaus des Rokoko. In **H.-Hohenlimburg** Schloß (14./18. Jh.; reichhaltiges Mus.).

Hagen, Theodor, Maler, *Düsseldorf 24. 5. 1842, †Weimar 12. 2. 1919, lernte 1863–68 bei O. ACHENBACH in Düsseldorf und war seit 1871 Prof., 1877–81 Direktor der Kunstschule in Weimar. Seine stimmungsvollen impressionist. Landschaften zeigen den Einfluß der Schule von Barbizon.

Hagenau, frz. **Haguenau** [agn 'o], Stadt im Unterelsaß, 26900 Ew. Die Kaiserpfalz des 12. Jh. wurde 1677 zerstört. Aus dem MA. erhalten sind die roman. St. Georgskirche (dreischiffige Säulenbasilika; 1143 bis um 1190; Querschiff und Chor gotisch, nach 1254; im Inneren u.a. Steinkanzel, 16. Jh.; Sakramentshäuschen, 1523) und die got. St. Nikolauskirche (1425 gew.; dreischiffige Säulenbasilika ohne Querschiff); in der Maria-Magdalena-Kirche (um 1370) qualitätvolle Wandmalereien des 15. Jh. Reste der Stadtbefestigung (Weißenburger Tor); Mus. (u.a. ortsgeschichtl. Samml., Inkunabeln).

Hagenauer, 1) Friedrich, Bildschnitzer und Medailleur, *Straßburg um 1500, †Köln nach 1546, arbeitete in München (1525–27), Augsburg (1527–31), am Oberrhein (1532–35) und in Köln (seit 1536). Er schnitt Entwürfe zu Porträtmedaillen in Buchsbaumholz (235 Vorlagen bekannt) und ließ von diesen Modellen Abgüsse herstellen. H. schuf ferner Porträtbüsten. Seine Werke zeigen den Stil der Renaissance.

2) Johann Baptist, Bildhauer, *Straß (heute Teil von Ainring, Oberbayern) 22. 6. 1732, †Wien 9. 9. 1810, schuf anfangs Kleinplastiken, die zu den bedeutendsten Werken der dt. Rokoko-Skulptur gehören, nach einem Italienaufenthalt (seit 1756) auch größere, mehr dem Klassizismus zuneigende Werke. Seit 1774 leitete H. die Bildhauerklasse der Wiener Akad.

HW: Christus an der Geißelsäule (1756; Cleveland/Ohio, Mus. of Art, vergoldete Bronzestatuette); Mariensäule (1766–71; Salzburg, Domplatz); Gartenfiguren (München, Nymphenburg; Wien/Schönbrunn).

Klassizismus in Wien – Architektur u. Plastik, Ausst.-Kat., Wien (1978).

3) Hagnower, von Hagenau, Niklaus, Bildschnitzer und Bildhauer, *um 1460, †Straßburg(?) vor 1538, seit 1493 in Straßburg nachweisbar, wo er den Hochaltar (sogenannter ›Fronaltar‹) des Münsters schuf (1500/01; bekannt durch einen Stich von 1617, 1682 in seinem Aufbau zerstört). Die Zahl seiner erhaltenen Werke ist gering, ihre Zuschreibung umstritten. Von H. geschaffen sind wahrscheinlich die Skulpturen des Isenheimer Altars, die sich mit der ausdrucksstarken Sprache der Köpfe und der Gewänder neben den Malereien Grünewalds behaupten und zu den bedeutendsten Leistungen der dt. Plastik am Ende der Spätgotik gehören.

HW: Reste vom Hochaltar des Straßburger Münsters: 2 Prophetenbüsten (Straßburg, ehemals St. Marx), Beweinung Christi (Straßburg, St. Stephan); Skulpturen des Isenheimer Altars (vollendet vor 1509; v.a. Colmar, Mus. Unterlinden): im Schrein die thronende Gestalt des Hl. Antonius, zu seinen Füßen 2 Gaben bringende Bauern (Colmar, Mus. Unterlinden), links der Hl. Augustinus mit dem Stif-

Niklaus Hagenauer: Bauer aus dem Schrein des Isenheimer Altars; voll. vor 1509 (Colmar, Museum Unterlinden)

ter des Altars Jean d'Orliac, rechts der Hl. Hieronymus; in der Staffel die Halbfiguren Christi und der Apostel.

Spätgotik am Oberrhein. Ausst.-Kat., Karlsruhe (1970, Lit.); M. BAXANDULL: The limewood sculptors of Renaissance Germany (Oxford, Großbritannien, 1980).

Hagesandros, auch **Agesandros,** grch. Bildhauer des 1. Jh. v. Chr. (?) aus Rhodos, schuf mit ATHENADOROS und POLYDOROS die Laokoongruppe (→Laokoon) und arbeitete mit an den Skulpturen von →Sperlonga.

Haggada(h) [hebr.], die erbaul., ethischen und legendären Schriften des Judentums; **Pessach-H.** [hebr. ›Oster-Erzählung‹], der in Umfang und Text seit dem MA. festgelegte Text der häusl. jüd. Osterfeier, in illuminierten Hss. erhalten; 1. Hss. im 13./14. Jh. aus dem spanisch-jüd. Kulturkreis (kalligraph. Schriftbild, Figuren der Illumination z. T. von der frz. Buchmalerei beeinflußt); bed. die Darmstädter Pessach-H. (1. Hälfte 14. Jh.); eigener dt.-ital. Mischstil des 14./15. Jh. in N-Italien (Pessach-H. von Venedig, 1606; Pessach-H. von Amsterdam, 1695); Drucke seit 1480 (Original und Übersetzungen). BILD jüdische Kunst.

Hagi, Stadt in Japan, am südwestl. Ende der Insel Honshu an der Japansee, 1604 als Burgstadt gegr. (Residenz der Familie Mori). Gut erhaltene historische Stadtstruktur mit Bürger- und Samuraihäusern. Heute ist H. berühmt wegen seiner Töpferei (Hagi-yaki), die sich durch elegante Formen und zarte Farben auszeichnet.

Hagia Sophia [grch. ›Heilige Weisheit‹], türk. **Ayasofya,** Hauptkirche des byzantin. Reiches in →Konstantinopel (Istanbul). Ein erster Bau wurde (nach Plänen aus der Zeit KONSTANTINS D. GR.?) unter den Söhnen Konstantins 360 vollendet, nach einem Brand (404) 415 neu geweiht (Teile der Vorhalle aus-

Hagia Sophia in Istanbul; 532–37 (mit Minaretts des 16. Jh.)

gegraben), doch beim Nika-Aufstand (532) wieder zerstört. Unter JUSTINIAN entstand im Lauf von 5 Jahren die heute noch erhaltene H. S. (Weihe am 27. 12. 537); nach Einsturz der sehr flachen Kuppel durch ein Erdbeben (558) wurde diese mit einigen Veränderungen wiederhergestellt. Als Baumeister sind ISIDOR VON MILET und ANTHEMIOS VON TRALLEIS überliefert. Die innere Ausschmückung wurde erst in den Regierungsjahren JUSTINS II. (565–78) abgeschlossen. (BILD byzantinische Kunst)

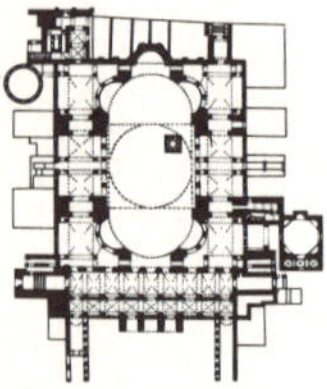

Hagia Sophia: Grundriß der H. S. in Istanbul

Aus der Fülle zeitgenöss. Kuppelbauten hebt sich die H. S. (Kombination von Langhaus- und Zentralbau) durch ihre Raumwirkung hervor. Die techn. Voraussetzungen sind in der kaiserzeitl. Architektur Kleinasiens zu suchen. Die Hauptkuppel (Durchmesser 33 m, Höhe 13,8 m, Gesamthöhe 55,6 m) beherrscht den Bau. Sie wird in der Hauptachse durch 2 Halbkuppeln mit je 3 Nebenkuppeln abgestützt; im N und S befindet sich eine zweigeschossige Folge von Gewölben. Die Wände sind weitgehend durch (heute verkleinerte) Fenster durchbrochen, so daß der Innenraum lichtdurchflutet erscheint. Fensterreihen am Fuß der Kuppel erwecken den Eindruck einer schwebenden Halbkugel. Inkrustationen und Mosaikschmuck sind z. T. erhalten.

Als Krönungskirche der byzantin. Kaiser und Ort wichtiger Staatsakte ist die H. S. in besonderer Weise mit der Gesch. des byzantin. Reiches verbunden. Kunstgeschichtlich ist sie das bedeutendste erhaltene Bauwerk der →byzantinischen Kunst. – Seit der Eroberung Konstantinopels durch die Türken (1453) diente sie als Moschee. Seit 1934 ist sie Museum.

C. MANGO: Materials for the study of the mosaics of St. Sophia in Istanbul (Washington, D. C., 1962); R. L. VAN NICE: St. Sophia in Istanbul (ebd. 1966); H. KÄHLER: Die H. S. (1967).

Hagia Triada [ngrch. aj'ia tri'aða], minoische Ruinenstätte auf Kreta, nahe der W-Küste der Messara (KARTE kretisch-mykenische Kunst). Der Vorpalastzeit gehören 2 Sippengrüfte in Form von Rundbauten (Tholosgräber) an mit reichen Beigaben (Keramik, Elfenbeinsiegel). H. T. war vermutlich Hafenresidenz der

Herren von Phaistos; Ausgrabungen legten einen Palast und an diesen anschließende Häuser einer Stadt frei. Im NW-Flügel der Anlage befanden sich reich ausgestattete fürstl. Gemächer mit reizvollen Fresken (Menschen und Tiere in einer Gartenlandschaft) sowie Magazine und Archive. Der Palast (1. H. 16. Jh. v. Chr.) wurde um 1450 v. Chr. zerstört; im 14./13. Jh. v. Chr. Wiederbesiedlung. Zu den reichen Einzelfunden von H. T. gehören v. a. verzierte Steatitgefäße (→Schnittervase), Siegelabdrücke und Bronzebarren in Tierfellform. Aus einem Kammergrab (um 1400 v. Chr.) stammt ein mit Stuck verzierter und al fresco bemalter Kalksteinsarkophag (Bild kretisch-mykenische Kunst), dessen Darstellungen Einblick in minoisches Totenzeremoniell geben: blutige und unblutige Opfer, Musikanten, Grabgeschenke, Erscheinung des Toten (alle Funde im Archäolog. Mus. von Heraklion).

Hagnower, Niklaus, Bildschnitzer und Bildhauer, →Hagenauer 3).

Haguenau [agn'o], frz. für →Hagenau.

Hahn, 1) Hermann, Bildhauer, *Kloster Veilsdorf bei Hildburghausen 28. 11. 1868, †Pullach im Isartal 18. 8. 1942, ließ sich nach ausgedehnten Studienreisen in München nieder und wurde 1902 ebd. Prof. an der Akad. H. entwickelte seinen Stil aus dem Klassizismus A. v. Hildebrands und wandte sich mit ihm seit 1895 gegen den Neubarock. Die realistisch gestaltete Porträtplastik H.s wurde zum Vorbild seiner monumentalen Denkmäler.

HW: Denkmäler: H. v. Moltke (1899; Chemnitz, und 1909; Bremen); F. Liszt (1900; Weimar); J.W. v. Goethe (1914; Chicago, und 1919; Wiesbaden). – Porträtbüsten von E. Wölfflin (1901) und W. Rathenau (1909). – Tänzerin (1903).

W. Grzimek: Dt. Bildhauer des 19. und frühen 20. Jh. (1969).

2) Peter von, Maler und Radierer, *Mainz 14. 12. 1854, †München 25. 1. 1923, seit 1895 ebd. Lehrer an der Akad. H. radierte meisterhafte Reproduktionen und impressionistisch gesehene Landschaften.

Hähnel, Ernst Julius, Bildhauer, *Dresden 9. 3. 1811, †ebd. 22. 5. 1891, entschied sich nach dem Studium der Architektur in Dresden und München unter Einfluß von E. F. A. Rietschel und L. v. Schwanthaler für die Bildhauerei und hielt sich 1831 in Florenz auf, 1832 in Rom (Anregungen durch B. Thorvaldsen). 1838 berief ihn G. Semper zur Mitarbeit am Hoftheater nach Dresden. Hier war H. seit 1848 Prof. an der Akademie. – H. schuf Denkmäler und Porträtbüsten. Er ist mit Rietschel Begründer der Dresdner Bildhauerschule im Sinn der Tradition C. D. Rauchs.

HW: Denkmäler: Beethoven (1848, Bonn), Feldmarschall Fürst Schwarzenberg (1867, Wien; Reiterdenkmal), Leibniz (1883, Leipzig).

Haida, Stamm der →Nordwestküsten-Indianer auf den Queen Charlotte Islands, Kanada, und der Prince of Wales Island, Alaska. Neben hochentwickelten monumentalen Holzskulpturen u. a. Holzschnitzereien (v. a. Wappenpfähle, Masken) stellten sie (seit etwa

1820) auch kunstvolle Schnitzereien aus Argillit, einer in frisch gebrochenem Zustand weichen Schieferart, her.

Haider, Karl, Maler, *Neuhausen b. München 6. 2. 1846, †Schliersee 29. 10. 1912, entwickelte unter dem Einfluß von W. LEIBL und H. THOMA einen altmeisterl. Landschaftsstil, in dem sich genaueste Zeichnung der Einzelform mit zumeist schwermütigem Stimmungsgehalt verband und der sich v. a. im Spätwerk zu immer strengerer Stilisierung wandelte.

G. KUTSCHERA: K. H., Biographie einer Künstlerfamilie (Diss. Innsbruck 1962); W. Leibl und sein Kreis, Ausst.-Kat., München (1974).

Haiderabad, Stadt in Indien, →Hyderabad.

Haidra, Grenzort in W-Tunesien, 78 km südlich von Le Kef im Hohen Tell-Atlas. Weitläufiges Ruinenfeld des antiken **Ammedara** (röm. **Ammaedara):** Triumphbogen des Septimius Severus (195), Mausoleum mit korinth. Pilastern und Laubgewindedekor, Gerichtsbasilika mit geflügelten Gestalten; ferner 2 dreischiffige christl. Kirchen, 2 zweistöckige Mausoleen, Grabkapelle aus der Wandalenzeit, gewaltige byzantin. Festung (527–65 erbaut; 200 × 110 m) mit 10 Türmen und Kirche im Innern.

Haifa, Stadt in Israel, an der Mittelmeerküste, 225 000 Ew., mit bed. Museen: Das 1955 von R. HECHT gegr. ›Dagon-Mus.‹ ist der Gesch. der Getreideverarbeitung seit der Bronzezeit gewidmet; im 1949 gegr. ›Mus. für alte Kunst‹ befinden sich röm. Skulpturen, Tongefäße und Bronzestatuetten aus Ägypten, Palästina, Griechenland und Italien, Glasgefäße von der hellenist. bis zur byzantin. Zeit, Münzen, kopt. Stoffe u. a. Das 1960 gegr. ›Mus. für japan. Kunst‹ enthält japan. Zeichnungen, Skizzen und Drucke aus dem 17. und 18. Jh., japan. Porzellan und Keramik aus dem 18. und 19. Jh. u. a.; das 1951 gegr. ›Mus. für moderne Kunst‹ zeitgenöss. Kunst aus Israel u. a.; das 1952 gegr. ›Mus. für Vor- und Frühgesch.‹ (sowie Naturkundemus.) eine archäolog. Bestandsaufnahme dieses Zeitabschnitts von H. und Umgebung; das ›Volkskunde-Mus.‹, 1956 gegr., jüd. Kultgegenstände, Kleidungsstücke und Stoffe oriental. Juden u. a.

Die Überreste des alten H. liegen unter der modernen Stadt; in der Nähe an der Küste die Ruinenstätte Tell Abu Huwam mit bed. Keramik-Funden (zyprisch-phönik. und myken. Töpferware, korinth. und att. Vasen).

Haigerloch, Stadt im Zollernalbkreis, Bad.-Württ., 9300 Ew. In der Oberstadt das Schloß (1580/1662) mit Schloßkirche (Umbau 1748, dabei Stuckierung durch N. SCHÜTZ). In der Unterstadt neben der ma. Nikolauskirche v. a. die barocke Wallfahrtskirche St. Anna (1753–55) mit Ausstattung von J. M. FEUCHTMAYER.

Haina (Kloster), Gem. im Kr. Waldeck-Frankenberg, Nordhessen, 4500 Ew., mit ehem. Zisterzienserkloster (1214 gegr.). Die frühgot. Hallenkirche (um 1214–1328), mit vollständig erh. Farbigkeit, zeigt Anklänge an die Marburger Elisabethkirche.

Hajdu [aʒd'y], Étienne, frz. Bildhauer ungar. Abstammung, *Turda (Siebenbürgen) 12. 8. 1907, seit 1927 in Paris, Schüler von E.-A. BOURDELLE, kam Mitte der 30er Jahre zur abstrakten Kunst und entwickelte in den 40er Jahren aus großformatigen Flachreliefs seinen charakterist. eleganten Stil, der weich gerundete Oberflächen mit bizarr zerklüfteten Umrißformen verschmelzen läßt. Außer Marmor verwendet er auch Kupfer, Aluminium und Blei.

E. H., Ausst.-Kat., Dortmund (1972).

Hajek, Otto Herbert, Bildhauer, *Kaltenbach (heute Nové Hutě, Südböhm. Kreis, ČSSR) 27. 6. 1927, lebt in Stuttgart. Von seinen abstrakten ›Raumknoten‹, die ästhet. Gesetze des Informel in der Plastik verdeutlichen, gelangte er zu ›Farbwegen‹, die mit der Architektur korrespondieren und eine neue Stufe der wechselseitigen Durchdringung von Architektur, Plastik und Farbe bedeuten.

O. H. H., Ausst.-Kat., Bielefeld (1971); I. JIANOU: O. H. (1972).

Hakata, Hafenstadt in Japan, →Fukuoka.

Hakodate, Stadt in Japan, im äußersten SW der Insel Hokkaido, 320 200 Ew.; spielte eine wichtige Rolle bei der Kolonisierung der Insel im 19. Jh. Wegen seiner strategisch wichtigen Lage erhielt es 1855 die einzige europäisch beeinflußte Befestigungsanlage mit sternförmigen Bastionen (Goryokaku).

Hal [al], frz. Name von →Halle 2).

Halberstadt, Stadt im nördl. Harzvorland, Dt. Dem. Rep., 47 100 Ew., im späten MA. bed. Handelsstadt. Die Altstadt wurde 1945 weitgehend zerstört, fast nur im W und N des Dombezirks ist ein Teil der urspr. zahlreichen Fachwerkhäuser erh. Die Kirchen wurden z.T. wiederhergestellt. Im Zentrum der Stadt der Stephansdom (13.–15. Jh.), eine dreischiffige Basilika mit Querschiff und langgestrecktem Chor mit Umgang; bed. Bauplastik, Skulpturen und Ausstattung (u.a. Apostelstatuen, 15./16. Jh.; monumentale spätroman. Triumphkreuzgruppe, um 1220; Lettner, 1510; Bronzelesepult, um 1500); südlich an den Dom anschließend Klostergebäude (älteste Teile Mitte 12. Jh.) mit Kreuzgang und 2 spätgot. Kapellen; in der Domsamml. der bedeutendste dt. Kirchenschatz nach dem Kölner Domschatz. Wiederhergestellt wurden auch die Dompropstei (1592–1611) und die auf der W-Seite des Domplatzes liegende roman. Liebfrauenkirche (12. Jh.), eine dreischiffige Basilika mit Querschiff, deren Chorschranken ein HW der spätroman. sächs. Plastik sind. Im Kern romanisch ist die Moritzkirche (11. Jh., um 1240 umgebaut); got. Kirchen sind St. Martini (2. H. 13. Jh.), St. Katharinen (ehem. Dominikanerklosterkirche, 14. Jh.) und St. Andreas (ehem. Franziskanerklosterkirche, Anf. 14. Jh., nur Chor nach 1945 wiederaufgebaut). Die Ruinen der Paulskirche (12./13. Jh.) wurden 1970 abgetragen.

Halbfayence [-faj'ãs], →Fayence.

Halbfigurenbild, die künstler. Darstellung des menschl. Oberkörpers. Das H. wurde seit dem 15. Jh., bes. bei →Porträts, sehr beliebt; es ist Kennzeichen einzelner Schulen (LEONARDO DA VINCI) und Meister (→ Meister der weiblichen Halbfiguren).

Halbgeschoß, niedriges Zwischengeschoß, auch →Mezzanin.

Halbig, Johann von, Bildhauer, *Donnersdorf (Kr. Schweinfurt) 13. 7. 1814, †München 29. 8. 1882; seit 1846 Prof. am Polytechnikum in München; arbeitete für LUDWIG I. von Bayern als Porträtbildhauer an der Walhalla bei Regensburg. Neben großen Denkmälern schuf H. Grabmäler, Kruzifixe und viele Büsten in naturalist. Stil; die klassizistisch-romant. Schule L. v. SCHWANTHALERS lehnte H. ab.

WW: Löwengespann (1847; München, auf dem Siegestor).

Halbkreidegrund, Maltechnik: langsam trocknender Kreidegrund, der neben Leim einen Anteil Öl als Bindemittel enthält.

Halb|öl, Maltechnik: Leinölfirnis, zur Hälfte mit Terpentinöl verdünnt.

Halbsäule, Säule, deren Basis, Schaft und Kapitell nur zur Hälfte aus der Wand oder der Rücklage hervortreten.

Halbton, Graphik, Malerei: alle abgestuften Tonwerte zw. Licht und Schatten. (→Autotypie)

Haldensleben, Stadt nordwestlich von Magdeburg, Dt. Dem. Rep., 19200 Ew.; Stadtkirche (beg. um 1375, 1665–75 erneuert); Rathaus (1703, klassizistisch umgebaut 1815–23); Fachwerkhäuser (16.–18. Jh.). Im 1938 mit der Stadt (Neu-H.) vereinigten Dorf Alt-H. barockes Herrenhaus (18. Jh.) des ehem. Klostergutes (urspr. Zisterzienserinnenkloster, 1228 gegr.) und klassizist. Simultankirche (1829/30), kath. Teil barock ausgestattet mit reicher Kanzel (1724).

Halebid, Ort in Karnataka, S-Indien, ehem. Residenz der Hoyshala-Dynastie, mit zahlreichen hinduist. und jinist. Tempeln des 12.–13. Jh., die mit äußerst detailreichen, tiefgeschnittenen Reliefskulpturen und Friesen bedeckt sind. Der Haupttempel Hoyshaleshvara besteht aus 2 sternförmigen Vimanas mit untereinander verbundenen Mandapas auf gemeinsamer Plattform. (BILD Garuda)

Halič [h'alitʃ], Ort im Mittelslowak. Kreis, ČSSR, mit Schloß, 1762 barock unter Einbeziehung wesentl. Teile von Vorgängerbauten des 16. und 17. Jh. gestaltet; im Erdgeschoß sind Kreuzgewölbe sowie eine bemalte Balkendecke des 16. Jh. erhalten. Gebäude der ehem. bed. Majolikamanufaktur (Ende 18. Jh.).

Halifax [h'ælıfæks], Prov.-Hauptstadt und Hafen an der S-Küste der Insel Nova Scotia, Kulturzentrum der Atlantik-Provinzen Kanadas, 118000 Ew. Die Stadt wird von der auf einem Hügel gelegenen Zitadelle (1828 auf Fundamenten von 1749 erbaut) beherrscht, die heute Museen und Ausstellungen beherbergt, daneben die 1803 aufgestellte alte Stadtuhr.

Halikarnassos, antike Hafenstadt Kleinasiens, heute →Bodrum.

Hall [hɔ:l], im engl. Palast-, Landhaus- und Collegebau der große, häufig zweigeschossige Hauptraum.

Hall, Peter Adolf, schwed. Miniaturmaler, *Borås (Västergötland, Schweden) 23. 2. 1739, †Lüttich 15. 5. 1793, arbeitete seit 1766 in Paris, schuf lebendige Porträts v. a. der frz. Aristokratie.

Halle, urspr. halboffener Raum mit von Pfeilern oder Säulen getragenem, vor Sonne und Regen schützendem Dach; im antiken Haus das →Peristyl; in den Pfalzen des MA. der Versammlungs- und Festraum. Heute heißt H. jeder Großraum, dessen Decke wie bei den spätgot. H.-Kirchen durch Säulen- oder Bogenstellungen getragen wird oder der weit gespannt ist.

Halle, 1) Halle/Saale, Hauptstadt des Bez. H., Dt. Dem. Rep., 234300 Ew.; um 1280 Hansestadt, 1503 bis 1680 Residenz der Erzbischöfe und Administratoren von Magdeburg, 1694 Gründung der Univ. Am Markt im Mittelpunkt der Altstadt spätgot. Marktkirche (1529–37) an Stelle zweier roman. Kirchen, von denen die Türme übernommen wurden: die ›Hausmannstürme‹ von St. Marien (Marktseite) und die ›Blauen Türme‹ von St. Gertruden; chor- und querschiffloser Bau mit dichten Netz- und Sterngewölben; in der reichen Ausstattung qualitätvoller spätgot. Flügelaltar (1529). Auf dem Marktplatz freistehend der spätgot. Rote Turm (1418–1506). Nordwestlich vom Markt der Dom, im Kern frühgotisch (um 1280 beg.), 1520–23 spätgotisch umgebaut, aus dieser Zeit die 17 Pfeilerstatuen; das Portal zur Sakristei ist ein frühes Beispiel der Renaissance in Mitteldtl. Neben dem Dom die Neue Residenz (1529 beg.), Kapelle (1537/38) in bewußter Abkehr von got. Formen. Nördlich des Doms die Moritzburg, eine spätgot. unregelmäßige Vierflügelanlage (1484–1509, 1637 zerstört), im 1901–13 ausgebauten O- und S-Flügel Staatl. Gal. (u. a. Bauplastik aus H., dt. Malerei 19./20. Jh., dt. Plastik 20. Jh.). Im SW der Altstadt spätgot. Moritzkirche (1388–1511) nach Entwurf CONRADS VON EINBECK, von ihm auch wertvolle bildhauerische Werke (Schmerzensmann, 1416, Klagende Maria, Selbstporträt u. a., um 1425); Kanzel (1592). Im SO die spätgot. Ulrichskirche (1339–1531) mit spätgot. Flügelaltar (1488). Zahlreiche Bürgerhäuser (seit 16. Jh.).

2) frz. **Hal** [al], Stadt und Wallfahrtsort in der belg. Prov. Brabant, südlich von Brüssel. Die Liebfrauenkirche ist eine Basilika (1341 beg.) im Stil der Brabanter Gotik; frz. Einflüsse sind bes. am Chor (1409 gew.) spürbar, der von 9 zw. den Strebepfeilern eingerichteten Kapellen umgeben ist. Die Kirche hat reichen plast. Schmuck, bes. am S-Portal (Maria mit Engeln, 15. Jh.) und Apostelzyklus im Chor (um 1401). Die ›Schwarze Madonna‹, der die Wallfahrt gilt, ist eine Holzstatuette des 13. Jh. Zur wertvollen Ausstattung gehört u. a. ein Renaissancealtar aus Alabaster (1533); reicher Kirchenschatz in der Krypta.

Hallein, Stadt in Salzburg, Österreich, an der Salzach, 15400 Ew., gut erh. ma. Stadtbild, zahlreiche Häuser des 15./16. Jh. mit Barock- und Rokokofassaden.

Die Dekanatskirche ist ein klassizist. Saalbau (1769 bis 1775), vom ma. Bau ist der got. Chor erh.; in den Fürstenzimmern des Salinenamtsgebäudes (1654) 73 Darstellungen des Salinenbetriebs (1757).

Hallenchor, Baukunst: Sonderform des Chores; wie in der Hallenkirche erhalten alle Schiffe gleiche Höhe und fügen sich dem meist basilikalen Langhaus an. Der H. ist ein Charakteristikum dt. spätgot. Baukunst, die H. von hoher Raumschönheit geschaffen hat. Rechteckig ist der H. des Zisterzienserklosters Heiligenkreuz (Österreich, geweiht 1295), polygonal gebrochen sind die H. der Zisterzienserkirche von Zwettl-Niederösterreich (1344–83), der Heiligkreuzkirche in Schwäbisch Gmünd (ab 1351 von H. PARLER), von St. Sebald in Nürnberg (1361–79) u. a.

Hallenkirche, Kirche, bei der im Unterschied zur →Basilika alle Schiffe gleiche Höhe haben, so daß zumeist ein Dach den Bau überdeckt. Bei den drei- und fünfschiffigen H. wird das Mittelschiff nicht durch direktes seitl. Oberlicht, sondern nur durch das Licht der Seitenschiffenster erhellt. Bei der Staffelhalle ist das Mittelschiff etwas höher als die Seitenschiffe, aber ohne eigene Fenster (Wien, Stephansdom, Langhaus, seit Mitte 14. Jh.). Frühestes Beispiel einer H. in Dtl. ist die Bartholomäuskapelle in Paderborn (um 1017); seit dem 12. Jh. ist die H. in Bayern und Westfalen zu finden. In der →Gotik wurde sie der gebräuchlichste Typ für die städt. Pfarrkirche. In Frankreich war die H. im S und W die übl. Bauform, mit und ohne Emporen, in Italien kommt sie außer in der Lombardei auch in Mittelitalien vor, in Spanien sind die Wallfahrtskirche von Santiago de Compostela (12. Jh.) sowie zahlreiche Pfarrkirchen H., in England bes. die Pfarrkirchen in Cornwall und Devonshire. Zweischiffige H. gibt es auch auf Gotland und in Österreich.

Hallenkrypta, eine →Krypta, die in mehrere gleichhohe Schiffe unterteilt ist.

Haller, Hermann, schweizer. Bildhauer, *Bern 24. 12. 1880, †Zürich 23. 11. 1950, studierte Malerei, wurde zum Bildhauer durch Aufenthalte in Rom (1905–09) und Paris (1909–15; Einfluß von A. MAILLOL); schuf

Hallenkirche: Grundriß und Querschnitt von St. Martin in Amberg, 1421 beg.

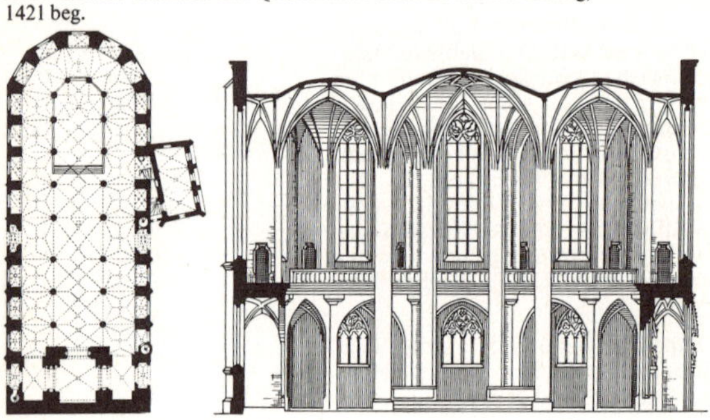

weibl. Akte von sinnl. Anmut, Parkfiguren, Denkmäler, Porträtbüsten.

H. H., Ausst.-Kat., Duisburg (1970).

Haller von Hallerstein, Carl Frhr. von, Baumeister und Archäologe, *Hilpoltstein bei Nürnberg 10. 6. 1774, †Ampelakia (Thessalien) 5. 11. 1817, schuf nach Studien im Kreis um F. GILLY (1798–1805) für den bayer. Kronprinzen Ludwig (später LUDWIG I.) Idealentwürfe für die Glyptothek in München und die Walhalla bei Regensburg, die nicht ausgeführt wurden. Sein Gedanke der Einheit von Bauwerk und Landschaft wurde von L. v. KLENZE in die spätere Planung der Walhalla aufgenommen. 1810 wanderte H. v. H. nach Griechenland aus; er gehört hier zu den Entdekkern der Tempel von Ägina (1810) und Bassai (1812) und vermittelte die Ägineten-Giebel als Grundstock der Glyptothek nach München.

Hall in Tirol, Stadt östlich von Innsbruck, Österreich, 13 000 Ew., mit altertüml. Stadtbild, geprägt durch die Giebel und Erker der Bürgerhäuser (bes. 15. bis 16. Jh.). Am Oberen Stadtplatz Rathaus (1447) und spätgot. Stadtkirche (13.–15. Jh.), im Innern 1752 barockisiert; in der Waldaufkapelle (1495) spätgot. Schnitzfigur der Muttergottes. Die Burg Hasegg am Unteren Stadtplatz ist fast ganz umbaut, im S ehem. Bergfried und Münzertor (1480) im Zug der ma. Stadtmauer, spätgot. Innenhof. Kirche des Damenstifts (1570 gew.), 1691/92 nach Erdbeben barock erneuert, Stiftsgebäude mit Stuckierung, Arkadenhof in Renaissanceformen (Ende 16. Jh.).

Hallorengläser, zylindr. oder keulenförmige Humpen mit Emailmalerei, die für die Halloren (Mitgl. der Salzpfännerschaft in Halle a.d. Saale) im 17. und 18. Jh. anläßlich des jährlich stattfindenden Pfingstbiertrinkens hergestellt wurden.

Hallstatt, Gem. am Westufer des Hallstätter Sees, OÖ, 1200 Ew. Die spätgot. Pfarrkirche (um 1505 voll.) birgt einen der bedeutendsten Schnitzaltäre Oberösterreichs (um 1515) mit beidseitig als Reliefs gearbeiteten Innenflügeln und bemalten Außenflügeln.

Hallstatt-Kultur, Hallstattzeit, die ältere Stufe der mitteleurop. Eisenzeit (rd. 750–450 v. Chr.), benannt

Hermann Haller: Schreitendes Mädchen (Essen, Museum Folkwang)

Hallstatt-Kultur: Reliefdarstellung mit Hantelkämpfern von einer Bronze-Situla, Höhe 25 cm; Kuffern, Gem. Statzendorf, NÖ (Wien, Naturhistor. Museum)

nach Hallstatt, OÖ. In der H. ist ein Ostkreis (Ostalpenland und nördl. Balkanländer) von einem Westkreis (Süd-Dtld., Ostfrankreich) zu unterscheiden. Unterschiede in der Grabausstattung lassen auf eine soziale Schichtung der Bevölkerung schließen. Das Luxusbedürfnis der Herrenschicht (→Fürstengräber) förderte die Ausbildung eines spezialisierten Handwerks (Waffen- und Goldschmiede) und begünstigte den Fernhandel (Bernstein, grch. Importgüter). In Schmuck, Waffen und Hausgerät hat die H. einen unverkennbaren Stil entwickelt, der, auf südl. Anregungen (Este, Villanova) zurückgehend, große Teile ihrer Randkulturen beeinflußt hat. Neben der neu aufgekommenen Eisentechnik blieb die Bronzetechnik erh. Die Tonware der H. ist reich mit geometr. Mustern verziert, die im Ostkreis auch figurale Komponenten aufweisen wie in der Situlenkunst. (BILD Hirschlanden)

Die H., Ausst.-Kat., Steyr (1980).

Hallström, Gunnar, schwed. Maler, *Stockholm 2. 5. 1875, †ebd. 6. 10. 1943, malte Landschaften und dörfl. Genrebilder; auch Buchillustrationen.

Halmstad, Stadt in S-Schweden, beiderseits des Nissan vor der Mündung in das Kattegat, 74700 Ew. Am Markt mit dem Brunnen ›Europa und der Stier‹ von C. MILLES (1926) liegt St. Nikolai (14./15. Jh.), eine dreischiffige got. Hallenkirche, südlich davon das ehem. Schloß, im 16./17. Jh. im Stil dän. Lustschlösser erbaut. Zahlreiche Fachwerkhäuser (17. Jh. ff.) prägen noch immer den Stadtkern.

Halonen, Pekka, finn. Maler, *Lapinlahti 23. 9. 1865, †Helsinki 1. 12. 1933, studierte 1894 bei P. GAUGUIN in Paris, beeinflußt auch von A. GALLÉN-KALLELA, malte dekorative Landschafts- und Genrebilder.

Hals, 1) Dirck, holländ. Maler, Bruder und Schüler von 2), getauft Haarlem 19. 3. 1591, begraben ebd. 17. 5. 1656, malte, von W. P. BUYTEWECH beeinflußt, Gesellschaftsstücke mit reichgekleideten Paaren in prächtigen Innenräumen und im Freien.

2) Frans, holländ. Maler, *Antwerpen(?) zw. 1581 und 1585, begraben Haarlem 1. 9. 1666, seit 1591 ebd., wahrscheinlich Schüler des C. VAN MANDER. H. ging von der Porträtkunst seiner südniederländ. Heimat aus, zunächst in fester Zeichnung und Farbe, voller Ernst und Spannung. Seit den 20er Jahren wurde der Aufbau seiner Bilder freier, die Zeichnung breiter und flotter, die Farbigkeit hell und funkelnd, die Pinselführung offen und locker. Die Dargestellten erscheinen in ihren prächtigen Trachten heiter und lebhaft. In den 30er Jahren wurde der Ton einheitlicher und feiner, die Lokalfarbe trat zurück. Einzelne Werke zeigen den Menschen in freier Bewegung des Antlitzes oder des ganzen Körpers. Später wurde unter REMBRANDTS Einwirkung die Stimmung ruhig, der Ton tiefer. Im Spätstil löste sich die Körperlichkeit in breite, skizzenhafte Farbsträhnen auf, die genial das Wesen der Erscheinung andeuten (so sein Porträt von Descartes, 1655; Louvre, Paris). Die Farbigkeit wurde grau oder schwärzlich, der Ton stumpf, der Ausdruck ernst, fast tragisch. Seine HW

Frans Hals: Der Mann mit dem Schlapphut; um 1660/66 (Kassel, Staatl. Kunstsammlungen, Gemäldegalerie)

sind →Gruppenbilder (Schützenstücke, Regentenstükke, viele im F.-H.-Mus., Haarlem). Die für ihn typ. Halbfigurenbilder zeigen im Genretyp Menschen aller Gesellschaftsschichten (Bauern, Soldaten, Schankwirte, Dirnen, wohlhabende Bürger), die auch allegor. Bedeutung haben können (5 Sinne; Vanitas-Motive). Schüler oder Nachahmer waren seine Söhne, A. BROUWER, JUDITH LEYSTER, JAN DE BRAY, A. VAN OSTADE, P. WOUWERMAN u.a. Die eigenwillige, impulsive und spontane Pinselführung von F. H. erinnert oft an impressionist. Malweise und führte zu seiner Wiederentdeckung in der 2. Hälfte des 19. Jh.

Gruppenbilder im Haarlemer F.-H.-Museum: Offiziere der Georgsschützen beim Mahl (1616 u. 1627; BILD Gruppenbild); Offiziere der Cluveniersschützen beim Mahl (1627) u. bei der Übung (1633); Georgsschützen bei der Übung (1639); Vorsteher des Elisabeth-Krankenhauses (1641); Regenten (1664) u. Regentinnen des Altmännerhauses (1664). Im Amsterdamer Rijksmuseum: Korporalschaft der Amsterdamer Bürgerwehr (1637, voll. v. P. CODDE).

C. GRIMM: F. H., Entwicklung, Werkanalyse, Ges.-Kat. (Tb. 1980).

Hälsingborg [-b'ɔrj], Stadt in Schweden gegenüber dem dän. Helsingør, 101 300 Ew. Von der stark befestigten Burg ist der Turm ›Kärnan‹ (14. Jh.) erh. Marienkirche (12. Jh., Anf. 15. Jh. spätgotisch umgebaut) mit norddt. Altarschrein (um 1450) und prächtiger Kanzel (1615). Nördlich davon Wohnbauten des 17. Jh., das älteste von 1641 (›Jacob Hansens hus‹). Neugot. Rathaus (1897). Stadtmus. mit Kunstsamml.

Hama, Provinzhauptstadt in Mittel-Syrien. **H.,** das antike **Hamath,** war seit dem 5. Jahrtsd. v. Chr. besiedelt (archäologisch bes. wichtig durch die stratigraphisch gesicherte Folge der syr. Keramik). Anf. des 1. Jahrtsd. v. Chr. war Hamath Hauptstadt eines syrisch-hethit. Staates. Aus der Zeit nach der assyr. Eroberung 720 v. Chr. sind Reste eines Statthalterpalastes erh. In der ältesten Moschee (Djami el-Kebir, 636/37) Reste eines röm. (O-Fassade, 2. Hälfte des 3. Jh.) und eines byzantin. (W-Fassade, 595) Baus; weitere Moscheen (Djami al-Nuri, 1129, und Djami al-Hayat, 1277, mit Grab des Historikers und Geographen ABU'L-FIDA, gestorben 1332) im Damaszener Stil; neben Han-Bauten (Rüstem Pascha, 16. Jh., und Assad Pascha, 1751) im Beit Azem das reizvolle Beispiel eines syr. Palastes (1. Hälfte des 18. Jh., heute Mus.).

Hamadan, Hamedan, Stadt im westl. Iran, 1868 m ü. M., 150000 Ew. H., im Altertum **Ekbatana,** war Hauptstadt des medischen Reiches (etwa 700–559 v. Chr.), dann eine der achaimenid. Residenzen. Wegen der Überbauung sind Ausgrabungen schwierig; reiche Funde aus achaimenid. Zeit: Goldtafeln mit Inschriften, Goldgefäße, Säulenbasen; angebliches Grab der Königin ESTHER, Gemahlin von XERXES I. (486–465 v. Chr.), der Bau ist vermutlich aus sassanid. Zeit. Aus seleukid. Zeit stammt eine kolossale Löwenstatue (2. H. 4. Jh. v. Chr., stark beschädigt). Das Mausoleum Gumbad-i Alavian, ein quadrat. Ziegelbau mit plast. Stuckdekor, stammt aus der Seldschukenzeit (2. H. 12. Jh.) oder der späten Ilchaniden-Zeit (1309–1316). Ilchanidisch (13. Jh.) sind das Mausoleum Burdsch-i Qurban und das Grab des Baba Tahir. 644 fiel H. an die Araber, 1100 an die Seldschuken. H. wurde von den Mongolen 1220 und erneut 1386 (Timur) zerstört.

Hamam-es Sarakh [-x], kleiner omajjad. Landsitz (mit Empfangshalle und Bad) aus der 1. Hälfte des 8. Jh., nordöstlich von Amman, in der Anlage eng verwandt mit →Kusair Amra.

Hamar, Hauptstadt der norweg. Prov. Hedmark, am Mjøsa-See, 16400 Ew., Neugründung (1848) an der Stelle der in der Reformationszeit untergegangenen ma. Stadt, die 1152 Bischofssitz wurde. Im Freilichtmus. mit Ruinenpark die Ruinen des spätroman. Doms (2. H. 12. Jh.) und der Bischofsburg, beide 1567 von den Schweden zerstört. Im neuen Dom (1866) Altarbild von H. SØRENSEN.

Hämatinon [grch., zu haima ›Blut‹] *das,* im Altertum geschätztes, in Mosaiken und zu Vasen verarbeitetes opakes, durch Zugabe von Kupferoxid dunkelrot gefärbtes Glas.

Hämatit, Maltechnik: natürlich vorkommendes rotes Eisenoxidpigment.

Hambach, Stadtteil von Neustadt an der Weinstraße, Rheinl.-Pf. Das historisch bedeutsame Hambacher Schloß (eigentlich Kästenburg, auch Maxburg), urspr. eine salische Reichsburg (11. Jh.), wurde 1844–49 durch A. v. VOIT ausgebaut.

Hamburg, Freie und Hansestadt H., Land der Bundesrep. Dtl., Stadtstaat an der Niederelbe, 1,68 Mio. Ew., seit Ende des MA. Hansestadt, spätestens im 17. Jh. Aufstieg zur internat. Handelsmetropole. 1842 großer Stadtbrand; 1943 zu 53 % zerstört (darunter 40 Kirchen). St. Petri (1844–49, vierschiffige neugot. Backsteinhalle); von St. Nikolai nur der 145 m hohe neugot. Turm (1882) erh.; spätgot. Katharinenkirche (14./15. Jh.) mit Barockturm; in St. Jacobi (14./15. Jh.) hervorragende Barockausstattung (Orgel von A. SCHNITGER 1689–93), Turmaufsatz 1959–62. St. Michaelis (1751–62) gilt als Dtl.s schönster prot. Kirchenbau des Barock; daneben die reizvollen Krameramtswohnungen (1676/77). Das Rathaus (1886–97) ist ein wilhelmin. Prachtbau im Stil des eklekt. Historismus; Börse (1558 gegr., Gebäude 1839–41) mit prunkvollem spätklassizist. Großem Saal. Landungsbrücken (1907–09) und Elbtunnel (1907–11) im monumentalen Jugendstil. Globushof (1907) und Hindenburghaus (1910) sind die schönsten erh. Gründerzeitbauten H.s. Das Kontorhausviertel stellt eines der eindrucksvollsten Stadtbilder der 1920er Jahre dar: Slomannhaus (1921), Sprinkenhof (1927–31) und das Chilehaus (1922/23, HW des Klinker-Expressionismus, alle von F. HÖGER), Hapag-Haus (1923) und Mohlenhof (1928). Musikhalle (1904–08) im Neubarockstil. In den 1970er Jahren entstanden, z. T. durch Umbau alter Gebäudekomplexe unter Erhaltung des Äußeren, mehrere Ladenpassagen. Städtebaulich von großem Reiz ist die Umgebung der Binnenalster. In den Vororten **Altona, Blankenese, Nienstedten** und **Othmarschen** viele repräsentative klassizist. Landsitze (im 1830–33 unter Beratung K. F. SCHINKELS erbauten Jenischhaus das Mus. hanseat. Wohnkultur, im Jenischpark Ernst-Barlach-Mus.); vom Stil C. F. HANSENS geprägt ist die Bebauung der Uferstraße Elbchaussee. Im Vorort **Altengamme** eine Rokokokirche (1748–52); weitere ländl. Barockkirchen in **Allermöhe, Neuenfelde, Neuengamme, Niendorf, Ochsenwerder** und **Ottensen.** In **Hamm-Nord** Dreifaltigkeitskirche von R. RIEMERSCHMID (1953–57). In **Harvestehude** die Grindelhochhäuser (1948–56). Museen: Kunsthalle (bed. Gemäldegal.); Mus. für Kunst und Gewerbe; Altonaer Mus./Norddt. Landesmus.; Mus. für Völkerkunde. Museumsdorf H.-Volksdorf; Vierländer Freilicht-Mus./Rieck-Haus (1570/1663, ältester Typ des niederdt. Flettdielenhauses) u. a.

Hạmeenlinna, Hauptstadt der Prov. Häme, SW-Finnland, 41 100 Ew. Die kleine Grenzfestung des 13. Jh. wurde Anf. 14. Jh. zu einem mächtigen quadrat. Backsteinkomplex ausgebaut, die einzige Burg Skandinaviens nach dem Vorbild der dt. Ordensburgen (Mus.). Im Kunstmus. der Stadt v. a. finn. Malerei.

Hameln, Stadt in Ndsachs., an der Weser, 60 200 Ew.; im 16. und 17. Jh. Mittelpunkt der →Weserrenaissance (Rattenkrug 1568, Rattenfängerhaus 1602/03, Dempterhaus 1607/08, Hochzeitshaus 1610–17). Im Leistschen Haus (1585–89) und im Stiftsherrenhaus (schönstes Fachwerkhaus in H., 1558) Mus. Die Münsterkirche St. Bonifatius (11.–14. Jh., mit Krypta) ist eine got. Hallenkirche; Marktkirche (13. Jh., 1957/58 wiederaufgebaut).

Hämelschenburg, Ortsteil von Emmerthal, im Weserbergland, Ndsachs.; prächtiges Dreiflügelschloß (1588–1607), ein HW der →Weserrenaissance (Mus.: Möbel, Waffen, Gemälde 18. Jh., Kamine).

Hamersleben, Gem. im Kr. Oschersleben, westlich von Magdeburg, Dt. Dem. Rep., mit ehem. Augustiner-

Chorherrenstift. Die roman. Stiftskirche (1. H. 12. Jh.), eine dreischiffige Säulenbasilika, folgt weitgehend der Hirsauer Bauschule. Bemerkenswert der für Dtl. frühe figürl. Schmuck an vielen Kapitellen; von der Stuckierung der Chorschranke (Anf. 13. Jh.) nur Rest erh.; in der Hauptapsis spätgot. Malerei.

Hamilton [h'æmıltən], **1)** Gavin, engl. Maler, *Murdieston House (Lanarkshire) 1723, †Rom 4. 1. 1798, zählt mit A. R. MENGS und J. J. WINCKELMANN, zu deren Kreis er in Rom gehörte, zu den Wegbereitern des Klassizismus. Seine Darstellungen homer. Themen erregten, von D. CUNEGO gestochen, seinerzeit großes Aufsehen. H. vollendete 1784 ein Deckengemälde (›Geschichte von Paris und Helena‹) in der Villa Borghese, Rom (heute im Mus. di Roma).

2) Richard, engl. Maler, *London 24. 2. 1922, war 1952 ff. Mitgl. der ›Independent Group‹ im Institute of Contemporary Art London und wurde bahnbrechend für die engl. →Pop Art. Seine Collagen entstehen unter Verwendung von Photographien und Malereien mit frei kombinierten Teilstücken. Sie haben wie seine Graphiken Klischeevorstellungen des modernen Lebens zum Thema.

R. H., Ausst.-Kat., München (1973/74); R. H., Interiors 1964–79, Ausst.-Kat., Hannover (1981).

Hamm, ehem. Hansestadt am Rand des Ruhrgebiets, NRW, 171 500 Ew.; Pauluskirche (13./14. Jh., got. Halle, der Chor mit hohen Maßwerkfenstern der Marburger Elisabethkirche verwandt); Agneskirche (1507–15); Städt. Gustav-Lübke-Mus. (ägypt., grch., röm. Kunst, ma. Sakralkunst).

Hammạm, Hamạm [arab.], im islam. Bereich das Bad, in dem neben den von der islam. Religion vorgeschriebenen rituellen Waschungen auch die normale Körperhygiene vollzogen wurde. Aus der Antike und von Byzanz übernommen, entsprach die Einteilung der Räume mit versch. Funktionen den röm. Thermen. Früheste Bäder fanden sich in den Palästen der Omajjaden; gut erh. Anlagen gibt es in Syrien, Ägypten und v. a. seit dem 16. Jh. in der Türkei.

Hammamẹt, Seebad am Golf von H., Tunesien, 17 300 Ew. Die ummauerte Altstadt mit Zweiwinkel-Haupttor und Kasba (Unterbau 12. Jh.) wurde im 15. Jh. von span. Mauren in der Nähe röm. Siedlungsreste neu angelegt.

Hammershøi [-hɔı], Vilhelm, dän. Maler, *Kopenhagen 15. 5. 1864, †ebd. 13. 2. 1916; schlichte Architekturbilder v. a. des alten Kopenhagen, stimmungsvolle Innenraumdarstellungen in strenger Motivbeschränkung und feinabgestufter Palette von perlgrauen, graugrünen und bräunl. Tönen.

Hammurạpi, König von Babylon (1792–1750 v. Chr.), Schöpfer des 1. Babylon. Reiches. Mit seinem Namen ist die umfangreichste Kodifikation babylon. Rechts verknüpft. Die 2,25 m hohe Stele aus Diorit, auf der der Codex H. eingemeißelt ist, wurde in Susa gefunden (heute im Louvre; BILD babylonische Kunst). Sie trägt am oberen Ende ein nicht sehr plast. Hochrelief mit dem König H. vor dem Sonnengott Schamasch. Bei der ähnl. Darstellung eines Königs auf einem Stelenfragment (Brit. Mus.) handelt es sich wahrscheinlich auch um H., während der angebl. ›H.-Kopf‹ eines alten Mannes aus Susa (heute Louvre), der von höchster Qualität ist, wohl einem Herrscher von Eschnunna zuzuschreiben ist.

Hampi, Stadt in Karnataka, S-Indien; in der Nähe die alte Hauptstadt der Könige von →Vijayanagar.

Hampton Court [h'æmptən kɔ:t], königl. Schloß im SW von Greater London an der Themse. Der 1515 von Kardinal T. WOLSEY im Tudor Style beg. Bau wurde ab 1525 von König HEINRICH VIII. fortgeführt. In der 1531–36 erbauten Hall mit spätgot. Maßwerkfenstern befindet sich ein offener Dachstuhl, in dessen Füllungen bereits Renaissanceformen auftreten; die (im 17. Jh. von C. WREN ausgestattete) Königl. Kapelle besitzt ein aufwendiges, in Holz ausgeführtes spätgot. Netzgewölbe mit hängenden Schlußsteinen.

Haṃsa [Skt.], der ind. Ganter (oder Schwan), Reittier der Gottheiten →Brahma und →Sarasvati.

Han, chines. Dynastie, gliedert sich in Westl. Han- (206 v. Chr. – 9 n. Chr.) und Östl. Han-Dynastie (25 bis 220 n. Chr.), →chinesische Kunst.

Han, Chan, →Karawanserei.

Hana-ike [jap.], japan. Bez. für Blumenvasen oder -schalen aus Keramik oder korbartige Behälter aus Bambus, die zum Ikebana (Kunst des Blumensteckens) benutzt werden und urspr. zur Teezeremonie gehörten.

Hanak, Anton, österr. Bildhauer, *Brünn 22. 3. 1875, †Wien 7. 1. 1934, ging von der Kunst A. RODINS aus, schuf monumentale expressionist. Plastiken; Lehrer u. a. von F. WOTRUBA.

Hanamkọnda, Ort in SO-Indien, bei →Warangal.

Hanau, Stadt an der Mündung der Kinzig in den Main, Hessen, 85800 Ew.; seit 1. H. 15. Jh. Residenz der Grafen von H.; 1945 fast vollständig zerstört. Wahrzeichen der 1597 angelegten Neustadt war die wallonisch-niederländ. Doppelkirche (1600–08), z. T. wiederaufgebaut. Vom zerstörten Stadtschloß ein Regierungsgebäude und der Marstall (17./18. Jh.) rekonstruiert. Im ehem. Altstädter Rathaus (1537/38) das Dt. Goldschmiedehaus (Mus.). Westlich der Altstadt im frz. Barockstil Schloß **Philippsruhe** (1701–12 von J. L. ROTHWEIL, 1875–80 verändert), darin das Histor. Mus. (u. a. Fayencen der 1661 gegr. Manufaktur). Einzigartig die vollständig erh. Kur- und Badeanlagen in **Wilhelmsbad** (1777–82) mit Komödienhaus, künstl. Burgruine, Karussell, Teufelsbrücke u. a.

Handbilder, Vorgeschichte: in der Eiszeitkunst die Darstellungen von Händen; sie kommen seit dem Aurignacien vor. Es handelt sich dabei v. a. um Handsilhouetten (selten um Handabklatsch), bei deren Anbringung an Höhlenwänden die linke oder rechte Hand als Schablone diente. H. wurden durch Bestäuben oder Besprühen der an die Wand gepreßten Hand mit roter oder schwarzer Farbe erzielt.

Hand der Fatima, Amulett in Form einer offenen Hand mit gestreckten Fingern (meist aus Messing oder Silber), reich ornamental verziert, bes. in Nordafrika verbreitet. FATIMA, Tochter des Propheten MOHAMMED und Gattin des Kalifen ALI, galt als Patronin der nicht-arab. Muslime.

Handhaltung. Über die H. indischer Götterfiguren →Mudra.

Handke, Handtke, Hancke, Johann Christoph, mähr. Maler, *Johnsdorf bei Römerstadt (Mähren) 18. 2. 1694, †Olmütz 28. 12. 1774, lebte ebd. seit 1715, schuf in Kirchen und Klöstern Mährens bed. Fresken und Altarbilder.

Handschuhleim, Maltechnik: im MA. aus Abfällen des Handschuhleders gekochter hochwertiger Leim.

Handzeichnung, →Zeichnung.

Hangchou [-dʒɔu], **Hangchow, Hangtschou,** amtlich chines. **Hangzhou,** Hauptstadt der chines. Küstenprov. Chekiang, am S-Ende des Kaiserkanals (609 voll.) und nördlich der Tsientang-Mündung, etwa 800 000 Ew. Nach dem Fall von K'aifeng war H. 1127 bis 1279 Hauptstadt der Südl. Sung-Dynastie (von MARCO POLO als **Quinsai** beschrieben); seit der Gründung des Ling-yin-Tempels am Westsee Zentrum der Ch'an-Malerei. In H. selbst sind keine alten Denkmäler erh. Im Westsee liegt die Insel ›Hügel der Einsamkeit‹ mit Pavillon P'ing-hu-ch'iu-yüe, erbaut vom Ch'ing-Kaiser K'ANG HSI (1662–1722); im S der Insel Prov.-Mus. Auf der Insel Hsiao-ying-chou 3 kleine, in ihrer Form Flaschenkürbissen gleichende Stupas (frühes 17. Jh.). An der N-Seite des Sees am Fuß des Paoshih-Bergs der Tempel des Großen Buddha mit stark zerstörter Steinskulptur des Amitabha Buddha (12. Jh.). Westlich des Sees der Ling-yin-Tempel (heutige Gebäude 20. Jh.), gegenüber die 219 m hohe Felswand Fei-lai-feng mit Grottentempeln und buddhist. Darstellungen in Flachrelief (10.–14. Jh.), die südlich des Yangtse-Flusses einzigartig sind. Im S auf einem Hügel am Tsientang-Ufer die ›Pagode der Sechs Harmonien‹; die Außenfassade (Ende des 19. Jh. stark restauriert) ist dreizehnstöckig, im Innern 7 Geschosse.

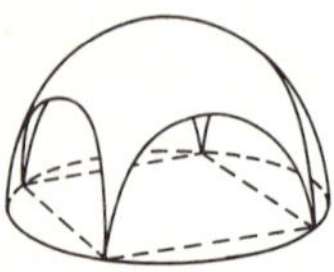

Hängekuppel

Hängekuppel, Baukunst: Form der Kuppel, bei der die Fußpunkte des Quadrats der überwölbten Fläche in den Kreis einbeschrieben sind.

Hängende Gärten, Bauwerk in Babylon, angeblich von der Königin SEMIRAMIS (Ende 9./Anf. 8. Jh. v. Chr.) oder von NEBUKADNEZAR II. (605–562 v. Chr.) für seine medische Gemahlin errichtet; die Anlage soll terrassenförmig angelegt und mit Bäumen bepflanzt gewesen sein. Ob der (unterird.) Gewölbebau an der NO-Ecke von Nebukadnezars Palast mit den H. G. zu identifizieren ist, ist wegen der fehlenden Bewässerungsmöglichkeit zweifelhaft. Die H. G. zählten in der Antike zu den Sieben Weltwundern.

Hängerolle, Bildträger in vertikaler Rollenform, wichtigste Bildform in der chines., korean. und japan. Kunst. Die H. geht auf eine alte Form des Kultbildes in Form eines mit Malereien versehenen vertikalen Stoffbanners zurück, das wahrscheinlich schon im 3. Jh. n. Chr. im Buddhismus Verwendung fand (Rollen mit buddhist. Kultbildern und Stifterfiguren aus Tunhuang). Möglicherweise darf aber auch das unabhängig vom buddhist. Einfluß entstandene Totenbanner als Vorform der H. gelten. Gegen Mitte der T'ang-Zeit (etwa 8. Jh.) löste sich die profane Malerei von ihrer Bindung an die Architektur (Wandmalerei), und es entstanden H. mit profanen Darstellungen (Pflanzen- und Tiermotive, Genreszenen; die frühesten erhaltenen Beispiele aus der 1. H. 10. Jh.). In der Sung-Zeit (960–1279) setzte sich die H. als gleichberechtigte Bildform neben der →Querrolle durch. Die frühen monumentalen, vertikal komponierten Landschaftsbilder der Sung-Zeit (FAN K'UAN, KUO HSI) sind bereits zum großen Teil für das Format der H. konzipiert. Seither wurden Malereien aller Bildgattungen, aber auch Werke der Kalligraphie v. a. als H. montiert. Unter Sammlern und Kennern entwickelte sich eine Ästhetik der Bildmontierung, die besonderes Gewicht auf das ästhet. Zusammenspiel von Bildwerk und die es umgebende Rahmung aus kostbaren Seiden und Brokatstoffen sowie auch des Rollstocks und seiner Zierknäufe legte. In enger Verbindung mit der →Literatenmalerei und auf Grund der hohen sozialen Stellung des zur gebildeten Elite gehörenden Künstlers hatte die H. einen hohen ideellen Wert. Sie wurde nur zu besonderen Anlässen aus ihren Aufbewahrungskästen herausgenommen und entrollt. Man betrachtete sie allein oder mit gleichgesinnten Freunden oder Kennern. Die H. fand auch in den übrigen Ländern Ostasiens, die mit China in geistigem und kulturellem Austausch standen, Verbreitung.

In der japan. Kunst wird die H. als Kakemono oder Kakejiku bezeichnet. Sie ist speziell für die Bildnische (Tokonoma) des japan. Hauses konzipiert und wird je nach Jahreszeit, Stimmung oder besonderem Anlaß ausgewechselt. Die bei der Teezeremonie verwendete H. nennt man Chagake. Die H. mit Gedichtaufschrift und bildl. Darstellung (Shigajiku) ist seit etwa 1400 bes. beliebt mit dem Motiv der strohgedeckten Schreibklau-

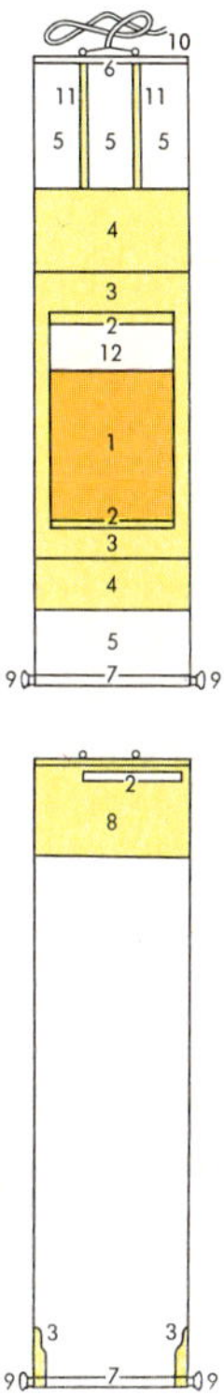

Hängerolle

Hängerolle: Schema der Montierung einer chines. H. OBEN Vorder-, UNTEN Rückseite. **1** Bildfläche aus Seide oder Papier. **2** Brokatstreifen als Abgrenzung zur Montierung. **3** Umrahmung der Bildfläche aus pastellfarbener, in sich mit Drachen- oder Phönixmotiven gemusterter Seide; **4** sich anschließende etwas hellere Seidenbahnen. **5** Ober- und Unterteil (›Himmel und Erde‹) der Rolle aus Seide oder Papier in hellem einfarbigem Ton. **6** Hängeholz. **7** Rollstock, um den das Bild von unten nach oben zusammengerollt wird; dient außerdem als Gewicht für das an der Wand hängende aufgerollte Bild. **8** Außendeckblatt als Schutz des zusammengerollten Bildes. **9** Zierknäufe des Rollstocks (meist aus Holz, Elfenbein, Porzellan), an die Bildbeschwerer gehängt werden können. **10** An der Aufhängeschnur befestigtes Band, um das zusammengerollte Bild zu verschnüren. **11** Aufgeklebte Streifen aus dem gleichen Material wie 3. **12** ›Gedichthalle‹, auf die spätere Sammler einen Titel oder ein Gedicht schreiben können

se des Zen-Anhängers in tiefer Bergeinsamkeit (Shosaijiku). Bekannte H. von MINCHO, SHUBUN, SESSHU u.a. sind z.T. nachträglich von bed. Persönlichkeiten mit Gedichten versehen worden.

Hangzhou [-dʒɔu], Stadt in China, →Hangchou.

Haniwa [jap. ›Tonringe‹], aus rotem Ton gebrannte Grabbeigaben im frühgeschichtl. Japan (Kofun-Zeit, 3.–6. Jh.). Die frühesten Beispiele sind rd. 60 cm hohe Tonzylinder, aus denen mit der Zeit Menschen, Tiere, Häuser u.a. modelliert wurden. I. Ggs. zu chines. figürl. Grabbeigaben nach fester Gußform wurden die H. handgeformt und auf die Grabhügel gesteckt. Sie wirkten über den das Grab umgebenden Wassergraben hinweg in ihrer Unregelmäßigkeit und abstrakten Darstellung von Bewegung und Ausdruck eher originell als realistisch, wenn auch Kleidung oder Rüstung oft detailgetreu wiedergegeben sind. Die H. sind z.T. sparsam in Rot und Rosa bemalt.

Han Kan, chines. Maler, lebte im 8. Jh. in der kaiserl. Hauptstadt Ch'angan (Sian) und wurde v.a. als Spezialist auf dem Gebiet der Pferdemalerei geschätzt. Bekanntestes ihm zugeschriebenes Werk ist die Darstellung des energiesprühenden Lieblingspferdes von Kaiser Hsüan-tsung ›Das die Nacht erhellende Weiß‹ (London, Samml. Lady David), das jedoch Spuren späterer Retuschierungen aufweist.

Hankar [ãk'a:r], Paul, belg. Architekt, *Frameries (Hennegau) 10. 12. 1859, †Brüssel Januar 1901, war Schüler von H. BEYAERT und gehörte mit V. HORTA, G. SERRURIER-BOVY und H. VAN DE VELDE zu den führenden belg. Jugendstilarchitekten. H. faßte Architektur i.S. eines Gesamtkunstwerks auf. Er war auch als Möbelentwerfer tätig.

C. DE MAEYER: P. H. (Brüssel 1962).

Hannemann, Adriaen, niederländ. Maler, *Den Haag um 1601, begraben ebd. 11. 7. 1671, Schüler von J. VAN RAVESTEYN, war 1623–37 in England tätig, wo er stark von A. VAN DYCK beeinflußt wurde. H. war der bevorzugte Porträtmaler aristokrat. Kreise.

Hannong, Straßburger Familie bed. Fayence- und Porzellanhersteller. Der Pfeifenmacher Carl F. (*1669, †1739) gründete 1721 mit J. H. WACHENFELD (1722 ausgeschieden) eine Fayencemanufaktur in Straßburg, 1724 ein Zweigwerk in Hagenau, dessen Leitung er seinem Sohn Balthasar (*1703, †1753) übergab. Die Straßburger Manufaktur leitete der Sohn Paul Anton (*1700, †1760), der ab 1737 beide Betriebe führte. 1745 begann Paul Anton mit Versuchen zur Herstellung von Porzellan, das frz. Staatsmonopol gestattete jedoch die Fabrikation nur in Sèvres. Der Betrieb wurde nach Frankenthal verlegt und unter den Schutz des Kurfürsten KARL THEODOR von der Pfalz gestellt. Die H.-Fayencen zeichnen sich durch großen Formenreichtum und mannigfaltigen Dekor aus und verbinden frz. (Rouen) und dt. Einflüsse (Meißen). Die künstler. Leistungen von Frankenthal gehören zu den Höhepunkten dt. Porzellankunst.

H. HAUG: Straßburger Fayence (1957).

Hannover, Hauptstadt von Ndsachs., 544000 Ew.; seit 1636 welf. Residenz. Die einstige Fachwerkstadt wurde im 2. Weltkrieg zu 70 % zerstört. Marktkirche (14. Jh.) und Altes Rathaus (15. Jh.) sind die südlichsten Beispiele der norddt. Backsteingotik. Aus der Barockzeit stammen Johannis- (1666–70) und Clemenskirche (1711–18). Hauptbaumeister im 19. Jh. war G. L. F. LAVES: Leineschloß (1742–46; 1817–42 klassizistisch umgebaut, 1958–61 Wiederaufbau als Landtagsgebäude), Opernhaus (1848–52) und Wangenheimsches Palais (1829–33, ein HW des Klassizismus). Im Neuen Rathaus (1903–08) Wandgemälde von F. HODLER. Stadthalle (1912/13 von P. BONATZ), Continental-Verwaltungsgebäude (1913/14 von P. BEHRENS), Anzeiger-Hochhaus (1927/28 von F. HÖGER, ein HW expressionist. Baukunst); in **H.-Kirchrode** das Heinemannstift (1929–31 von H. VAN DE VELDE). Landesgal. im Niedersächs. Landes-Mus.; Kestner-Mus. (Glas, Porzellan, Antike); Histor. Mus.; Wilhelm-Busch-Mus.; Kunst-Mus. mit Samml. Sprengel (20. Jh.). In **H.-Herrenhausen** berühmte Barock-Gartenanlagen (1666–1726) von enormen Ausmaßen; Galeriegebäude (1694–98); Herrenhausen-Mus.

Hannoversch Münden, →Münden.

Hansagelb, Hansarot, Maltechnik: →Teerfarben.

Hansen, 1) Christian Frederik, dän. Baumeister, *Kopenhagen 29. 2. 1756, †ebd. 10. 7. 1845, Schüler von C. F. HARSDORFF, war 1784–1804 als Landesbaumeister von Holstein im damals dän. Altona ansässig, seit 1804 Oberbaudirektor, seit 1808 Prof. an der Kopenhagener Akad. Als einer der Hauptmeister des dänisch-norddt. Klassizismus baute H. in einem edlen, aber nüchternen Stil Bürgerhäuser an der Palmaille in Altona, das Rats- und Gerichtshaus und die Frauenkirche (1811–29) in Kopenhagen.

2) Constantin, dän. Maler, *Rom 3. 11. 1804, †Kopenhagen 29. 3. 1880, Schüler von C. W. ECKERSBERG, malte anfänglich realistische Gemälde, später bes. Wandbilder in klassizist. Auffassung, schuf mit den Fresken in der Vorhalle der Kopenhagener Univ. (1844–53) das letzte große Werk des dän. Klassizismus.

3) Hans Christian, dän. Baumeister, *Kopenhagen 20. 4. 1803, †Hietzing bei Wien 2. 5. 1883, arbeitete seit 1831 in Griechenland, nahm an der Ausgrabung des Niketempels in Athen teil und baute in historisierendem Stil u. a. die Univ. ebd.

4) Theophil Frhr. von, dän. Baumeister, Bruder und Schüler von 3), *Kopenhagen 13. 7. 1813, †Wien 17. 2. 1891, tätig in Athen, seit 1846 in Wien, dessen baul. Neugestaltung er durch seine historisierende Architektur maßgebend mitbestimmte.

HW in Athen: Akad. der Wissenschaften (1859 beg.); Wien: Heinrichshof (1861–63, im 2. Weltkrieg zerstört), Musikvereinsgebäude (1867–69), Kunstakad. (1872–76), Parlament (1873–83), Börse (1874–77).

Hanson [hænsn], Duane, amerikan. Künstler, *Alexandria (Minnesota) 17. 1. 1925, stellt seit 1967 hyperrealist. Menschentypen in Lebensgröße aus Fiberglas mit originaler Kleidung und charakterisierenden

Duane Hanson: Supermarket Lady; Fiberglasfigur mit Kleidung, 1970 (Aachen, Neue Galerie, Samml. Ludwig)

Objekten her. Diese Plastiken können als Parallele zum Fotorealismus verstanden werden.

D. H., Ausst.-Kat., Stuttgart (1974).

Hans von Köln, span. Baumeister dt. Abstammung, →Colonia.

Hans von Tübingen, Maler, *um 1400/05, †Wiener Neustadt 1462, ebd. 1433–62 mehrmals urkundlich erwähnt; gilt als Hauptvertreter des späten Schönen Stils in Österreich. Sein Werk zeigt den Einfluß der burgundisch-frz. Malerei. Zugeschrieben werden ihm die Votivtafel von St. Lambrecht (um 1425; Graz, Landesgal.) sowie eine Kreuztragung und Kreuzigung (1450; Wien, Österr. Gal.).

Hanumaṇ [Skt.], heldenhafter Affe des ind. Epos Ramayana, seit dem MA. im volkstüml. Hinduismus vergöttlicht und in zahlreichen, meist schlichten Bildwerken verehrt. In seinen Händen trägt er eine Keule und ein Felsgebirge mit Heilkräutern.

Happening [hˈæpənɪŋ, engl. ›Ereignis‹] *das,* ›lebendig gemachte Pop Art‹ (W. VOSTELL), wie →Fluxus eine Form der →Aktionskunst (von 1958 bis Ende der 1960er Jahre), die die Grenzen zw. Kunst und tägl. Leben aufhebt. Der Künstler gibt eine ›Partitur‹ vor, die von ihm gemeinsam mit dem Publikum in einer ›offenen Situation‹ ausgeführt wird. Die ersten H. gelangen A. KAPROW in New York und der Gutai-Gruppe in Osaka. Wichtige Veranstalter in Dtl. waren außer Vostell: J. BEUYS, D. SPOERRI und B. BROCK.

Hạra [Skt. ›der Hinwegraffer‹], Beiname des hinduist. Gottes Shiva, wie er sich als Vernichter des Lebens im kosm. Kreislauf zeigt.

Haraguchi [-tʃi], Noriyuki, japan. Bildhauer, *Yokosuka 1946, verbindet in seinen Raumeinrichtungen und Eisenplastiken die Formreduktion der Minimal Art mit dem meditativen Erbe der japan. Kunsttradition. Sie zielen auf ein Ganzheitserlebnis i. S. fernöstl. Philosophie, dem die einfache Formstruktur von Vertikale und Horizontale und die Aussagekraft von Materialien wie Rohöl, Wasser u. a. zugeordnet sind.

Haram [arab. ›verboten‹] *der,* die nur Muslimen zugängl. hl. Stätten in und um Mekka und Medina, dann auch der Vorhof von Moscheen; H. asch-Scharif, ›der vornehme H.‹, ist der Tempelvorplatz in Jerusalem.

Harappa-Kultur, frühgeschichtl. Stadtkultur von etwa 2500–1500 v. Chr. im Indusgebiet (daher auch **Indus-Kultur** gen.) und im nördl. und westl. Indien. Die aus Ziegeln erbauten Großstädte Mohenjo Daro und Harappa, die als erste Fundstelle der Kultur ihren Namen gab, besaßen ein rechtwinkliges Straßennetz, Pflasterung und Kanalisation. Getrennt von den Wohnquartieren waren befestigte Zitadellen angelegt. Seit der Entdeckung der H.-K. 1921 konnten bis heute mehrere Dutzend weiterer Fundorte archäologisch erforscht werden, darunter Chanhu Daro, Kalibangan, Rupar und Lothal mit Hafenanlagen, die dem Seehandel nach Mesopotamien dienten. Obwohl Hunderte von Kilometern voneinander entfernt, zeigen die Städte ein Bild kultureller Einheit: Ihre scheibengedrehte rötl. Keramik war mit geometr. und floralen Motiven (Kreuzlinien, Blattmuster) und Tierfiguren bemalt, Statuetten von Tieren und Gottheiten (?) aus Terrakotta, Stein und Bronze – im Wachsausschmelzverfahren (Tänzerin, Höhe 10,5 cm) – sowie die typ. Steatitsiegel mit eingeschnittenen Tierdarstellungen, kleinen kult. Szenen und noch nicht entzifferten Schriftzeichen bezeugen hohes künstler. Können, das nach dem ungeklärten Untergang der H.-K. (Überschwemmung; Vordringen der Aryas?) jahrhundertelang auf ind. Boden nicht mehr erreicht wurde. Verwandtes künstler. Gestalten (Keramik, Statuetten, Siegel u. a.) läßt auf einen begrenzten kulturellen und wirtschaftl. Austausch mit Mesopotamien und Iran schließen.

Harappa-Kultur: Statuette, grauer Kalkstein, um 2400–2000 v. Chr., Höhe 10,5 cm (Neu-Delhi, Nationalmuseum)

K. Fischer: Industal-Kultur (1964); M. Wheeler: The Indus civilisation (London [3]1968).

Harburg, ehem. Reichsstadt bei Donauwörth, Bayern, an der ›Romantischen Straße‹, 4600 Ew. Das über der Wörnitz gelegene Schloß, ein mächtiger Wehrbau (13.–17. Jh.), beherbergt die Fürstlich-Oettingen-Wallersteinsche Bibliothek und Kunstsamml. (u. a. T. Riemenschneider, V. Stoss).

Harburger, Edmund, Maler und Illustrator, *Eichstätt 4. 4. 1846, †München 5. 11. 1906, malte, angeregt von den niederländ. Malern des 17. Jh. (D. Teniers d. J., I. van Ostade), humorvoll aufgefaßte Volkstypen (Bauern, Münchner Kleinbürger) und war auch als Illustrator für die Zeitschriften ›Gartenlaube‹ und ›Fliegende Blätter‹ tätig.

Hard Edge [hɑːd edʒ, engl. ›harte Kante‹], Malweise, die einfache geometr. Figuren mit klar begrenzten Farbzonen in Acrylfarben verwendet. Sie entwickelte sich wie das Colour Field Painting in den USA der 1950er Jahre als Gegenbewegung zum Abstrakten Expressionismus. Vertreter des H. E. sind u. a. F. Stella,

A. HELD, E. KELLY, M. LOUIS, K. NOLAND. In der Bundesrep. Dtl. steht z. B. K. G. PFAHLER dem H. E. nahe.

Hardenburg, Ortsteil von Bad Dürkheim, Rheinl.-Pf., mit ehem. Hauptburg der Grafen von Leiningen (1205 gegr., Ausbau 15./16. Jh., 1793 zerstört), eine der größten und eindrucksvollsten Burgruinen Dtl.s.

Harderwijk [-w'ɛjk], Stadt in der niederländ. Prov. Gelderland, ehem. Hansestadt am Ijsselmeer, 1600 bis 1813 Univ.-Stadt. Die Grote Kerk ist eine dreischiffige Pfeilerbasilika; vom Langhaus (um 1380) nach Einsturz des W-Turms 1797 nur 2 Joche erh., Querschiff und Chor mit Umgang (1400–20) in niederrheinisch-got. Stil mit Kreuz- und Netzrippengewölben. Von der Befestigung ist das ›Fischtor‹ (im wesentlichen 15. Jh.) erh., ferner einige Bürgerhäuser (17./18. Jh.).

Hardouin-Mansart [ardwɛ̃mãs'a:r], Jules, frz. Baumeister, →Mansart 2).

Hardwick Hall [h'ɑ:dwɪk hɔ:l], Landsitz in der engl. Cty. Nottinghamshire nördlich von Nottingham, im Stil der Spätrenaissance 1590–97 von R. SMYTHSON (?) als dreigeschossiger Rechteckbau errichtet mit an den Stirn- und Langseiten vorgesetzten, die Dachterrasse überragenden Rechtecktürmen, zw. denen im Erdgeschoß eine Kolonnade eingefügt ist; reiche Ausstattung der Erbauungszeit.

Harem, eigtl. **Harim** [arab. ›verboten‹] *der,* in den islam. Ländern der den Frauen und Kindern vorbehaltene, sonst nur dem Eheherrn zugängl. Teil des Hauses.

Haremhab, Horemheb, grch. **Harmais,** letzter ägypt. König (1333–1306 v. Chr.) der 18. Dynastie. Als Regent für den jugendl. TUT-ENCH-AMUN legte er für sich in Sakkara ein mit prächtigen Reliefs geschmücktes Grab an, das schon um 1820 geplündert, doch erst 1975 wiedergefunden wurde. Sein späteres Felsgrab im Tal der Könige wurde 1908 entdeckt.

Hari [Skt., ›der Gelbbraune‹], Beiname des hinduist. Gottes Vishnu.

Harihara [Skt.], auch **Haryardha Shiva,** hinduist. Götterbild, komponiert aus den vertikalen Hälften von →Shiva und →Vishnu (→Hara und →Hari), wobei jeder der beiden seine charakterist. Attribute und Symbole trägt. Bildwerke des H. reichen zurück bis ins 4. Jh. (BILD Khmer-Kunst)

Häring, Hugo, Architekt, *Biberach a. d. Riß 22. 5. 1882, †Göppingen 17. 5. 1958, war seit 1921 in Berlin tätig, wo er die 1923 von ihm mitgegr. Architektenvereinigung ›Zehnerring‹ und 1935–43 die ›Schule für Gestaltung, Kunst und Werk‹ leitete. Er lebte seit 1943 in Biberach. H. entwickelte das Organ. Bauen, das er Neues Bauen nannte. Als Architekturtheoretiker spielte er in der dt. Architektur der 1920er Jahre eine führende Rolle. Seine Wirkung auf die Architektur nach dem 2. Weltkrieg ist nur indirekt, etwa im Werk von H. →Scharoun, spürbar.

Schrift: Das andere Bauen, Gedanken und Zeichnungen, hg. v. J. JOEDICKE (1982).

HW: Siedlungsbauten in Berlin-Zehlendorf (1926) und Berlin-Siemensstadt (1929/30); Wohnhäuser in Berlin, Badenweiler, Tutzing, Häuser G. und W. Schmitz, Biberach (1950).

H. LAUTERBACH u. J. JOEDICKE: H. H. (1965).

Haripunjaya [-dʒ'aja], **Haripunchai,** histor. Königreich der →Mon, um die Stadt H., heute →Lamphun.

Hariti [Skt. ›die (Kinder) Stehlende‹], volkstüml. ind. Göttin wahrscheinlich urspr. dämon. Natur (Pockengöttin), die als Fruchtbarkeits- und Muttergöttin bes. in N-Indien in den Buddhismus integriert wurde. Skulpturen der Gandhara-Kunst oder aus Ajanta zeigen sie von Kindern umgeben.

Härkeberga, Gem. südwestlich von Uppsala, Schweden. Die Kirche (um 1300, Sterngewölbe 15. Jh.) wurde um 1480 von ALBERTUS PICTOR prachtvoll ausgemalt (Judas, Jonas, Hl. Georg u. a. Motive).

Harlaxton [h'ɑ:lækstən], viktorian. Herrenhaus in unmittelbarer Nähe von Grantham in der engl. Cty. Lincolnshire, erbaut ab 1831 von A. SALVIN und fortgeführt ab 1838 von W. BURN als H-förmige Schloßanlage in Anlehnung an engl. Spätrenaissanceformen der Zeit um 1600 mit kuppelbekröntem Eingangsbau.

Hårleman [h'o:rləman], Carl, Freiherr, schwed. Baumeister, *1700, †Stockholm 1753, leitete nach dem Tod von N. TESSIN D. J. den Bau des königl. Schlosses in Stockholm, baute mehrere Schlösser (Svartsjö 1735 bis 1739), die er im Stil des frz. Rokoko ausstattete.

Harlingen [-ŋə], Hafenstadt in der niederländ. Prov. Friesland, 14500 Ew.; gut erh. Stadtbild mit zahlreichen Giebelhäusern seit dem 16. Jh.; Rathaus (18. Jh.) mit repräsentativer Fassade (1730) zum Noorderhaven; kreuzförmige ref. Kirche (1771–76) mit ma. Turm (um 1200, erhöht 15. Jh.).

Harmachis, eine der Erscheinungsformen des ägypt. Sonnengottes Horus; als H. (Horus im Horizont) wurde er in dem großen Sphinx von Giseh verehrt.

Harmika [Skt.], oberer Aufbau des ind. →Stupas, in vorchristl. Zeit ein kleiner Steinzaun, später ein massiver eckiger Baukörper, der den bekrönenden Chattra trägt.

Harnett [h'ɑ:nət], William Michael, amerikan. Maler, *Clonakilty (Cork, Irland) 10. 8. 1848(?), †New York 29. 10. 1892, anfänglich Silbergraveur; nach Studien in New York und München (1880–86) ließ er sich in New York nieder und schuf Stilleben in Trompe-l'œil-Manier, meist Wände mit darauf befestigten Gegenständen (BILD Trompe-l'œil).

Haro ['arɔ], span. Stadt in der Prov. Logroño, rd. 8900 Ew.; dreischiffige Kirche S. Tomás (urspr. Bau 1499 beg.; spätgot. Neubau ab 1564) mit reichem platereskem Hauptportal von P. DE VIGARNY (1516). Adelspaläste des 17. und 18. Jh.; Rathaus (1780, von J. DE VILLANUEVA).

Harpignies [arpiɲ'i], Henri, frz. Maler, *Valenciennes 28. 7. 1819, †St. Privé (Yonne) 28. 8. 1916, malte unter dem Einfluß der Schule von Barbizon in tonigen Farben stimmungsvolle Landschaften.

Harpyien: Vase aus Ägina; um 600 v. Chr. (Berlin-West, Staatl. Museen)

Harpokrates, ägypt. Gott, der jugendl. →Horus.

Harpyi|en, grch. **Harpyiai,** grch. Mythos: weibl. Sturmgeister, windschnell, räuberisch und Seelen hinwegraffend, den Sirenen u. ä. Gestalten wesensverwandt. Dargestellt wurden sie als Vögel mit Frauenköpfen oder mit Flügeln und Vogelkrallen wie auf einer Schüssel aus Ägina (um 600 v. Chr., Berlin-West, Staatl. Museen); als H. nicht gesichert auf den Reliefs des H.-Monuments aus →Xanthos. Symbole des Bösen waren sie in der ma. und neuzeitl. Kunst (F. DE GOYA).

Harrach'sche Gemäldegalerie, Wien, von Graf FERDINAND BONAVENTURA VON HARRACH (*1637, †1706) z. Z. seiner Botschaftertätigkeit für Kaiser LEOPOLD I. am span. Hof in Madrid begründete Gal., von seinem Sohn Aloys Thomas Raimund (*1669, †1742), Gesandter in Madrid und später Vizekönig von Neapel, und dessen Enkel Ernst Guido (*1732, †1783) fortgeführt. Seit 1850 ist die Samml. niederländ., span. und ital. Malerei vom 16.–18. Jh. im Wiener Palais der Familie Harrach, seit 1970 im Schloß Harrach in Rohrau (Burgenland), der Öffentlichkeit zugänglich.

Harrison [h'ærɪsən], Wallace Kirkman, amerikan. Architekt, *Worcester (Massachusetts) 28. 9. 1895, †New York 2. 12. 1981, Koordinator von Architektengruppen bei der Konzeption, Planung und Ausführung großer Geschäfts- und Verwaltungszentren in New York. Das Formenvokabular seiner Einzelwerke ist häufig dem Gedankengut bekannter Architekten (z. B. LE CORBUSIER, P. C. JOHNSON) entlehnt.

HW: Metropolitan Opera im Lincoln Center, New York (1966). – Als Koordinator: Rockefeller Center, New York (1931–40); Hauptquartier der Vereinten Nationen nach einem Vorentwurf von Le Corbusier u. a., New York (1947–52); Lincoln Center for the Performing Arts, mit P. C. Johnson, EERO SAARINEN u. a., New York (1962–68).

Harsdorff, Kaspar Frederik, dän. Baumeister, *Kopenhagen 26. 5. 1735, †ebd. 24. 2. 1799, ausgebildet seit 1757 in Paris, seit 1762 in Rom, wurde 1766 Prof. an der Kopenhagener Akad., 1770 Hofbaumeister. H. begründete mit seinem gemäßigten Klassizismus die nat. dän. Architektur.

HW: Kolonnaden am Amalienborgplatz, Kopenhagen (1794).

Hartberg, Stadt in der Obersteiermark, Österreich, 5700 Ew.; Pfarrkirche (12.–16. Jh., 1745–60 barockisiert); roman. Karner (2. H. 12. Jh.), Rundbau mit Apsis, Fresken bei Restaurierung 1892 z. T. übermalt und willkürlich ergänzt. Bei H. Burg **Neuberg** (1160 erwähnt, baul. Umgestaltung bes. im 16./17. Jh.).

Hartel, August, Baumeister, *Köln 26. 2. 1844, †Straßburg 18. 2. 1890, seit 1889 ebd. Münsterbaumeister, führend im gotisch historisierenden Kirchenbau der Gründerzeit; seine Leipziger Petrikirche (1887) war zu seiner Zeit eine der größten evang. Kirchen. Bei Museums-, Ausstellungs- und Bahnhofsbauten wandte er Formen der Renaissance an.

Hartford [h'ɑ:tfəd], Stadt in Connecticut, USA, 136 400 Ew. In H., das 1633 als holländ. Fort gegr. wurde und in der Frühzeit der USA große Bedeutung hatte, sind Bauten des 18. und frühen 19. Jh. erhalten. Das Wadsworth Atheneum ist das älteste als Mus. benutzte Gebäude in den USA und besteht als Kunstsamml. seit 1842; neben einer umfangreichen kunstgewerbl. Sammlung (Meißener Porzellane) enthält sie erlesene Werke der Malerei und Plastik (u. a. F. DE ZURBARÁN, B. STROZZI, G. B. TIEPOLO, P. P. RUBENS, E. DELACROIX, W. H. HUNT, G. COURBET, C. MONET, G. DE CHIRICO, S. DALÍ, M. ERNST).

Harth, Philipp, Bildhauer, *Mainz 9. 7. 1885, †Bayrischzell 25. 12. 1968, begann als Steindrucker, schuf meisterhafte Tierplastiken (meist in Holz).

Schrift: Gedanken über bildhauerische Gestaltung (1967).

P. H. Mainzer Schriften zur Kunst und Kultur in Rheinland-Pfalz, Bd. 4 (1975).

Hartley [h'ɑ:tlɪ], Marsden, amerikan. Maler, *Lewistone (Maine) 4. 1. 1877, †Ellsworth (Maine) 2. 9. 1943, studierte in Cleveland, New York und in Europa, stellte 1912 mit dem ›Blauen Reiter‹ aus und war 1913 auf der Armory Show vertreten. In seinen späten Werken bevorzugte er Landschaftsmotive des Staates Maine im NO der USA.

Schrift: On art, hg. v. G. R. SCOTT (1982).

Hartporzellan, frz. **Pâte dure** [patd'yr], engl. **Hardpaste porcelain** [h'ɑ:dpeɪst p'ɔ:slɪn], →Porzellan.

Hartung, 1) Hans, Maler, Graphiker, *Leipzig 21. 9. 1904, ging 1935 nach Paris, diente während des Krieges in der frz. Fremdenlegion und kehrte 1945 nach Paris zurück (frz. Staatsbürgerschaft). H. gehört zu den führenden Künstlern der gegenstandslosen Malerei, zu der er, nach expressionist. und kubist. Anfängen, schon 1922 gelangte. Seine Tuschzeichnungen aus den 1930er Jahren nehmen das Informel vorweg. Seine späteren Bilder verbinden gestischen Schwung der Geschwindigkeit mit einer sorgsamen Ausführung und vermitteln so zw. dem Action-Painting und der École de Paris. (BILD S. 170)

H. H., Werkverz. der Graphik 1921–65, Ausst.-Kat., Braunschweig, hg. v. R. SCHMÜCKING (1965); W. GROHMANN: H. H., Aquarelle (1966); H. H., Ausst.-Kat., München (1982).

2) Karl, Bildhauer, *Hamburg 2. 5. 1908, †Berlin (West) 19. 7. 1967, ausgebildet in Hamburg, lebte 1929 bis 1932 in Paris, 1933 in Florenz, 1933–36 in Hamburg, dann in Berlin, wo er 1951 Prof. an der Hochschule für Bildende Künste wurde. H. schuf anfänglich großzügig rhythmisierte, aber stark naturbezogene Ge-

Hans Hartung: Komposition; Kreide und Öl, 1954 (Köln, Museum Ludwig)

staltungen. H. hat während des Nationalsozialismus zurückgezogen einen Weg zur Abstraktion gefunden, wie ihn C. BRÂNCUŞI und H. ARP in Paris verwirklichten. Mit ihnen verbindet ihn auch die Vorliebe für glattes, edles Material. In den späteren Werken belebte er die Oberfläche seiner Plastiken und Gipsschnitte durch Schraffuren.

Hartzer, Carl Ferdinand, Bildhauer, *Celle 22. 6. 1838, †Berlin 27. 10. 1906, Schüler von E. J. HÄHNEL in Dresden (1864–67), lebte seit 1869 in Berlin. H. schuf Denkmäler in neubarockem Stil.

HW: Denkmäler für A. Thaer (1873; Celle, nach dem Vorbild des Thaer-Denkmals in Berlin), für C. F. Gauß und W. E. Weber (1897 bis 1899; Göttingen).

Lit.: →Berliner Bildhauerschule.

Harunobu, Suzuki, japan. Maler und Holzschnittmeister, *Edo 1724/25, †ebd. 29. 6. 1770, Schüler des SHIGEMASA; zeichnete für Schwarz- und Zweifarbendrucke, ehe er zum führenden Meister bei der Entstehung des →Farbholzschnitts wurde. Seine Nishiki-e (Brokatbilder) genannten Farbholzschnitte zeigen ausgewogene verhaltene Farben und erstmalig vollen Ein-

Karl Hartung: Vogel; Bronze, 1949 (Mannheim, Kunsthalle)

Suzuki Harunobu: Wildgänse und Pflaumenblüte; Farbholzschnitt, um 1768

klang zw. Figur und Raum. Seine Themen sind anmutige Frauen- und Mädchengestalten (Bijin-ga), im Spätwerk erlesene kleine Genreszenen (Ukiyo-e). Er schuf auch mehrere illustrierte Bücher (Ehon). Aus seinen letzten Lebensjahren sind über 500 Drucke mit seiner Signatur erh. (darunter vielleicht einige Schülerarbeiten).

Harze, Maltechnik: im Unterschied zu den Gummen Ausscheidungen von Bäumen, die nur in organ. Lösemitteln löslich sind. H. (u.a. Mastix, Kopal, Bernstein, Terpentine, Dammar, Sandarak) werden von alters her als Bindemittel, als Firnis und zu Emulsionen verwendet. Als Zusatz zu Malöl verbessern sie Glanz, Transparenz und Trocknungseigenschaften.

Harz|essenzfirnis, Maltechnik: →Essenzfirnis.

Harz|ölfarbe, Maltechnik: Ölfarbe mit einem Anteil →Harz im Malöl. H. sind sowohl Mischungen von Öl mit gelösten rezenten Harzen als auch solche mit fossilen in Öl verkochten Harzen (Kopal, Bernstein).

Hasanlụ, Ruinenstätte nahe dem Urmia-See, Iran (KARTE Alter Orient). H. war seit dem 7. Jahrtsd. v. Chr. besiedelt. Bedeutend ist bes. Schicht IV (etwa 1000–800 v. Chr.) mit stark befestigter Zitadelle, Palast mit 2 aus Portikus und anschließender Säulenhalle bestehenden Gebäuden, Vorläufer achaimenid. Bauweise. Hier gefundene Keramik, Rollsiegel, Metallgefäße (figürl. Goldschale) lassen fremden Einfluß (aus den Landschaften Gilan oder Mazandaran am Kasp. Meer), Holzgegenstände, Glasbecher, Siegel einheim. Stilelemente erkennen.

Hase, Konrad Wilhelm, Baumeister, *Einbeck 2. 10. 1818, †Hannover 28. 3. 1902, war 1849–94 Lehrer am Polytechnikum, seit 1863 Konsistorialbaurat ebd. und Gründer einer angesehenen Architektenschule. H. baute über 100 evang. Kirchen (Saalkirchen mit schmalen Seitenschiffen) und restaurierte ma. Bauten (die Abtei Loccum, St. Godehard und St. Michael in Hildesheim, St. Nikolai in Lüneburg u. a.). Seit 1856 gab er die ›Ma. Baudenkmäler Niedersachsens‹ heraus. – Durch Wiederbelebung des got. Backsteinbaus suchte H. den evang. Kirchenbau aus der romantisch-historisierenden Stilimitation zu sachgemäßen Lösungen zu führen.

HW: Christuskirche (1859/64; Hannover); Apostelkirche (1883; ebd.); Bahnhöfe in Lehrte, Celle, Wunstorf; Schloß Marienburg bei Nordstemmen (1857).

Hasenauer, Karl Frh. von, (seit 1873), Baumeister, *Wien 20. 7. 1833, †ebd. 4. 1. 1894, entwarf an der Wiener Ringstraße ein monumentales Forum mit Hofburg, Hofmuseum und Burgtheater, das 1871–76 in Zusammenarbeit mit G. SEMPER in schweren Renaissanceformen begonnen wurde, aber unvoll. blieb. In H.s großzügigen Entwürfen, seiner städtebaul. und innenräuml. Raumphantasie (Treppenhäuser) und dem Prunk seiner Dekorationen lebt das Wien der Makart-Zeit.

HW: Hofmuseen (1872–81, Kunsthistor. Mus. und Naturhistor. Mus.); Burgtheater (1874–88, mit G. SEMPER); Neue Hofburg (1881 bis 1895/1907, anschließende Arbeiten noch bis 1913, unvoll.).

Hasenclever, Johann Peter, Maler, *Remscheid 18. 5. 1810, †Düsseldorf 16. 12. 1853, malte v. a. humoristisch-satir. Genrebilder, die iron. Distanz zum Bildgegenstand mit psychologisierender Typengestaltung verbinden und differenzierte Farbgebung zeigen.

Lit.: →Düsseldorfer Schule.

Hasenleim, Maltechnik: Warmleim aus Abfällen von Kleintieren.

Hassam [h'æsæm], Childe, amerikan. Maler und Radierer, *Boston 17. 10. 1859, †East Hampton (New York) 27. 8. 1935, studierte in Paris und schuf neben Straßenbildern (›Regentag in Boston‹, 1889; Toledo/Ohio, Mus. of Art) Landschaften, Genre-, Akt- und Interieurbilder in zarten, gebrochenen Farben.

Hasselberg [-bærj], Per, schwed. Bildhauer, *Hasselstad (Blekinge) 1. 1. 1850, †Stockholm 25. 7. 1894, arbeitete 1876–90 in Paris; sinnlich-graziöse Plastiken und qualitätvolle Porträtbüsten (E. Josephson, 1883).

Hasselburg, Herrenhaus, →Altenkrempe.

Hasselriis, Louis, dän. Bildhauer, *Hillerød 12. 1. 1844, †Kopenhagen 20. 5. 1912, Schüler von H. V. BISSEN, seit 1869 meist in Rom tätig, schuf Statuen (H. Heine für Korfu, 1879; H. C. Andersen für Odense, 1880), Denkmäler (Heine-Grabmal auf dem Montmartre-Friedhof in Paris, 1901). Seine besten Leistungen sind Porträtbüsten (S. Kierkegaard, 1899).

Hasselt, Hauptstadt der belg. Prov. Limburg, 40 200 Ew., kath. Bischofssitz; got. St. Quintinuskathedrale (beg. 1292) mit Kapellen (14./15. Jh.) und Umgangschor mit Kapellenkranz (16. Jh.), Turm mit roman. Unterbau (11. Jh.), im Innern kostbare Monstranz (1287); in der klassizist. Liebfrauenkirche (1. H. 18. Jh.) Hauptaltar des Bernini-Schülers J. DELCOUR (Ende 17. Jh., urspr. in der Zisterzienserinnenabtei Herkenrode) und Grabmal der Äbtissin Anne-Catherine Camboy (†1675) von A. QUELLINUS D. J.

Haßfurt, Kreisstadt in Unterfranken, Bayern, am Main, 9300 Ew.; originelle und schmuckreiche Ritterkapelle (1465 gew.) mit einem 248 Schilde umfassenden Wappenfries; in der got. Pfarrkirche (1390 beg.) Bildwerke der Riemenschneider-Werkstatt. Got. Rathaus (1521), barockes Amtshaus (1719).

Hastière-par-delà [astj'ɛ:r pardəl'a], Teil der Gem. Hastière-Lavaux in der belg. Prov. Namur, rechts der Maas; roman. Kirche Notre-Dame (1033) im maasländ. Stil, mit Krypta und W-Turm mit Portal, holzgedecktem Mittelschiff, kreuzgewölbten Seitenschiffen und quadrat. Stützen; got. Chor.

Hastinapura, Ruinenstätte in der nördl. Gangesebene, N-Indien, mit Besiedlungsschichten, die bis in die altved. Zeit, ausgewiesen durch Painted grey ware, und möglicherweise noch in vorarische Epochen (›Ockerfarbene Ware‹) zurückreichen. Aus den Jh. um Christi Geburt, in denen die Stadt durch mächtige Ziegelbollwerke geschützt war, stammen umfangreiche Terrakotta-Funde.

Hateri|ergrab, Grabbau der Fam. Haterius aus der Zeit um 110 n. Chr. (1848 am W-Rand von Rom vor der Porta Maggiore gefunden), von dem Büsten der Verstorbenen und Reliefplatten (u. a. die Darstellung der Errichtung eines Grabbaues mit Hilfe eines Krans) erh. sind (Vatikan. Museen; BILD römische Kunst).

Hatfield [h'ætfi:ld], Stadt in der engl. Cty. Hertfordshire nördlich von London, 25 360 Ew. Das **H. House** wurde 1607–11 für Lord BURGHLEY als dreiflügelige Schloßanlage in Backstein mit Spätrenaissanceformen errichtet, hofseitige Hauptfassade mit zweigeschossiger, im Erdgeschoß durch Arkaden geöffneter Gal. mit flacher Pilastergliederung und einem mittleren, von Doppelsäulen eingefaßten Torturm mit Kuppel.

Hathor

Hathor [ägypt. ›Haus des Horus‹], grch. **Athyr,** ägypt. Himmelsgöttin, mit Kuhhörnern und der Sonnenscheibe oder kuhköpfig dargestellt. Sie galt auch als Liebesgöttin und wurde daher von den Griechen der Aphrodite gleichgesetzt. Als Schutzheilige der W-Seite von Theben war sie Totengöttin; besondere Verehrung genoß sie als Göttin fremder Länder. Die **Hathorsäulen** in den Tempeln der Göttin, v. a. in ihrem Hauptheiligtum →Dendera, haben Kapitelle, die als Hathorkopf mit Kuhohren gestaltet sind.

Hatra, Ruinenstätte einer runden, befestigten Karawanenstadt aus parth. Zeit, etwa 100 km südwestlich von Mosul (Irak; KARTE Alter Orient). H. lag an der Kreuzung wichtiger Handelsstraßen und erlebte im 2./3. Jh. n. Chr. Blütezeiten unter einem arab. Königsgeschlecht. 240/41 wurde die Stadt von dem Sassanidenkönig SCHAPUR I. zerstört. H. war Konkurrentin des mit röm. Privilegien ausgestatteten, ebenfalls arab. →Palmyra. Auf dem geräumigen ehem. Marktplatz stehen Reste riesiger Tempel in hellenistisch-asiat. Mischstil (ähnlich Assur) mit Säulenarkaden und Iwanhallen, deren Kämpfer mit Masken, die Archivolten mit figürl. Schmuck verziert sind. In kleinen Tempeln der Wohnstadt und dem Schutt der Haupttempel wurden mehrere hundert Statuen (Götter, Könige und Prinzessinnen von H., Adlige) aus Marmor, Alabaster und Bronze gefunden. Die Herrscher tragen pers. Hosen und Kaftane, deren gemusterte Seidenstoffe in feinster Oberflächenbearbeitung wiedergegeben sind; daneben kam aber auch – v. a. bei den Statuetten der Götter und Göttinnen – das hellenistisch drapierte Gewand vor. Die Könige trugen meist die hohe, mit Perlen oder Halbmonden geschmückte parth. Königsmütze.

Garten Eden, Ausst.-Kat., Berlin-West (1980).

Hatschepsut, ägypt. Königin (1490–1468 v. Chr.); von der Kunstblüte unter ihrer Regierung zeugt v. a. ihr Totentempel mit seinen Reliefs; in 3 Terrassen gestaffelt, fügt er sich harmonisch in den Talkessel von Deir el-Bahari ein. Den Tempel von Karnak schmückte H. mit mehreren Neubauten und mit zwei 30 m hohen Obelisken, bei Beni Hasan entstand ein Felstempel, in Nubien der Tempel von Buhen. Die zahlreichen Statuen der Königin und ihrer Beamten zeigen den eleganten Stil der 18. Dynastie; von besonderer Feinheit sind die bemalten Reliefs ihrer Bauten.

Hattem, Gem. in der niederländ. Prov. Gelderland. Von der Befestigung sind Grachten und ein Teil der Stadtmauer mit ›Dijkpoort‹ (16. Jh.) erh. Ref. Kirche, eine got. Pfeilerbasilika (15./Anf. 16. Jh.) mit roman. Turm (12. Jh.), im Innern Netz- und Kreuzrippengewölbe, im Chor Gewölbemalereien (15./16. Jh.), roman. Taufbecken (12. Jh.).

Hattula, Gem. in S-Finnland. Die Heiligkreuzkirche (Anf. 14. Jh.) ist eine der ältesten Steinkirchen des Landes, wohl unter Einfluß der Burg in Hämeenlinna aus Backstein gebaut. Hervorragende, gut erh. Ausmalung (Anf. 16. Jh.) und reiche Ausstattung mit Skulpturen.

Hattuscha, Hauptstadt des Hethiterreiches; die Ruinen liegen bei dem türk. Dorf Boğazköy, rd. 150 km östlich von Ankara (KARTE Alter Orient). H. wurde 1834 von C. TEXIER entdeckt; 1905–12 von H. WINCKLER und MAKRIDI BEY, 1931–39 und ab 1952 von K. BITTEL ausgegraben.

H. war z. Z. seiner größten Ausdehnung (hethit. Großreichszeit, etwa 1500–1200 v. Chr.) in Unter- und Oberstadt geschieden und von einer mit Türmen be-

Hattuscha: Löwentor

wehrten Mauer von rd. 6 km Länge umgeben. Mehrere Tore, von denen das Löwen- und das Königstor bed. Reliefs aufweisen, und ein großer tunnelartiger Durchgang (Poterne) beim Sphinxtor führten durch die Befestigung. 5 Tempel wurden im Stadtgebiet freigelegt, darunter der große des Wettergottes von Hatti. Die Königsburg lag auf dem Felsen Büyükkale im O des Areals. Dieser Platz war bereits im 3. vorchristl. Jahrtsd. besiedelt, im 18. Jh. v. Chr. ein anatol. Herrensitz, während gleichzeitig assyr. Kaufleute im Stadtgebiet ihre Niederlassungen hatten. Nach der Zerstörung durch den Hethiter ANITTA VON KUSCHSCHARA (18. Jh. v. Chr.) war H. vorübergehend verwüstet, bis es um 1600 v. Chr. von HATTUSCHILI I. zur Hauptstadt des Hethiterreiches gemacht wurde; H. blieb dies auch mit kurzen Unterbrechungen bis zum Untergang des Reiches, etwa 1200 v. Chr. Auf der Burg entstanden ausgedehnte, im Lauf der Jh. oftmals umgebaute Palastanlagen mit zahlreichen Wohn-, Verwaltungs- und Wirtschaftsräumen sowie starke Befestigungen mit technisch beachtenswerter Brücke über eine Klamm. Nach einer letzten großzügigen Umgestaltung unter TUDCHALIJA IV. fiel H. kurz nach 1200 v. Chr. fremden Eroberern zum Opfer. Es beherbergte vom 9. bis 4. Jh. v. Chr. eine zeitweilig bed. phryg. Siedlung. 1957 wurde in einem Torbau das Standbild einer Göttin (Kybele ?), die von einem Flöten- und einem Kytharaspieler flankiert wird, aus dieser Zeit gefunden. – Räumlich von H. getrennt, aber für den Kult der Königsstadt wichtig, ist das Felsheiligtum von →Yazılıkaya.

K. BITTEL u. R. NAUMANN: Boğazköy-H. (1952); K. BITTEL: Die Hethiter (1976).

Haubarg [zu Heu und bergen], **Barghus,** eingeschossiger Bauernhaustyp in Schlesw.-Holst. mit hohem, strohgedecktem Walmdach.

Haube, geschweiftes Turmdach in Glockenform über rundem, quadrat. oder polygonalem Grundriß. Die häufigste Form ist das süddt. ›Zwiebeldach‹, auch →Welsche Haube genannt. (BILD Dach)

Hauberrisser, Georg Joseph Ritter von (seit 1901), Baumeister, *Graz 19. 3. 1841, †München 17. 5. 1922, seit 1866 ebd. tätig, schuf mit dem Münchner Rathaus (1867–74, erweitert 1899–1908) in spätgot. Stil nach flandr. Art und mit hohem Turm ein HW des historisierenden Profanbaus in Dtl. 1884 folgte der Bau des Wiesbadener Rathauses in Formen der Renaissance. Mit der Hochgotik auch als Restaurator (St. Sebald, Nürnberg) vertraut, gestaltete H. in diesem Stil wirkungsvolle Kirchenbauten wie die Herz-Jesu-Kirche in Graz (1881–91) und die dreitürmige St.-Pauls-Kirche in München (1892–1906).

Hau|eisen, Albert, Maler und Graphiker, * Stuttgart 7. 7. 1872, † Kandel (Pfalz) 2. 4. 1954, war nach Studien bei L. v. KALCKREUTH und H. THOMA seit 1919 Prof., 1920–33 Direktor der Karlsruher Akademie. Er malte Landschaften, Porträts und figürl. Kompositionen, auch Wandgemälde, in einem an P. CÉZANNE und den frz. Neoimpressionismus angelehnten Stil.

A. H. zum 100. Geburtstag, Ausst.-Kat., Kaiserslautern (1972).

Haus

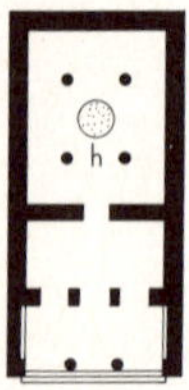

1

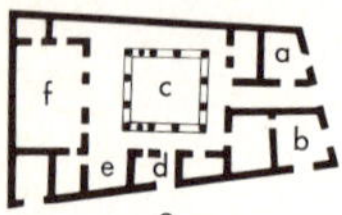

2

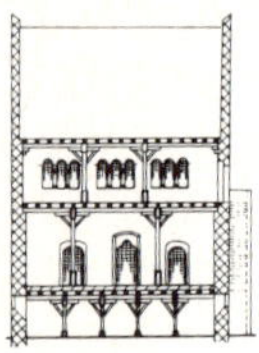

3a

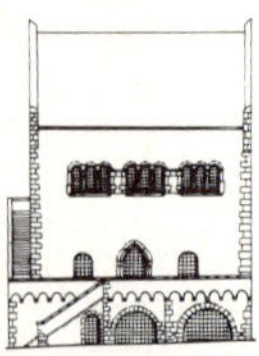

3b

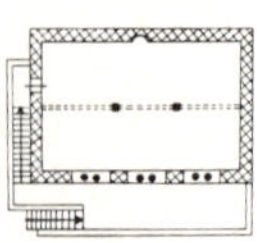

3c

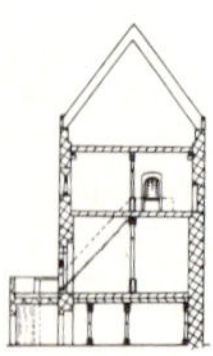

3d

Haufebecher, seit dem 16. Jh. hergestellte Metallbecher, die sich zur Aufbewahrung zusammenstellen lassen. Es wurden Sätze von 6 oder 12 Stück gefertigt.

Haukipudas, Gem. nördlich von Oulu, N-Finnland; in der hölzernen Kreuzkirche (1767) farbenfrohe, volkstümlich gestaltete Wandmalereien mit Szenen aus dem A. T. und N. T. von M. TOPPELIUS (*1734, †1821).

Haus, dem Menschen als Wohnstätte dienendes Gebäude.

Frühzeit

Auf Urformen des Bauens wie Höhle, Windschirm und Zelt folgten mit dem Seßhaftwerden des Menschen als Hirte oder Bauer feste Wohnstätten, die sich zu einer Fülle unterschiedl. Typen entwickelten. Bereits in vorgeschichtl. Zeit bildeten sich nach ersten regellos zusammengefügten Formen (agglutinierende Bauweise) 2 Grundtypen des H. aus: das baulich fest mit einem Innenhof gekoppelte Hofhaus und das frei stehende Einzelhaus.

In der Steinzeit treten im ägäischen Raum und in Kleinasien zunächst in den Boden eingetiefte Grubenhäuser in Oval- und Rundformen auf, oft mit abgeteilten kleinen Nebenräumen; wenig später erscheinen rechteckige Pfostenhäuser mit lehmbeworfenen Flechtwerkwänden und Walmdächern und schließlich Oval- und Rechteckhäuser, deren Wände aus Lehmziegeln auf Steinsockeln bestanden. Der für die Weiterentwicklung wichtigste Haustyp dieser Periode war das Megaronhaus (→Megaron), das im ägäischen Raum in der Bronzezeit weit verbreitet war.

Reiche Grundrißformen zeigen auch H. in Mesopotamien und Ägypten, wo seit dem 3. Jahrtsd. v. Chr. aber immer häufiger Hofhäuser auftraten: Innerhalb eines festen Mauerrings wurden um einen zentralen Innenhof herum Räume für die unterschiedl. Wohn- und Wirtschaftsfunktionen angelegt. Dieser Hofhaustyp ist als Stadthaus im Prinzip unverändert in allen Ländern des Nahen und Mittleren Ostens beibehalten worden.

Antike

Wie in Syrien und Persien waren auch im ägäischen Raum die älteren Einzelhaus-Typen das Megaron und das Pastashaus (Wohnkomplex mit einer durch die ganze Breite reichenden Querhalle, z. B. in Olynth) im Lauf des 7.–5. Jh. v. Chr. mit dem für das städt. Leben besser geeigneten Hofhaustypus kombiniert und bis zum 4. Jh. v. Chr. bei deutl. landschaftl. Unterschieden zu festen Typen entwickelt worden (BILD kretisch-mykenische Kunst). Eine weitere Steigerung der Wohnbedürfnisse führte etwa seit dem 3. Jh. v. Chr. zur Ausbildung des Peristylhauses, bei dem die versch. Räume des Hauses von der an 3 oder 4 Hofseiten umlaufenden Säulenhalle aus erschlossen wurden; Fußbodenmosaiken und far-

Haus: 1 Megaron von Tiryns mit Vorraum (h Herd); **2** ›H. des Dreizack‹, Delos; Peristylhaus, etwa 2. Jh. v. Chr.; a und b Laden, c Peristyl, d Treppenhaus zu Schlafräumen im Oberstock, e Exedra, f Oikos; **3** H. in Gelnhausen; ehem. Vogtshaus des späten 12. Jh., 3a und 3b Ansicht, 3c Grundriß des Obergeschosses und 3d Schnitt;

bige Wanddekorationen sind in zahlreichen Beispielen erhalten geblieben. Dieser Typus des städt. H. verbreitete sich mit der Hellenisierung der antiken Welt im 3./2. Jh. v. Chr. über viele Länder und ging dabei oft Verbindungen mit traditionellen örtl. H.-Formen ein; bes. bekannt sind die Kombinationen mit dem italischen Atriumhaus, an das in hellenist. Zeit auch das Peristyl angefügt wurde (Pompeji, Herculaneum). Bes. reiche Raumbildungen wurden beim Bau einer Villa erreicht. Hinzu kamen die künstler. Innenausstattung wie auch der techn. Ausbau (Bäder, Hypokausten u. a.). Parallel zur Entwicklung der Villa entstand in den antiken Großstädten (z. B. Rom, Alexandria) der Typus des mehrgeschossigen Miet-H., das meist ganze Baublöcke (insulae) in den Städten füllte.

Während mit dem Niedergang der antiken Großstädte im 5./6. Jh. n. Chr. bei nachlassendem Bevölkerungsdruck das Massen-H. wieder verschwand, hielten sich die aus dem Peristylhaus entwickelten und mit röm. Kultureinfluß über weite Teile Europas und der Mittelmeerländer verbreiteten Formen bis in die Neuzeit hinein. In Mittel- und Nordeuropa blieb der Hofhaustypus während des MA. beschränkt auf Gemeinschaftsbauten (Klöster, Spitäler) und wurde erst wieder im gehobenen Wohnungsbau der Renaissance lebendig.

Mittelalter

Im H.-Bau des zentraleurop. MA. wiederholte sich unter Veränderung der Einzelformen der bereits in den frühen Kulturen mehrfach abgelaufene Prozeß der Umwandlung urspr. dörfl., für landwirtschaftl. Nutzung vorgesehener Häuser zum städt. H., wobei häufig die Grundkonzeption und oft sogar Details des jeweiligen regionalen Bauernhauses bewahrt wurden. Ausgangspunkt war das bereits in der Steinzeit in lockeren Siedlungsgruppen auftretende frei stehende Einraumhaus, das gelegentlich mit Wirtschaftsbauten zu haken- oder U-förmigen Grundrissen zusammengesetzt wurde. Erst der in Mitteleuropa etwa im 8. Jh. einsetzende Stadtentstehungsprozeß führte zur Ausbildung eines spezifisch städt. H., das, in Reihen mit der Giebelseite zur Straße stehend, von der Straßen- und Hofseite aus erschlossen und belichtet wurde. Die Grundrisse früh- und hochmittelalterl. H. sind infolge häufiger Stadtbrände und späterer Um- und Einbauten kaum bekannt. Eine Ausnahme bilden die Einraumformen steinerner Wohntürme. Das regelmäßige Konstruktionssystem der übl. Gerüste aus Fachwerk erlaubte sehr variable, den mit der Zeit wechselnden Bedürfnissen anpaßbare Innenteilungen der Bauten. I. d. R. lag in dem meist höheren, oft 1½geschossigen Erdgeschoß die durch die gesamte Höhe durchgehende Diele (vielfach zugleich Werkstatt, Küche und Wohnraum); in eingehängten Zwischengeschossen finden sich häufig kleinere Werkstatträume oder Kontore; in den Ober- sowie in den meist ausgebauten Dachgeschossen folgten Schlafzimmer und Kammern.

Haus

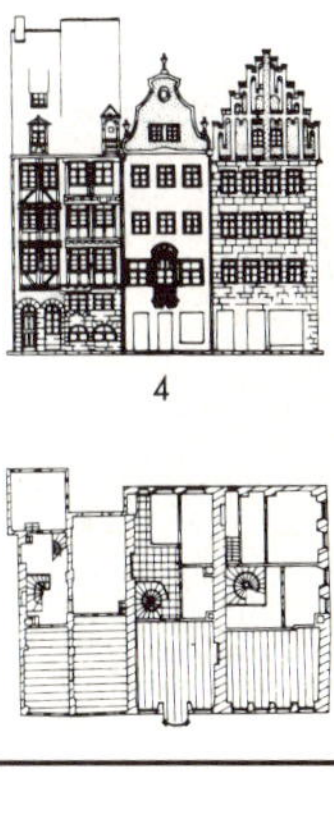

4

Haus: 4 Handwerkerhäuser in Nürnberg; Kern 14./15. Jh. mit Veränderungen im 18./19. Jh.; Ansicht und Grundriß des Obergeschosses

In S-Europa, bes. in Italien, wurde der dort traditionelle Steinbau für städt. H. nicht aufgegeben. Neben einfachen Bürgerhäusern haben der schon im FrühMA. einsetzende Umzug adliger Familien in die Städte und das rasche Aufblühen eines reichen Kaufmannsstandes in den oberital. Städten bald den Bau größerer H. bewirkt, bei denen mehrgeschossige Wohnbauten mit Läden oder Wirtschaftsräumen im Erdgeschoß mit Wehrtürmen verbunden waren (Bologna, San Gimignano, Siena u. a.).

Neuzeit

Im 15. Jh. entstanden einerseits großartige und reiche Bürgerhäuser, in denen adlige Lebensformen nachgeahmt wurden (u. a. Nürnberg, Augsburg, Antwerpen, Florenz), auf der anderen Seite wurden auch Hinterhäuser und Keller bewohnt und in den Ganghäusern (Lübeck, Hamburg) eigens für die Ausnutzung der tiefen Grundstücke geeignete neue H.-Formen entwickelt sowie erste Kleinhaussiedlungen angelegt (Weberhäuser in Nürnberg, 1488, Fuggerei in Augsburg, 1516–23). In vielen europ. Residenzen (Paris, London, Rom) schließlich ließen sich seit Beginn des 16. Jh. zunehmend die Adelsfamilien des Landes Stadtpaläste errichten, bei denen umfangreiche Raumprogramme um zur Straße hin gelegene Höfe (Paris, Hôtel de Cluny u. a.) oder um peristylartige rechteckige Innenhöfe herum (Pienza, Rom u. a.) entwickelt wurden. Etwa gleichzeitig tauchte der seit der Spätantike verschwundene Bautyp Villa als unbefestigter Landsitz zunächst in Italien wieder auf. Eine spezif. Form des städt. H. bildete sich seit dem 17. Jh. in England aus. Es war ein meist dreiachsiges, 3- bis 4geschossiges Reihenhaus, das im 18. Jh. auch zu größeren architektonisch durchgestalteten Einheiten zusammengefügt und um halbprivate

Haus: japanischer Pavillon zur Mondbesichtigung; kaiserliche Villa Katsura bei Kioto, 1. Hälfte 17. Jh.

Haus: chinesisches H.; Gehöft, gebrannter Ton, Höhe 76 cm Länge 93 cm, 1. Jh. n. Chr.; aus Chengchou, Prov. Honan

Grünplätze (Squares) herum, seit der Mitte des 18. Jh. auch in halbrunden und ovalen Formen als ›Crescent‹, angelegt wurde.

Diese im 18. Jh. durch stärkere räuml. Differenzierung vervollkommneten Wohnformen und H.-Typen wurden auch im 19. Jh. beibehalten. Die in den seit 1820/30 rasch wachsenden städt. Randzonen immer häufiger vertretene bürgerl. Villa orientierte sich ebenso am adligen Gartenpalais wie die städt. Bürgerhäuser an den Stadtpalais adliger Familien, doch wurde bei beiden Typen die Innengliederung in Hinsicht auf die angestrebte Vermietbarkeit mehrerer Geschosse umgestaltet. Im Miethaus waren neben 1–2 Wohnungen im 1. Obergeschoß in den übrigen 5–6 Obergeschossen jeweils 3–4 entsprechend kleinere Wohnungen vorhanden; neu war dabei, daß seit der Mitte des 19. Jh. bei ständiger Verbesserung sanitärer und stadthygien. Einrichtungen immer stärker funktionelle Überlegungen die Grundrißbildung bestimmten. Die Fassaden wurden nach einheitl. klassizist. Beginn in Stilformen des Historismus und um 1900 des Jugendstils errichtet. Gleichzeitig entstand in den rasch wachsenden Arbeitervororten und in einzelnen Gebieten der Altstädte die Mietskaserne. Auch wurden die oft sehr tiefen großstädt. Grundstücke durch Hinterhäuser genutzt. In der 2. H. des 19. Jh. entstanden in fast allen europ. Ländern Arbeitersiedlungen mit unterschiedl. H.-Typen, am Jh.-Ende die →Gartenstadt. Obwohl auf der Suche nach neuen Grundrißlösungen seit Anfang des 20. Jh. Versuche mit dem Zeilenbau unternommen wurden, der mit dem Standard-Wohnungstypus ›Zweispänner‹ eine bessere Besonnung aller Wohnungen erlaubte, wurde in vielen Großstädten noch die traditionelle Form der Blockbebauung beibehalten, oft freilich mit Unterbrechung der durchgehenden Blockfronten oder mit erdgeschossigen Durchgängen, um die Gartenhöfe optisch miteinander zu verbinden (Wohnviertel in Hamburg von F. SCHUMACHER; Wien: Karl-Marx-Hof u. a.). Auf der Suche nach neuen Grundrißlösungen entstand der Zeilenbau mit einer gleichmäßigen Besonnung aller Wohnungen. 1925–30 wurde von E. MAY in Frankfurt a. M. ein richtungsweisendes Wohnungsprogramm mit dem Einfamilienhaus in Zeilenbauweise vor der Stadt als Ideal verwirklicht. Auf Initiative des Dt. →Werkbundes entstand 1926/27 die Weißenhofsiedlung in

Stuttgart. Ein Ausbildungsschwerpunkt des →Bauhauses lag in der Planung typisierter H. vom Einfamilienhaus bis zur mehrgeschossigen Wohneinheit.

Das für Bürozwecke schon lang bewährte →Hochhaus wurde mit Gemeinschaftseinrichtungen (Ladengeschoß, Restaurant, Kindergarten, Freizeiteinrichtungen) zur verdichteten Wohnform. LE CORBUSIER prägte den Begriff ›Wohnmaschine‹, um den funktionellen Aufbau einer Wohnung zu betonen. In den USA wurden industriell vorgefertigte Gebäudeteile entwickelt, die nach dem Transport montiert wurden. Ein weiterer amerikan. Beitrag war die Anwendung flexibler Grundrisse (F. L. Wright). In den Jahren nach dem 2. Weltkrieg wurden verdichtete Wohnformen in den City-Randbereichen weiterentwickelt. In den City-Zentren wird versucht, durch Sanierungsmaßnahmen in älteren Wohngebieten erhaltenswerte Substanz zu retten und zu modernisieren.

Ostasien

In Ostasien war das H. von Anfang an bestimmt durch die Holzbauweise. Ihr Grundelement ist wie bei Palast und Tempel die Halle (chines. Tien). Diese ist ein Holzskelettbau auf einer steinernen Plattform (BILD chinesische Kunst). Zu einer einzigartigen ästhet. Wirkung entwickelte sich das H. in Japan, dessen architekton. Merkmale urspr. für Paläste und Priesterwohnungen entwickelt worden waren (→Shinden-Stil, →Shoin-Stil). Grundlage des Maßsystems ist die Strohmatte (Tatami), die eine variable Lebensform am Boden ermöglichte. Durch das Öffnen oder Herausnehmen von Schiebetüren (→Fusuma) ergibt sich die vielseitige Verwendung des Raumes oder von Raumgruppen. Wandregale (Tana) und Nischen (→Tokonoma) sind beeinflußt von der schlichten, ausgewogenen Gestaltung des Teehauses.

⇒ Bauernhaus · Bürgerhaus · Hotel · Hôtel · Kulthaus · Männerhaus · Palast · Tempel · Villa

Hausbuchmeister, Meister des Hausbuchs, Meister des Amsterdamer Kabinetts, nach dem ›Wolfegger Hausbuch‹ (im Besitz des Fürsten von Waldburg-Wolfegg) benannter Zeichner, Kupferstecher und Maler der ausgehenden Gotik, der zw. 1475 und 1490 am Mittelrhein tätig war und z. T. mit dem aus Utrecht stammenden Maler ERHARD REUWICH identifiziert wird. Er schmückte das Hausbuch mit vielen meisterhaften Federzeichnungen meist weltl. Inhalts (Planetenbilder, Turniere, Jagden, Bade- und Frauenhausszenen). Bedeutender noch als seine Zeichnungen und seine wenigen Gemälde sind seine 89 Kupferstiche (davon 82 im Amsterdamer Kupferstichkabinett). Die oft höchst realist. Darstellungen (spielende Kinder, sich kratzender Hund, Jüngling und Tod, Johanneshäupter, Türken) sind mit der Radiernadel in weiches Metall (Zinn?) eingeritzt, wodurch die Abdrucke einen maler. Ausdruck erhalten. In dieser Technik ist der H. ein bed. Vorläufer A. DÜRERS.

Tafelbilder: Passions-Altar (um 1475, urspr. Speyer, Dom?: Kreuzigung, Jesus vor Kaiphas, Ecce homo, Freiburg i. Br., Augusti-

Hausbuchmeister: Der Planet Venus; Feder (Schloß Wolfegg)

nermus.; Fußwaschung, Abendmahl, Berlin-Ost, Staatl. Museen; Auferstehung, Frankfurt a. M., Städelsches Kunstinstitut); Liebespaar (um 1480; Gotha, Schloßmus.); Maria mit Kind und Geburt Christi (München, Alte Pinakothek); Anna Selbdritt (Oldenburg, Städt. Kunstsammlungen); Leben Mariä (1505; Mainz, Landesmuseum).

A. STANGE: Der H., Gesamtdarstellung und Katalog seiner Gemälde, Kupferstiche und Zeichnungen (1958).

Hausenblase, Maltechnik: Warmleim, gewonnen aus der Schwimmblase des Stör (Hausen).

Hauser, Erich, Plastiker, *Rietheim bei Tuttlingen 15. 12. 1930, formt großformatige Edelstahlgebilde aus gewölbten Segmenten oder Röhrenkonstruktionen, als Freiplastiken oder im Zusammenhang mit Architektur. (BILD S. 182)

E. TRIER: E. H., Junge Künstler 1963/64 (1963); E. H., Ausst.-Kat., Stuttgart (1970); E. H., Werkverz.: Druckgraphik 1961–1969, hg. v. G. BOTT, Plastik 1970–1980, hg. v. GRETL H. (1980).

Hausmaler, Winkelmaler, frz. **Chambrelans** [ʃãbrəl'ã], unabhängige, d. h. an keine Manufaktur gebundene Fayence- und Porzellanmaler. Die früheste Fayence-Hausmalerei begann um 1660/70 in Nürnberg mit Schwarzlotarbeiten des Glasmalers J. SCHAPER. Zu

Erich Hauser: Raumsäule; 1968 (Kaiserslautern, Pfalzgalerie)

den bed. Porzellan-H. gehören B. SEUTER, J. AUFFENWERTH (beide Augsburg), I. BOTTENGRUBER (Breslau, Wien) und F. F. MAYER PRESSWITZ (Böhmen), die undekoriertes Porzellan, bes. aus Meißen, bemalten.

Hausmann, 1) Friedrich Karl, Maler, *Hanau 23. 9. 1825, †ebd. 10. 3. 1886, malte unter dem Einfluß von E. DELACROIX und C. COROT Landschaften, Porträts und Historienbilder.

2) Raoul, österr. Künstler (Maler, Zeichner, Photograph, Schriftst., Kunstkritiker), *Wien 12. 7. 1886, †Limoges 1. 2. 1971, Hauptvertreter des →Dadaismus in Berlin, emigrierte 1933, lebte seit 1944 in Limoges. H. gehörte zu den Erfindern der für die Berliner Dada-Szene typ. Photomontage, in der Mensch und Maschine zu einer Einheit zusammenwachsen.

Schriften: Courrier Dada (1958); Am Anfang war Dada (1972).

R. H., Ausst.-Kat., Wien (1981); R. H., Ausst.-Kat., Hannover (1981).

Hausner, Rudolf, österr. Maler und Graphiker,

Raoul Hausmann: Tatlin at home; Collage, 1920 (Berlin, Samml. Hannah Höch)

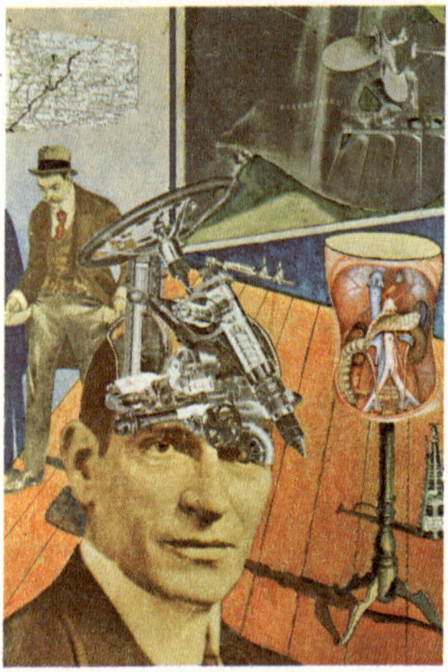

*Wien 4. 12. 1914, trat seit 1945 im Rahmen der →Wiener Schule des Phantast. Realismus hervor. Seine Bilder zeigen eine surrealist., stark von der eigenen Psyche geprägte Komponente (›Ich bin Es‹) und eine intellektuell-konstruktive Form.

W. SCHMIED: R. H. (1970).

Haus-Rucker u. Co., Gruppe österr. Künstler, 1967 in Wien gegr., seit 1971 in Düsseldorf ansässig; Mitgl.: L. ORTNER (*Linz 1941), G. KELP (*Bistritz, Rumänien 1941) und M. ORTNER (*Linz 1943). Sie entwarfen Projekte ›Provisorische Architektur‹, phantastisch-utop. Haus- und Stadtkonzepte, die Architekturkonventionen ironisch verfremden.

Haussmann [osm'an], Georges-Eugène Baron (1853), frz. Staatsbeamter, *Paris 27. 3. 1809, †ebd. 12. 1. 1891, war 1853–70 unter NAPOLEON III. Präfekt in Paris; führte unter Zerstörung des histor. Stadtbilds die großzügige Modernisierung von Paris mit breiten Boulevards, Radialstraßen, Sternplätzen und Parkanlagen durch, die der Arbeitsbeschaffung diente und bei Aufständen den Barrikadenbau unwirksam machen sollte. Seine Vorstellungen übten starke Wirkung auf den Städtebau der Gründerzeit aus.

Schrift: Mémoires, 3 Bde. (1890–93).

Hausurnen: Pfahlhausurne; gebrannter Ton, 800 v. Chr. (ehem. Landesmuseum, Stettin)

Haus|urnen, Tongefäße in Haus- oder Speicherform, aus der frühen Eisenzeit in Italien (Latium), in Mitteldtl. (Mitteldt. H.-Kultur) und im Ostseegebiet als Behälter für den Leichenbrand. Man unterscheidet H. mit versch. Grundriß (rechteckig, oval, rund) und mit versch. Dachformen (First-, Kuppel-, Zeltdach). Die H. haben meistens eine verschließbare Türöffnung an einer der Längsseiten.

Hauswedell & Nolte, Buch- und Kunstversteigerungshaus in Hamburg, gegr. 1927. Seit 1960 finden jedes Jahr im Juni Auktionen alter und moderner Kunst, bes. des dt. Expressionismus, statt. Bücher, Autographen und Handschriften werden jährlich im Frühjahr und Herbst versteigert.

Hautecombe [otk'ɔ̃b], ehem. Zisterzienserabtei in maler. Lage am W-Ufer des Sees von Le Bourget im frz. Dép. Savoie, um 1121 gegr., war seit 1139 Grabstätte der Fürsten von Savoyen (später die →Superga bei Turin), die H., nach Zerstörungen während der Frz. Revolution, 1824–43 in got. Stil wiedererrichten ließen (üppige Marmor- und Stuckdekorationen im Inneren); seit 1922 von Benediktinern belegt.

Hautelissestuhl [o:tl'is-, frz.], in der Teppichwirkerei mit senkrechten Kettfäden bespannter Hochwebstuhl; →Basselissestuhl.

Hauterive [otr'iv], dt. **Altenrif,** Zisterzienserabtei südlich von Freiburg im Üchtland, Schweiz; dreischiffige romanisch-got. Kirche (12. Jh.); der Chor erhielt sein Maßwerkfenster beim Umbau um 1320/30, gleichzeitig wurden die roman. Rundbogengruppen des Kreuzgangs durch reiche Maßwerkfenster überhöht.

Haut-Koenigsbourg [okønigzb'u:r], frz. für →Hohkönigsburg.

Hautleim, Maltechnik: Warmleim aus Tierhäuten.

Hautrelief [orəlj'ɛf, frz.], **Hochreli|ef,** →Relief.

Havanna, span. **La Habana** [-aβ'ana], Hauptstadt von Kuba, an der NW-Küste der Insel, 1,9 Mio. Ew. An der N-Seite des Hauptplatzes der Altstadt, der in der 1. H. des 16. Jh. angelegten Plaza de Armas (Plaza Carlos Manuel Céspedes), das Castillo de la Real Fuerza (1558–1577), die älteste Festungsanlage auf Kuba; sie ist stilistisch noch von der Renaissance beeinflußt (Turm um 1633), heute Waffenmus.; an der W-Seite des Platzes der Palacio de los Capitanes Generales (1776 bis etwa 1792) mit ausgewogener Fassadengliederung (im Erdgeschoß Rundbogenarkaden). Das Kloster S. Clara (1638–1689) hat eine kunstvoll geschnitzte Holzdecke, das Kloster S. Francisco (1739) einen Kreuzgang mit schönen Arkaden, seine Kirche eine Kuppel und einen 40 m hohen Turm. Die Kathedrale (1748–76), ein von Jesuiten begonnener Bau, hat eine zur Mitte einschwingende säulengeschmückte Barock-Fassade (von F. BORROMINI beeinflußt). Die Casa de Don Luís Chacón (um 1720) mit Galerien und Bogengängen ist heute Mus. für Kolonialkunst. El Templete (1827), ein kleiner klassizist. Tempel mit dorischen Säulen, wurde am Ort der ersten in der Neuen Welt abgehaltenen Messe erbaut. Die Lonja del Comercio (Börse; Anf. 20. Jh.) ist ein charakterist. Beispiel für den Historismus. Das Mus. Nacional de Bellas Artes enthält Kunstwerke der Antike (vielfach Nachbildungen), Gemälde europ. Meister und Werke kuban. Künstler von der Kolonialzeit bis zur Gegenwart; im Mus. de Arte Decorativo Gebrauchsgegenstände des 18. und 19. Jh.

Havelberg, Stadt nahe der Mündung der Havel in die Elbe, Dt. Dem. Rep., 7100 Ew. Die Stadt wird vom Dom St. Marien beherrscht, einer dreischiffigen Basilika, urspr. romanisch (1170 gew.) mit massivem Westwerk, nach Brand gotisch umgebaut (voll. um 1330); bed. Bauplastik, bes. die Reliefplatten an Lettner und Chorschranken, 3 Sandsteinleuchter, davon 2 von je 2 Figuren gestützt (wohl Ende 13. Jh.), Chorgestühl (Ende 13. Jh. und um 1400). An den Dom anschließend die Gebäude des Prämonstratenserstifts (Konventsbau spätromanisch, 2. H. 12. Jh., Refektorium und Kreuzgang frühgotisch, 13. Jh.). Spätgotisch sind St. Annen-Kapelle, ein Zentralbau über achteckigem Grundriß (15. Jh.), Laurentiuskirche, eine dreischiffige Hallenkirche (15. Jh.), und Heilig-Geist-Kapelle (um 1400).

Haven, Lambert van, dän. Maler und Baumeister norweg. Herkunft, *Bergen 16. 4. 1630, †Kopenhagen 9. 5. 1695, begann mit Porträts, bildete sich 1653–70 im Ausland, v. a. in Italien, aus, wurde 1671 Generalbaumeister. Er baute in ital.-frz. Barockstil.

HW: Erlöserkirche in Kopenhagen (1687–96).

Havixbeck, Gem. im Kr. Coesfeld, NRW, 9000 Ew.; Renaissance-Wasserschloß (1562 beg.) mit der einzigen offenen Balkendecke Westfalens; Dorfkirche (12./14. Jh.); Haus Stapel mit barocker Vorburg (1719 von J. C. SCHLAUN) und klassizist. Herrenhaus (1819 bis 1827).

Havlíčkův Brod [h'avli:tʃku:v-], Stadt in der ČSSR, →Deutsch-Brod.

Hawaii. Auf den nördlichsten Inseln Polynesiens war die figürl. Plastik von besonderer Bedeutung, v. a. Darstellungen von Göttern, meist auf Pfählen oder Brettern, für Tempelbezirke und Schreine. Bes. eindrücklich ist die Darstellung des Kriegsgottes Kuka 'ilimoku mit aggressiv geöffnetem Mund, einem mit Zakken versehenen Kopfaufsatz, einem gedrungenen massigen Körper mit leicht angewinkelten Knien; die Machart ließ die Spuren der Schnitzwerkzeuge deutlich hervortreten. Meist feiner, d. h. mit sorgfältig geglätteter Oberfläche gearbeitet, sind freistehende weibl. und männl. Figuren sowie Schalen, die von Figuren getragen oder gestützt werden. Diese menschl. Träger und Griffe werden in unterschiedl. Posen gezeigt; sie scheinen – selten in der Kunst Ozeaniens – mitten in der Bewegung innezuhalten. Charakteristisch sind die streng konturierten Köpfe, z. T. mit Augen- und Zahneinlagen ausgestattet, und die aus gerundet-geschwungenen Einzelformen aufgebauten Körper. Faszinierend sind die Federarbeiten. Mäntel und Helme führender Adliger wurden mit v. a. gelben und roten Federn in großflächigen geometr. Mustern gestaltet; ähnl. Federvliese wurden für die bei Prozessionen verwendeten Kopfdarstellungen v. a. des Kriegsgottes über einem geflochtenen Gestell befestigt. Die auf H. hergestellten mehrfarbigen Rindenbaststoffe (→Tapa) gehören zu den eindrücklichsten Ozeaniens. Unter den nicht alltägl. Gebrauchsgegenständen fallen schön geformte, sorgfältig polierte Holzschalen sowie stehende Trommeln auf; auch Schnitzereien aus Elfenbein (Walfisch-, auch Walroßzähne) gehören dazu.

J. H. COX u. W. DAVENPORT: Hawaiian sculpture (Honolulu 1974).

Hawksmoor [h'ɔ:ksmʊə], Nicholas, engl. Baumeister, *East Drayton (Nottinghamshire) 1661, †London

Hawaii: Darstellung des Kriegsgottes Kuka 'ilimoku, Federarbeit, Höhe 60 cm (Berlin-West, Museum für Völkerkunde)

25. 3. 1736, war Mitarbeiter von J. VANBRUGH und C. WREN, beteiligt am Bau der St. Paul's Cathedral, London (voll. 1710), und von Blenheim Palace; er baute den Bibliothekshof von All Souls College, Oxford, schon 1714 in neugot. Formen. H. vollendete 1734 die W-Türme der Westminster Abbey, London.

Hayagrịva [Skt.], pferdeköpfige Erscheinungsform des hinduist. Gottes →Vishnu, gilt als Hüter hl. Schriften. Urspr. eine Nomadengottheit, wurde H. auch in das buddhist. Pantheon integriert und in der Kunst des Tantrayana als Schutzgott mit grimmigen menschl. Köpfen und aufgesetztem Pferdekopf dargestellt.

Hayez ['a:jɛts], Francesco, ital. Maler, *Venedig 10. 2. 1791, †Mailand 10. 2. 1881, seit 1820 in Mailand; bed. Vertreter der romant. Malerei in Italien, schuf Historienbilder, Genreszenen, vorzügl. Porträts.

Hayman [h'eɪmən], Francis, engl. Maler und Radierer, *Exeter 1708, †London 2. 2. 1776, ging früh nach London und begann als Dekorationsmaler am Drury-Lane-Theater; Freundschaft mit W. HOGARTH. Ausmalung des Vauxhall-Theaters mit Darstellungen aus dem zeitgenöss. Londoner Leben (in Stichen erh.). H. war ein geschätzter Historien- und Porträtmaler. Um 1745 war T. GAINSBOROUGH sein Schüler. H. war Gründungsmitgl. der Royal Academy (1768).

Haynau, früher auch **Hainau,** poln. **Chojnów** [x'ɔjnuf], Stadt in der poln. Wwschaft Legnica (Liegnitz), Niederschlesien, 12200 Ew. – In der 2. H. des 13. Jh. gegr., lebte H. bes. vom Tuchgewerbe. Die Pfarrkirche (1468) ist ein spätgot. Ziegelbau mit Sandsteinteilen. Erh. sind Reste der Stadtbefestigung (14. Jh.) mit dem spätgot. Weberturm und das ehem. herzogl. Schloß (1547) mit Renaissanceportal und got. Teilen (heute Mus.).

Hayter [h'eɪtə], Stanley William, engl. Graphiker und Maler, *London 27. 12. 1901, eröffnete 1927 in Paris das Atelier 17, ein Atelier für Druckgraphik. 1939 emigrierte H. in die USA, 1950 kehrte er nach Paris zurück, wo er auch als Lehrer wirkte und gestalter. Experimente der Surrealisten in die Druckgraphik einführte. Sein maler. Werk gehört mit seinen Linienarabesken zur abstrakten Richtung des Surrealismus.

Hazor, Chazor, heute **Tell Wakkas,** Ruinenstätte in Israel, unweit vom See Genezareth; Ausgrabungen der Oberstadt mit Resten einer Toranlage aus der Zeit Salomos und Befestigung aus der Zeit Ahabs (Funde: elfenbeinerne Schminktafel, Knochengriff des 9./8. Jh. v. Chr. mit eingeritztem Lebensbaum); in der Unterstadt Reste eines Tempelbezirks des 17.–14. Jh. – ein Tempel ist in der Anlage mit dem in Jerusalem verwandt (Funde im Israel-Mus., Jerusalem: Basalt-Standbild, Löwensäule, Tonmasken u. a.).

Heartfield [h'ɑ:tfi:ld], John, eigtl. Helmut **Herzfelde,** Graphiker und Bildpublizist, *Schmargendorf (Berlin) 19. 6. 1891, †Berlin-Ost 26. 4. 1968, Mitgründer und Illustrator der Zeitschriften der Berliner Dada-Gruppe. In den 1920er Jahren gehören H.s Buchumschläge für den Malik-Verlag seines Bruders W. Herzfelde zu den stilprägenden Leistungen auf diesem Gebiet. Seit 1924

kämpfer. Photomontagen zur Zeitgesch., die seit 1929 in der ›Arbeiter Illustrierten Zeitung‹ erschienen und scharfe antifaschist. Satire mit einer schlagenden Bildphantasie verbanden. 1933 ging H. ins Prager, 1938 ins Londoner Exil.

W. HERZFELDE: J. H. (Dresden 1971); Der Schnitt entlang der Zeit, Selbstzeugnisse, Erinnerungen, Interpretationen, eine Dokumentation, hg. v. R. MÄRZ (Dresden 1981).

Hebe, die grch. Göttin blühender Jugend, Tochter des Zeus und der Hera, Gemahlin des vergöttlichten Herakles, Mundschenkin der Götter; von den Römern der Iuventas gleichgesetzt. Altertum und Neuzeit stellten H. als blumenbekränztes Mädchen, auch geflügelt, mit dem Adler des Zeus, oft als Mundschenkin dar.

Hẹbron, Hạbrun, heute **El-Khalịl,** Stadt im Westjordanland, 30 km südlich von Jerusalem, 43 000 Ew., mit den Gräbern der Patriarchen Abraham, Isaak und Jakob, von Sara, Rebekka und Lea (nach der hier lokalisierten bibl. Tradition der Höhle Machpela) in der Moschee Haram El-Khalil – urspr. eine Kreuzfahrerkirche; mit kunstvoller Kanzel (1091), von SALADIN (1138 bis 1193) aus Ägypten mitgebracht; umgeben von einer Mauer aus herodian. Zeit.

Hechingen, Stadt im Zollernalbkreis, Bad.-Württ., 15 800 Ew. Seit dem 15. Jh. Sitz der Fürsten von Hohenzollern-H. (Burg →Hohenzollern). Ein Bauwerk von überregionaler Bedeutung ist die ehem. Franziskanerklosterkirche St. Luzen (1586–89) mit einzigartiger Renaissancedekoration in leuchtend bunter Farbigkeit. Frühklassizist. Stiftskirche (1779–83 von M. D'IXNARD) mit wohlproportioniertem Westturm.

Heckel, Erich, Maler und Graphiker, *Döbeln (Sachsen) 31. 7. 1883, †Hemmenhofen (bei Radolfzell)

Erich Heckel: Selbstporträt; Farbholzschnitt, 1919

27. 1. 1970, studierte zunächst Architektur und entwikkelte sich dann selbständig zum Maler. Als Mitgründer der →Brücke in Dresden hatte er wesentl. Anteil an der Entstehung des Expressionismus in Dtl. Nach einem Rom-Aufenthalt 1909 lebte er meist in Berlin, seit 1944 in Hemmenhofen am Bodensee. Unter dem Nationalsozialismus galt H. als ›entartet‹. H. malte Zirkusleute, jugendl. Menschen in der Natur und, bes. in seiner letzten Zeit, ruhige Landschaften und Porträts. Sein Stil ist verhaltener als der anderer Expressionisten. – Nachlässe bes. im Brücke-Mus., Berlin-West.

ANNEMARIE U. W.-D. DUBE: E. H., Das graphische Werk, 3 Bde. (1964, 1965, 1967); P. VOGT: E. H. (1968); E. H., Ausst.-Kat., Hamburg (1971); H. KÖHR; E. H., Aquarelle (1972); E. H., Handzeichnungen, Einl. v. K. BADT, hg. v. E. RATHENAU u. a. (1973).

Hecklingen, Stadt bei Staßfurt, südlich von Magdeburg, Dt. Dem. Rep., mit ehem. Benediktinerinnenkloster. Die Kirche (2. H. 12. Jh.) ist eine der besterhaltenen roman. Basiliken im Harz (bed. plast. Werke).

Heda, Willem Claesz., holländ. Maler, *Haarlem 1593 oder 1594, begraben ebd. 24. 8. 1680, malte Stilleben in silbrig graugrünem Ton, meist Frühstückstische mit Metallgefäßen auf weißem Tischtuch; neben P. CLAESZ Hauptvertreter der ›monochromen Frühstücksstilleben‹. (BILD Stilleben)

Heddal, Ort bei Notodden, S-Norwegen, mit der größten erh. norweg. Stabkirche (Mitte 13. Jh.); in der dreischiffigen Kirche mit Chor und Apsis Wandmalereien (14. Jh.) und ein geschnitzter Brautstuhl.

Hedwig die Heilige, *Andechs 1174, †Zisterzienserkloster Trebnitz (bei Breslau) 15. 10. 1243, Gemahlin Herzog HEINRICHS I. von Schlesien, dargestellt als verheiratete Frau oder als Witwe, seit dem 15. Jh. mit Herzogshut (Skulptur, um 1440, Breslau, Ursulinenkloster; Grabmal, um 1680; Trebnitz, Klosterkirche); Attribute: Marienstatuette, Rosenkranz (Statue, Mitte des

Heddal: Stabkirche; Mitte 13. Jh.

15. Jh., Breslau, Dom, W-Vorhalle), Modell der Klosterkirche Trebnitz.

Hedwigsgläser [n. der Hl. Hedwig], in Ägypten hergestellte Glasbecher des 11. und 12. Jh. aus dicker gelbl. oder grünl. Masse, die in Hochschnitt-Technik mit Tier- und Blattornament dekoriert sind.

Heem, Jan Davidsz. de, niederländ. Maler, *Utrecht 1606, †Antwerpen 1683/84. In seiner ersten Leidener Zeit (1626–32) malte er einfache graugelbbraune Vanitas- und Bücherstilleben, später in Antwerpen reich komponierte, farbenreiche Prunkstilleben von Blumen und Früchten, oft mit Gefäßen, Hummern, Schmetterlingen. Die Beobachtung ist genau, die Details sind von warmem Helldunkel zusammengefaßt. – Sein Sohn Cornelis (*Leiden 8. 4. 1631, begraben Antwerpen 17. 5. 1695) malte in derselben Art.

Heemskerck, Marten van, niederländ. Maler, *Heemskerk (bei Haarlem) 1498, †Haarlem 1. 10. 1574, Schüler des JAN VAN SCOREL, nach Italienaufenthalt (1532–37), der ihn mit dem röm. Manierismus der Michelangelo-Schule in Verbindung brachte, in Haarlem tätig; schuf große Altarblätter und Flügelaltäre mit lebhaft bewegten, muskulösen Figuren, daneben viele topograph. Zeichnungen röm. Ruinen und Porträts; zahlreiche Stichvorlagen allegor. und histor. Inhalts für den Antwerpener Verleger H. COCK.

HW: Lukasmadonna (1532; Haarlem, Frans-Hals-Mus.); Selbstbildnis mit Kolosseum (1553; Cambridge, Fitzwilliam Mus.); Grablegungsaltar (1559/60; Brüssel, Musées Royaux des Beaux-Arts).

R. GROSSHANS: M. v. H., Die Gemälde (1980).

Heerenberg, Gem. in der niederländ. Prov. Gelderland, →'s-Heerenberg.

Heerich, Erwin, Bildhauer, *Kassel 29. 11. 1922, lehrt seit 1969 in Düsseldorf. H. zeigt die morpholog. Vielfalt stereometr. Formen und Ordnungen in exakt gefalteten Kartonplastiken oder isometr. Zeichnungen. Schuf auch große Außenskulpturen.

F. VON DER GRINTEN: E. H.-Werkverzeichnis (1970, 1971); E. H., Ausst.-Kat., Schloß Morsbroich (1980).

Heerlen [h'e:rlə], Stadt in der niederländ. Prov. Limburg, 71 500 Ew.; hervorgegangen aus der röm. Siedlung **Coriovallum** am Schnittpunkt zweier Heerstraßen. Die Reste röm. Thermen (50 n. Chr.) sind ausgegraben (Mus.). Die St. Pancratiuskerk ist eine roman. Pfeilerbasilika (12. Jh., mehrfach umgebaut).

Hefei, Provinzhauptstadt in China, →Hofei.

Heft|eisen, Glasbläsertechnik: Eisenstab, an den man die noch heiße Glasblase nach dem Aufblasen ›heftet‹, um nach dem Absprengen von der →Glasmacherpfeife das Glas halten und bearbeiten zu können.

Hegenbarth, Josef, Tierzeichner und Illustrator, *Böhmisch-Kamnitz 15. 6. 1884, †Dresden 27. 7. 1962, lebte nach Studien in Dresden während des Ersten Weltkriegs in Prag und lehrte 1946–49 an der Akad. für Bildende Künste in Dresden. Er arbeitete für die Zeitschriften ›Jugend‹, ›Simplizissimus‹ und ›Ulenspiegel‹

Josef Hegenbarth: Illustration zu ›Herodias‹ von Gustave Flaubert; Federzeichnung, 1957

Heidelberg: Ottheinrichsbau des Schlosses; 1556–66

(Berlin-Ost) und schuf Illustrationen zu Werken von W. SHAKESPEARE, J. G. v. HERDER, J. W. v. GOETHE, C. M. WIELAND, N. GOGOL, G. FLAUBERT und A. STRINDBERG. Sein Werk zeigt einen ausgeprägten Sinn für das Groteske und Phantastische. – H. malte auch Aquarelle und Ölbilder.

J. H., Ausst.-Kat., Stuttgart (1966); F. LÖFFLER: J. H. (1981; Werkverz. u. Bibliogr.).

Hehlen, Gem. im Kr. Holzminden, Ndsachs., mit Renaissanceschloß (1579–84) und barocker Immanuelskirche (1697–99), einem frühen prot. Zentralbau mit Emporen.

Heian-Zeit, Epoche der →japanischen Kunst (794 bis 1185), benannt nach der neuen Residenz Heian-kyo (Hauptstadt des Friedens), dem heutigen Kioto.

Heidatsu, japan. Lackarbeiten mit eingelegter Silber- und Goldfolie; schon früh bekannt, bes. häufig in der Muromachi-Zeit (14.–16. Jh.) angewendet.

Heide, Heyde, Henning von der, Bildschnitzer, um 1500 in Lübeck tätig, vermutlich Schüler von B. NOTKE. Er führte die lüb. Plastik zu größerer Ruhe und in sich geschlossener Form.

HW: Fronleichnams-Altar (1496; Lübeck, Burgkirche, jetzt St. Annen-Mus.); St. Georgs-Gruppe (1504; Lübeck, Jürgenspital, jetzt St. Annen-Mus.); Johannes der Evangelist (1505; Lübeck, Marienkirche, 1942 zerstört.).

Heidelberg, Stadt am Neckar, Bad.-Württ., 129 800 Ew., gilt als eine der schönsten dt. Städte. Planmäßige Gründung des 12. Jh. (1196 erstmals gen.); 1329–1720 Residenz der Kurfürsten von der Pfalz; 1386 Gründung der Univ. (nach Prag und Wien die älteste in Mitteleuropa). 1689 und 1693 Zerstörung durch die Truppen

LUDWIGS XIV. von Frankreich. Berühmtestes Bauwerk ist das Schloß (älteste Teile aus dem 13. Jh., im wesentlichen zw. 1544 und 1619 erbaut) mit Ruprechtsbau (um 1400/1. H. 16. Jh.), Ludwigsbau (1. H. 16. Jh.), Ottheinrichsbau (1556–66, ein HW der dt. Renaissance-Baukunst mit ital. und niederländ. Einflüssen, plast. Schmuck von A. COLIN aus Mecheln), Gläsernem Saalbau (seit 1547), Friedrichsbau (1601–07 von J. SCHOCH) und Englischem Bau (1612–19). Spätgot. Heiliggeistkirche (1400–41) mit großartigem Hallenchor (Bezug zum Parlerkreis); Peterskirche (1485 beg., 1864–70 umgebaut) mit über 100 Grabdenkmälern; Jesuitenkirche (1712–51, Plastik aus der Werkstatt von P. EGELL) und Kolleg (1703–11); Haus ›Zum Ritter‹ (1592) mit prächtiger Renaissance-Fassade; barockes Rathaus (1701 bis 1705); Karlstor (1773–81 von N. DE PIGAGE) und Neckartor mit Alter Brücke (1786–88). In der Altstadt viele gut erh. Wohnbauten (vorwiegend 18. Jh.). Im Kurpfälz. Mus. (im 1712 erbauten Palais Morass) T. RIEMENSCHNEIDERS Windsheimer Zwölfbotenaltar. Antikenmus. und Abgußsamml. des Archäolog. Instituts der Univ. (im Marstallhof); Völkerkunde-Mus. (im ehem. Palais Weimar). In der Kirche des Vorortes **Handschuhsheim** (11. Jh., 1483 Chorneubau) zahlreiche ma. Grabdenkmäler. Auf dem **Heiligenberg** bei H. Ruinen des karoling. Michaelsklosters (9./11. Jh.) und des ehem. Stephansklosters (spätes 11. Jh.).

Heideloff, Karl Alexander von, Baumeister, Maler und Bildhauer, *Stuttgart 2. 2. 1788, †Haßfurt 28. 9. 1865, restaurierte die Nürnberger Kirchen, den Bamberger Dom, die Veste Coburg, St. Georg in Dinkelsbühl und viele Schlösser, errichtete in historisierend-got. Stil auch neue Schloßbauten (Reinhardsbrunn).

Heidenheim an der Brenz, Stadt in N-Württ., 49 400 Ew. Ursprung im röm. Limeskastell **Aquileja.** Über der Stadt liegt das mächtige Renaissance-Schloß Hellenstein; in der 1605 gew. Schloßkirche bed. Stuckreliefs.

Heidenreichstein, Stadt im nordwestl. Waldviertel, NÖ, 5700 Ew. Die Wasserburg im Ortszentrum, im 12. Jh. beg., Hauptbauzeit 15. Jh. (Renaissancetor 1549/50), ist eine der großartigsten in Österreich.

Heilbronn, ehem. Reichsstadt am Neckar, Bad.-Württ., 113 000 Ew.; 1944 fast vollständig zerstört. Rathaus (Kern 1417, Umbau 1579–82) mit Fassade in gotisierender Renaissance und Kunstuhr von I. HABRECHT (*1544, †1620); Kilianskirche (im wesentlichen 15. Jh., Chor von A. PILGRAM mit hervorragend gestaltetem W-Turm (1513–29) in frühen, eigenständigen Renaissanceformen. Im Deutschhof (1711) das Histor. Mus. Im Schießhaus reizvolle Rokokostukkaturen (1769).

Heilige Drei Könige, →Drei Könige.

Heilige Familie, die häusl. Gemeinschaft Jesu mit Maria und Joseph; Darstellungen v. a. in Leben-Jesu-Zyklen, im einzelnen in der →Geburt Christi, der →Darstellung Christi im Tempel, der →Flucht nach Ägypten u. a. Aus letzterer entwickelte sich im 16./17. Jh. ein eigenständiger Bildtyp mit landschaftl. Hintergrund (Kupferstiche von A. DÜRER, Schnewlin-

Altar von H. WEIDITZ D. Ä. und H. BALDUNG, 1512–15; Freiburg i. Br., Münster) oder in der Landschaft: unter dem Apfelbaum (P. P. RUBENS, 1632), in der niederländ. Malerei des 17. Jh. mit der intimen Atmosphäre des Familienbildes.

Heilige Hochzeit, →Hieros Gamos.

Heiligelinde, poln. **Święta Lipka** [sjfj'ɛnta-], Ort in der poln. Wwschaft Olsztyn (Allenstein), Ostpreußen, mit ehem. Jesuitenkonvent; barocke Wallfahrts- und Jesuitenkirche mit Zweiturmfassade (1687–92) und einheitl. Ausstattung; Bogengalerie mit 4 Kapellen (1700–07); Klostergebäude von 1697.

Heiligenberg, Gem. im Bodenseekreis an der W-Route der Oberschwäb. Barockstraße, Bad.-Württ., 2200 Ew.; seit 1534 Besitz der Fürsten von Fürstenberg. Der mächtige Schloßneubau, um 1559 beg., birgt u. a. den 32 m langen Rittersaal (um 1580–84) mit einer geschnitzten Kassettendecke, einem der bedeutendsten Renaissance-Kunstwerke nördlich der Alpen, und die dreigeschossige Schloßkapelle (1590–1607) mit überreichem, farbig gefaßtem Schnitzdekor (Mus.).

Heiligenbild, jede bildl. Darstellung von Heiligen (vgl. Artikel zu einzelnen Heiligen wie Franz von Assisi u. a.), erkennbar an dem jeweils entsprechenden →Attribut, i. e. S. ein →Andachtsbild. Motive der bildl. Darstellung sind oft der →Legenda Aurea entnommen.

Geschichte. Im frühen Christentum wurde der Heilige als →Orans in der Verklärung, bei der Aufnahme in den Himmel, seltener im Martyrium dargestellt. Ein sprechendes Beispiel bieten die →Apostel. Schon im 6. Jh. zeigen die Mosaiken des Langhauses von S. Apollinare Nuovo in Ravenna lange Prozessionen männl. und weibl. Heiliger, gleichartig in Haltung und Tracht, in Händen die Krone des ewigen Lebens, die auf Christus und Maria zuschreiten. Ihr Kennzeichen ist der Nimbus (→Heiligenschein). Schon in der gleichen Zeit erscheinen Heilige ohne Beziehung auf göttl. Gestalten zu zweit oder zu dritt frontal nebeneinander (Pontan-Katakombe, Rom). An hervorragender Stelle werden sie in ihrer Titelkirche gezeigt (Apsis-Mosaik in S. Apollinare in Classe, Ravenna und S. Agnese, Rom, beide 6./7. Jh.). Damit zeichnet sich der Weg zum selbständigen Kultbild ab. Zu den goldenen Heiligenstatuen seit Anfang des 11. Jh. gehört die mit Edelsteinen und Glasflüssen bedeckte Statue der Hl. Fides in Conques. Schilderungen von Leben, Taten und Wundern der Heiligen setzten in der gleichen Zeit ein; in der Miniaturmalerei (Vita der Hl. Radegundis, Ende 11. Jh., Poitiers, Stadtbibl.), dem Fresko (Legenden der Hll. Clemens, Alexis, Cyrill, vor 1084, Rom, S. Clemente), der Plastik (Andreaslegende auf den Bronzetüren des Gnesener Doms, wohl frühes 12. Jh.) wurden sie zum bevorzugten Gegenstand der Darstellung. Heilige wie Franz von Assisi und Elisabeth von Thüringen fanden unmittelbar nach ihrem Tod mit ihrer Legende Eingang in die künstler. Darstellung. Im 14. Jh. trat die profane Biographie an die Stelle der Legende, wenn sie ihr auch in Bildthemen verpflichtet blieb. In der Renaissance wirkt der Schönheits- und Heroenkult dieser Zeit auch auf die Darstellung der Heiligen. Mit der Gegenreformation kam die Darstellung des Martyriums wieder auf, mit dem Barock auch die der Legende – in leidenschaftl. Pathos. Für REMBRANDT waren Heilige wie Franz von Assisi und Hieronymus v. a. sinnbildl. Gestalten. (→Ikone)

Heiligenblut, Dorf im obersten Mölltal, Kärnten, Österreich, 1400 Ew.; got. Wallfahrtskirche (Ende 14. Jh. beg., 1491 gew.) mit prachtvollem spätgot. Schnitzaltar (1520 voll.) aus der Schule von M. PACHER.

Heiligengrabe, Gem. bei Wittstock, in der Prignitz, Dt. Dem. Rep., 1100 Ew., mit ehem. Zisterzienserinnenkloster. Die Kirche (13.–15. Jh.) ist ein einschiffiger spätgot. Backsteinbau; Klausurgebäude im 18./19. Jh. umgebaut. Heiligengrabkapelle (Ende 15. Jh.).

Heiligenkreuz, Gem. im Wienerwald, NÖ. Zisterzienserabtei mit roman. Kirche (1135–87), einer dreischiffigen Pfeilerbasilika mit Querschiff; der Hallenchor (1280–95) ist ein HW der Gotik in Österreich; Kreuzgang (1. H. 13. Jh.), Brunnenhaus mit Glasgemälden (Ende 13. Jh.) der Stifterfamilie (Babenberger). Die Klostergebäude in ihrer heutigen Gestalt Ende 17. Jh.; künstlerische Ausstattung im 18. Jh. durch G. GIULIANI, J. M. ROTTMAYR und A. ALTOMONTE.

Heiligenkreuz-Gutenbrunn, Schloß und Wallfahrtskirche in der Gem. Gutenbrunn, Bez. St. Pölten, NÖ. Schloß (17. Jh., Umbau 18. Jh.) mit Fresken von P. TROGER (1759), seit 1964 Barock-Mus.; in der prächtigen Kirche (1755–58) Fresken von F. A. MAULBERTSCH.

Heiligenschein, Nimbus, Glori|e, Lichtsymbol in Gestalt einer Scheibe, eines Kreises, Strahlenkranzes oder Scheines als Zeichen der Heiligkeit. Der die ganze Figur kreisförmig umgebende H. heißt **Aureole,** der mandelförmige (ovale) **Mandorla;** beide sind ausschließlich Christus und Maria vorbehalten. Die allgemeinste Form des H. ist der Nimbus hinter dem Haupt

Heiligenkreuz: Kreuzgang der Zisterzienserabtei; 1. Hälfte des 13. Jh.

Bernhard Heiliger:
Seraph; Bronze, 1950
(Wolfsburg, Stadthalle)

(schon in der Spätantike, auch im Osten bei Göttern, Heroen, Herrschern); in der christl. Kunst erhalten im 4. Jh. Christus, aber auch Gottvater den mit einem Kreuz versehenen Kreuznimbus, Heilige den einfachen. Viereckig ist der Nimbus vom 6. bis zum 12. Jh. oft bei lebenden Personen. Der runde erscheint auch bei Symbolen (Hand Gottes u. a.).

Heiligenstadt, Stadt im Eichsfeld, an der Leine, Dt. Dem. Rep., 14200 Ew.; got. Kirchen sind St. Martin (1304–1487), eine dreischiffige Basilika, St. Marien (2. H. 14. Jh.), eine dreischiffige Halle, im Innern ›Schöne Madonna‹ (1414), und St. Ägidien (14. Jh.), ebenfalls eine dreischiffige Halle; die St.-Annen-Kapelle ist ein frühgot. Zentralbau (nach 1300). Barockes ehem. Jesuitenkolleg (1739/40, Mus.) mit reichem Portal; Barockschloß (1736–38).

Heiliger, Bernhard, Bildhauer, *Stettin 11. 11. 1915, studierte u. a. 1938–41 an der Berliner Akad. und war 1949–80 Prof. ebd. H. nahm Anregungen von A. MAILLOL, C. BRÂNCUŞI und H. MOORE auf, fand aber seinen eigenen Weg zu einer raumgreifenden, stets körperhaften Plastik zw. Abstraktion, expressiver Gestik und Anklängen an organ. Formen. In jüngster Zeit schuf er Großplastiken aus Eisen. Von besonderem Rang sind seine plastisch durchformulierten Porträtköpfe.

H. T. FLEMMING: B. H. (1962); B. H., Ausst.-Kat. 1960–75, Berlin-West (1975); B. H., Ausst.-Kat., Hamburg (1980).

Heiliger Geist, die 3. Person der →Trinität. In der bildenden Kunst oft im Symbol der Taube (→Taufe Christi, →Verkündigung) dargestellt, im übertragenen Sinn auch als Zeichen der Inspiration. Mittelalterl. Darstellungen in menschl. Gestalt finden sich seit dem 16. Jh. nicht mehr.

Heiliges Grab, das nach der Tradition und Schlüssen aus Ausgrabungen in Jerusalem an der Stelle der heutigen Grabeskirche wohl anzunehmende Grab Jesu. Über ihm ließ KONSTANTIN D. GR. 326–35 einen Kuppelbau auf Säulen, die ›Anastasis‹ (grch. ›Auferstehung‹), errichten; daran schloß sich nach O ein offener Hof (Atrium) mit dem Felsen von Golgotha an, östlich die Martyriumsbasilika mit dem Chor nach W (→Jerusalem). – Architekton. Nachbildungen des H. G. lehnen sich frei an den Kuppelbau Konstantins an, so S. Stefano in Bologna (431–50), S. Stefano Rotondo in Rom (2. H. 5. Jh.), die Michaelskapelle in Fulda (822 durch HRABANUS MAURUS errichtet), die Rotunde im Dom zu Aquileja (Mitte 11. Jh.) und der Polygonalbau (Mauritiusrotunde) im Konstanzer Münster (um 1280), ebenso der Einbau in die Heiligkreuzkirche zu Eichstätt (1194). Eine figürl. Darstellung kommt fast ausnahmslos in Dtl. vor – meist im Seitenschiff einer Kirche: Ein Wandgrab zeigt den toten Christus auf einer Tumba; am Sarkophag erscheinen die 3 Frauen mit Salbgefäßen, dazu Engel mit Weihrauchfässern, an der Vorderwand des Grabes die schlafenden Wächter. Das bedeutendste H. G. dieser Art stammt von etwa 1330 (Freiburg i. Br., Münster; nicht in altem Zustand). In der Kleinkunst verbinden 2 Reliquiare des 12. Jh. (Nürn-

Heiliges Grab in der Mauritiusrotunde im Konstanzer Münster; um 1280

berg, London) das H. G. mit der Kreuzabnahme. Aus diesem Bildtypus entsteht die Szene der →Grablegung Christi.

Heiligkreuztal, ehem. Zisterzienserinnenkloster in S-Württ. (um 1140 in Altheim gegr., 1227 hierher verlegt), für die Kirche sind Weihedaten von 1256 und 1319 überliefert; Ausmalung 1532–35 wohl durch den MEISTER VON MESSKIRCH. Bed. Ausstattung (u. a. got. Glasmalereien und Christus-Johannes-Gruppe, um 1330).

Heilsberg, poln. **Lidzbark Warmiński** [l'idzbark varm'iĩski], Stadt in der poln. Wwschaft Olsztyn (Allenstein), 15 000 Ew. Bed. Schloß (Burg) der Bischöfe von Ermland, ein quadrat. Ziegelbau mit zweigeschossigem Arkadenhof (1350–1400) und Ecktürmen, heute Regional-Mus; Vorburg mit spätbarockem Bischofspalast (Mitte 18. Jh.). Die Pfarrkirche, eine später veränderte got. Halle des 14. bis 15. Jh., wurde im 19. Jh. stark restauriert. Erh. sind auch Teile der Stadtumwallung des 14. Jh. mit dem zweitürmigen Hohen Tor (1532).

Heilsbronn, altertüml. mittelfränk. Stadt im Kr. Ansbach, Bayern, 4900 Ew. Von 1132 bis 1555 bestand in H. ein Zisterzienserkloster, das 1581–1736 eine Fürstenschule beherbergte. Die roman. Abteikirche (1149 gew., im 13. und 15. Jh. gotisch erweitert) war bis 1685 Erbbegräbnis der fränk. Hohenzollern. Ehem. Klostergebäude (13./14. Jh.) und ›Neue Abtei‹ (13./15. Jh.) mit beachtl. spätgot. Innenräumen.

Heilsspiegel, mlat. **Speculum humanae salvationis,** 1324 im Dominikanerkloster zu Straßburg entstandene Schrift, die in Vers und Bild die Heilsgeschichte vom Sündenfall bis zum Jüngsten Gericht abhandelt. Jeweils 4 Bilder füllen die obere Hälfte eines Doppelblattes, wobei in den neutestamentl. Partien stets 3 alttestamentl. Vorbilder (Praefigurationen) typologisch ein christolog. Ereignis begleiten. Der H. war sehr beliebt und lebte im Buchdruck bis in das 16. Jh. fort. Vereinzelt fand er auch in die Monumentalkunst Eingang (Fenster der Stephanskirche zu Mülhausen im Elsaß, um 1350; Teppich im Kloster Wienhausen, Anf. 15. Jh.).

Faks. Ausg.: Speculum humanae salvationis, Kommentar v. W. NEUMÜLLER (1972).

Heiltum, Heiligtum, ältere Bez. für den Reliquienschatz ma. Kirchen, der an besonderen Festen der Öffentlichkeit zugängig gemacht wurde. Das H. der einzelnen Kirchen wurde häufig in z. T. bebilderten ›H.-Büchern‹ inventarisiert, die Aufschlüsse über Herkunft und Aufbewahrungsorte geben. Bis 1520 waren 16 dieser H.-Bücher gedruckt, u.a. das Wittenberger mit Holzschnitten von L. CRANACH D. Ä. (1509).

E. G. GRIMME: Goldschmiedekunst im MA.... (1972); Rhein und Maas, Kunst und Kultur 800–1400, Ausst.-Kat., Köln, 1 (1972).

Heimatmuseum, bes. seit dem Anfang des 20. Jh. entwickelte Art von lokal ausgerichteten Mus. mit dem Ziel, die Denkmäler der heim. Natur und Kultur zu sammeln und zu erhalten und sie im größeren Zusammenhang zu erforschen.

Heimbach, Stadt am Rurstausee südlich von Düren, NRW; barocke Klemenskirche (1725 gew.), daneben moderne Wallfahrtskirche (1959) mit großem Antwerpener Passionsaltar (Anf. 16. Jh.); Abtei Mariawald (ehem. Zisterzienserkloster 1480 gegr., jetzt von Trappisten belegt) mit neugot. Kirche (1887–91) und Klostergebäuden um 1500. Ovale Ringburganlage (12.–14. Jh., seit 1687 Ruine, 1904 wiederaufgebaut).

Heimbach, Wolfgang, Maler, *Ovelgönne bei Pinneberg um 1615, †Oldenburg 1678, lernte in den Niederlanden, arbeitete 1640–51 in Italien, danach in Böhmen für fürstl. Auftraggeber. 1653–64 war H. Hofmaler des dän. Königs FRIEDRICH III., 1669–78 des Fürstbischofs CHRISTOPH BERNHARD VON GALEN von Münster. Er malte reizvoll naiv wirkende Genrebilder und Porträts.

HW: Die Dän. Erbhuldigung von 1660 (1666; Kopenhagen, Schloß Rosenborg); Der Kranke (1669; Hamburg, Kunsthalle); Frühstückstisch mit Magd unter einem Fenster (1670; Kassel, Gemäldegal.).

Heimersheim, Ortsteil von Bad Neuenahr-Ahrweiler, Rheinl.-Pf., mit spätroman. Emporenbasilika (2. H. 13. Jh.), im Chor ausgezeichnete kölnische Glasmalereien aus der Erbauungszeit.

Heimsuchung Mariä, die im Marienleben und in Leben-Jesu-Zyklen dargestellte Szene des Besuchs Marias bei ihrer Base Elisabeth, in der bildenden Kunst schon seit dem 6. Jh. (Maximians-Kathedra, Ravenna) ein bed. Thema. Bildthemen sind die Umarmung (A. DÜRER, Holzschnitt des Marienlebens, 1504), die Begrüßung aus der Ferne (Ciborium-Säule, Venedig, S. Marco, 13. Jh.; Gruppe am W-Portal der Kathedrale in Reims und, von ihr ausgehend, an den Chorschranken des Doms in Bamberg, 13. Jh.), Berührung der Leiber (ROGIER VAN DER WEYDEN, 1432–35), schließlich die Verbeugung Elisabeths vor Maria (GIOTTO, Padua, Arenakapelle, um 1305) und ihre Kniebeuge (H. M.-Gruppe in Pistoia, S. Giovanni Fuorcivitas von A. DELLA ROBBIA, 1505). In Dürers ›Marienleben‹ findet sich auch der Gang Marias über das Gebirge zu Elisabeth. Bed. ist die Gestaltung der H. M. im Londoner Bild REMBRANDTS (1640).

Heine, Thomas Theodor, satir. Zeichner, *Leipzig 28. 2. 1867, †Stockholm 26. 1. 1948, Mitbegründer und bis 1933 führender Mitarbeiter des ›Simplicissimus‹; schuf hart konturierte, spröde Zeichnungen als aggressive Kritik an der Gesellschaft seiner Zeit; auch Jugendstilgraphik (Plakate, Buchschmuck).

Heiningen, Gem. im Kr. Wolfenbüttel, Ndsachs., mit roman. Gewölbebasilika (2. H. 12. Jh.) eines ehem. Augustiner-Chorfrauenstifts (um 1000 gegr.), das für seine Leinenstickereien berühmt war (mehrere Antependien des 17. Jh. in der Kirche).

Heinrich, August, Maler und Zeichner, *Dresden 17. 8. 1794, †Innsbruck 27. 9. 1822, bildete sich in Dresden und Wien und war 1818–20 Schüler von C. D. FRIEDRICH. Von dessen romant. Naturauffassung wandte sich H. zu einer realist. Landschaftskunst.

GODE KRÄMER: Der Maler und Zeichner A. H. (1977).

Heinrich II., der Heilige, dt. Kaiser (1002–24), *Abbach bei Kelheim 6. 5. 973, †Grona bei Göttingen 13. 7. 1024, seit dem 11. Jh. dargestellt als Kaiser mit Krone, Zepter, Reichsapfel, auch als Stifter (1. Hälfte 13. Jh., Bamberg, Fürstenportal), seit dem 13. Jh. als Heiliger (1235, Bamberg, Adamspforte), später idealisiert (B. BRUYN, Anf. 16. Jh., München, Alte Pinakothek). Attribut: Kirchenmodell (Skulpturen von H. LEINBERGER, um 1511, Moosburg, und I. GÜNTHER, 1762, Rott am Inn). Zyklen: Fresken von C. T. SCHEFFLER (1752, Regensburg, Alte Kapelle), Reliefs am Grabmal im Bamberger Dom (T. RIEMENSCHNEIDER, 1499–1513).

Heinrichau, poln. **Henryków** [hɛnr'ikuf], Ort in der poln. Wwschaft Wałbrzych (Waldenburg/Schles.), mit ehem., 1225 gegr. Zisterzienserkloster. Die Kirche, eine frühgot. Basilika mit Chorumgang und -kapellen 1241 bis 1260 erbaut, erweitert im frühen 14. und 16. Jh., Turm 1608, hat barocke Ausstattung, darunter Gemälde von M. WILLMANN. Die heutigen barocken Klostergebäude mit Ecktürmen sind von 1681–1702.

Heinsberg, Stadt nahe der niederländ. Grenze, NRW, 36 300 Ew.; 1944 zu 90 % zerstört. Wiederhergestellt ist die Propsteikirche St. Gangolf (got. Backsteinhalle des 15. Jh.) mit roman. Krypta (1130) und Hochgrab der Herren von H., ein hervorragendes Beispiel rhein. Plastik (um 1450). Im Torbogenhaus (16. Jh.) das Heimatmus.

Heinz, Heintz, 1) Josef d. Ä., Maler und Architekt, Vater von 2), *Basel 11. 6. 1564, †Prag 15. 10. 1609, lebte 1584–87 in Rom, dann abwechselnd in Prag und Augsburg. Seit 1581 war H. Kammermaler Kaiser RUDOLFS II. Er malte spätmanierist. Historienbilder und Porträts im Stil seines Lehrers HANS VON AACHEN; sein Spätwerk zeigt bereits den Übergang zum Frühbarock.

In Zusammenarbeit mit E. HOLL arbeitete H. auch als Dekorationsarchitekt (Augsburg, Neuburg a. D.).

Augsburger Barock, Ausst.-Kat., Augsburg (1968); J. ZIMMER: J. H. d. Ä. als Maler (1971).

2) Joseph d. J., Maler, Sohn von 1), *Augsburg um 1600, †Venedig nach 1678(?), malte v.a. venezian. Veduten, die den Stil von TIZIAN und L. LOTTO mit der heimatl. Tradition verbinden, ferner Gemälde für Kirchen in Venedig.

Heisig, Bernhard, Maler und Graphiker, *Breslau 31. 3. 1925, seit 1961 Prof. an der Hochschule für Graphik und Buchkunst in Leipzig; stellte die Geschichte der Arbeiterbewegung (häufig die Pariser Commune als Motiv) in einem an O. KOKOSCHKA und L. CORINTH orientierten bewegten spätexpressionist. Stil dar.

Heisterbach, Stadtteil von Königswinter, NRW; von der ehem. Zisterzienserabtei (1189 gegr.) blieb nur der architektonisch bedeutsame Kirchenchor mit Umgang (1202–37) als maler. Ruine stehen. H. besitzt das früheste Triforium in Dtl.

Heizer [h'aɪtsə], Michael, amerikan. Künstler, *Berkeley (California) 4. 11. 1944, wurde seit 1967 Mitbegründer der →Land Art; er veränderte Wüstenlandschaften in Nevada und Arizona durch Grabenaushübe, Erdbewegungen oder präkolumbisch wirkende Architekturblöcke zu monumentalen Formordnungen. In den 1970er Jahren entstanden auch Holz- und Steinskulpturen in strengen Formsystemen sowie Bilder mit gestuften Quadrat- und Rechteckformen in den fahlen Farben der Wüste.

M. H., Ausst.-Kat., Essen (1978).

Hekatọmpedos *der,* **Hekatompedon** [grch. ›hundertfüßig‹], grch. Tempel oder hl. Bezirk von 100 Fuß Länge; auch der Kultraum des →Parthenon.

Hẹktor [›der Erhalter‹], grch. Mythos: bedeutendster und edelster Held der Trojaner, Sohn des Königs Priamos und der Hekabe, Gatte der Andromache; er fiel im Zweikampf mit Achill, nachdem er dessen Freund Patroklos getötet hatte; sein Leichnam wurde um den Grabhügel des Patroklos geschleift. Seit dem 7. Jh. v. Chr. waren u. a. seine Zweikämpfe, der Abschied von Eltern und Andromache, Tod und Schleifen des Leichnams v. a. auf grch. Vasen, röm. Sarkophagen und Wandbildern, dann wieder in der Neuzeit (G. B. TIEPOLO, J. C. SEEKATZ, J. L. DAVID, G. DE CHIRICO) Gegenstand künstler. Darstellung.

Held, Al, amerikan. Maler, *Brooklyn (New York) 12. 10. 1928, gehört seit 1962 zu den Hauptvertretern des Hard Edge. In den 1970er Jahren entstanden Schwarz auf Weiß gemalte Bilder mit gegeneinanderstoßenden Linienfiguren (Kästen, Würfel, Keile), dynam. Bildarchitekturen zw. räuml. Illusionismus und linearer Abstraktion.

Heldburg, Stadt im Kr. Hildburghausen, Dt. Dem. Rep., mit ma. Stadtbild (spätgot. Stadtkirche, 1501–37, Bauten in fränk. Fachwerk). Über der Stadt **Veste H.,** eine unregelmäßige Anlage der Renaissance (16. Jh.

unter Verwendung älterer Teile); bes. bemerkenswert der ›Frz. Bau‹ (1560–64) mit reicher Bauplastik.

Heldt, Werner, Maler, *Berlin 17. 11. 1904, †Sant' Angelo (Ischia) 3. 10. 1954, malte in Berlin zuerst im Umkreis der Neuen Sachlichkeit, dann in zunehmend zeichenhaft vereinfachten Formen Bilder nüchterner Straßen und Plätze, die Vereinsamung und Angst ausdrücken.

W. SCHMIED: W. H., mit Werkverz. (1976).

Helena, grch. **Helene,** urspr. wohl eine minoische Vegetationsgöttin, im grch. Mythos meist Tochter des Zeus und der Leda, Schwester der Dioskuren, Gemahlin des Menelaos. Verführerisch und treulos, von glänzender Schönheit, war ihre Gestalt von Entführungs- und Entrückungsmythen umsponnen. Die Entführung durch Paris, Sohn des Königs Priamos, wurde Anlaß zum Trojan. Krieg. Altertum (grch. Vasen und Reliefs, röm. Wandbilder) und Neuzeit (TINTORETTO, G. B. TIEPOLO, J. H. TISCHBEIN D. Ä., E. BURNE-JONES) liebten den Sagenkreis, der Anlaß gab, weibl. Schönheit v. a. im Zusammenhang mit dem Raub der H. darzustellen.

Helena, die Mutter KONSTANTINS D. GR., *Depranum (in Bithynien?) um 257, †Rom um 336, ließ in Jerusalem mehrere Kirchen bauen und soll dort das Kreuz Christi (auch die beiden Kreuze der Schächer) aufgefunden haben. Darstellungen finden sich schon im 4. Jh. (Trier, Palast; mit Nimbus), als Heilige im O seit Ende des 9. Jh., im W vom 12. bis zum 18. Jh., in der byzantin. Kunst im kaiserl. Ornat (Wandmalerei in Göreme, 2. Hälfte 11. Jh.), im W in Hermelinmantel und mit Krone (I. GÜNTHER, um 1766, Neustift bei Freising); v. a. in Passionszyklen und Zyklen der Kreuzlegende (Rom, S. Croce in Gerusalemme, Fresken des 15. Jh. von R. ANTONIAZZO) wie von Passionsreliquien (Glasgemälde, Mitte des 13. Jh., Paris, Ste. Chapelle), auch von PIERO DELLA FRANCESCA (um 1460, Arezzo).

Heliogenfarben, Helioblau, Helio|echtrot, Heliogrün, Maltechnik: sehr beständige, zu den Azofarbstoffen gehörende →Teerfarben.

Heliogravüre [grch.-frz.], **Photogravüre,** Reproduktionsverfahren des Tiefdrucks, das aus der Aquatinta entwickelt wurde. I. Ggs. zu den originalgraph. Techniken wie Kupferstich oder Radierung wird die zu vervielfältigende Vorlage auf photomechan. Weg auf die Druckplatte gebracht. Ein Diapositiv der Bildvorlage wird auf lichtempfindl. Pigmentpapier (mit pigmentierter Gelatine beschichtet) kopiert. Auf diesem Positiv werden die belichteten Stellen der Gelatineschicht gehärtet. Preßt man das so vorbereitete Positiv auf die mit angeschmolzenem Asphaltpulver bestäubte Kupferplatte, bleibt an ihr Gelatine kleben. Die Platte wird dann in warmem Wasser entwickelt, wobei Papier und unbelichtete Gelatine wegschwimmen, und dann geätzt. Die verbleibenden verschieden tiefen Gelatinereliefs erzeugen im Druck Abzüge mit Halbtönen und weichen Übergängen. Die H. wurde 1879 von K. KLIČ (*1841, †1926) erfunden und war zw. 1890 und etwa 1910 weit verbreitet für einfarbige Buchillustrationen.

Hélion [elj'ɔ̃], Jean, frz. Maler, *Couterne (Orne) 21. 4. 1904, 1931 Mitgründer der Gruppe Abstraction-Création; malte 1929–39 von P. MONDRIAN beeinflußte abstrakte Bilder mit geometr. Strukturen (›Equilibres‹). Ende der 1930er Jahre ging er zu glatt gemalten figurativen Bildern über, deren Themen (Schaufenster, Straßenszenen) und Buntfarbigkeit auf die Pop Art wirkte.

J. H., Ausst.-Kat., Paris (1970).

Heliopolis [grch. ›Sonnenstadt‹], im A.T. **On,** altägypt. Stadt, heute Vorort von Kairo. H. wurde im Alten Reich zum wichtigsten Kultort des Sonnengottes (Atum, Re). Die großen Tempelanlagen wurden in islam. Zeit als Steinbruch ausgebeutet, erhalten blieb nur ein über 20 m hoher Obelisk SESOSTRIS' I. (1971–1926 v. Chr.).

Helios, der grch. Sonnengott, der alles sah und hörte, zum Symbol alles bewegender Lebenskraft wurde, mit dem Apoll verschmolz und der schließlich unter zunehmendem Einfluß von Philosophie, östl. Theologie und Astrologie, von den Römern Sol gleichgesetzt, beherrschender Reichsgott wurde; er war Sohn des Titanen Hyperion und der Titanin Theia, Bruder, Vater oder Gemahl der Selene, der jeden Morgen mit seinem von feurigen Rossen gezogenen Wagen aus dem Okeanos aufstieg und über den Himmel fuhr, um abends wieder unterzutauchen. Kult. Verehrung genoß er v. a. auf Rhodos, wo eine Bronzestatue, der H.-Koloß (eines der Sieben Weltwunder) stand. Seit der Antike (grch. Vasen, röm. Wandbilder und Sarkophage) wurde H. meist als Jüngling mit Strahlenkranz oder Sonnenscheibe auf einem Viergespann dargestellt, im MA. u. a. auf Kreuzigungen Christi und Planetenbildern (auch nackt oder mit kaiserl. Attributen).

Heliotrop [grch.], Varietät des →Chalcedon, grün mit roten Punkten **(Blutjaspis);** Vorkommen in Indien, China, Schottland. Zu Petschaften, Vasen, Kleinplastiken und Degengriffen verarbeitet.

helladische Kunst, die Kunst der Bronzezeit auf dem grch. Festland mit den Perioden **früh-, mittel-** und **späthelladisch (= mykenisch):** Frühhelladisch (FH, mit den Stufen I–III, Mitte 3. Jahrtsd. bis etwa 1900 v. Chr.) und mittelhelladisch (MH, etwa 1900 bis etwa 1600 v. Chr.) entsprechen etwa den Perioden früh- und mittelminoisch auf Kreta sowie früh- und mittelkykladisch auf den Kykladen (→kykladische Kunst). Die jüngste der 3 Hauptstufen, späthelladisch (SH, etwa 1600 bis 1100 v. Chr.) oder mykenisch ist auf Grund der überwiegend kretischen Einflüsse von den beiden älteren Perioden zu trennen (→kretisch-mykenische Kunst).

An künstler. Zeugnissen besitzen wir v. a. Keramik, Idolplastik und Siegel(abdrücke). – Typisch für die Keramik der frühhelladischen Zeit ist die Urfirnis-Ware mit eleganten Gefäßformen wie den Saucieren und Schnabelkannen. Wichtig für die Chronologie sind Verbindungen mit Troja, v. a. aber mit den Kykladen, von wo Kykladenidole, Marmorgefäße u. a. importiert worden sind.

Von stattl. Architektur zeugen in der 2. H. des 3. Jahrtsd. v. Chr. die Überreste eines gewaltigen Wohnturms (∅ 28 m) auf der späteren Oberburg von Tiryns und das große rechteckige Dachziegelhaus in der befestigten Siedlung von Lerna. In der Zerstörungsschicht dieses Hauses (FH II) wurden Siegelabdrücke auf Tonplomben und Tongefäßen gefunden, deren Ornamentik in Erfindung und Ausgewogenheit mit etwas jüngeren minoischen Siegelabdrücken und Siegeln zu vergleichen ist. Leitform der kreisrunden Ornamente sind kunstvoll vom Zentrum zum Rand geführte ›Wellenbänder‹.

In der mittelhelladischen Periode der 1. H. des 2. Jahrtsd. v. Chr. dominierte in Griechenland eine neue, schon in FH III eingewanderte Bevölkerung. Die dicht bewohnten Siedlungen mit Oval-, Apsiden- und Rechteckhäusern (→Megaron) waren anscheinend nur selten befestigt. Hauptgrabform war das ›Steinkistengrab‹ (meist mit Hockerbestattung; wenige Beigaben). An künstler. Erzeugnissen ist nur die Keramik nennenswert, die mit der →minyschen Keramik und der →Mattmalerei von feinster Qualität sein konnte. Die meist kleinen Gefäße der einfarbigen minyschen Keramik verdanken ihren Reiz den metallisch wirkenden scharfkantigen, auf der Drehscheibe geformten Umrissen. Die Verzierungen der mattbemalten, oft großen Gefäße, für die Ägina ein Zentrum war, zeigen sorgfältig gegliederte geometr. Ornamente, gelegentlich auch Figürliches. – Obwohl sich Verbindungen nicht nur zu den Kykladen, sondern auch nach Kreta und nach N abzeichnen, wirkt der Übergang zur späthellad. oder myken. Periode (Epoche der Schachtgräber, →kretisch-mykenische Kunst) doch unerwartet. Erst die Funde des 1951 entdeckten Schachtgräberrunds B in Mykene haben die Zusammenhänge zw. der mittel- und der späthellad. Zeit besser verstehen gelehrt.

F. MATZ: Kreta, Mykene, Troja ([5]1965); H. G. BUCHHOLZ u. V. KARAGEORGHIS: Altägäis und Altkypros (1971); F. SCHACHERMEYR: Die ägäische Frühzeit, 3 Bde (1976–79); S. HOOD: The arts in prehistoric Greece (New York 1978).

Helldunkel, ital. **Chiaroscuro** [kiaro-], frz. **Clair-obscur** [klɛrɔbsk'yr], Gestaltungsmittel in Malerei und Graphik, bei dem die Gegensätze von Hell und Dunkel Komposition und Bildwirkung bestimmen. Zugleich treten die Lokalfarben und die Schärfe der Umrißzeichnung zurück. Vorbereitet wurde dieser Prozeß v. a. durch das Sfumato von LEONARDO DA VINCI. Als bewußte Bildgestaltung von A. CORREGIO eingeführt, wurde das H. bei CARAVAGGIO und seinen Schülern zum beherrschenden Bildprinzip erhoben. In starken Kontrasten von Licht und Schatten ergeben plast. Körperlichkeit und Stoffmodellierung eine effektvolle Dramatisierung der Bildhandlung. Auch in der niederländ. Barockmalerei des 17. Jh. dominiert das H. Aus einem dunklen, diffusen Hintergrund werden die hellsten Lichtpartien der Hauptszene in differenzierten Tonabstufungen herausgearbeitet, die sich dadurch in einem atmosphär. Dunkel verlieren. Auf diese Weise veranschaulicht das H. v. a. im Spätwerk REMBRANDTS die myst. Steigerung seel. Vorgänge.

Helldunkelschnitt, Clairobscur-Holzschnitt [klɛrɔbsk'yr-, frz.], →Farbholzschnitt.

hellenistische Kunst, →griechische Kunst.

Helm, Baukunst: das kegel-, zelt- oder pyramidenförmige Dach eines Turmes; in der Spätromanik oft mit Giebeln umstellt, rauten-(rhomben-)förmig gebrochen (Ravengiersburg, Stiftskirche, 12./13. Jh.), ›gefaltet‹ (Sinzig, St. Peter, um 1225) oder in der Gotik in reichem Maßwerk filigranartig gegliedert (Freiburger Münster, Turm des 14. Jh.).

Helmarshausen, Stadtteil von →Karlshafen, Hessen; die ehem. Benediktiner-Reichsabtei (997–1536) war im frühen MA. auf den Gebieten Buchmalerei (→Weser-Schule) und Goldschmiedekunst (→Rogerus von Helmarshausen) hochbedeutend; von Kirche (1011 gew.) und Kloster nur Reste erh. In der Krukenburg (um 1220) die Ruine der frühroman. Johanneskapelle, einer Nachbildung des Heiligen Grabes (11. Jh.).

Helmer, Hermann, Baumeister, F. →Fellner.

Helmstedt, Stadt in Ndsachs., östlich von Braunschweig, 29200 Ew.; 1426–1518 Hansestadt, 1576 bis 1810 Univ.-Stadt. Ehem. Benediktinerkloster St. Ludgeri (Anf. 9. Jh. gegr.) mit interessanter oberird. Krypta (um 1050) und der Doppelkapelle St. Peter und Johannes im Klosterhof (11./12. Jh.); Kloster Marienberg (1176 gegr., jetzt evang. Damenstift) mit roman. Kirche (1256 gew.) und reichem Paramentenschatz; St. Stephan, eine got. Halle (13./14. Jh.) mit guter Innenausstattung des 16./17. Jh. Das Juleum (1592–97), die Aula der ehem. Univ., ist eines der schönsten Renaissancebauwerke in Dtl. Viele Fachwerkhäuser.

Helsingør [hɛlsеŋ'ør], Stadt auf der dän. Insel Seeland, 56400 Ew. In beherrschender Lage am Öresund liegt Schloß **Kronborg,** an Stelle einer ma. Burg unter FRIEDRICH II. 1574–84 im fläm. Renaissancestil erbaut, 1629 durch Brand zerstört, unter CHRISTIAN IV. fast unverändert wiederaufgebaut; 4 Flügel um quadrat. Hof, mit Ecktürmen, am reichsten ausgestattet der Südflügel mit Tanzsaal und Kirche. Von urspr. 3 Klöstern ist das 1430 gegr. Karmeliterkloster erh.; den Südflügel bildet die spätgot. Kirche St. Maria, eine dreischiffige Halle mit Blendgiebeln im O und W. Der Dom St. Olai, ein spätgot. Backsteinbau (1521 gew.) auf Resten einer roman. Kirche, verfügt wie St. Maria über eine reiche Ausstattung. Im NW der Stadt Lustschloß Marienlyst (heutige Form um 1760).

Helsinki, schwed. **Helsingfors,** Hauptstadt Finnlands (seit 1812), 493300 Ew., seit 1816 nach Planung von C. L. ENGEL ausgebaut, dessen klassizist. Bauten bis heute das Zentrum um den Senatsplatz beherrschen: Regierungspalais, Univ., Univ.-Bibliothek, Domkirche; Engels Stil wirkte bis in die 1880er Jahre fort (ehem. Ständehaus, Reichsarchiv). Östlich vom Zentrum liegt auf der Halbinsel Katajanokka, um die Jahrhundertwende vornehmer Wohnort mit Beispielen eines national geprägten Jugendstils, die orthodoxe Uspenski-Kathedrale (1868). Im Stil der finn. Nationalromantik entstanden der Hauptbahnhof (1910–14) von ELIEL SAARINEN, das Nationaltheater (1902), das Nat.-Mus. (1910), die Kirche von L. SONCK (1908) im Stadtteil Kallio, aber auch einige Geschäftshäuser. Herausragender Monumentalbau nach Errichtung der unabhängigen Rep. Finnland ist das neoklassizist. Reichstagsgebäude von J. S. SIRÉN (1931). 1971 wurde die Konzert- und Kongreßhalle von A. AALTO vollendet; er plante auch die Neugestaltung des gesamten Bereichs um die Töölöbucht und des Bahnhofsviertels. Dem Zentrum im SO vorgelagert liegen die Ruinen der Festung Suomenlinna (1748–72); im westl. Vorortbereich die Techn. Hochschule in Otaniemi (1961 beg. von Aalto u.a.) mit Studentenhaus Dipoli von R. PIETILÄ und die Gartenstadt Tapiola, wo seit 1955 versch. Architekten ihre Ideen verwirklichten. – Kunstmus. Ateneum (wichtigste Samml. finn. Kunst); Kunstgal. Didrichsen (20. Jh.); Gallén-Kallela-Mus.

Helst, Bartholomäus van der, holländ. Porträtmaler, *Haarlem 1613, begraben Amsterdam 16. 12. 1670, tätig ebd. Bis um 1640 wurde er von F. HALS und REMBRANDT beeinflußt. Seine späteren, pompösen, prunkvollen Porträts vornehmer Bürger sind von gegenständl. Treue und feiner, farbenreicher Wiedergabe der Stofflichkeit, seine großen Gruppenbilder im Amsterdamer Rijksmus. voll sorgfältigster Einzelbeobachtungen.

Hemessen, Hemmessen, Jan Sanders van, niederländ. Maler, *Hemiksem bei Antwerpen um 1500, †Haarlem(?) nach 1563. Ausgehend von J. GOSSAERT und Q. MASSYS, schuf er im Stil der niederländ. Romanisten Sittenbilder in lebensgroßen Halbfiguren. Der Stil seiner kleinfigurigen Hintergrundszenen (›Lockere Gesellschaft‹, um 1545/50; Karlsruhe, Kunsthalle) führte zu seiner heute noch nicht geklärten Identifizierung mit dem →Braunschweiger Monogrammisten.

Hemmel, Peter, auch **Peter von Andlau,** Glasmaler, *Andlau (Elsaß) um 1420, †1506, nachweisbar 1447–1501, früher irrtümlich mit HANS WILD identifiziert, unterhielt in Straßburg die wichtigste Glasmalereiwerkstatt des ausgehenden MA. 1477–81 schloß er sich mit 4 Glasmalern zu einer Werkstattgemeinschaft zus. Die über ganz S-Dtl., Tirol und Elsaß-Lothringen verbreiteten Arbeiten, die sich durch leuchtende Farbigkeit und virtuose Beherrschung aller Glasmaltechniken auszeichnen, stehen in deutl. Beziehung zur Malerei und Graphik am Oberrhein (MEISTER E. S., M. SCHONGAUER). Erhaltene Werke u.a. in der Klosterkirche auf dem Nonnberg bei Salzburg, der Stiftskirche in Tübingen, St. Lorenz in Nürnberg, dem Münster in Ulm und der Frauenkirche in München. (BILD Glasmalerei)

H. WENTZEL: Meisterwerke der Glasmalerei ([2]1954); P. FRANKL: P. H. (1956); Catalogue Les Vitraux des musées de Strasbourg ([3]1978).

Henchir Fraga [frz. ɛnʃ'ir-], Ort an der O-Küste Tunesiens, 7 km nördlich von Enfidaville. In der Nähe die Ruinen der röm. Stadt **Aphrodisium:** guterhaltene einbogige Triumphpforte mit Muschelnischen und Wandsäulen, Tempelreste, Zisternen, einige Bogen; frühchristl. Kirche mit Skulptursteinen und Grabdenkmälern. Die wichtigsten Funde (v.a. schöne Grabmosaike) aus dieser Kirche und aus der Basilika (4. Jh.) der röm.

Stadt **Upęnna** (6 km im N) sind im Mus. um und in der Kirche von Enfidaville.

Hendschel, Albert, Zeichner, Maler, *Frankfurt a.M. 8. 6. 1834, †ebd. 22. 10. 1883, gab humorvolle Zeichnungen aus dem Kinder- und Volksleben u. d. T. ›Aus A. H.s Skizzenbuch‹, 4 Bde. (1871–94) heraus.

Henge-Monumente [hendʒ-, engl.], vorgeschichtl. Anlagen, die aus konzentr. Steinkreisen angelegt sind, deren Steinpfeiler durch aufliegende Decksteine (›hängende Steine‹) miteinander verbunden sind. Es handelt sich dabei um neolith. Kultanlagen, v.a. in England (Avebury, →Stonehenge). Die H.-M. bilden durch ihre gewaltigen Ausmaße eine imposante Form der nordwesteurop. Megalitharchitektur.

Henneberg, Rudolf, Maler, *Braunschweig 13. 9. 1826, †ebd. 14. 9. 1876, studierte in Antwerpen und (1851–61) in Paris (Einfluß von E. DELACROIX und T. COUTURE) und reiste wiederholt in Italien. H. malte v. a. nach literar. Themen (G. A. BÜRGER, F. V. SCHILLER).

HW: Jagd nach dem Glück (1868, Berlin-West, Staatl. Museen).

Hennef (Sieg), Gem. in NRW, 28300 Ew. Die ehem. Landesburg (spätstauf. Kern um 1170/80, Mitte 15. Jh. verstärkt, seit 1676 Ruine) im Ortsteil **Blankenberg** ist das besterhaltene Beispiel einer hochma. Großburganlage im Rheinland. Katharinenkirche mit frühgot. Chor (um 1250) und gleichzeitigen Fresken, Schiff 1686. Viele Fachwerkhäuser des 17./18. Jh.

Hennequin de Bruges [ɛnkɛ̃dəbr'yʒ], niederländ. Maler, →Bandol.

Henner [ɛn'ɛːr], Jean-Jacques, frz. Maler, *Bernweiler (Elsaß) 5. 3. 1829, †Paris 23. 7. 1905, malte weibl. Akte in stimmungsvollen Landschaften sowie Frauenporträts.

Henri, Robert, amerikan. Maler, *Cincinnati (Ohio) 25. 6. 1865, †New York 12. 7. 1929, studierte 1889–91 in Paris, arbeitete später in New York. Er war Lehrer u.a. von W. GLACKENS und J. SLOAN. H., der realist. Stadtlandschaften malte, gehört zu den Gründern der Ashcan School.

Henri-deux [ãrid'øː, frz.], der Stil der zweiten Entwicklungsstufe der frz. Renaissance in der Zeit König HEINRICHS II. und seiner Nachfolger (1547–89), der die Hinwendung zum Stilprinzip der bewußten, strengen Proportionierung und zu klarem Aufbau einleitet und damit am Beginn des →Classicisme steht. Bestimmend waren die Architekten P. LESCOT, P. DELORME, der Bildhauer J. GOUJON. – Über die übrigen Stile innerhalb der frz. Renaissance →François-premier, →Henri-quatre.

Henri-deux-Fayence [ãrid'ø faj'ãs, frz.], Bez. für Mitte des 16. Jh. in St. Porchaire bei Poitou hergestellte, häufig mit Wappen dekorierte Fayencen.

Henri-quatre [ãrik'atr, frz.], nach König HEINRICH IV. (1589–1610) benannter Baustil der frz. Spätrenaissance. Charakteristisch sind v. a. Platzanlagen mit einheitl. schiefergedeckten Backsteinbauten, deren Fassaden streng durch ›frz. Fenster‹ (schmale, hohe Fenstertüren mit Brüstungsgittern) mit Umrahmungen aus weißem Stein gegliedert sind. HW in Paris: Place Royale (heute Place des Vosges, 1605–12, Fassadenentwurf vermutlich von L. MÉTEZEAU) und Place Dauphine (um 1606/07, nur teilweise erh.).

Henryków [hɛnr'ikuf], poln. Name für →Heinrichau.

Hensel, Wilhelm, Historien- und Porträtmaler, *Trebbin 6. 7. 1794, †Berlin 26. 11. 1861, seit 1828 ebd. Hofmaler. In seinen zahlreichen Porträtzeichnungen berühmter Zeitgenossen gelang ihm (trotz akadem. Zeichentechnik) durch intime Beobachtung die naturgetreue Wiedergabe individueller Charaktere.

W. H. – Preuß. Bildnisse des 19. Jh., Ausst.-Kat., Berlin-West (1981).

Hentrich, Helmut, Architekt, *Krefeld 17. 6. 1905, gründete 1953 mit H. PETSCHNIGG, nach seiner Arbeit mit H. HEUSER ein gemeinsames Büro in Düsseldorf, seit 1969 H., Petschnigg & Partner (HPP). Das Büro H. & Petschnigg wurde v. a. mit seinem Verwaltungsbau der Phönix-Rheinrohr AG (Thyssenhaus) in Düsseldorf (1957–60) wegweisend für den Geschäfts- und Verwaltungsbau in Dtl. seit 1960, gekennzeichnet durch Anwendung modernster Technologien des Hochhausbaus, harmon. Gebäudeproportionierung und Grundrißorganisation sowie perfektionierte Detailplanung.

HW: Europa-Center, Berlin-West (1964–68); Ruhr-Univ., Bochum (1961–74); RWI-Haus, Düsseldorf (1974); Dt.-Japan. Center, ebd. (1978).
H. H.: H., Petschnigg und Partner, Buildings 1953–1969 (1969).

Hephaisteion, Tempel des Hephaistos und der Athena in Athen, über dem W-Rand der Agora, in dessen Umgebung Werkstattreste von Bronzegießern und Kunstschmieden gefunden wurden. Das H., um 450 bis 440 v. Chr. erbaut, ein dorischer Peripteros in ähnl. Maßen wie der Parthenon, ist der besterh. grch. Tempel. Der plast. Metopenschmuck zeigt Taten des Herakles und des Theseus, daher wurde der Bau früher fälschlich als →Theseion bezeichnet. (BILD griechische Kunst)

Hephaistos, lat. **Hephaestus,** der grch. Gott des Feuers und der Schmiedekunst, von den Römern dem Vulcanus gleichgesetzt; unansehnlich und hinkend, unterirdisch im vulkan. Bereich wirkend, aber auch mag. und schöpfer. Kräfte entfaltend, schuf er den Göttern kunstvolle Paläste, Waffen, Schmuck u. a. und erregte dennoch ›homerisches Gelächter‹. Schließlich war er in Athen, wo er einen Tempel (→Hephaisteion) erhielt, gleichberechtigt mit Athene, Beschützer des Kunsthandwerks. In den versch. Versionen des Mythos war er Sohn des Zeus und der Hera, Gemahl der ungetreuen Aphrodite, wurde aus dem Olymp geschleudert, kehrte aber, von Dionysos geleitet, lahm und trunken wieder dorthin zurück. In der Kunst des Altertums erscheint er seit archaischer Zeit meist als bärtiger Schmied mit Hammer und Zange auf grch. Vasen und Reliefs, röm. Wandbildern und Sarkophagen; erh. sind v. a. zahlreiche Statuetten der röm. Kaiserzeit. Für das Hephaisteion in Athen schuf ALKAMENES im 5. Jh. v. Chr. ein

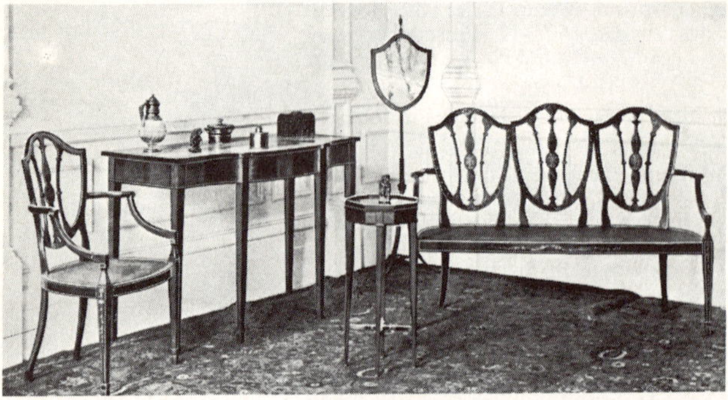

George Hepplewhite: Möbelgruppe

Kultbild des H. (nicht erh.). Die Neuzeit stellte H. vorwiegend in seiner Werkstatt und meist mit Aphrodite dar (P. P. RUBENS, A. VAN DYCK, G. B. TIEPOLO).

Hepplewhite [h'eplwaɪt], George, engl. Möbelschreiner, †London 1786. Die aus seiner Werkstatt hervorgegangenen Möbel begründeten einen neuen Stil, der sich, an T. →Chippendale anknüpfend, durch Leichtigkeit und Eleganz sowie reichere Dekoration (Intarsia, Lackmalerei) auszeichnet. Fortentwickelt wurde der H.-Stil gegen Ende des Jh. durch die schlichtere Art der von T. →Sheraton entworfenen Möbel. Der Stilbegriff wurde im ausgehenden 18. Jh. nach dem Vorlagenwerk ›The cabinet maker's and upholsterer's guide‹ (1788) geprägt.

Heptapegon [grch. ›Siebenquell‹], →Tabgha.

Hepworth [h'epwəθ], Dame (1965) Barbara, engl. Bildhauerin, *Wakefield 10. 1. 1903, †Saint Ives (Cornwall) 20. 5. 1975, ∞ mit dem Maler Ben →Nicholson; gestaltete anfänglich Menschen und Tiere in stark abstrahierender Art, die eine Parallele zu H. MOORES Werk erkennen läßt. Seit 1934 nahm sie Anregungen des Konstruktivismus auf und beschäftigte sich mit offenen Hohlformen, seit 1951 entstanden gruppenmonolith. Figuren, später Metallplastiken in brillanter Technik.

J. P. HODIN: B. H. (London 1961); B. H., hg. v. A. ADAMS (ebd. 1978).

Barbara Hepworth: Doppelform; Bronze, 1965

Hera, Here, grch. Göttin der Ehe und Beschützerin des Frauenlebens, in deren Wesen, als Gattin des höchsten Gottes, sich Strenge und Hoheit mit Eifersucht, Grausamkeit und Streitsucht paarten; sie besaß kaum mütterl. Züge und verfolgte die Geliebten des Zeus, deren Nachkommen und Anhänger erbarmungslos; von den Römern wurde sie der →Juno gleichgesetzt. Sie war Tochter des Kronos und der Rhea, Schwester und Gemahlin des Zeus, Mutter des Ares und Hephaistos, der Hebe und Eileithyia. Ihr Kult ging wohl von Argos aus, wo sie, wie u. a. auch auf Samos und in Olympia, v. a. von Frauen verehrt wurde. Ihre Attribute waren Zepter und Opferschale, Diadem, Schleier und Pfau. Seit archaischer Zeit wurde H. v. a. auf grch. Vasen und Reliefs, röm. Wandbildern und Mosaiken, Münzen und Lampen dargestellt. Kultbilder und Vollplastiken wie die ›Juno Ludovisi‹ (röm. Porträtkopf, 1. Jh. n. Chr., Rom, Thermenmus., vermutlich Antonia, Mutter des Kaisers Claudius) sind meist nicht mit Sicherheit als H. zu deuten. Die Gestalt der Göttin erscheint oft mit Herakles und Hephaistos, auf Gigantomachien, bei Götterversammlungen, Hieros-Gamos-Darstellungen, der Geburt der Athene u. a., die sie als hoheitsvollen Frauentyp in reichen Gewändern, oft mit Diadem, zeigen. Auch die neuzeitl. Kunst gestaltete H. und ihren Sagenkreis (A. CORREGGIO, J. BRUEGEL D. Ä., P. P. RUBENS, N. POUSSIN, G. B. TIEPOLO).

Hera von Olympia; um 600 v. Chr. (Olympia, Museum)

Heraion, Heiligtum der Hera, v. a. das H. in der Argolis (→Argos) und auf →Samos.

Herakleia am Latmos, ehem. Stadtfestung des frühen Hellenismus östlich von Milet (türk. SW-Küste), mit gut erh. Mauern, Resten vom Markt, Rathaus, Athene-Tempel, Heiligtum des Endymion.

Herakleia in Lukanien, grch. Siedlung am Golf von Tarent (Italien), in der Nähe des heutigen Policoro, 433 v. Chr. von dorischen Griechen aus Tarent in Erneuerung der um 700 v. Chr. errichteten, bis gegen Ende des 6. Jh. v. Chr. bestehenden ion. Kolonie **Siris** gegr.; Reste des Demeter-Heiligtums wurden freigelegt.

Herakles, lat. **Hercules, Herkules,** beliebtester Heros der Griechen, wohl myken. Ursprungs. H., dessen Wesen sich schwer faßlich zw. grobsinnl. Derbheit und männl. Adel ausdrückte, vollbrachte schwere Arbeiten und große Taten, selbst im Kampf mit Göttern. In der grch. Philosophie wurde H. zu selbstloser menschl. Größe gesteigert und in der Vergöttlichung schließlich mit Zügen eines Heilbringers und großen Helfers verklärt. Den Hellenen war er v. a. auch Orakelgott, Beschützer der Jugend und Stifter der Olymp. Spiele. Er war der Sohn des Zeus und der Alkmene, der schon in der Wiege 2 Schlangen tötete, dann viele Abenteuer zu bestehen hatte, v. a. den Dodekathlos, seine 12 Taten: H. erlegte den Nemeïschen Löwen, die Lernäische Schlange, erjagte die Kerynitische Hirschkuh, fing den Erymanthischen Eber, reinigte in einem Tag die Ställe des Königs Augias von Elis, tötete die Stymphalischen Vögel, bändigte den Kretischen Stier, brachte die menschenfressenden Rosse des thrakischen Königs Diomedes zu Eurystheus, erwarb für Admete, die Tochter des Eurystheus, den Gürtel der Amazonenkönigin

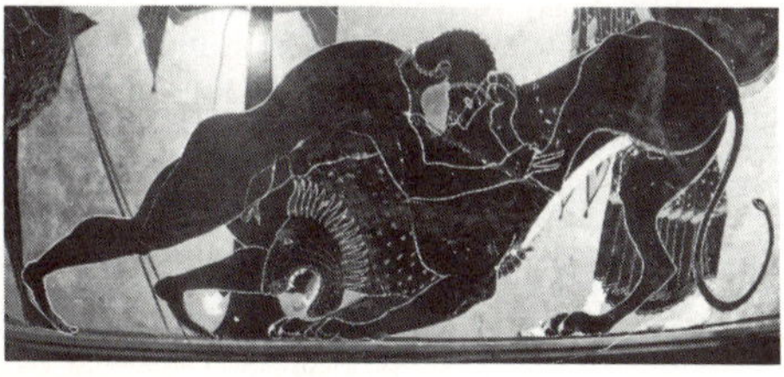

Herakles: H. kämpft mit dem Nemeïschen Löwen; Bauchamphora, 6. Jh. v. Chr. (Brescia, Museo Civico Romano)

Hippolyte, holte die Rinder des Geryon, erwarb die goldenen Äpfel der Hesperiden und führte den Höllenhund Kerberos aus der Unterwelt. Die Ambivalenz des zugleich Mensch- und Gottseins wird auch im Nebeneinander von ird. Flammentod und Erhebung in den Olymp sichtbar. Seine Gattin Deïaneira sandte ihm als Liebeszauber auf treulosen Rat des Kentauren Nessos hin ein vergiftetes Gewand, das ihm peinigende Schmerzen bereitete, so daß er verbrannte. Er wurde zum Gott und im Olymp mit Hebe vermählt. – Zahlreich sind die Darstellungen des H. schon im 7. und 6. Jh. v. Chr., wie auf einer att. Amphora (H. und Nessos, um 680 v. Chr., New York, Metropolitan Mus.) und auf einer Metope des Tempels C von Selinunt (H. und die Kerkopen, 6. Jh. v. Chr., Palermo, Mus.). Den Dodekathlos zeigen die Metopen vom Zeustempel in Olympia und des Hephaisteion in Athen (5. Jh. v. Chr.). Vollplast. H.-Darstellungen schufen MYRON, POLYKLET, SKOPAS und LYSIPP. Von den Römern wurde der Sagenkreis v. a. auf Mosaiken, Wandbildern und Sarkophagen übernommen. Dem MA. wurde H. zum Tugendhelden parallel zu Christus und Simson. Überaus beliebt waren H.-Darstellungen auch in der Neuzeit (Plastiken: P. VISCHER D. Ä., MICHELANGELO, A. DE VRIES. Gemälde: PIERO DELLA FRANCESCA, L. CRANACH D. Ä., A. DÜRER, P. P. RUBENS, A. VAN DYCK. Zyklen: N. DELL' ABBATE, G. VASARI, B. CALIARI, S. RICCI). Als Attribute waren dem H. Keule, Bogen und Köcher, Löwenfell oder auch Füllhorn u. a. beigegeben. Er wurde stets kraftvoll-männlich, oft bärtig dargestellt.

Heraklion, ngrch. **Iraklion**, Stadt und wichtigster Hafen Kretas an der N-Küste (KARTE kretisch-mykenische Kunst), grch.-orth. Bischofssitz, 78 200 Ew.; Archäolog. Mus. mit umfassender Samml. von Funden der auf Kreta ausgegrabenen minoischen Kultur (→ kretisch-mykenische Kunst). – H., im Altertum Hafen von Knossos, wurde nach 828 von den Arabern als **Chandax** neugegr.; seit 1207 von den Venezianern zur Festung **Candia** ausgebaut; 1669–1897 war H. türkisch. Das Kastell am alten Hafen mit Schiffshäusern und Arsenalen wurde 1523–40 anstelle venezian. Vorgängerbauten errichtet. Wegen der wachsenden Türkengefahr wurden im 16. und 17. Jh. gewaltige Befestigungswälle mit Bastionen, Vorwerken und (urspr. 8) Toren nach Plänen von M. SANMICHELI gebaut; Kirche Hagios Markos (13. Jh., Dauerausstellung mit Kopien byzantin. Fresken von der Insel); Kirche Hagios Titus, im 16. Jh. anstelle eines Baus aus byzantin. Zeit errichtet, wurde seitdem häufig zerstört und erneuert, in türk. Zeit Moschee; neobyzantin. Kirche Hagios Minas (1862–95).

Herat, Stadt in W-Afghanistan, etwa 1000 m ü. M., 157 000 Ew. H. wird bereits in altpers. Inschriften und von den Griechen erwähnt. Die gegen Ende des 13. Jh. aus Lehmziegeln erbaute Zitadelle wurde unter den Timuriden und später häufig verändert. Die Große Freitagsmoschee mit 4 Iwanen und großem Innenhof wurde 1201 von der Dynastie der Ghoriden errichtet, nach der Zerstörung durch TIMUR wiederaufgebaut; die ältesten Dekorationen stammen vom Anf. des 14. Jh., die Bauornamentik, v. a. das Fayence-Dekor, aus safawid.

Herat: Große Freitagsmoschee

Zeit. Von dem nach 1417 entstandenen Komplex mit Musalla (Gebetsplatz), Medrese und Grabbauten sind nur noch ein Mausoleum (timurid. Kuppelbau mit reicher Dekoration) und 2 Minarette erhalten, von den Ergänzungen dieser Bauten (1469–1477; Gärten mit Pavillons, Palast u. a.) nur 4 Minarette. Berühmt ist auch die unter ALI SHIR begr. Malschule von Herat.

D. BRANDENBURG: H., eine timurid. Hauptstadt (1977).

Herbin [ɛrb'ɛ̃], Auguste, frz. Maler, *Quiévy bei Cambrai 29. 4. 1882, †Paris 1. 2. 1960, war 1931–37 Mithg. der Ztschr. ›Abstraction-Création‹ und malte abstrakt-konstruktive Bilder. Seit 1940 entwickelte er sein ›malerisches Alphabet‹, in dem starkfarbige einfache geometr. Figuren wie in einem Baukasten nebeneinanderstehen.

Schrift. L'art non-figurativ non-objectif (1949–50).
W. SCHMIED: A. H. (1967).

Herborn, Stadt im Lahn-Dill-Kr., Hessen, 21 600 Ew., mit sehr gut erh. Ortsbild. Das dreitürmige ma. Schloß wurde im 19./20. Jh. wiederhergestellt; im Gebäude der ehem. ›Hohen Schule‹, einer 1584–1812 bestehenden evang.-theolog. Univ., das Heimatmus.; repräsentatives Rathaus (1589–91) mit verschiefertem Obergeschoß; Fachwerkbaugruppe der Corvinschen Druckerei (16./17. Jh.); stattl. Pfarrkirche (14.–17. Jh.) mit Chor-Sterngewölbe und dreiseitigen, manieristisch verzierten Emporen.

Herculane|um, ital. **Ercolano,** antike Stadt am Golf von Neapel, urspr. von Oskern, seit dem 5. Jh. v. Chr. von Samniten bewohnt, 307 v. Chr. von Rom unterworfen, 89 v. Chr. Munizipalstadt. Zu Beginn der röm. Kaiserzeit war H. ein wohlhabender Villenort mit etwa 4000–5000 Ew. – Wie Pompeji wurde H. durch den Vesuvausbruch 79 n. Chr. verschüttet. Seiner zufälligen Auffindung 1709 folgte 1738 die erste mittels unterird. Gänge durchgeführte Grabung; seitdem wurde, zunächst mit großen Unterbrechungen, kontinuierlich seit 1927, die unter Lava- und Schlammassen liegende Stadt ausgegraben.

H., unmittelbar am Meer gelegen, war eine Stadt mit regelmäßigen, rechtwinkligen, z. T. engen Straßenzü-

Herculaneum: Häuser am Cardo IV; vor 79 n. Chr.

gen und einer Befestigung gegen das Meer, die spätestens in der frühen Kaiserzeit als Terrasse für Häuser verwendet wurde. Die Häuser mit verputzten Tuff-, Ziegel- oder Fachwerkfassaden kragten gegen die Straße vor. Bes. aufschlußreich für den patriz. Charakter sind die Häuser der Frühzeit mit ihren hohen Atrien. Jünger sind große Peristyl-Anlagen mit individuellen Grundrißlösungen. In den reich ausgemalten Häusern kamen neben zahlreichen dekorativen Bildwerken v. a. Reste des Mobiliars, z. T. aus Holz, hervor. An öffentl. Gebäuden, bes. aus der frühen Kaiserzeit, wurden das Theater, die beiden Thermen und v. a. eine große Palästra mit Peristyl, Säulenhallen und mehrgeschossigen Gebäuden freigelegt. Aus dem Portikus (›Basilica‹) stammen Wandmalereien mit mytholog. Themen. – Die 1750 entdeckte stattl. Villa der ›Pisonen‹ enthielt eine reiche Bibliothek von Papyrusrollen, philosoph. Schriften und eine Fülle von Statuen und Büsten aus Bronze und Marmor, die in den geräumigen Zimmern, den Säulenhallen und Gartenanlagen aufgestellt waren (heute in Neapel, Archäolog. Nat.-Mus.).

T. KRAUS u. L. v. MATT: Lebendiges Pompeji. Pompeji und H. (1973); M. GRANT: Pompeji, H. (a. d. Engl., 1978).

Herdringen, Ortsteil von Arnsberg, NRW; Hauptsitz des westfäl. Grafengeschlechts von Fürstenberg. Das eindrucksvolle Schloß erbaute der Kölner Dombaumeister E. F. ZWIRNER 1844–52 im Stil engl. Neugotik; barocke dreiflügelige Unterburg (1680–1723).

Héré de Corny [eredəkɔrn'i], Emmanuel, frz. Baumeister, *Nancy 12. 10. 1705, begraben Lunéville 2. 2. 1763, Schüler von G. BOFFRAND, gestaltete im Auftrag von König STANISŁAW LESZCZYŃSKI als dessen Hofarchitekt die Neustadt von Nancy (1740–55) mit der Place Royale (Place Stanislas), Place de la Carrière, Palais du Gouvernement, eines der schönsten Beispiele für die Stadtplanung im Rokoko.

JULIA RAU – GRÄFIN VON DER SCHULENBURG: E. H., premier architecte von Stanisłas Leszczyński in Lothringen, 1705–1763 (1973).

Hereford [h'erıfəd], engl. Stadt in der Cty. H., im Grenzgebiet zu Wales, 47800 Ew., im 7. Jh. als Bischofssitz gegr. Der heutige Kathedralbau entstand in der 1. H. des 12. Jh. als roman. Querhausbasilika. Im frühen 13. Jh. wurde der urspr. O-Abschluß durch ein 2. Querhaus mit anschließender Lady Chapel in frühgot. Formen des Early English ersetzt und nach der Jh.-Mitte der nördl. Querhausarm erneuert. Im Chor ist die ›Mappa Mundi‹ (13. Jh.), eine große Bildkarte, die die Welt als Scheibe darstellt, aufbewahrt. Im frühen 14. Jh. Errichtung des Vierungs- und des W-Turms, der 1786 einstürzte; anschließende Restaurierungen bestimmen weitgehend das heutige Erscheinungsbild. Von den 5 ma. Pfarrkirchen der Stadt sind nur All Saints und St. Peter, beide aus dem späten 13. und frühen 14. Jh. mit Steilhelmen, erhalten, die übrigen wurden im 19. Jh. erneuert. Die Shire Hall wurde 1817–19 von R. SMIRKE in Form eines grch. Portikus erbaut.

Herend, Gem. in W-Ungarn, im Komitat Veszprém; seit 1838/39 wird hier in einer zu Beginn des Jh. gegr. Manufaktur Porzellan hergestellt, das in europ. und ostasiat. Tradition steht. Bekannt sind der Blütenzweigdekor und die Vogelplastiken.

Herentals, Stadt in der belg. Prov. Antwerpen; die St. Waldetrudiskirche (14./15. Jh.), ein hervorragendes Beispiel der Brabanter Gotik, birgt Gemälde von F. FRANCKEN D. Ä. und Chorgestühl (17. Jh.); Beginenhof (1266 gegr., Neubau 17./18. Jh.); im Rathaus (1534) Fraikin-Mus. (Werke des in H. geborenen Bildhauers C. A. FRAIKIN, *1817, †1893).

Herford, Stadt bei Bielefeld, NRW, 66800 Ew., besteht aus Altstadt (973 bezeugt), Radewig und Neustadt (1224 gegr.). Die Münsterkirche (um 1220–80) ist die älteste der großen westfäl. Hallenkirchen und gehörte einem ehem. Damenreichsstift (um 820 gegr.); an der Südseite schönes Maßwerk (15. Jh.). Aus dem 14. Jh. stammen Jakobikirche (Barockausstattung, 17. Jh.) und Johanniskirche (got. Glasfenster; geschnitzte Zunftemporen, 17. Jh.). Die Marienkirche des Nonnenstifts auf dem Berge (1011 gegr., um 1290–1350 erbaut) ist eine got. Halle in der Nachfolge des Mindener Doms. Die Seitenschiffe aller Kirchen in H. sind mit Quersatteldächern gedeckt (›westfäl. Schule‹).

Hergiswald, Wallfahrtsort in der Gem. Kriens im schweizer. Kt. Luzern. Die Wallfahrtskapelle (1651 bis 1657) enthält prächtige Altäre und eine einzigartige Deckenbemalung von C. MEGLINGER (1654, über 300 Felder mit Mariensymbolen), die Loretokapelle (1648) ist eine maßgetreue Nachbildung der ›Santa Casa‹ in Loreto.

Herigoyen, Emmanuel Joseph von, Baumeister, *Belas bei Lissabon 4. 11. 1746, †München 27. 7. 1817, seit 1778 Ingenieur am kurfürstl. Hof in Mainz (Bau einiger Häuser am Weihergarten im Mainz; in Aschaffenburg Treppenhaus und mittleres Portal im O-Flügel von Schloß Johannisburg, 1774–84; Pavillons im Schloßpark Schönbusch bei Aschaffenburg, 1776–92); seit 1804 in Regensburg Stadt- und Landbaumeister (Stadttheater 1804, Palais des frz. Gesandten 1805,

Kepler- und Taxis-Denkmal u. a.), 1810–17 Oberbaukommissar in München. – Sein frühklassizist. Baustil ist nüchtern und zurückhaltend; er entfaltet Einflüsse des frz. Louis-seize und des engl. Palladianismus.

H. REIDEL: E. J. v. H. (1982).

Hering, Loy, Bildhauer, *Kaufbeuren 1484/85, †Eichstätt nach 1554, arbeitete in Augsburg, seit 1513 in Eichstätt. Sein zur Frührenaissance gehörendes Werk (in Details nach Holzschnitten von A. DÜRER gearbeitet) ist von ungewöhnl. Umfang (mehr als 100 gesicherte Arbeiten). Aus seiner Frühzeit stammen eindrucksvolle Holzkruzifixe (Augsburg, St. Georg; Eichstätt, Mortuarium). Sein HW ist die große Sitzfigur des Hl. Willibald (1514, Eichstätt, Dom). In späterer Zeit schuf H. neben Kleinskulpturen Epitaphien in Solnhofener Stein von bes. sorgfältiger Oberflächenbehandlung.

WW: Epitaphien: Margarethe von Eltz (1519, Boppard, Karmeliterkirche); Herzog Erich I. von Braunschweig-Lüneburg (1527, Münden, St. Blasienkirche).

P. REINDL: L. H. (1977).

Herkomer [engl. h'ə: kəmə], Sir (1907) Hubert, engl. Maler und Graphiker dt. Herkunft, *Waal bei Landsberg a. Lech 26. 5. 1849, †Budleigh Salterton (Devonshire) 31. 3. 1914; nach einem Studium an der South Kensington School, London, begann er zunächst als Illustrator der Ztschr. ›The Graphic‹. Es folgten breit gemalte, oft pathet. Bilder mit Genreszenen und sozialen Themen, auch Porträts.

HW: Gottesdienst der Invaliden von Chelsea (1875; London, Tate Gal.); R. Wagner (1877; ebd., Royal Academy); Kapelle des Charter House (1889; ebd., Tate Gal.).

Herkulanerinnen, 2 Typen grch. Frauenskulpturen (um 320 v. Chr., nur als röm. Kopien erh.). Die H., mit Chiton und Mantel, stellen einen Höhepunkt grch. spätklass. Kunstschaffens dar. Sie wurden in röm. Zeit außerordentlich häufig kopiert. Je eine der ›großen‹ und ›kleinen‹ H.-Kopien wurde in Herculaneum gefunden (heute Dresden, Skulpturensamml.).

Herkules, grch. Mythos: →Herakles.

Herlin, Herlein, Friedrich, Maler, *Rothenburg ob der Tauber 1430, †Nördlingen 1500, bildete sich unter dem Einfluß der niederländ. Kunst (ROGIER VAN DER WEYDEN, D. BOUTS) und war seit 1459 Stadtmaler in Nördlingen.

HW: Marienaltar (1459; urspr. Nördlingen, Herrgottskirche, heute: Nördlingen, Städt. Mus. und München, Bayer. Nat.-Mus.); Marienaltar (um 1461; urspr. Kaisheim, Kirche des ehem. Zisterzienserklosters, heute: Karlsruhe, Kunsthalle); Altarflügel (1463–65; urspr. Nördlingen, St. Georg, heute: Nördlingen, Städt. Mus.); Altarflügel (1466/67; Rothenburg ob der Tauber, St. Jakob); Familienaltar H.s (1488; Nördlingen, Städt. Mus.).

Hermann Joseph, Mönch des Klosters Steinfeld (Eifel), Heiliger, *Köln 2. Hälfte 12. Jh., †Kloster Hoven bei Zülpich 7. 4. 1252 (1241?), dargestellt als Mönch mit Buch, mit Kelch (Tafelbild des Meisters des Marienlebens, 15. Jh.) oder mit Jesuskind auf dem Arm.

Hermanns, Ernst, Bildhauer, *Münster 8. 12. 1914,

schuf Plastiken mit naturhaft informellen Strukturen, seit 1960 Metallplastiken mit leicht verformten stereometr. Körpern, die sich auf einer Grundfläche zusammenordnen. Mitte der 60er Jahre reduziert er seine Formen auf (teils angeschnittene) Kugeln, Kegel, Zylinder, deren ›plast. Energien‹ H. untersucht und die er zu Kompositionen gruppiert.

Plastische Arbeiten mit Werkverz. 1946–82, Beiträge v. F. BOEHN u. J. MORSCHEL (1982).

Hermannsdenkmal, dt. Nationaldenkmal für den Cheruskerfürsten Armin im Teutoburger Wald, in einem Ringwall (Teutoburg = Volksburg) des Berges ›Grone‹ (Hiddesen, Teil von Detmold), dem legendären Ort der Schlacht Armins gegen den röm. Feldherrn Varus. Das H. (26 m hoch auf 30,7 m hohem Sockel) wurde von E. v. BANDEL geschaffen (1. kleines Modell 1830, beg. 1838, Unterbau 1846 voll., Arminfigur seit 1862 in Kupfer getrieben, Einweihung in Gegenwart Kaiser WILHELMS I. 1875).

Ein Jh. H. 1875–1975, hg. v. G. ENGELBERT (1975).

Hermannsdenkmal; 1846 voll.

Hermannstadt, rumän. **Sibiu,** Hauptstadt des Kr. Sibiu, Siebenbürgen, Rumänien, 157 000 Ew.; entstand auf dem Gebiet der röm. Siedlung **Cedonia** (bis zum Mongoleneinfall im 13. Jh. **Civitas Cibiensis);** danach von sächs. Einwanderern als H. neu gegr. und befestigt. Die Stadt hat ihr ma. Gepräge weitgehend bewahrt. Von der starken Umwallung (beg. Ende 14. Jh.) sind Basteien und Türme des 15.–17. Jh. erhalten. Das schon 1292 bezeugte Spital mit Kirche besitzt noch einen roman. Treppenturm. Die evang. Pfarrkirche, ein im wesentlichen spätgot. Bau (14.–15. Jh.), wurde an der Stelle der röm. Basilika errichtet, im Innern bed. Orgel des späten 17. Jh. Das alte Rathaus (gotisch, 15. Jh.) wurde im 17. Jh. umgebaut. Zum ehem. Dominikanerkloster (seit 1728 Ursulinenkloster) gehört eine spätgot. Hallenkirche (um 1480). Die Fleischhalle des 14. Jh. ist heute ›Haus der Künste‹. Im spätbarocken Brukenthal-Palais (um 1790) Mus. (seit 1817).

Hermaphroditos *der,* urspr. wohl aus oriental. und mittelmeer. Zwittergottheiten hervorgegangen, im grch. Mythos Sohn des Hermes und der Aphrodite. Auf Bitten der Quellnymphe Salmakis an die Götter, ihren Körper und den des H. verschmelzen zu lassen, entstand ein androgynes Wesen. Seit spätklass. Zeit, dann häufig auf hellenist. und röm. Denkmälern (Statuen und Statuetten, Wandgemälde, Gemmen) wurde H. unter zunehmender Betonung des sinnl. Reizes dargestellt. In der neuzeitl. Kunst, v. a. im Barock, erschien er vorwiegend mit Salmakis (A. CARRACCI, F. ALBANI), wobei das Zwittergestaltige zurücktrat und erst wieder im 20. Jh. hervorgehoben wurde (S. DALÍ).

Herme [grch.] *die,* in der Antike ein vierkantiger, von einem bärtigen Hermeskopf gekrönter, mit Phallus und Armbossen versehener Pfeiler. Seit dem 4. Jh. v. Chr. wurden außer Hermes auch Pan, Satyrn, Priapos, Aphrodite, Hekate, Helios, Herakles in Form einer H. dargestellt. Neben der **Schulter-H.** (mit nacktem Schulterstück) entwickelte sich seit der 2. H. des 5. Jh. v. Chr. die den Schaft teilweise zum menschl. Körper umwan-

Herme aus Siphnos; 490–480 v. Chr. (Athen, Nationalmuseum)

delnde **Körper-H.**, später die **Mantel-H.**; seit dem späten 6. Jh. v. Chr. kamen die später in der röm. Kunst beliebten **Doppel-H.** mit 2 versch., nach entgegengesetzten Seiten gerichteten Köpfen auf; es gab auch H. mit 3 oder 4 Köpfen. Opfer- und Adorationsszenen vor H. auf grch. Vasenbildern weisen auf eine relig. Bedeutung hin. In der röm. Kaiserzeit wurden H. rein dekorativ verwendet, bes. häufig für Porträts. – Seit dem 15. Jh. wurden die antiken H. als Büsten nachgeahmt; sie erscheinen auch im architekton. Verband.

Hermes, grch. Gott des Handels, der Wege, Wanderer und Diebe, des Schlafs und Traums, Geleiter der Toten ins Jenseits, Götterbote, mit Zügen eines Hirten und Beschützers (Urbild des Guten Hirten), von den Römern dem Merkur gleichgesetzt. Sein vielschichtiges Wesen wird deutbar aus Ursprüngen, die auf Steinkulte sowie Natur- und Hirtengottheiten verweisen. Er war Sohn des Zeus und der Maia, von liebenswürdigem, schelmisch-dreistem Charakter, schlau und erfinderisch (er erfand u. a. die Lyra), auch zauberisch, götter- und menschenfreundlich. Die Spätantike deutete ihn v. a. über den **H. Trismegistos** zum Erlöser und Verkünder um. Heroldstab (Kerykeion), Flügelschuhe und Reisehut, in Rom auch der Geldbeutel, waren die bevorzugten Attribute des H., der in der grch. Kunst zunächst bärtig, dann jugendlich und anmutig gebildet wurde. Vasenbilder zeigen ihn schon im 7. Jh. v. Chr. im Zusammenhang vieler Mythen (Parisurteil, Athenageburt, Totengeleiter u. a.). Oft wurde er auf Weihreliefs, in Statuetten und auf röm. Wandbildern, auch freiplastisch wie der **H. Farnese** (London, Brit. Mus.), der **H. Ludovisi** (Rom, Thermenmus.) sowie der H. mit dem Dionysosknaben von PRAXITELES (4. Jh. v. Chr., Olympia, Mus.; BILD griechische Kunst), dargestellt. Auch die Neuzeit zeigte ihn im mytholog. Zusammenhang (A. CORREGGIO, CLAUDE LORRAIN, P. P. RUBENS).

Hermogenes, grch. Architekt des 2. Jh. v. Chr. aus Alabanda (Karien); in Ionien werden ihm die bereits in der Antike bewunderten Bauten des Dionysostempels in Teos und des Artemisions in Magnesia am Mäander zugeschrieben. Laut VITRUV gehen Theorien über harmon. Entsprechungen und Symmetrien beim Tempelbau auf H. zurück.

Hermonax, attischer Vasenmaler der frühklass. Zeit (2. Viertel 5. Jh. v. Chr.), einer der bedeutendsten Schüler des BERLINER MALERS; charakteristisch ist ein gleichmäßiger Bildaufbau mit vielen Figuren.

Hermopolis, H. Magna, grch. Name der altägypt. Stadt **Schmunu** [›Stadt der Acht‹, d. h. der Urgötter], rd. 100 km nördlich von Assiut (KARTE ägyptische Kunst); Hauptkultort des Gottes Thot, den die Griechen dem Hermes gleichsetzten. Tempelreste v. a. aus dem Neuen Reich, worin zahlreiche reliefierte Blöcke aus dem nahegelegenen Amarna verbaut waren; aus dem 5. Jh. n. Chr. stammt eine christl. Basilika mit wiederaufgerichteten Säulen. In der Nähe bei El-Bersche die Felsgräber der Gaufürsten von Schmunu und in →Tuna el-Djebel eine Nekropole von H. aus der ägypt. Spätzeit.

Hernández [ɛrn'anðɛθ], auch **Fernández** [fɛrn'anðɛθ], Gregorio, span. Bildhauer, *in Galicien um 1576, †Valladolid 22. 1. 1636, überwand den Manierismus der kastil. Schule zugunsten des barocken, stark naturalist. Stils. Seine meist bemalten Holzbildwerke (viele im Skulpturenmus. von Valladolid) sind von großer Ausdruckskraft und tiefem relig. Gefühl. H. war ein Begründer der →Estofado-Skulptur; er machte Valladolid zu einem Zentrum der Bildhauerkunst im 17. Jh.

Herodes der Große, mit Rom verbündeter jüd. König, *um 72 v. Chr., †4 v. Chr., dargestellt in den Zyklen der →Drei Könige und des →Bethlehemitischen Kindermordes.

Heroische Landschaft, →Landschaftsmalerei.

Heroon [grch.], in der Antike Kultstätte eines Helden (Heros), meist mit seinem Grab.

Herrebøe [h'ɛrəbø:], 1758 bei Halden in S-Norwegen gegr. Fayencemanufaktur, die u. a. Wandbrunnen, Terrinen und Tafelgeschirre mit Dekor in Unterglasurblau und Purpur herstellte. Um 1770 wurde die Produktion eingestellt.

Herrenalb, Bad H., Stadt im nördl. Schwarzwald, Bad.-Württ., 5200 Ew., mit ehem. reichsunmittelbarer Zisterzienserabtei (1149 gegr.); die roman. Paradiesvorhalle (um 1200) nur als Ruine erh. Im netzgewölbten Chor (1428) prächtiges Tumbengrab des Markgrafen BERNHARD VON BADEN (†1431).

Herrenberg, Stadt im Kr. Böblingen, Bad.-Württ., 24700 Ew. In der ehem. Kollegiatsstiftskirche (Chor 1356 voll., netzgewölbtes Hallenlanghaus nach 1453) mit ihrem imposanten W-Turm spätgot. Ausstattung (Steinkanzel 1503, Chorgestühl 1517); Flügelaltar von J. RATGEB (1519) jetzt Staatsgal. Stuttgart.

Herrenchiemsee [-k'i:m-], Schloß König LUDWIGS II. VON BAYERN, nach dem Vorbild von Versailles auf der Herreninsel im Chiemsee (Oberbayern) 1878–85 von G. v. DOLLMANN erbaut (Mus.). Das ›Alte Schloß‹ (17. Jh., mit reich dekorierter Bibliothek und Kaisersaal) ist der Rest eines ehem. Augustiner-Chorherrenstifts (1130 gegr.); das Langhaus der Barockkirche (1676–78) wurde profaniert.

Herrera [ɛrr'ɛra], **1)** Francisco, gen. **el Viejo** [-βi'ɛxo, ›d. Ä.‹], span. Maler, Kupferstecher, Medailleur, Vater von 2), *Sevilla um 1576, †Madrid 1656, arbeitete in Sevilla zunächst unter dem Einfluß von J. DE LAS ROELAS, siedelte 1649 nach Madrid über. Größe und Wucht der Figurenauffassung, naturalist. Hell-Dunkel-Manier, breiter, freier Pinselstrich charakterisieren seinen Stil. Außer relig. Themen malte er auch Genrebilder, bes. Küchenstücke (Bodegones).

2) Francisco, gen. **el Mozo** [-m'oθo, ›d. J.‹], span. Maler und Baumeister, Sohn von 1), *Sevilla 1622, †Madrid 25. 8. 1685, malte mehrere Jahre in Rom und in Neapel; 1660 wurde er mit B. E. MURILLO Leiter der Akademie in Sevilla, 1672 Hofmaler in Madrid. Seine relig. Bilder sind in hochbarockem Stil in lichten Farben und skizzenhafter Technik gemalt. Er entwarf die barocke Wallfahrtskirche Nuestra Señora del Pilar in Saragossa (1681 beg., voll. von V. RODRÍGUEZ TIZÓN).

3) Juan de, span. Baumeister, *Mobellán (Asturien) um 1530, †Madrid 15. 1. 1597, seit 1567 als Nachfolger von J. B. DE TOLEDO Erster Baumeister PHILIPPS II., schuf, in Abkehr vom Platereskenstil, den von der ital. Renaissance ausgehenden klass. schmucklosen Baustil Spaniens (→Desornamentado-Stil); erbaute den →Escorial, entwarf die Börse (Lonja) in Sevilla (um 1598 von seinen Schülern voll.) und die Kathedrale von Valladolid (um 1585 beg.). Sein wichtigster Schüler war F. DE MORA.

Herrmann, Curt, Maler, *Merseburg 1. 2. 1854, †Erlangen 13. 9. 1929, lebte nach Studien in Berlin (C. STEFFECK) und München (W. LINDENSCHMITT) seit 1893 in Berlin. Er malte Landschaften und Stilleben unter dem Einfluß des Neoimpressionismus (G. SEURAT, P. SIGNAC), zu dem er sich in ›Der Kampf um den Stil‹ (1911) bekannte.

C. H., Ausst.-Kat., Kassel (1971).

Herrnhut, Stadt im Lausitzer Bergland, 1800 Ew.; Kirchensaal der Brüdergemeine, schlichter Barockbau (1756, 1945 zerstört, 1951–53 wiederaufgebaut); Vogtshof (1730, 1746 schloßartig erweitert).

Herrscherbild, Bildnis eines Regierenden. – Im Alten Orient ist das H. neben dem Götterbild die früheste Menschendarstellung in Relief, Glyptik und Rundplastik. In Mesopotamien ist der Herrscher in der Frühzeit (seit etwa 3000 v. Chr.) durch seinen netzartigen Rock (›Mann im Netzrock‹) von den Untertanen abgehoben. Später läßt nur die Bildkomposition (Nähe zur Gottheit u. ä.) den Herrscher, der sich nicht durch bes. Insignien von den sonstigen Würdenträgern abhebt, identifizieren. Lediglich in der Akkade- und Ur-III-Zeit (etwa 2300–2000 v. Chr.) ist der König z. B. durch Hörnerkrone, besondere Größe u. ä. herausgehoben. In Darstellungen des 1. Jahrtsd. v. Chr. trägt er versch. nur ihn kennzeichnende Kopfbedeckungen. Gegenüber dem selten bewegten H. in Babylonien wird in Assyrien der König in Aktion, sogar zu Pferde gezeigt. – Der hethit. König ist durch eine Amtstracht wie Mantel, Lituus (Stab mit gerundetem Ende) und kalottenförmige Mütze ausgezeichnet.

In Ägypten wurden Rundbilder des Königs seit etwa 3000 v. Chr. hergestellt und erreichten mit der Statue des Königs DJOSER um 2620 v. Chr. Lebensgröße. Die Statuen, für den Totentempel bestimmt, dienten zunächst dem Fortleben des Königs im Jenseits, erst seit dem Mittleren Reich wurden H. auch in Göttertempeln aufgestellt; im Neuen Reich finden sich Kolossalstatuen vor dem Pylon eines Tempels, um feindl. Mächte von ihm fernzuhalten. Das H., das in Vertretung des Königs auf seine Umwelt wirken sollte, erstrebte kein individuelles Porträt, sondern wollte die zeitlose Idee des Königtums zum Ausdruck bringen.

In der iranischen Kunst sind Darstellungen der Achaimenidenkönige DAREIOS I., XERXES und ARTAXERXES I. (522–424 v. Chr.) von Reliefs in Persepolis bekannt: schreitend, von Dienern mit Schirm und Wedel begleitet oder thronend unter dem Baldachin. Bei den Ausgrabungen wurden Reste der Bemalung gefunden, so trug Dareios einen mit goldenen Borten besetzten Purpurmantel, seine Armringe und die Krone waren in Gold eingelegt. Die Parther (3. Jh. v. Chr. – 3. Jh. n. Chr.) schufen Plastiken und Reliefs ihrer Könige als Reiter in der Steppentracht nordostiran. Stämme, die zur Hoftracht geworden war. Auf Reliefs dominiert die Darstellung des berittenen Königs, der den Feind tötet (MITHRIDATES II., GOTARZES II. auf den Felsreliefs von Bisutun). Die Sassanidenkönige (3.–7. Jh. n. Chr.) sind schreitend oder thronend, häufiger zu Pferd wiedergegeben: bei der Investitur durch Götter, beim Triumph über Feinde, galoppierend im Turnier, während der Schlacht oder bei der Jagd. Islam. Herrscher (seit dem 7. Jh.) erscheinen auf pers. Miniaturen thronend oder beim Gelage im Palast, auch zu Pferd auf der Jagd oder beim Polospiel; dazu kommt das Bild des dichtenden Herrschers mit Schreibstift.

Antike: Porträtdarstellung von Kaisern wurden in Skulpturen, Büsten und Reliefs der röm. Kaiserzeit als geheiligtes Staatssymbol betrachtet. In der christl. Antike waren die kaiserl. Standbilder vorrangig sowie Darstellungen von Herrschern auf Münzen und Mosaiken (z. B. Kaiser Justinian und Kaiserin Theodora in San Vitale in Ravenna, 547).

Mittelalter und Neuzeit: Im MA. waren H. bes. häufig in der Buchmalerei der otton. und stauf. Zeit und als →Grabmal. Als Tafelbild seit dem 14. Jh. bekannt (z. B. Erzherzog Rudolf IV. von Habsburg, um 1365, Wien, Erzbischöfl. Diözesanmus.), erlebte das H. v. a. im absolutist. Barockzeitalter eine Blüte. Das H. vergegenwärtigte stellvertretend den nicht anwesenden Regenten und diente der Repräsentation der in dieser Person verkörperten Staatsmacht. Es erfüllte diese Funktion, der die Auffassung einer gottgewollten Staatsordnung zugrunde liegt, mit voller Wirkung jedoch nur zu Lebzeiten des Dargestellten, dessen Herrschermacht sich durch Haltung, Gestus und entsprechende Attribute (Insignien, Kleidung, Haartracht u. a.) dokumentierte.

W. BRÜCKNER: Bildnis und Brauch (1966); R. SCHOCH: Das Herrscherbild in der Malerei des 19. Jh. (1975).

Herrschergräber, vorgeschichtl. Grabanlagen mit bes. reicher Ausstattung (→Fürstengräber), die oft mit einem ehem. Herrensitz (Burgwall, Ringwall) in Verbindung stehen.

Hersfeld, Bad H., Stadt in Nordhessen, 28400 Ew. Die 103 m lange Kirche der ehem. Benediktiner-Reichsabtei (769 gegr.) ist eines der HW salischer Baukunst (1144 gew.) und, obwohl Ruine, von großartiger Wirkung; einmalig ist der Westbau in seiner Verbindung von Doppelturmfront, Chor und Eingangshalle. Mächtiges Renaissance-Rathaus (um 1597); got. Stadtkirche (14. Jh.). In der Nähe das Wasserschloß **Eichhof** (14./16. Jh.). BILD S. 218

Herstmonceux [hə:stmənsj'u:], Wasserschloß, östlich von Brighton, S-England; vierflügelige Anlage (Mitte 15. Jh.) mit polygonalen Eck- und Zwischentür-

Bad Hersfeld: Ruine der Stiftskirche; 1144 geweiht

men in klaren, durch das verwendete Backsteinmaterial bestimmten Formen. – Heute Sitz des Royal Observatory, früher in Greenwich.

Herter, Ernst, Bildhauer, *Berlin 14. 5. 1846, †ebd. 21. 12. 1917, Schüler von G. BLAESER, A. FISCHER und A. WOLFF, unterhielt nach Aufenthalt in Kopenhagen (1866, Studien bei B. THORVALDSEN) seit 1869 ein eigenes Atelier in Berlin und war hier 1890–1916 als Nachfolger von F. SCHAPER Prof. an der Hochschule. Das Werk ›Pan und Psyche‹ von R. BEGAS wies ihm den Weg zum Neubarock; anerkannt war H. seit dem ›Sterbenden Achill‹ für ELISABETH von Österreich (1884; Korfu, Achilleion). Sein für Düsseldorf geplantes (und abgelehntes) Heine-Denkmal (1. Entwurf 1888) fand schließlich als ›Loreley-Brunnen‹ 1899 Aufstellung in New York.

Hertervig, Lars, norweg. Maler, *Tysvær (bei Stavanger) 10. 3. 1830, †Stavanger 6. 1. 1902, Schüler von H. GUDE in Düsseldorf, malte teils düstere Waldbilder, teils hell gestimmte Sommerbilder, in denen sich ein intensives, sehr persönl. Naturerlebnis ausdrückt.

Hertzberger [-bɛrxər], Herman, niederländ. Architekt, *Amsterdam 6. 7. 1932, strebt mit seinem →Strukturalismus die Humanisierung der Architektur an. Das tragende Gerüst der Entwürfe H.s besteht aus gleichen, neutral gestalteten Formeneinheiten, zu einer Grundstruktur zusammengesetzt. So ergeben sich vielfältige Möglichkeiten zur Gebäudeerweiterung, zur Veränderung der Nutzung und zu individueller Gestaltung beim Ausbau der einzelnen Elemente.

HW: Montessori-Schule, Delft (1966); Bürogebäude ›Centraal Beheer‹, Apeldoorn (1972); Altersheim ›De Drie Hoven‹, Amsterdam (1974); Konzerthalle in Utrecht (1979).

V. MAGNAGO-LAMPUGNANI: Architektur und Städtebau im 20. Jh. (1980); A. LÜCHINGER: Strukturalismus in Architektur und Städtebau (1980).

Hertziana, →Bibliotheca Hertziana.

Hervatov, Ort im Ostslowak. Kreis, ČSSR, mit Holzkirche des Hl. Franziskus, 1593–96 erbaut, 1650–65 überarbeitet, mit bedeutenden Wand- und Deckenmalereien (im wesentlichen 16. Jh., häufig erneuert oder restauriert).

Herz, Symbol des phys. und geistigen Lebens, v. a. im Barock oft auf Andachtsbildern, auch als Attribut (Augustinus, Birgitta von Schweden).

Herzberg am Harz, Stadt am Südrand des Harzes, Ndsachs., 16600 Ew. Das Schloß, eine maler. Vierflügel-Fachwerkanlage der Renaissance (16.–18. Jh.), war bis 1866 in welf. Besitz.

Herzog Anton Ulrich-Museum, Braunschweig, aus den Samml. des Herzogs ANTON ULRICH v. Braunschweig-Wolfenbüttel (*1633, †1714) in Schloß Salzdahlum bei Wolfenbüttel hervorgegangenes Mus. Die Gemälde-Gal. mit Werken niederländ., dt. und ital. Maler des 17./18. Jh., seit 1887 in einem Mus.-Bau von O. SOMMER (*1840, †1894) untergebracht, hat bis heute den Charakter einer höf. Barockgalerie bewahrt.

A. FINK: Geschichte des H. A. U.-M. (1954).

Herzogenburg, Stadt im Traisental, NÖ, 7500 Ew., mit Augustinerkloster (1244 nach H. verlegt); der heutige, 2 Höfe umfassende Bau 1714–40 von J. PRANDTAUER und J. MUNGGENAST ausgeführt, der Hauptsaal im O-Flügel nach außen als Mittelrisalit, nach Plan von J. B. FISCHER V. ERLACH. Die Kirche (1743–85) verbindet ein einschiffiges Langhaus mit einem Zentralbau. Stifts-Mus. (Tafelbilder des Spät-MA., barocke ›Galerie‹).

Herzogenbusch, niederländ. **'s-Hertogenbosch** [shɛrto:xənb'ɔs], Hauptstadt der niederländischen Prov. Nordbrabant, 86800 Ew. Die St. Janskerk (Kathedrale), eine fünfschiffige kreuzförmige Basilika mit Vierungsturm und eingebautem spätroman. W-Turm, Chor mit Umgang und Kapellenkranz, ist die bedeutendste ma. Kirche der Niederlande. Trotz der langen Bauzeit (um 1380 – um 1525) ein einheitl. Bau, bildet sie mit ihrem reichen skulpturalen Schmuck im Innern und am Außenbau (bes. prächtig die Fassade des südl. Querschiffs) den Höhepunkt der Brabanter Gotik; in der Ausstattung geschnitztes Chorgestühl (1. H. 15. Jh.), Renaissance-Kanzel (1550/67), Taufbecken (1492), ein bed. Beispiel für den maasländ. Gelbguß. Die ehem. Kapelle St. Jacobus (1430) ist heute Mus. (u. a. frühma. und sakrale Kunst). Rathaus (1670–79) im Stil des niederländ. Klassizismus; im Innern Gemälde von T. VAN THULDEN und Wandmalerei von dem Fin-de-siècle-Künstler A. DER KINDEREN (*1859, †1925). Mehrere spätgot. Giebelhäuser in der Altstadt.

Hesdin [ed'ɛ̃], Jacquemart de, frz. Buchmaler, seit 1384 bis zu seinem Tod gegen 1410/11 im Dienst des Herzogs von Berry nachweisbar, wo er von den BRÜDERN VON LIMBURG abgelöst wurde. Er setzte die künstler. Tradition des JEAN PUCELLE fort und wurde der führende frz. Meister bes. in der dekorativen Ausschmükkung der Buchseiten. In seiner Kunst bereitet sich der Realismus des 15. Jh. vor.

Einige urkundlich gesicherte Buchmalereien in: Les très belles

Jacquemart de Hesdin:
Thronende Madonna;
Buchmalerei aus ›Les très belles heures du Duc de Berry‹;
vor 1402 voll. (Brüssel, Bibliothèque Royale)

heures du Duc de Berry, vor 1402 voll. (Brüssel, Bibl. Royale), und Les grandes heures du Duc de Berry, 1409 voll. (Paris, Bibl. Nat.); andere werden ihm zugeschrieben.

J. PORCHER: Frz. Buchmalerei (a. d. Frz., 1959); M. MEISS: French painting in the time of Jean Berry. The late 14. century... (London [2]1969).

Hesperiden, grch. Mythos: die Hüterinnen der goldenen Äpfel im äußersten Westen; diese Äpfel zu holen, war eine der 12 Arbeiten des Herakles. Darstellungen v. a. seit klass. Zeit (Hydria des MEIDIASMALERS, 5. Jh. v. Chr., London, Brit. Mus.), auch auf Reliefs und röm. Wandbildern. Die neuzeitl. Kunst wählte das Motiv selten (RAFFAEL, E. BURNE-JONES, H. v. MARÉES).

Hess, 1) Heinrich Maria von, Maler, Bruder von 2), *Düsseldorf 19. 4. 1798, †München 29. 3. 1863, lebte 1821–26 in Rom und schloß sich hier den →Nazarenern an. Seit 1827 war H. in München Prof. an der Akad. und Leiter der Glasmalereianstalt. – H. schuf Altarbilder, kirchl. Wandmalereien, Kirchenfenster (Dome zu Köln und Regensburg, München, Mariahilf-Kirche) und Porträts.

2) Peter Heinrich Lambert von, Maler, Bruder von 1), *Düsseldorf 29. 7. 1792, †München 4. 5. 1871, malte farbreiche, durch genaue Darstellung der Einzelheiten ausgezeichnete Schlachtenbilder aus den Napoleon. Kriegen.

BRIGITTE REINHARDT: Der Schlachten- und Genremaler P. H. (Diss. München 1972).

Hesse [hes], **1)** Eva, amerikan. Künstlerin, *Hamburg 11. 1. 1936, †New York 29. 5. 1970, kam 1939 nach New York. H. fand Mitte der 1960er Jahre zu amorph wirkenden Plastiken aus Schnüren, Stoffen, Gummi, dann aus Fiberglas, die oft fetischartig von der Decke oder Wand hängen. Sie vertrat damit die ›Antiform-Richtung‹ der Materialkunst.

E. H., Ausst-Kat., Hannover (1979).

2) H., Hasse, Hans, spätgot. Maler, zw. 1491 und 1521 in Zwickau und Annaberg (heute Annaberg-Buchholz) nachweisbar, mit der Signatur H. H. Für die Marienkirche in Zwickau malte H. (für das Schnitzwerk von P. BREUER) die Altartafeln (1508), sein HW. Seine Gemälde in Annaberg (Stadtkirche St. Annen) zeigen in den Ornamenten und der Ausmalung der Landschaft den Übergang zur Renaissance. Der Bergaltar ebd. (1521) schildert auf der Rückseite die bergmänn. Arbeit.

Hesselagergård [-gɔ:r], Schloß bei Gudme auf der dän. Insel Fünen, datiert 1538, besterhaltener dän. Herrensitz der Zeit; auffallend die großen Rundbogengiebel, reiche Innenausstattung z. T. erhalten.

Hestia, grch. Göttin des Herdes und Herdfeuers als schutzbietendem Mittelpunkt des Hauses und, im übertragenen Sinn, des Staates, Tochter des Kronos und der Rhea; wohl verwandt mit der röm. →Vesta. H. erscheint v. a. in der antiken Kunst bei Darstellungen von Götterversammlungen als Bringerin des Herdfeuers wie auf der Françoisvase.

hethitische Kunst, die Kunst Anatoliens zur Zeit der Herrschaft der Hethiter (etwa 1750–700 v. Chr.). Sie zerfällt in 3 Abschnitte: althethit. Zeit (etwa 1750 bis 1500 v. Chr.), hethit. Großreichszeit (etwa 1500–1200 v. Chr.) und die Zeit der späthethit. Kleinfürstentümer (etwa 1200–700 v. Chr.). Ihre Wurzeln reichen in die ›Karum-Zeit‹ (nach den assyr. Handels-Niederlassungen – assyrisch karum – in Anatolien benannt, etwa 2000–1750 v. Chr.) und in die frühe Bronzezeit zurück.

Aus der Karum-Zeit sind Palastanlagen aus Acem Hüyük (südöstlich vom Tuz Gölu), Karahüyük (bei Konya) und Kültepe bekannt. Hochwertige Keramikprodukte wie bemalte Gefäße, solche in Tiergestalt (Rhyta) und eine rotbraun hochpolierte Ware mit scharfkantigen Formen (Schnabelkannen) kennzeichnen das Handwerk. Elfenbeinarbeiten lassen enge Verbindungen zu Syrien erkennen. Auch in der Rollsiegelkunst verschmolzen syr. und mesopotam. mit einheim. Elementen zu einem neuen Stil. Der Denkmälerbestand der althethit. Zeit (auch der Architektur) ist nur noch sehr gering. Einige Reliefbruchstücke aus Hattuscha (Boğazköy) verweisen auf eine weitere Verbreitung dieser Gattung; eine Blütezeit erlebte die reliefierte Kultkeramik (Vasen von Bitik und Inandik). In der Siegelkunst schälte sich ein würfelförmiges Stempelsiegel mit kantigem Griff heraus. Reichhaltig ist dagegen der Denkmälerbestand des hethit. Großreiches, der hauptsächlich aus Hattuscha, Alaca Hüyük und neuerdings aus Maşat überliefert ist. In umwehrten Städten mit monumental ausgeschmückten Toranlagen (Königstor, Löwentor) und Poternen (alle in Hattuscha) wurden Paläste mit Pfeilerhallen, Tempel mit doppel-

hethitische Kunst: Tongefäß aus Kanesch; (Karum-Zeit), 19./18. Jh. v. Chr. (Ankara, Archäolog. Museum)

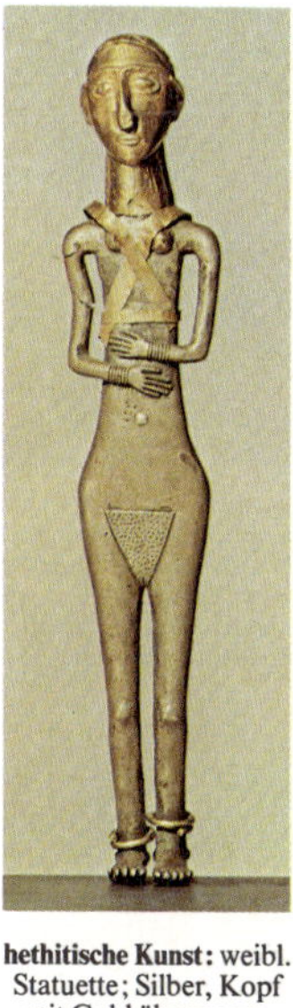

hethitische Kunst: weibl. Statuette; Silber, Kopf mit Gold überzogen, 2000 v. Chr., frühe Bronzezeit (Ankara, Archäolog. Museum)

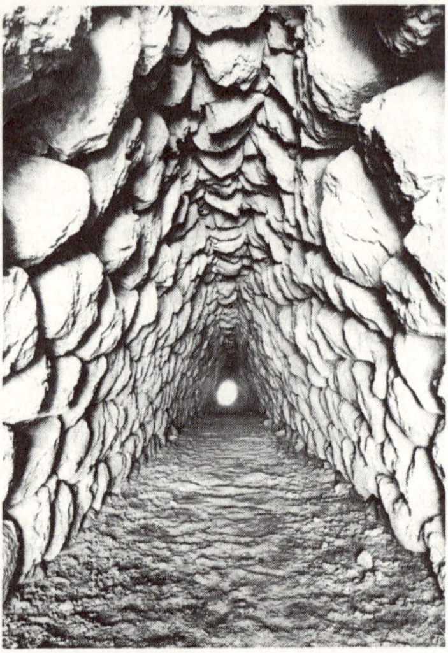

hethitische Kunst: OBEN späthethit. Basaltrelief mit Kultszene (Trankopfer vor dem hethit. Weltgott) aus Malatya; 10./9. Jh. v. Chr. (Ankara, Archäolog. Museum. UNTEN LINKS Relief des Gottes in Kriegergestalt vom Königstor in Hattuscha; 14. Jh. v. Chr. (Ankara, Archäolog. Museum). UNTEN RECHTS Poternengewölbe (Kragstein) in Hattuscha; 13. Jh. v. Chr.

ten Cellae und Fluchtburgen errichtet. Plastik und Reliefkunst zeigen einen eigenständigen Stil, obwohl sie thematisch und kompositorisch vielfach Fremdes (Syrisches, Hurritisches) verarbeiten. Neben den Felsreliefs von Yazılıkaya, die das hurritisch benannte Pantheon der Hethiter wiedergeben, sind bes. die Orthostaten von Alaca Hüyük zu erwähnen, die sich durch bewegte Tier- und Jagd- sowie Kultszenen auszeichnen.

Die späthethit. Kunst ist hauptsächlich im S und SO Anatoliens belegt. Die Bauten der gezielt geplanten Stadtanlagen, Mauern und Tore, Paläste (vom syr. Hilani-Typ) und Tempel sind mit reliefierten Orthostaten und halbplast. Torfiguren versehen. In Motivwahl und Stil überwiegend hethitisch geprägt sind die Darstellungen der Anlagen von Malatya, Karkemisch und Zincirli; ein enger Kontakt mit der gleichzeitigen aramäischen und phönik. Kunst ist in den Anlagen von Karatepe und Ain Dara nicht zu übersehen.

E. AKURGAL: Die Kunst der Hethiter (1961); W. ORTHMANN: Untersuchungen zur späthethit. Kunst (1971); K. BITTEL: Die Hethiter (1976); O. R. GURNEY: Die Hethiter (a. d. Engl., 1980).

Hetsch, 1) Gustav Friedrich, Baumeister und Maler, *Stuttgart 28. 9. 1788, †Kopenhagen 7. 9. 1864, war ebd. 1828–57 Leiter der Porzellanmanufaktur, seit 1844 zugleich Direktor der techn. Schule. Seine HW in Kopenhagen (Synagoge, 1833; kath. Kirche, 1842) zeigen den Stil des Empire.

2) Philipp Friedrich von, Maler, *Stuttgart 10. 9. 1758, †ebd. 31. 12. 1838, lernte auf der Karlsschule in Stuttgart (N. GUIBAL) und schloß sich hier F. v. SCHILLER und J. H. v. DANNECKER an. In Paris und Rom wandte sich H. dem Klassizismus J. L. DAVIDS zu. Er war seit 1780 württemberg. Hofmaler, seit 1798 Direktor der herzogl. Gemäldegalerie.

Hettner, Otto, Maler und Graphiker, *Dresden 27. 1. 1875, †ebd. 19. 4. 1931, lebte in Paris, Florenz, Berlin und wurde 1919 Prof. an der Kunstakad. in Dresden. Vom Impressionismus ausgehend, führte ihn der Einfluß von P. CÉZANNE und P. PUVIS DE CHAVANNES zu einer dekorativen Vereinfachung der Formen.

Gemälde: Wandgemälde für das Stettiner Museum (1915–19). – **Illustrationen:** H. v. Kleist: Erdbeben in Chili (1914); M. de Cervantes: Galathea (1922).

Heusenstamm, Stadt im südhess. Rodgau, 17 000 Ew.; war im 18. Jh. eine kleine Residenz der Grafen von Schönborn. Barockkirche von B. NEUMANN (1739–44), Schönbornsches Schloß (1663–68), ehem. Eppsteinsche Wasserburg (13.–16. Jh., neugotisch verändert). Frühklassizist. Torbau (um 1770).

Hexham [h'eksəm], Stadt (9800 Ew.) in der nordengl. Cty. Northumberland, westlich von Newcastle, deren Anfänge auf eine Bistumsgründung des Hl. WILFRIED im 7. Jh. zurückgehen. Von der um 1200 anstelle eines ergrabenen Saalbaus erbauten Prioratskirche waren im MA. nur Chor und Querhaus in frühgot. Stil mit Flachdecke und steilen Lanzettfenstern in der N-Fassade ausgeführt, das heutige Langhaus entstand erst 1908. Aus der Zeit der Bistumsgründung um 700 blieben die Krypta und der steinerne Thron (Bischofsstuhl des Hl. Wilfried?) erhalten. An dem östlich der Kirche gelegenen Marktplatz sind die spätgot. Bauten von Moot Hall (Bücherei) und Manor Offices (ehem. Gefängnis) sowie die Grammar School von 1684 nennenswert.

Heyde, Henning von der, Bildschnitzer, →Heide.

Heyden [h'ɛjdə], Jan van der, niederländ. Maler, *Gorkum 5. 3. 1637, †Amsterdam 28. 3. 1712, schuf Straßen- und Grachtenansichten von Städten, bes. von Amsterdam, oft mit Staffage von J. LINGELBACH, A. VAN DE VELDE u. a. Er malte die Einzelheiten der Häuser und

hethitische Kunst: Tongefäß mit rotbraunem bis tonfarbigem Überzug aus Alisar Hüyük; um 1700 v. Chr. (Ankara, Archäolog. Museum)

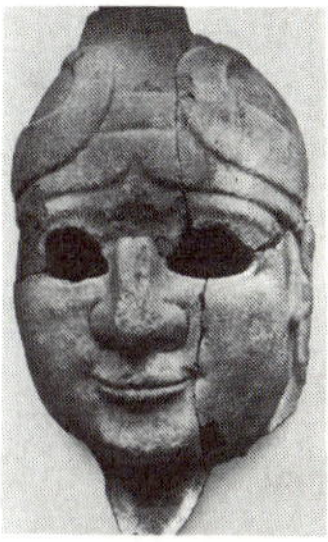

hethitische Kunst: Kopf einer hethit. Torsphinx, Hattuscha; 14.–13. Jh. v. Chr. (Berlin-Ost, Staatl. Museen)

Bäume sehr genau und gab dem Ganzen eine zarte, fein beobachtete Atmosphäre.

Heyerdahl [h'ɛjərdɑ:l], Hans Olaf, norweg. Maler, *Dalarna 8. 7. 1857, †Christiania (heute Oslo) 10. 10. 1913, studierte in München und Paris (L. BONNAT), in Florenz Begegnung mit A. BÖCKLIN, dessen Einfluß in den phantasievoll gestalteten mytholog. Motiven spürbar ist. H. malte auch Akte und Porträts.

Heymans [h'ɛj-], Jozef, belg. Maler, *Antwerpen 11. 6. 1839, †Brüssel Dezember 1921, schuf zarttonige, später farbenreiche Landschaften in der Art von C.-F. DAUBIGNY und C. COROT, deren Schüler er war.

Hibachi [-tʃi, jap. ›Feuerbecken‹], das japan. Kohlebecken zum Erwärmen der Hände und zum Kochen des Teewassers. Der H. war als mobiler Wärmespender Privileg des Adels und erfuhr vasenförmig (aus Keramik) und bauchig-rund oder viereckig (aus Holz mit Metalleinsatz) bes. gute kunsthandwerkl. Bearbeitung.

Hicks, Edward, amerikan. Maler, *Attleboro (Pennsylvania) 4. 4. 1780, †Newton (Pennsylvania) 23. 8. 1849, schuf als Autodidakt Bilder in naiv originellem, formal ungelenkem Stil voll schlichter Frömmigkeit.

HW: Das Königreich des Friedens (um 1833; New York, Mus. of Modern Art).

Hi|eda, kleines Reisbauerndorf in Japan, in der Yamato-Ebene 15 km südwestlich von Nara; gut erhaltene Dorfanlage (7. Jh.), durch einen ringförmigen Wassergraben befestigt, schöne, alte Bauernhäuser.

Hi|erakonpolis [grch. ›Falkenstadt‹], grch. Name der altägypt. Stadt **Nechen,** heute **Kom el-Ahmar,**

Edward Hicks: Das Königreich des Friedens; um 1833 (New York, Museum of Modern Art)

Ruinenstätte in Oberägypten (KARTE ägyptische Kunst). H. war schon um 3000 v. Chr. ein polit. und relig. Zentrum; älteste, prädynast. Grabmalereien (Schiffsdarstellungen, Jagd- und Kampfszenen), aus Ziegeln errichteter Friedhofsbau (›Fort‹ gen.) und Weihgaben der ältesten Könige (1. und 2. Dynastie, 2850–2660 v. Chr.) im Horus-Tempel, darunter die →Narmer-Palette und Prunk-Keulen der Könige NARMER und SKORPION sowie 2 Sitzstatuen des Königs CHASECHEM; aus der 6. Dynastie (2320–2160 v. Chr.) Kupferstatuen des Königs PEPI I.

Hi|erapolis [grch. ›hl. Stadt‹], antike Stadt am Lykos, heute **Pamukkale,** in der SW-Türkei, mit 35° C heißer Thermalquelle, die schon in der Antike für die Stadt bed. war; wohl unter EUMENES II. von Pergamon um 190 v. Chr. gegr., seit 133 v. Chr. Teil der röm. Prov. Asia; Baureste v. a. aus der Blütezeit der Stadt im 2./3. Jh. n. Chr.: Ruinen der Thermen, gut erh. Theater, Reste der Kolonnadenstraße und der Stadtmauer; ausgedehnte Nekropole; byzantin. Kirchen.

hi|eratisch [grch. ›priesterlich‹], Bez. für eine starre feierl. Komposition mit mehreren Figuren in langen Gewändern nebeneinander (u. a. byzantin. Mosaiken).

Hi|eronymus, lat. Kirchenlehrer, *Stridon (Dalmatien) um 347, †Bethlehem 30. 9. 419 oder 420, übersetzte die Bibel in die lat. Sprache; dargestellt in mittlerem Alter oder als bärtiger Greis, im Ornat (Chartres, Bekenner-Portal, 1215/20), sein Werk diktierend (Boethius-Diptychon, Brescia, kurz nach 604), seit dem 12. Jh. mit der Szene der Löwenheilung, als Gelehrter in der Studierstube (TOMMASO DA MODENA, 1352, Treviso, S. Niccolò, JAN VAN EYCK, um 1442, A. DÜRER, Kupferstich ›H. im Gehäus‹, 1514, BILD A. Dürer; nach dieser Vorlage L. CRANACH D. Ä., Kardinal Albrecht von Brandenburg als H. im Gehäus, 1525) und damit als Idealgestalt der Humanisten. Ferner erscheint H. als Urbild der Büßer (C. TURA, LEONARDO DA VINCI, A. MANTEGNA, TIZIAN, P. VERONESE, A. DÜRER, L. CRANACH D. Ä., A. ALTDORFER). Den Büßer versetzte man in eine felsige oder waldige Einöde, da er auch als einer der Väter des Einsiedlertums galt. Noch REMBRANDT zeigte ihn versunken sinnend als Einsiedler. Für H. BOSCH wurde seine Gestalt überhaupt zum Symbol der Vergänglichkeit (Darstellung in Vogelschau).

Hi|eros Gamos [grch.], **Heilige Hochzeit,** eine im alten Orient, bes. in Mesopotamien vollzogene rituelle Handlung, bei der wahrscheinlich der König mit einer Priesterin als Stellvertreterin der Göttin den Beischlaf vollzog, um die Fruchtbarkeit des Landes zu garantieren. Ein ›Bettraum‹ ist aus manchen Heiligtümern bekannt. Liebespaare in der Umarmung, auf Terrakotten wiedergegeben, lassen auf H.-G.-Darstellungen schließen. In der altgrch. Religion die Götterhochzeit v. a. zw. Zeus und Hera, deren jährl. neue Verbindung u. a. auf Samos gefeiert wurde. Darstellungen finden sich auf grch. Vasen und Reliefs (Holzrelief aus dem Heraion von Samos, 7. Jh. v. Chr., verschollen) und auf röm. Wandbildern.

Highboy [h'aɪbɔɪ], engl. Bez. für ein im 17.–18. Jh. beliebtes Kastenmöbel mit Schubladen, eine Kombination von →Lowboy und aufgesetzter Kommode.

Highmoore [h'aɪmʊə], Joseph, engl. Maler, *London 13. 6. 1692, †Canterbury 3. 3. 1780, Schüler G. KNELLERS, malte, von W. HOGARTH beeinflußt, bes. Historien- und Genrebilder; schuf Gemälde zu dem Roman seines Freundes S. RICHARDSON ›Pamela‹ (1744).

Hikone, Stadt auf Honshu, am O-Ufer des Biwa-Sees, 90 000 Ew.; wurde 1603–1623 von einem Vasall TOKUGAWA IEYASUS, des Begründers der Tokugawa-Herrschaft, als Burgstadt erbaut und gehört zu den wenigen noch original erh. Burganlagen Japans. Die Residenz des örtl. Feudalherren und die Gartenanlage sind noch weitgehend erhalten.

Hikone: Burganlage; 1603

Hilani [aus hethitisch hilamar ›Hof‹], ein Begriff aus der vorderasiat. Archäologie, mit dem ein urspr. hethit. Baukörper bezeichnet wird: ein den Repräsentationsräumen des Palastes vorgelagerter Breitraum, der nach einer dieser Breitseiten geöffnet war. Dort wurde das Dach von Säulen oder reliefierten Pfeilern (in Tell Halaf als rundplast. Götterfiguren auf Tieren gestaltet) getragen. Das H. war in Anatolien und N-Syrien (Alalach) verbreitet und wurde auch nach Assyrien übertragen.

Hilberseimer, Ludwig, Architekt, *Karlsruhe 14. 9. 1885, †Chicago 6. 5. 1967, war seit 1925 Mitgl. des →Ring und 1929–33 Lehrer am →Bauhaus. 1938 emigrierte er in die USA und lehrte am Illinois Institute of Technology in Chicago. Seine rationale, auf empir. Erkenntnissen beruhende Planungsmethode machte ihn zu einem bed. Lehrer und Publizisten.

HW: Schriften. Großstadtbauten (1925); Internat. neue Baukunst (1927); Großstadtarchitektur (1927); The new city (1944); Mies van der Rohe (1956); Contemporary architecture, its roots and trends (1964); Berliner Architektur der 20er Jahre (1967).

Bauten. Wohnhaus Weißenhofsiedlung Stuttgart (1927); seit 1939 städtebaul. Projekte für amerikan. Städte: Gratiot Redevelopment, Detroit, mit MIES VAN DER ROHE (1955).

Hildburghausen, Stadt im Bez. Suhl, an der Werra,

Dt. Dem. Rep., 11400 Ew.; 1680–1826 Residenz der Herzöge von Sachsen-H. Das Residenzschloß (1685 bis 1707), 1945 schwer beschädigt, wurde abgebrochen. Am Marktplatz Bürgerhäuser (16.–19. Jh.) und Rathaus (1395, 1572 im Renaissancestil umgebaut). Barokke Stadtkirche (1781–85), eine Verbindung von Zentral- und Langbau; barocke Neustädter Kirche (1755 bis 1775).

Hildebrand, Adolf von (1904), Bildhauer, Maler, Zeichner, Baumeister, *Marburg 6. 10. 1847, †München 18. 1. 1921, war ebd. Schüler von K. ZUMBUSCH, mit ihm seit 1867 in Rom. Hier lernte H. den Maler H. v. MARÉES kennen, der ihn (wie der Kunsttheoretiker K. FIEDLER in Berlin 1869) zu der klassisch beruhigten Form seiner Werke finden ließ. In seinem Kreis lebte H. 1872–97 in Italien. Seit 1897 war H. in München und Florenz. 1889 gewann er den 1. Preis für das Nationaldenkmal für Kaiser Wilhelm I. Die Ausführung scheiterte aber am Widerspruch des Kaisers; R. BEGAS erhielt den Auftrag. – Im Sinn des Neoklassizismus stellte H. gegen den Verismus des Neubarock von Begas das Vorbild der Antike und der ital. Frührenaissance. Diese theoret. Grundlage ergänzte H. durch gute Naturbeobachtung und Sinn für architekton. Form.

HW: Trinkender Knabe (1870–72; Berlin-Ost, Nat.-Gal.); Der Netzträger (1887; München, Neue Pinakothek). **Denkmäler:** Prinzregent Luitpold (1903–13; München, Reiterstandbild); Bismarck-Denkmal (1907–10; Bremen). **Brunnen:** Wittelsbacher-Brunnen (1890–95; München, sein HW); Hubertus-Brunnen (voll. 1907, Nischenfiguren 1921 aufgestellt; München). – Porträtbüsten, Grabmäler.

Schrift: Das Problem der Form in der bildenden Kunst (1893).

A. H. und seine Welt. Briefe und Erinnerungen, hg. v. B. SATTLER (1962); A. v. H. Ges. Schriften zur Kunst, bearb. v. H. BOCK (1969).

ANGELA HASS: A. v. H. (1983).

Weitere Lit.: →Berliner Bildhauerschule.

Adolf von Hildebrand: Der Netzträger; Marmor, 1887 (München, Neue Pinakothek)

Hildebrandt, 1) Eduard, Maler, *Danzig 9. 9. 1818, †Berlin 25. 10. 1869, schilderte in Aquarellen und Gemälden seine in Europa und auf einer Weltreise gesammelten Reiseeindrücke.

2) Johann Lukas von (1720), Baumeister, *Genua 14. 11. 1668, †Wien 16. 11. 1745, Schüler von C. FONTANA, seit 1701 (zunächst als Hofingenieur) in kaiserl. Dienst, seit 1723 Erster Hofbaumeister als Nachfolger von J. B. FISCHER VON ERLACH und ihm gleich in der Bedeutung für die Bauten des österreich. Barock. Sein Baustil nahm Anregungen von G. GUARINI (Gedanke des Zentralraums in den frühen Kirchenbauten) und J. BORROMINI (in seinem Meisterwerk, dem →Belvedere in Wien) auf. Seine Palastbauten zeigen markant abgestufte Baukörper mit feinem Flächenornament und sind mit reicher Plastik belegt. Die rhythmisch gegliederten Räume vereinen Wohnlichkeit mit festl. Pracht (bes. in den phantasievoll verspielten Treppenhäusern). Maßgebend nahm H. an den fränk. Schloßbauten der Grafen von Schönborn (Pommersfelden, Würzburg) teil.

WW: Piaristenkirche (1698, beg. 1716, 1721 von K. J. DIENTZENHOFER verändert; Wien); St. Laurentius (1699; Gabel/Böhmen); St. Peter (1702f.; Wien); Palais Schönborn (1706–11; Wien); Palais Daun-Kinsky (1713–16; Wien); Pommersfelden (1713, Treppenhaus, dreistöckige Gal.); Unteres Belvedere (1714–16; Wien); und Oberes Belvedere (1721–23; Wien); Hofkanzlei (1719; Wien, heute Bundeskanzleramt); Stift Göttweig (1719, unvollendeter Neubau);

Johann Lukas von Hildebrandt: Sala Terrena im Oberen Belvedere in Wien; 1721–23

Schloß Mirabell (1721–27; Salzburg, Umbau); Hofburg (1724; Wien, Entwürfe); Residenz (1730–39; Würzburg, Entwürfe für den oberen Teil der Garten-Fassade des Mittelpavillons und die Innenräume – Kaisersaal und Kapelle).

R. GRIMSCHITZ: J. L. v. H. ([2]1959).

3) Theodor, Maler, *Stettin 2. 7. 1804, †Düsseldorf 29. 9. 1874, Schüler von W. v. SCHADOW, seit 1836 Prof. in Düsseldorf. Seine sentimentalen Schilderungen literar. und histor. Stoffe waren zu seiner Zeit ebenso geschätzt wie seine Porträts.

Lit.: →Düsseldorfer Schule.

Hildesheim, Stadt in Ndsachs., 103 800 Ew.; seit 815 kath. Bischofssitz, ehem. Hansestadt. H. besaß 700 reich verzierte Fachwerkhäuser, die 1945 zerstört wurden, darunter auch das ›Knochenhaueramtshaus‹ (1529), eines der schönsten Fachwerkhäuser Dtl.s. Nur wenige Straßenzüge sind mit ihrer histor. Bebauung erh. Der Dom (11. Jh.), eine roman. flachgedeckte Basilika mit sächs. Stützenwechsel und Westwerk, besitzt erstrangige Kunstwerke: Bernwardstüren (ein HW ot-

Hildesheim: Kirche St. Michael; 1010–33

ton. Reliefplastik 1015; BILD Türklopfer) und Bernwardssäule (um 1200), Radleuchter (um 1065) und Bronzetaufstein (um 1230); in der Krypta der Godehardschrein (1131/32); im got. Kreuzgang die Annenkapelle (1321 beg.); Domschatz- und Diözesan-Mus. Die otton. Kirche St. Michael (1010–33) gilt auch vom turmreichen Außenbau her als einer der schönsten roman. Bauten (BILD Basilika); die gemalte Holzdecke (13. Jh.) ist ein HW der ma. Monumentalmalerei Europas; Engelsemporen in den Querschiffsarmen. Die Kapitellplastik ist ebenso vorzüglich wie die in St. Godehard, einer 1172 gew. auffallend schlanken Basilika mit Chorumgang. Roman. Heiligkreuzkirche (11. Jh.) mit ehem. ma. Kollegiatsstiftsgebäuden; St. Mauritius (1058–79, 1744/45 barockisiert). In den got. Neubau von St. Andreas (1389–1504) wurde das roman. Westwerk (um 1140) einbezogen. Got. Rathaus, davor der Rolandsbrunnen (1540), daneben das Tempelhaus (1457) mit Renaissance-Erker (1591). Im ehem. Franziskanerkloster das →Roemer- und Pelizaeus-Museum.

Hildesheimer Silberfund: Humpen; 1. Hälfte 1. Jh. (Berlin-West, Staatl. Museen)

Hildesheimer Silberfund, der reichste Fund röm. Tafelsilbers (69 Teile), 1868 bei Hildesheim entdeckt (Berlin-West, Staatl. Museen). Der H. S. scheint als Kriegsbeute eines german. Fürsten vergraben worden zu sein. Unter den in der 1. H. des 1. Jh. gearbeiteten Gefäßen und Geräten sind, neben derberen Stücken, einige der schönsten Werke der frühen röm. Kaiserzeit.

Hill, 1) Carl Fredrik, schwed. Maler, *Lund 1849, †ebd. 1911, lebte 1873–80 in Paris, schuf bis zum Ausbruch einer Geisteskrankheit 1878, von C. COROT, G. COURBET und den frz. Impressionisten ausgehend, eine Reihe vorzügl. Landschaften.

2) David Octavius, schott. Maler und Photograph, *Perth 1802, †Edinburgh 17. 5. 1870, Schüler von A. WILSON, malte stimmungsvolle Landschaften, v. a. Sonnenuntergänge; für sein großes Gemälde ›Stiftung der Schott. Freikirche‹ (1843–66) mit 470 Porträts benutzte er Photographien als Vorstudien.

Hillebrecht, Rudolf, Architekt und Städteplaner,

Hildesheimer Silberfund: Athena-Schale; teilvergoldet, 1. Hälfte 1. Jh. (Berlin-West, Staatl. Museen)

*Hannover 26. 2. 1910, studierte ebd. und in Berlin, arbeitete 1934 mit W. GROPIUS zusammen, war 1937–45 Leiter des Architekturbüros K. Gutschow in Hamburg. Als Leiter (seit 1948) der städt. Bauverwaltung Hannover ist seine Hauptleistung die Neugestaltung der Stadt nach den Zerstörungen des 2. Weltkriegs.

Hillerød [-rø:ð], Gem. in N-Seeland, Dänemark, mit Schloß →Frederiksborg.

Hillström, Per, schwed. Maler, *Väddö 18. 11. 1732, †Stockholm 13. 8. 1816, war in Paris Schüler von J.-B.-S. CHARDIN, malte Genrebilder (Szenen des bürgerl. Lebens, Bauern in Nationaltracht, Schmiede- und Bergwerksszenen), die in ihrem sachl. Stil von besonderem kulturhistor. Interesse sind.

Hilliard [h'ɪljəd], Nicholas, engl. Miniaturmaler, *Exeter um 1547, begraben London 7. 1. 1619; Goldschmied und Siegelschneider, spezialisierte sich auf kleine Porträtmedaillons. Als Hofmaler von Königin ELISABETH I. hatte er das Monopol für die königl. Miniaturporträts. (BILD Miniaturmalerei 2)

Hilpoltstein, altertüml. Städtchen in Mittelfranken, Bayern. Die stattl. Barockkirche (1745 gew.) ist außerordentlich reich mit vorzügl. Stukkaturen geschmückt. Burgruine (13./14. Jh.), ehem. herzogl. Residenz (1619), ma. Fachwerkrathaus.

Hilvarenbeek, Gem. in der niederländ. Prov. Nordbrabant; spätgot. dreischiffige Pfarrkirche (Langhaus wohl 14. Jh., Chor und Querschiff 15. Jh.) mit reich gegliedertem got. Backsteinturm; in der Ausstattung Schnitzarbeiten: Kanzel (1628), Chorgestühl (um 1620), barocke Beichtstühle (Ende 17. Jh.).

Himeji, Himedschi, Stadt auf Honshu, 140 km westlich von Kioto, 446 300 Ew., besitzt die größte und imposanteste der 9 noch erhaltenen Burganlagen Japans. Urspr. im 14. Jh. erbaut, wurde die Anlage 1581 von dem Feldherrn TOYOTOMI HIDEYOSHI erweitert und

Himeji: Burganlage

erhielt einen dreigeschossigen Turmbau. 1600 wurde sie Stammsitz der Familie IKEDA, 1608 wurde der berühmte fünfgeschossige Turm erbaut. Wegen der Ähnlichkeit der Silhouette mit der eines Reihers heißt H. auch ›Schloß des weißen Reihers‹ (Shirasagi-jo). 1964 wurde die Burg restauriert. Das Mus. veranschaulicht die Lebensweise der Samurai.

Himmel, der dem Auge als Gewölbe erscheinende Luftbereich über der Erde.

Die christl. Kunst versuchte schon früh, den H. darzustellen: als ›Gefilde der Seligen‹ (Katakombenmalereien; Apsismosaik S. Apollinare in Classe, Ravenna), das, mit dem Lamm Gottes inmitten, ganz ins Ornamentale umgedeutet werden konnte (Wölbungsmosaik San Vitale, Ravenna); als Sternenhimmel mit dem Kreuz in der Mitte, den Evangelistensymbolen in den 4 Ecken (Wölbungsmosaik Grabkapelle Galla Placidia, Ravenna); als Stadt Gottes (Apsismosaik S.Pudenziana, Rom) oder als himml. Jerusalem, das oft nur angedeutet wurde (S. Prassede, Rom); symbolisch durch ein manchmal bestirntes, auch bewölktes Kreissegment, das den H. nur ahnen läßt. Als Farben des H. galten Blau und Gold. Im MA. deuteten abstrakte Figurationen das Jenseits oder auch die Chöre der Engel und Heiligen an. In den Weltgerichtsdarstellungen bezeichnete den H. nach byzantin. Vorbild Abraham mit den Seligen im Schoß (Reims, Bamberg), oft auch eine Phantasiearchitektur, am häufigsten ein Tor, das im späteren MA. reich ausgestattet (S. LOCHNER), manchmal als Kirchenportal gebildet wurde (H. MEMLING). Auch als Kirchenchor mit goldenem Gestühl konnte der H. erscheinen (Heures de Chantilly). Daneben kam auch das ›Gefilde der Seligen‹ (Paradieslandschaft) wieder auf (FRA ANGELICO), dazu traten Lichtvisionen (H. BOSCH). Wo Engels- und Heiligenchöre (NARDO DI CIONE) das Himmelsbild bestimmten, erscheinen sie jetzt immer häufiger in Wolken, und die Chöre ordnen sich in Kreisen um die Gottheit (F. BOTTICINI). Die großartigste Phantasmagorie dieser Art in einem Tafelbilde schuf TINTORETTO (Louvre). Der Barock, ältere Versuche (G. FERRARI) fortführend, übertrug dieses Himmelsbild auf die Deckenmalerei (G. LANFRANCO, P. MIGNARD). Der natürl. Wolkenhimmel öffnet sich in leuchtendem Licht und zeigt die Kreise der Heiligen, der Engel, die Gottheit. Mit dem Barock, der so oft wie keine andere Epoche Himmelsvisionen gegeben hat, endete trotz W. BLAKE u.a. die Darstellungsgeschichte des H.

Himmelfahrt Christi, die leibl. Auffahrt des auferstandenen Jesus in den Himmel, in der bildenden Kunst seit dem 4. Jh. dargestellt: Christus schreitet über einen Berg zum Himmel und wird aus den Wolken von der Hand Gottvaters ergriffen. Das frühe MA. übernahm diese Vorstellung, ließ aber Christus in einer Mandorla schreiten oder zur Hand des Vaters hinschweben. Eine andere Kompositionsform zeigt bereits das syr. Rabula-Evangeliar (586 n.Chr.): Christus schwebt frontal in einer Mandorla am Himmel, auf der Erde erscheinen Maria und die Apostel und unter ihnen die Engel, die den Zurückbleibenden die Wiederkunft

Christi ankündigen. Ihre großartige Gestaltung im Perikopen-Buch Heinrichs II. (BILD ottonische Kunst) blieb für Italien und seit der Renaissance auch für den N vorbildlich. Seit den Mosaiken im Chor von S. Vitale in Ravenna (2. Viertel 6. Jh.) fand sich hier auch die Darstellung des von Engeln in den Himmel getragenen Christus (1. H. 13. Jh., Regensburg, St. Ulrich, Portal-Tympanon). – Der eigtl. westl. Darstellungs-Typus begegnet seit dem 10. Jh. (v. a. im Spät-MA.): Christus verschwindet in den Wolken, von dem Entrückten sind nur die Füße und ein Stück des Gewandes zu sehen (A. DÜRER, Kleine Holzschnitt-Passion, nach 1510).

Himmelfahrt Mariä, die leibl. Aufnahme Mariens (in diesem Zusammenhang auch ›Assunta‹ genannt) in den Himmel gleich nach ihrem Tod, in der bildenden Kunst oft mit den gleichen Bildmotiven wie die →Himmelfahrt Christi dargestellt. Meist schwebt Maria vom Grabe auf, das die Apostel umgeben. Engel können Maria (aus dem Sarkophag) tragen (Tympanon der Kathedrale von Senlis, um 1170 – ähnlich E. Q. ASAM, 1717–19; Rohr, Hochaltar der Klosterkirche), Christus hebt seine Mutter auf (Kapitell in Notre-Dame-du-Port, Clermont-Ferrand, 12. Jh.), sie wird stehend von Engeln getragen (T. RIEMENSCHNEIDER, 1505–10; Creglingen). Der Barock schildert die Verzückung Mariens (P. P. RUBENS, 1618). Zu Bildmotiven werden schließlich die Beweise der H. M.: der leere Sarkophag und der Gürtel, den Maria dem Apostel Thomas zugeworfen haben soll; ferner die Marienkrönung durch Gottvater.

Himmelkron, Gem. im Kr. Kulmbach, Bayern, mit ehem. Zisterzienserinnenkloster (1279 gegr.). In der Abteikirche (um 1350 voll.) befinden sich eine Fürstengruft und bed. Grabdenkmäler; der reich verzierte spätgot. Kreuzgang (1473 beg.) ist nur im Südflügel erh.

Himmerod, Zisterzienserkloster (1134 gegr., 1138 hierher verlegt) in der Eifel, Rheinl.-Pf.; die Barockkirche (1735–51) wurde nach der Aufhebung des Klosters abgebrochen (1802 ff.), 1952–60 in den alten Maßen und Formen wiedererrichtet. Original ist noch die monumentale Westfassade.

Hịnayana [Skt., ›kleines Fahrzeug‹], die älteste Richtung des Buddhismus von einst weiter Verbreitung von Afghanistan bis Sri Lanka; sie prägte die Inhalte der frühen buddhist. Kunst (Reliquienkulte, Stupa, Vihara) mit zunächst nur symbol. Darstellung des Buddha. Die um die Zeitwende aufkommenden Ideen der Heilsbringung durch Bodhisattvas und die Vergöttlichung des Buddha in der Richtung des →Mahayana führten auch im H. zur Verehrung des menschl. Buddhabildes. H., mit einer seiner Schulrichtungen Theravada, ist bis zur Gegenwart in Sri Lanka und SO-Asien verbreitet, und hat bes. die thailänd. Kunst seit dem 6. Jh. geprägt.

Hịndelopen [-lo:pə], Gem. in der niederländ. Prov. Friesland, in der geschnitzte und bemalte Möbel mit einer der skandinav. Dekorationskunst verwandten Ornamentik hergestellt wurden; Beispiele für geschnitzte und bemalte Möbel im ›Hidde Nijland Mus.‹ im ehem. Rathaus (1682).

hinduistische Kunst, die seit etwa dem 2.Jh. v.Chr. im brahmanisch-hinduist. Bilder- und Tempelkult entstandenen Gattungen und Stile der indischen Kunst. Anders als in der buddhist. Kunst standen die figürl. Darstellungen der Götter Vishnu (zunächst vielmehr von Vasudeva-Krishna), Balarama, Shiva und Durga, Skanda, Surya, Brahma u.a. von Anfang an im Zentrum des Schaffens. Als Vorbilder dienten Terrakotta- und Steinskulpturen volkstüml. Gottheiten wie Yakshas, Nagas und der Lakshmi. Eine genaue Beachtung spezif. Kennzeichen, Attribute und Gestik (→Mudra) jeder Gottheit in Übereinstimmung mit den theolog. Inhalten und episch-mytholog. Überlieferungen (teils aus der bilderlosen vedischen Religion) führte zu einer einheitl., wenn auch stetig weiterentwickelten Ikonographie der Götterbilder, die z.T. bis heute gültig blieb und im gesamten Verbreitungsgebiet des Hinduismus bis Nepal und SO-Asien (bes. Java und Bali, Khmer und Champa) bekannt war. Mehrköpfigkeit und -armigkeit als Ausdruck göttl. Allmacht, Dreiäugigkeit und Doppelgeschlechtigkeit (Ardhanarishvara) zählen zu den inhaltlich bedingten Schöpfungen der h. K. schon in der Kushana- und Guptakunst. Mit der Verbreitung der Tempelbaukunst seit der Guptazeit auch im Deccan und in S-Indien wuchs die Vielfalt der Kultfiguren und Reliefszenen. Der allmähl. Niedergang des Buddhismus in Indien brachte die h. K. unter den mittelalterl. Dynastien zu ihren Höhepunkten (Pratihara-, Chandella-, Solanki-Dynastie in N-Indien, Chola-Dynastie in S-Indien). Seit der islam. Eroberung (um 1200) erreichte nur die Kunst von Vijayanagar im 15.–16. Jh. eine beachtl. Steinarchitektur und Bildhauerei. Gleichzeitig begann aber ein neuer Aufschwung der h. K. in der Miniaturmalerei (→Rajput-Malerei).

H. G. Franz: Hinduist. und islam. Kunst Indiens (Leipzig 1967); V. Moeller: Symbolik des Hinduismus und des Jainismus (1974); H. Plaeschke: H. K. (1978).

Hinterglasmalerei, seitenverkehrte Malerei in Leinölfarben mit Sikkativ oder in ölreichen Temperafarben auf einer Glasscheibe. Diese vertritt die schützende Schlußfirnisschicht und ist zugleich Bildträger. Zunächst wird der Umriß als Durchzeichnung (Riß) einer Vorlage oder des Entwurfs auf dem Glas festgehalten, während der sonst übl. Malgrund als helle, reflektierende Schicht erst zuletzt aufgetragen werden kann.

Techn. Variationsmöglichkeiten brachten die Positiv- und Negativradierung, Hinterglasstich, Gold- und Spiegelschliff, Ruß- und Spiegelbild, Ätzmattierung.

In der Form der Goldgrundmalerei läßt sich die H. bis in frühchristl. Zeit zurückverfolgen. Die Gattung Hinterglasbild als gerahmtes Einzelgemälde gehört jedoch ausschließlich dem 18. und 19. Jh. an. Die seit der Entdeckung durch den ›Blauen Reiter‹ für ›Bauernmalerei‹ gehaltenen und im Kunsthandel gesuchten Stükke werden von der Forschung heute in H. kunsthandwerkl., malerhandwerkl. und hüttengewerbl. Herkunft eingeteilt.

Schlesien, Böhmen, der Bayer. Wald und OÖ waren die Ausgangszentren hüttengewerbl. Massenproduktion; Augsburg hat das malerhandwerkl. Serienbild ent-

Hinterglasmalerei:
Hinterglasbild; Bayerischer Wald (München, Bayer. Nationalmuseum)

wickelt, das später v.a. im bayer. Oberland (Staffelsee, Oberammergau), im Schwarzwald (Rötenbach u.a.), im Elsaß und in der Schweiz hergestellt wurde. Die südosteurop. (Tatra, Siebenbürgen) und span. Werkstätten entstammen dem ausgehenden 19. Jh. Die Schiffsporträtbilder (Ostende, Antwerpen), Hinterglassilhouetten u.ä. zählen zu den kunsthandwerkl. Einzelstücken. Gegen Ende des 19. Jh. setzte ein künstler. Verfall der H. ein; eine Wiederbelebung versuchten die Expressionisten, die Anregungen von ihr aufnahmen.

W. Brückner in: Keysers Kunst- u. Antiquitätenbuch, 3 (1967, mit Lit.); Hinterglasbilder aus rhein. Museen, Ausst.-Kat., Köln (1977); Juliane u. D. Dancu: Die bäuerliche H. in Rumänien (a.d. Rumän., [2]1979); Fride Wirtl: H. (1980).

Hintergrund, der hintere Bildraum einer Darstellung, der im Unterschied zum flächigen →Goldgrund als Kompositionselement seit dem Aufkommen räuml. Werte in der Malerei (14./15. Jh.) durch die Aufteilung des Bildes in Vorder-, Mittel- und Hintergrund opt. Tiefenwirkung erreicht. Dabei können diese 3 Raumschichten streng voneinander getrennt kulissenartig hintereinander gestaffelt oder durch allmähl. Übergänge in abgestuften Farbwerten zu einer kontinuierl. Raumentwicklung verbunden sein (→Perspektive).

Hiob, Job, eine Gestalt des A.T., an dessen Schicksal der Zusammenhang des Leidens der Gerechten und der Gerechtigkeit Gottes abgehandelt wird. – Szenen finden sich in Illustrationen zum Buch H., schon in der Katakomben-Malerei und auf Sarkophag-Reliefs (Sarkophag des Iunius Bassus, gestiftet 359). Die spätgot. Skulptur zeigt H. auf dem Dunghaufen sitzend, ein Vorbild für den Bild-Typus ›Christus im Elend‹.

Hippọdamos, grch. Architekt des 5. Jh. v. Chr. aus

Milet, verbreitete das in der ionischen Kolonisation entwickelte System des Stadtplans mit gleichförmigen Baublöcken zw. rechtwinklig sich kreuzenden Straßen durch seine Entwürfe für Piräus, Thurioi (Sybaris) und Rhodos. Das 497 v. Chr. zerstörte Milet wurde in dieser Weise wiederaufgebaut; das System wurde später mit dem Namen H. verbunden. Ein bes. gutes Beispiel ist die Stadt →Priene.

Hippodrom [grch. ›Pferderennbahn‹] *das* oder *der*, bei den alten Griechen und Byzantinern die ellipt. Bahn für Wagen- und Pferderennen.

Hippo Regius, Ruinenstätte am S-Rand der Stadt Annaba, NO-Algerien; seit dem 12. Jh. v. Chr. phönik. Handelsniederlassung, nach 201 v. Chr. Residenz der numid. Könige, seit dem 2. Jh. n. Chr. röm. Kolonie; Baureste aus röm. Zeit (Theater, mosaikgeschmückte Häuser, Thermen); Ruinen einer christl. Basilika.

Hirado, bergige Insel nordwestlich vor Kyushu, Japan. Der kleine Hafen H. (30000 Ew.) war in der Mitte des 16. Jh. als erster für den Handel mit dem Ausland geöffnet worden. Neben der typ. Hafen- und Burgstadtstruktur mit alten Häusern sind die Reste der Ausländersiedlungen bedeutend.

Hirado-Porzellan, japan. Porzellan, nach der Insel Hirado benannt.Das H.-P. wurde in Mikawachi und Mikochi auf Kyushu hergestellt und zählt mit seinem feinen weißen Scherben und der blaßblauen Unterglasurmalerei zu den erlesensten japan. Porzellanen. Die Manufaktur unterstand 1751–1853 den Fürsten von Hirado. Exportiert wurde das H.-P. erst in der 2. H. des 19. Jh.

Hiramaki-e [jap. ›Flachstreubild‹], japan. Lacktechnik, →Lackkunst.

Hirosaki, Stadt in Japan, im äußersten N von Honshu, 175000 Ew. Von der ehem. Burgstadt sind die Stadtanlage sowie einige Samuraihäuser erh. In unmittelbarer Nähe das Tempeldorf Shigemori-shincho.

Hiroshige [-ʃige], Ando, japan. Meister des Farbholzschnitts, *Edo 1797, †ebd. 12. 10. 1858; begann als Zeichner für den Holzschnitt bei UTAGAWA TOYOHIRO; seit 1813 Zeichner für Glückwunschblätter (Surimono; BILD). Berühmt machten ihn seine Landschaftsfolgen, deren erste, ›Ansichten der Osthauptstadt‹, 1831 erschien. Die z. T. nach der Natur gezeichnete Folge ›53 Stationen des Tokaido‹ von 1833–34 (nach einer 1832 gemachten Reise über diese Straße nach Kioto) begründete seinen Ruhm als Meister der Stimmungslandschaft. Tier- und Pflanzenbildern gab er im Holzschnitt ähnl. maler. Wirkung wie der Landschaft. Seine Spätwerke, z. B. die ›100 Ansichten von Edo‹ (1856–58), für die er das Hochformat und kräftige Farben bevorzugte, beeinflußten mit ihren asymmetr. Kompositionen die Malerei der frz. Impressionisten. (BILD S. 236)

Hiroshima [-ʃima], Stadt in Japan, im südwestl. Teil von Honshu, 899400 Ew. Die ehem. bedeutende Burgstadt wurde am 6. 8. 1945 durch die Atombombe zerstört. 45 km westlich von H. liegt in der Inlandsee das Inselheiligtum →Miyajima.

Ando Hiroshige: Heftiger Schauer über der Ohashi-Brücke; Farbholzschnitt aus der Folge ›100 Ansichten von Edo‹, 1856–58 (Köln, Museum für Ostasiat. Kunst)

Hirsau, Teil der Stadt Calw im nördl. Schwarzwald, Bad.-Württ., besitzt die Ruine eines der bedeutendsten Benediktinerklöster (830 gegr., seit 1692 Ruine). Von der ehem. Klosterkirche (1082–91) stehen noch der Eulenturm mit Skulpturenschmuck (um 1110/20), die Marienkapelle (1508–16) und Teile des spätgot. Kreuzgangs (1485–94). H. übernahm das cluniazens. Bauschema (→Hirsauer Bauschule); Aureliuskirche (1059–71 als flachgedeckte Säulenbasilika erbaut) im Langhaus erh., Ruine des Herzogl. Jagdschlosses (1586–92) in reifen Renaissanceformen.

W. HOFFMANN: H. und die ›Hirsauer Bauschule‹ (1950).

Hirsauer Bauschule, Begriff der älteren Forschung für eine Sondergruppe dt.-roman. Baukunst. Die vom 2. Bau von Cluny ausgehenden asket. Reformideen wurden in die ›Constitutiones‹ des Abtes WILHELM VON HIRSAU (1069–91) aufgenommen und in der Klosterkir-

Hirsau: Klosterruine

che in Hirsau (1082–91) verwirklicht. Am reinsten verkörpert die Ruine der Klosterkirche in Paulinzella (1105–1124) die liturgisch bedingten Sonderformen der H. B.: flachgedeckte Säulenbasilika mit Vorkirche, gerader Chorabschluß und, als Neuerung bes. wichtig, die Abtrennung der Vierung als Aufenthaltsort der Mönche bei der Messe (chorus maior) und des 1. Langhausjoches für Laienbrüder sowie alte und kranke Mönche (chorus minor). WW der H. B.: Alpirsbach (beg. 1095) und Schaffhausen, Münster (gew. 1103).

W. HOFFMANN: Hirsau und die ›H. B.‹ (1950); H. JAKOBS: Die Hirsauer (1961).

Hirschberg, Ortsteil von Beilngries, Oberbayern, seit 1305 Besitz des Hochstifts Eichstätt. Das prächtige Schloß wurde 1760–64 als bischöfl. Sommerresidenz ausgebaut; kunstvolle Rokokoausstattung.

Hirschberg i. Rsgb. (im Riesengebirge), poln. **Jelenia Góra** [jɛlˈɛnja gˈura], Hauptstadt der poln. Wwschaft Jelenia Góra (ehem. Stadtkr. und Kreisstadt in Niederschlesien), am oberen Bober, 84000 Ew. Spätgot. Pfarrkirche St. Erasmus und Pankratius, eine im 14.–15. Jh. erbaute Basilika. Bed. ist die ehem. evang. Gnadenkirche, ein überkuppelter Zentralbau aus Fachwerk, erbaut 1709–18 von M. FRANTZ; Rathaus von 1747; Bürgerhäuser des 17. und 18. Jh.

Hirschhorn (Neckar), Stadt im Kr. Bergstraße, Hessen, 4100 Ew. In der 1411 voll. got. Kirche des ehem. Karmeliterklosters (1404 gegr.) bed. Lettner und Steinkanzel von 1618. Barocke Stadtkirche (1628–30); die Stadtmauer des 14. Jh. fast vollständig erh. Über H. Burg und Schloß (13.–16. Jh.) mit gewaltiger Schildmauer. Die spätgot. Friedhofskapelle in **H.-Ersheim** (14.–16. Jh.) war Grablege der Herren von H.

Hirschlanden, Teil der Stadt Ditzingen, Bad.-Württ. Hier wurde in einem Grabhügel der späten Hallstattzeit eine lebensgroße Kriegerstatue aus Kalkstein gefunden, die zu den ältesten Zeugnissen der Großplastik nördlich der Alpen zählt. Die Skulptur, die urspr. auf dem Grabhügel stand, geht auf das Vorbild eines grch. Kuros des 6. Jh. v. Chr. zurück.

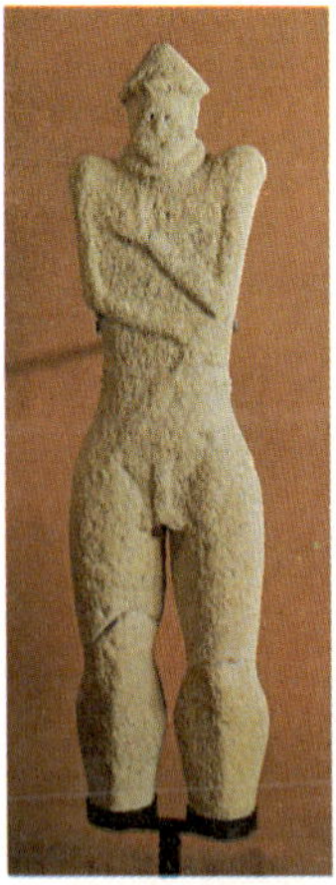

Hirschlanden: Sandsteinfigur, Stele von einem Grabhügel aus der Hallstattzeit, erhaltene Höhe 1,50 m (Stuttgart, Württemberg. Landesmuseum)

Hirschvogel, Hirsvogel, Nürnberger Künstlerfamilie des 15. und 16. Jh.

1) Augustin, Radierer, Glasmaler, Medaillenschneider und Kartograph, Sohn von 2), *Nürnberg 1503, †Wien Februar 1553, lernte bei seinem Vater und gründete in Nürnberg eine Werkstatt, die nach ital. Renaissancevorbildern Töpferwaren mit leuchtenden Glasuren herstellte. Seine stimmungsvollen Landschaftsradierungen sind von A. ALTDORFER und W. HUBER angeregt.

A. H., Ausst.-Kat., Wien (1953). Weitere Lit.: →Donauschule.

2) Veit, Glasmaler und Stadtglaser von Nürnberg, Vater von 1), *Nürnberg 1461, †ebd. 24. 12. 1525, war Meister einer bed. Werkstatt, in der Glasmalereien nach Entwürfen von A. DÜRER, H. BALDUNG und HANS VON KULMBACH für Nürnberger u. a. fränk. Kirchen hergestellt wurden.

Hirschvogelkrüge, Gefäße der Hafnerkeramik mit Reliefdekoration nach ital. Renaissancevorbildern. Fälschlich der Werkstatt des Radierers A. HIRSCHVOGEL in Nürnberg zugeschrieben. Die Krüge stammen wohl aus anderen Werkstätten in Nürnberg.

Hirshhorn Museum [h'ə:ʃhɔ:n mju:z'ɪəm], Washington, D. C., USA, Samml. internationaler Plastik des 19. und 20. Jh. mit Arbeiten von H. MATISSE, P. PICASSO, A. RODIN, A. MAILLOL, ALBERTO GIACOMETTI und H. MOORE und zeitgenöss. amerikan. und europ. Malerei, 1966 von dem amerikan. Finanzier J. H. HIRSHHORN der Smithsonian Institution gestiftet, die das Mus. (Bau von G. BUNSHAFT, 1974) und den Skulpturenpark 1974 der Öffentlichkeit übergab.

Hirth du Frênes [-dyfr'ɛn], Rudolf, Maler, *Gräfentonna bei Langensalza 24. 7. 1846, †Miltenberg 1. 5. 1916, bildete sich in Nürnberg und München und schloß sich hier dem Kreis um W. LEIBL an. Er malte farblich ausgewogene Porträts und Freilichtlandschaften, später auch Genrebilder unter Einfluß der niederländ. Meister.

Hirtz, Hans, Maler, seit 1421 in Straßburg nachweisbar, †ebd. 1463, wird mit dem ›Meister der Karlsruher Passion‹ identifiziert. Seine Bilder sind von erregt agierenden, sich oft stark bedrängenden Figuren erfüllt und zeigen einen gut gemalten landschaftl. Hintergrund. Ihr Stil steht H. MULTSCHER nahe. Sie gehören zu den Hauptwerken der spätgot. Malerei am Oberrhein.

HW: Passionsaltar (1440 oder 1455–60, urspr. Straßburg, Thomaskirche, heute Karlsruhe, Kunsthalle, und Köln, Wallraf-Richartz-Mus.); Glasgemälde (St. Walburg/Elsaß, Benediktinerabtei).

LILLI FISCHEL: Die Karlsruher Passion und ihr Meister (1952).

Hirzenach, ehem. Benediktinerpropsteikirche südöstlich von Boppard, Rheinl.-Pf., wohl vor 1110 durch die Abtei Siegburg eingerichtet, mit flachgedecktem basilikalem Langhaus und frühgot., von Reims und Trier her beeinflußtem Chor (um 1250).

Hirzenhain, Gem. im Wetteraukreis, Oberhessen. Die Kirche des ehem. Augustiner-Chorherrenstifts (1437 gegr.) besitzt einen hervorragenden spätgot. Lettner (um 1450). Im Mus. für Eisenkunstguß bed. Samml. alter Holzmodeln.

Hispano|moresken, span., vielfach lüstrierte Fayencen im oriental. Stil, deren Ursprung wohl in Mesopotamien und Ägypten liegt; von maur. Töpfern im MA., 15. und 16. Jh. hergestellt. Zentrum war Valencia.

Hissarlik, Hisarlik [türk. ›Schloßberg‹], Ruinenhügel in Kleinasien, →Troja.

Histori|enmalerei, Gattung der Malerei, die geschichtl. Ereignisse, aber auch sagenhafte und dichter. Themen zum Bildgegenstand hat. Im Unterschied zur Geschichtsmalerei kommt es der H. nicht auf histor. Treue an.

ALTERTUM

In Ägypten sind seit der 1. Dynastie (um 2900 v. Chr.) zahlreiche Beschreibungen und Darstellungen geschichtl. Ereignisse entstanden, die sich auf den Tempelwänden der 19. und 20. Dynastie (1306–1070 v. Chr.) zu großen Schlachtengemälden ausweiteten, ohne daß dies Rückschlüsse auf tatsächl. Geschehen erlaubt. Die bekanntesten Historienbilder der Griechen sind die von POLYGNOT in der Stoa Poikile zu Athen (1. H. 5. Jh. v. Chr.) mit der Darstellung der Schlacht von Marathon. Um 300 v. Chr. schuf PHILOXENOS die ›Alexanderschlacht‹, die in einer Mosaikkopie überliefert ist. (BILD Alexanderschlacht)

Die Römer kannten außer dem reinen Geschichtsbild auch die allegor. H., die stets Heil und Sendung des Imperiums in der Person des Herrschenden verherrlichte (Relief auf dem Panzer des Augustus von Primaporta, Rom, Vatikan. Museen).

MITTELALTER · NEUZEIT

Im Mittelalter spielte die Darstellung von Heiligenlegenden eine große Rolle. Sie wurden seit dem 11. Jh. stärker als vorher in ganzen Zyklen dargestellt. Seit Mitte des 15. Jh. begannen die antiken Helden (Alexander u. a.) in den Vordergrund zu rücken. Wie aus Fabel und Erfindung ein Historienbild mit dem Schein des Wirklichen entstand, zeigen um 1450 die Miniaturen des JEAN FOUQUET zu den ›Grandes Chroniques de France‹.

In der Renaissance entstanden 3 epochemachende Schlachtenbilder. LEONARDO DA VINCI machte in seiner ›Schlacht von Anghiari‹ den Kampf um das Symbol der Kriegerehre, die Fahne, zum Mittelpunkt. MICHELANGELO stellte mit seinem ›Überfall bei den Cascine‹ den Augenblick dar, in dem Soldaten beim Baden vom Feind überrascht werden. TIZIANS ›Schlacht bei Cadore‹ ist nur in Nachbildungen bekannt. Charakteristisch

Historienmalerei: Jacques Louis David, ›Die Sabinerinnen‹; 1799 (Paris, Louvre)

Historienmalerei: Gierto Fontana, ›Die Schlacht bei Cadore‹; Stich (1569) nach dem 1577 verbrannten Fresko von Tizian im Dogenpalast (Venedig)

für alle 3 Kompositionen ist, daß der Feldherr in ihnen nicht hervortritt. In GIULIO ROMANOS ›Schlacht an der Milvischen Brücke‹ aber leuchtet Konstantin in goldenem Panzer auf seinem Schimmel aus dem Gewühl hervor. Dieses Fresko beschließt die Folge von Historienbildern in den Stanzen des Vatikan, in denen RAFFAEL geschichtl. Ereignisse (Leo I. und Attila, Brand im Borgo) durch das Pathos großer Form in den übergeschichtl. Raum idealer Wirklichkeit erhob. In A. ALTDORFERS ›Alexanderschlacht‹ (1529) sind menschl. und kosm. Geschehen zu sinnfälliger Einheit verbunden.

Im Barock wurden die künstlerisch vollendetsten Werke an historisch-polit. Allegorik mit dem Medicizyklus von P. P. RUBENS geschaffen. Das Schlachtenbild begann sich mehr und mehr durchzusetzen. Es kamen für dieses Genre spezialisierte Maler auf, denen es nur auf die Fülle der Bewegungsmotive und die maler. Effekte ankam, die eine Schlacht bot: M. CERQUOZZI, J. COURTOIS, P. SNAYERS, G. P. RUGENDAS, bes. aber S. ROSA.

Im 19. Jahrhundert erreichte die H. ihren Höhepunkt, jedoch nur quantitativ, da sich die künstler. Entwicklung der Zeit in ganz anderen Bildgattungen vollzog. Neben den reinen Geschichtsbildern von J. L. DAVID, F. GÉRARD, A. GROS, W. v. FABER DU FAUR, C. G. H. GEISSLER u. a. entstanden Historienbilder, die heroische Themen der Vergangenheit aufgriffen (E. DELACROIX, T. GÉRICAULT, P. DELAROCHE). Der seit den 1830er Jahren spürbare Einfluß der belg. Historienmaler (G. WAPPERS, L. GALLAIT, N. DE KEYSER, E. DE BIÈFVE) verstärkte den Hang zum Pathos.

Das in den europ. Ländern auftretende Verlangen nach dem Historienbild gründete im Nationalismus jener Zeit. Die Historienmaler gehörten zu den beliebtesten Künstlern: In Dtl. P. CORNELIUS, K. F. LESSING, A. RETHEL, E. LEUTZE, W. v. KAULBACH, K. v. PILOTY, in Österreich H. MAKART, in Rußland I. REPIN und W. W. WERESCHTSCHAGIN, in Polen J. MATEJKO, in Ungarn G. BENCZUR. A. v. MENZELS Illustrationen zur ›Geschichte Friedrichs d. Gr.‹ (1840) zeigen neben vielen anderen Beispielen, daß Historienbilder geschichtsbildprägend werden konnten.

Im 20. Jahrhundert bedeuteten F. HODLERS H. (›Auszug der Jenenser Studenten, ›Schlacht bei Marengo‹) den Versuch einer neuen monumentalen Gestaltung. Jedoch blieb die H. kein Thema in der modernen Kunst. Ein herausragendes Beispiel ist P. PICASSOS ›Guernica‹ (Madrid, Prado), das metapherhaft die Barbarei des Krieges schildert.

Im Sozialist. Realismus (u. a. in der Dt. Dem. Rep., B. HEISIG, W. SITTE) und in der Dritten Welt (mexikan. Muralismo) ist die H. noch weiterhin gefragt.

R. SCHOLZ: Volk, Nation, Gesch.; Dt. histor. Kunst im 19. Jh. (1980).

Historismus, in der Kunstgesch., v. a. in der 2. H. des 19. Jh., der gleichzeitige Rückgriff auf mehrere histor. Stile. Der H. wurde bis in die 1960er Jahre weitgehend negativ beurteilt, indem man ihm Eklektizismus und Mangel an Originalität vorwarf. Hingegen sieht die heutige Forschung im Stilpluralismus des H. den Versuch, im Zeitalter des Positivismus Geschichte zu bewahren und das durch die Romantik geweckte Geschichtsbewußtsein in Architektur und Kunst Gestalt werden zu lassen. Vorbereitet haben den H. die philosoph. Ästhetik (G. W. F. HEGEL) und die frühe Kunstwissenschaft (C. F. v. RUMOR). Gerechtfertigt sah sich der H. durch die wiederholte Restitution der Antike (Renaissance, Klassizismus, Neoklassizismus). Historisierende Tendenzen entstanden erstmals an der Wende zum 17., im frühen 18. und der Mitte des 18. Jh., wobei der romant. Rückbesinnung auf das MA. eine weit über die bildende Kunst hinausführende Bedeutung für die Kultur des 19. Jh. zukommt (→Neugotik). Die seit J. G. HERDER wirksame Besinnung auf nationale Kunst wurde zunächst an der Neugotik demonstriert (GOETHES Hymnus auf das Straßburger Münster), später wurden Sonderformen histor. Stile (dt. Renaissance, rhein. Romanik, Tudor-Gotik, Palladian. Klassizismus) als nationale Stile gefeiert. Selbst Einflüsse der maurischen Kunst wurden in Spanien, türk. Einflüsse in Ungarn als Elemente eines nationalen Stils verstanden. Neben nationalen oder regionalen Aspekten bestimmten funktionale Gesichtspunkte die Wahl eines Stils. Für Parlamente, national hervorgehobene Kirchen, Schlösser, gelegentlich für das Wohnhaus galten got. Elemente als angemessen, während kulturelle Bauwerke (Theater, Oper, Museen) im Stil der Renaissance errichtet wurden (→Neurenaissance). Das reich gewordene Bürgertum wählte im letzten Drittel des 19. Jh. den →Neubarock als Stil seiner Repräsentationsbauten sowie seiner prunkvollen → Hotels. Probleme sahen die Künstler des H. bei den neuen techn. Bauwerken, für die es keine kunstgeschichtl. Vorbilder gab. Für →Bahnhofsgebäude wurde häufig die Verbindung von Neurenaissance-Formen mit den Hallen der röm. Thermen gewählt. Thermen gaben, neben maurisch-islamisierenden Stilformen, die Anregung für allen zugängl. große Bäder. Brücken, die zukunftsweisenden Zeugnisse der von Ingenieuren errichteten →Eisenarchitektur, erhielten Zutaten im Stil der →Neuromanik. Geschickt umkleideten Architekten die modernen, mit Glas überdachten Wandelhallen der Geschäftspassagen von Mailand, Brüssel, London durch Architekturteile und Dekorationsformen, deren Elemente der Renaissance und dem Barock, in der Mosaikverkleidung sogar byzantin. Vorbildern entlehnt waren.

Im letzten Drittel des 19. Jh. greift der H. über europ. Vorbilder hinaus auf außereurop. Kunstformen, darin durchaus der kosmopolit. Haltung des Großbürgertums folgend. Maurische, indische, zum Schluß japan. Anregungen, zu Beginn des 20. Jh. sogar Rückgriffe auf die primitive Kunst, führten zu Entwicklungen, die den H. überwanden. Dies geschah weniger in Architektur, Malerei oder Plastik als im →Kunsthandwerk.

Die Auseinandersetzung zw. retrospektivem H. und zukunftsbezogenem funktional-konstruktivist. Stil fand außer in den techn. Bauwerken in den seit 1851 stattfindenden Weltausstellungen statt. Als zukunftsbezogene Lösungen im Zeitalter des H. können der Kristallpalast der Londoner Ausstellung 1851 und die Bauten der Pariser Weltausstellung von 1900 genannt werden.

Historisierende Tendenzen finden sich auch in Malerei und Plastik des 19. Jh., jedoch lassen sich die führenden Bildhauer und Maler nur selten einer stilistisch eindeutigen Richtung zuordnen. Alle Stile spiegeln sich in den Denkmälern der Zeit, denen keine andere Epoche an Zahl und Größe einen vergleichbaren Platz eingeräumt hat, vom Grabdenkmal bis zum nationalen Monument wie dem Denkmal für Viktor Emanuel II. in Rom. Die Hauptaufgabe fand die Plastik des H. in ihrer Bindung an die Architektur, etwa bei der Restaurierung der engl. und frz. Kathedralen oder bei der Ausstattung von bürgerl. Monumentalbauten wie der Pariser Oper (J.-B. CARPEAUX, ›Der Tanz‹, 1869). In der Malerei behaupteten sich historisierende Strömungen einerseits unter den dt. Nazarenern zu Beginn und den engl. Präraffaeliten in der Mitte und der 2. H. des 19. Jh., andererseits in der Malerei des Neubarock.

R. ZEITLER u. a.: Die Kunst des 19. Jh., Propyläen-Kunstgesch. 11 (1966); H. J. HANSEN u. a.: Das pompöse Zeitalter (1970); B. MUNDT: H., Kunsthandwerk u. Industrie (1974); RENATE WAGNER-RIEGER u. W. KRAUSE: H. u. Schloßbau (1975).

Histria, Istria, antike Stadt an der Schwarzmeerküste südlich des Donaudeltas, in der 2. H. des 7. Jh. v. Chr. von Milet gegr. 72 v. Chr. wurde es römisch, Mitte des 3. Jh. n. Chr. von den Goten zerstört. Ausgrabungen legten Ummauerung (aus versch. Zeiten), mehrere Tempel, röm. Bäder, Privathäuser u. a. frei; zahlreiche Statuen- und Vasenfunde.

Hittorf, Jacob Ignaz (Jacques Ignace), Archäologe und frz. Hofarchitekt (1818), *Köln 20. 8. 1792, †Paris 25. 3. 1867, studierte bei C. PERCIER. Seine archäolog.

Studien in Italien und auf Sizilien hielt er u. a. in ›L'architecture polychrome chez les Grecs‹ (1830) fest.

HW (in Paris): Ausgestaltung der Place de la Concorde (seit 1833), der Champs-Elysées, der Place de l'Étoile (heute Place Charles-de-Gaulle); Saint-Vincent-de-Paul (1824–44); Gare du Nord (1861 bis 1865).

Hitz, Dora, Malerin, *Altdorf bei Nürnberg 30. 3. 1856, †Berlin 20. 11. 1924, lebte 1876–80 in Sinaia (Rumänien) und malte hier den Musiksaal des Schlosses aus. 1880–90 war sie in Paris. – H. schuf ferner in impressionist. Art Porträts und Figurenbilder.

Hitzig, Friedrich, Baumeister, *Berlin 8. 4. 1811, †ebd. 11. 10. 1881, Schüler von K. F. SCHINKEL, baute u. a. in historisierendem Stil (Neurenaissance) in Berlin die Börse (1859–64, nach dem 2. Weltkrieg abgerissen), die Techn. Hochschule (1878–84, gemeinsam mit R. LUCAE und J. RASCHDORFF) und die Reichsbank (1869 bis 1876, im 2. Weltkrieg zerstört). 1875–81 war H. Präs. der Preuß. Akad. der Künste.

Hjertén [jɛrt'e:n], Sigrid, schwed. Malerin, *Sundsvall 1885, †Stockholm 24. 3. 1948, 1911–36 ∞ mit I. GRÜNEWALD, in Paris Schülerin von H. MATISSE, im Umgang mit der Farbe eine der größten schwed. Begabungen ihrer Zeit; Landschaften, Stilleben, Porträts.

H L, Meister H L, auch **Meister des Breisacher Hochaltares** gen., Bildhauer, Kupferstecher, Zeichner, tätig am Oberrhein, nachweisbar 1511–33, benannt nach dem H L signierten, 1526 datierten Hochaltar des Breisacher Münsters, der in der Fülle seiner bewegten Skulpturen zu den großartigsten Werken der dt. Spätgotik gehört. Der gleiche Formwille spricht aus den Kupferstichen und Holzschnitten, die ihm auf Grund desselben Monogramms zugeschrieben werden.

WW: Johannes der Täufer und Johannes der Evangelist (um 1520–30; Nürnberg, German. Nat.-Mus.); Altar in Niederrotweil bei Breisach (1526).

Spätgotik am Oberrhein, Ausst.-Kat., Karlsruhe (1970); H. SCHINDLER: Der Meister HL – Hans Loy?, Werk und Wiederentdekkung (1981).

Meister H L: Die vier Evangelisten, Predella vom Hochaltar des Breisacher Münsters; 1526

Meindert Hobbema: Die Allee von Middelharnis; 1689 (London, National Gallery)

Hlohovec [hl'ɔhɔvɛts], dt. **Freistadtl, Freystadtl,** Stadt im Westslowak. Kreis, ČSSR, 15 700 Ew. Das Barock-Schloß des 18. Jh. entstand an der Stelle einer ma. Burg (im 16. Jh. zu einer Renaissance-Anlage umgebaut, in den Türkenkriegen zerstört); im (engl.) Schloßpark Empire-Theater (1802) mit Decken- und Wandgemälden. Got. Pfarrkirche St. Michael (1242, 1400; Türme 1610), Hl.-Geist-Spital mit Kirche (1349–65), Franziskanerkloster mit Allerheiligenkirche (1465, nach Brand 1598 erneuert, umgebaut 1637–48).

Hluboká nad Vltavou [hl'ubɔka: n'advltavɔu], Stadt in der ČSSR, →Frauenberg.

Hobbema, Meindert, holländ. Maler, getauft Amsterdam 31. 10. 1638, †ebd. 7. 12. 1709, der bedeutendste Schüler J. VAN RUISDAELS, von großem Einfluß auf die Spätzeit der holländ. Landschaftsmalerei und auf die engl. Malerei des 18. und 19. Jh. H.s Landschaften sind von atmosphär. Wirkung und zeigen anmutige Durchblicke und reizvolle Einzelheiten (Baumgruppen am Ufer, Hütten oder Mühlen hinter Buschwerk).

Höch, auch **Hoech,** Hannah, Malerin, *Gotha 1. 11. 1889, †Berlin-West 31. 5. 1978, studierte in Berlin, schloß sich 1918 der Dada-Bewegung an. Sie fertigte Collagen und Photomontagen; ihre Gemälde zeigen die verschiedensten stilist. Anklänge.

H. H., Ausst.-Kat., Nat.-Gal. Berlin-West (1976); H. H., hg. v. G. ADRIANI (1980).

Hochdruckverfahren, alle →Druckverfahren, bei denen die druckenden Stellen der Druckform (Druckstock) erhaben sind, z. B. beim →Holzschnitt. Das Papier nimmt beim Druck die Farbe von den erhabenen Stellen auf.

Hochhaus, vielgeschossiges Gebäude. Nach dem ›Babylonischen Turm‹ (etwa 90 m Höhe, 681–668 v. Chr. unter König ASSURHADDON erbaut) sind im Altertum in Rom Fachwerkhäuser von über 20 m Höhe nachweisbar. Lehmkonstruktionen bilden frühe Beispiele von H. in Arabien und Südamerika (Pueblobauten). Wohntürme als städt. Residenzen erreichten im MA. bis zu 30 m Höhe (→Geschlechterturm). Der repräsentative Charakter hoher Profanbauten wurde in den Entwürfen für Idealstädte der Renaissance zur Bildung von Hierarchien und ablesbaren Strukturen im städt. Gefüge genutzt.

Die ersten H. neuerer Zeit entstanden um 1860 (aus Backstein, 7 und später auch 10 Stockwerke hoch). Die Errichtung von höheren Gebäuden wurde ermöglicht u. a. durch die Entwicklung des Stahl- und Stahlbetonbaus sowie der techn. Installationen. H. wurden zunächst als Geschäftshäuser, dann auch als Hotels und Krankenhäuser in den USA, später in allen größeren Städten der Welt errichtet. Das 1889–91 von J. W. ROOT errichtete Monadnock-Building in Chicago hatte bereits 17 Stockwerke. Im gleichen Jahr wurde in Minneapolis ein H. mit 24 Stockwerken errichtet (Architekt L. BUFFINGTON). Für die späteren H. in New York wurde bes. ein Stahlgerüst-Hochbau in Chicago, das Home Insurance Building von 1883–85 (Architekt W. LE BARON JENNEY), zum Vorbild. Durch die Architekten der Schule von Chicago, später durch die Verwendung von Vorhangfassaden (Curtain Wall) gewann der Bautyp des H. auch formal einen eigenständigen Charakter. Nach Verbesserungen der Materialeigenschaften und der Konstruktionsmethoden wurden in den folgenden Jahrzehnten ›Wolkenkratzer‹ (Begriff entstanden um 1880 in den USA) errichtet (Empire State Building von W. F. LAMP, New York, 1931, 381 m Höhe; World Trade Center von M. YAMASAKI, New York, 1960–76, 412 m Höhe; Sears Tower von SKIDMORE, OWINGS and MERRILL, Chicago, 1969–74, 443 m Höhe). Der Bau von H. blieb auch in den späten 1970er und frühen 1980er Jahren von Bedeutung, wobei die Zeichenhaftigkeit und Repräsentationskraft der Einzelbauwerke weniger in immer größeren Gebäudehöhen als in formaler Individualität gesucht wird (Verwaltungsbau Pennzoil Place, Houston, Texas, 1970–76; American Telephone & Telegraph Company Building, New York, 1978 ff., beide von P. C. JOHNSON und J. BURGEE).

Hochosterwitz, Burg in der Gem. St. Georgen am Längsee, Kärnten, Österreich; 1571 von Graf G. KHEVENHÜLLER gekauft und bis 1586 ausgebaut, festungstechnisch bemerkenswert die 14 großen Torbauten.

Hochrelief, Form des →Reliefs, bei der die erhabenen Teile relativ weit vor dem Hintergrund stehen.

Hochschnitt, Technik des Glasschnitts, bei der die Vorzeichnung als Relief stehen bleibt.

Höchst, westl. Stadtteil (seit 1928) von Frankfurt am Main; seit dem 8. Jh. bis 1803 zum Erzbistum Mainz gehörig; 1746 Gründung der →Höchster Porzellan Manufaktur. Die Justinuskirche besitzt im roman. Langhaus wertvolle karoling. Kapitelle (9. Jh.), der hohe spätgot. Chor wurde 1463 vollendet. Ehem. Kurmainzer Burg (1397 beg., 1586–1608 zum Renaissanceschloß umgebaut; Mus.). Im spätbarocken Bolongaropalast (1772–75) einige vorzügl. frühklassizist. Innendekorationen. Marktplatz mit Renaissance-Rathaus (1594/95). Das Treppenhaus im Techn. Verwaltungsgebäude der Farbwerke Hoechst (1920–24 von P. BEHRENS; BILD) gilt als HW expressionist. Architektur.

Höchster Porzellan Manufaktur, 1746 gegr., seit 1778 in kurmainz. Besitz, 1796 geschlossen; begründete ihren Ruf u. a. durch Figurengruppen. Hauptmeister war J. P. MELCHIOR. Erste Neugründung 1947, eine weitere 1965; sie arbeitet in der kurmainz. Tradition.

Höckert, Johan Fredrik, schwed. Maler, *Jönköping 26. 8. 1826, †Göteborg 16. 9. 1866. Beeinflußt von E. DELACROIX, schuf er sein HW ›Der Schloßbrand in Stockholm am 7. Mai 1697‹ (1866; Stockholm, Nat.-Mus.). Von reicher Farbigkeit sind auch seine Bilder aus dem schwed. Volksleben.

Hockney [h'ɔknɪ], David, engl. Maler, Graphiker, *Bradford (Yorkshire) 9. 7. 1937. Seine Kompositionen zeigen porträthaft aufgefaßte Gestalten von Duschenden und Badenden in gekachelten Räumen, in künstl. Parks oder in steriler Hotelatmosphäre. Plakative und ornamentale Wirkungselemente verbinden sich hierbei mit Detailrealismus; auch Farbstiftzeichnungen.

D. H., Ausst.-Kat., Kestner-Gesellschaft Hannover (1970); D. H., Photograph (a. d. Frz., 1983).

David Hockney: Swimming-pool und Treppe; 1971 (Humlebæk, Louisiana Museum)

Hödicke, Karl Horst, Maler, *Nürnberg 21. 2. 1938, lehrt seit 1974 an der Kunsthochschule in Berlin-West; gehörte dort zum ›Kapitalist. Realismus‹, wirkte mit seinen neoexpressionist. Bildern anregend auf eine Berliner Gruppe der ›Neuen Wilden‹.

Ferdinand Hodler: Der Holzfäller; 1910 (Bern, Kunstmuseum, Eigentum der Schweizerischen Eidgenossenschaft)

Hodler, Ferdinand, schweiz. Maler, *Bern 14. 3. 1853, †Genf 19. 5. 1918, studierte in Genf, wo er, abgesehen von einigen Reisen, tätig war. Das 1889 entstandene Gemälde ›Die Nacht‹ (Bern, Kunstmus.), mit dem er den Naturalismus überwand, war der Wendepunkt seiner Entwicklung. Er gelangte zu einem strengen, durch klare Formen und Farben bestimmten Stil, in dem er symbolhaft gestaltete Figuren und geschichtl. Ereignisse malte. Die Eigenart seiner Kompositionen beruht auf der dekorativ wirksamen Verteilung der Massen, dem ausdrucksvollen Fluß der Linie und dem Parallelismus sich wiederholender Formen. H. hat auch großgesehene Bilder der Schweizer Alpen und Seen in visionärem Licht und scharf charakterisierende Porträts gemalt. Er schuf dabei nicht nur dem Symbolismus einen Monumentalstil, sondern wurde durch die Wucht seiner Stilisierungen auch ein wichtiger Anreger für den Expressionismus.

WW: Die Enttäuschten (1892, Bern, Mus.); Der Auserwählte (1893, ebd.); Eurhythmie (1895, ebd.); Der Frühling (1901, Essen, Folkwangmus.); Der Holzfäller (1910; Bern, Kunstmus.). – Wandmalereien: Rückzug bei Marignano (1896–1900, Zürich, Landesmus.); Auszug der Jenenser Studenten 1813 (1908, Jena, Univ.).

J. Brüschweiler: Ein Maler vor Liebe u. Tod. F. H...., Ausst.-Kat., München (1976); ders.: Eine unbekannte H.-Sammlung aus Sarajewo (1978); Sharon L. Hirsch: F. H. (a. d. Engl., 1981); H. Mühlestein u. Georg Schmidt: F. H. (1982); F. H., Zeichnungen, Ausst.-Kat., Winterthur (1983).

Hoefnagel [h'u:fna:xəl], Joris, **Hufnagel,** Georg, niederländ. Miniaturmaler und Zeichner, *Antwerpen 1542, †Wien 9. 9. 1600, war an bayer. und habsburg. Höfen tätig, schuf Buchmalereien und v. a. topograph. und naturwissenschaftl. Illustrationen, unter denen bes. Pflanzen- und Tierdarstellungen durch ihre genaue Naturbeobachtung hervorragen. Sein Sohn Jacob (*1575, †um 1630) setzte sein Werk fort.

Hoehme, Gerhard, Maler und Zeichner, *Greppin (Anhalt) 5. 2. 1920, seit 1960 Prof. an der Akad. Düsseldorf. H. war in den 1950er Jahren ein experimentierfreudiger Vertreter der Informellen Kunst. Mitte der 1960er Jahre ließ er die Leinwand mit Schnüren in den realen Raum übergreifen. Daraus erwuchsen Arbeiten, bei denen Schnüre oder Schläuche um Acrylglaskästen gewunden oder wie Energieströme ins Umfeld gespannt sind.

G. H., Kat. der Städt. Kunsthalle Düsseldorf (1979).

Hoelzel, Adolf, Maler, *Olmütz 13. 5. 1853, †Stuttgart 17. 10. 1934, gehörte seit 1888 zur Dachauer Malerkolonie und war 1906–19 Prof. an der Akad. Stuttgart. Seit 1905 entwickelte er, an GOETHE anknüpfend, eine Farbenlehre, die Gesetzmäßigkeiten der musikal. Harmonielehre auf die Farbe übertrug. Seine Theorien führten ihn zur gegenstandsfreien Kunst. H.s Alterswerk umfaßt abstrakte, in leuchtenden Farben rhythmisierte Pastelle und Glasfenster. H. BRÜHLMANN, A. H. PELLEGRINI, IDA KERKOVIUS, J. ITTEN, O. SCHLEMMER, W. BAUMEISTER empfingen von ihm starke Anregungen. H. schrieb ›Gedanken und Lehren‹ (1933).

H. HILDEBRANDT: A. H. (1969); W. VENZMER: A. H. (1982).

Hoensbroek [h'u:nzbru:k], Stadt in der niederländ. Prov. Limburg mit einem weitläufigen, an westfäl. Anlagen erinnernden Wasserschloß (Wohntrakt und 2 Vorburgen); im wesentlichen 17. Jh., von der ma. Burg nur der runde Eckturm erh. (1. H. 14. Jh.).

Hoerle, Heinrich, Maler, *Köln 1. 9. 1895, †ebd. 3. 7. 1936, gehörte wie F. W. SEIWERT zum Kreis der ›Kölner Progressiven‹. Nach expressionist. Anfängen und dadaist. Arbeiten entstanden v. a. Gruppenbilder des figurativen Konstruktivismus (Arbeiter, Maschinen). Aus seinen stilistisch so versch. Öl- und Wachsbildern und Zeichnungen spricht starkes polit. Engagement gegen Krieg und Ausbeutung.

H. H., Ausst.-Kat., Köln (1981).

Hoetger, Bernhard, Bildhauer und Architekt,

Adolf Hoelzel: Komposition; Pastell, um 1930/32 (Köln, Museum Ludwig)

*Hörde (heute zu Dortmund) 4. 5. 1874, †Unterseen (Schweiz) 18. 7. 1949, 1911 an die Darmstädter Künstlerkolonie berufen, 1924–29 in Worpswede, 1929–31 in Bremen, 1934–43 in Berlin. H. pflegte einen eigenwilligen expressionist. Stil v. a. unter Verwendung von Backstein.

HW: Brunnenhof Worpswede (1921); Café Worpswede (1925) und Kunstschau in Worpswede (1927); Bauten in der Böttcherstraße Bremen (1923–31); Wohnhäuser in Worpswede (1928) und Berlin (1939–40).

Hof, oberfränk. Stadt an der Saale, Bayern, 54400 Ew. Die Altstadt wurde nach dem Brand von 1823 in biedermeierl. Formen wiederaufgebaut. Michaeliskirche (1380 beg.) mit stilgeschichtlich bedeutsamem spätgot. Hallenchor (1480–1515). In der Lorenzkirche der Hertnid-Flügelaltar (um 1480). Die Decke der ma. Spitalkirche wurde 1688/89 mit 90 barocken Tafelgemälden geschmückt. Renaissance-Rathaus (1563–66).

Hofei, amtlich chines. **Hefei,** Hauptstadt der chines. Prov. Anhwei, etwa 500000 Ew.; Prov.-Mus., u. a. mit Jade-Anzug aus einem Grab der Han-Zeit (2. Jh. v. Chr.).

Hofer, Karl, Maler, *Karlsruhe 11. 10. 1878, †Berlin-West 3. 4. 1955, war Schüler von H. THOMA, gelangte nach seinem Romaufenthalt 1903–08 unter dem Eindruck P. CÉZANNES zu strenger Gestaltung mit suggestivem Ausdruck der Farbe. Er malte Landschaften (bes. aus dem Tessin) und figürl. Darstellungen, wie seine Mädchenbilder, mit herb lyr. Stimmung. Seit 1919 traten Motive der Unbehaustheit und der Bedrohung hinzu, ohne daß H. seine klassizistisch gebaute Kompositionsweise aufgab, die ihn als Einzelgänger vom dt. Expressionismus absetzt.

Schriften: Erinnerungen eines Malers (1953); Über das Gesetzliche in der bildenden Kunst, hg. v. K. MARTIN (1953).

K. H., das graph. Werk, hg. v. ELISABETH RATHENAU (New York 1969); E. FURLER: K. H., Leben und Werk in Daten und Bildern (1978); K. H., Ausst.-Kat., Berlin (1978).

Karl Hofer: Blumenwerfende Mädchen (Zürich, Sammlung Bührle)

Josef Hoffmann: Palais Stoclet in Brüssel, 1911

Hoffmann, 1) Josef, Architekt und Kunstgewerbler, *Pirnitz (Mähren) 15. 12. 1870, †Wien 7. 5. 1956, lehrte ebd. an der Kunstgewerbeschule und gründete 1897 u. a. mit J. OLBRICH die ›Wiener Sezession‹, 1903 die ›Wiener Werkstätte‹, durch die er den Stil des modernen Kunsthandwerks stark beeinflußte. Seit 1920 war er leitender Baubeamter der Stadt Wien. H. gehörte zu den Führern der Baubewegung des Jugendstils.

HW: Palais Stoclet in Brüssel (1911); Villen in Wien; Bauten der österr. Abteilung auf der Pariser Kunstgewerbeausstellung (1925).

L. W. ROCHOWANDSKI: J. H. (1950); G. VERONESI: J. H. (Mailand 1956); E. F. SEKLER: J. H. Das architekton. Werk (1982).

2) Ludwig, Architekt, *Darmstadt 30. 7. 1852, †Berlin 11. 11. 1932, hatte als Planer und Stadtbaurat 1896 bis 1924 Einfluß auf das Erscheinungsbild Berlins.

HW: Reichsgericht Leipzig (heute Dimitroff-Mus., 1887–89); Bauten in Berlin: Virchow-Krankenhaus (1899–1906); Märk. Mus. (1901–07); Stadthaus (1902–11). Schulen; Leitung der Bauten auf der Mus.-Insel nach A. MESSELS Tod.

3) Philipp , Baumeister, *Geisenheim 23.11.1806, †San Remo 3.1.1889, schuf, neben seiner Tätigkeit im nassauischen Baudienst, v. a. in Wiesbaden Bauten (kath. St.-Bonifatius-Kirche, 1843–49; Griechische Kapelle, 1846–55; Synagoge 1863–69, 1938 zerstört) im Geist eines an K. F. SCHINKEL geschulten romant. Klassizismus, der Eindrücke seiner Studien in München (F. v. GÄRTNER; Rundbogenstil) und seiner Reisen nach Berlin und Italien verarbeitet. Sein Stil betont v. a. das Ornament als Bedeutungsträger der Bauform.

P. H., Ausst.-Kat., Wiesbaden (1982).

Hofgeismar, Stadt in Nordhessen, 13 400 Ew.; 1701–1866 Badeort, aus dieser Zeit ehem. Gesundbrunnen mit Tempel (1792), barocken Badehäusern und dem frühklassizist. Schloß Schönburg (1787–89 von S. L. DU RY). In der Altstädter Liebfrauenkirche (12.–14. Jh., Chor neugotisch 1850) der ›Hofgeismarer Passionsaltar‹, ein HW got. Tafelmalerei (um 1310). Spätgot. Neustädter Kirche (1341–1421). Am Straßenmarkt Fachwerkhäuser des 16.–19. Jh. Im ehem. Gilde- und Hochzeitshaus (1620) das Regionalmus.

Höfischer Stil, →Schöner Stil.

Hofkellereigläser, Glashumpen des 17. und 18. Jh., die v. a. für die Kellereien in kursächs. Schlössern mit Emailfarben bemalt wurden.

Hoflehner, Rudolf, Bildhauer und Maler, *Linz 8. 8. 1916, arbeitete 1951–54 bei F. WOTRUBA. Aus Gliederarchitekturen, die für ein archaisches Menschentum standen, entwickelte H. gegen 1960 stelenartige, aggressiv hochgereckte Körperzeichen, die sich um 1962 zu einem kugeligen Abschluß beruhigen. Er blieb dabei stets ein typ. Eisenplastiker, dessen Werk durch Aufschneiden, Schmieden, Schweißen der Blöcke entstand. 1967 ging H. zu starkfarbigen Bildern über; sie zeigen den Menschen als gemarterte Kreatur.

R. H., Ausst.-Kat., Stuttgart (1982).

Hofmann, 1) Hans, amerikan. Maler dt. Herkunft, Kunstpädagoge, *Weißenburg (Bayern) 21. 3. 1880, †New York 18. 2. 1966. Durch seine Kunstschule, seit 1915 in München, dann in den USA, wurde er wichtiger Anreger und Vertreter (seit etwa 1935) des Abstrakten Expressionismus.

2) Ludwig von, Maler, *Darmstadt 17. 8. 1861, †Pillnitz (heute Teil von Dresden) 23. 8. 1945, bildete sich in Dresden, Karlsruhe und Paris und lehrte 1903–08 in Weimar (Wandbilder im Hoftheater und im Mus.), 1916–28 in Dresden. Seine dekorative Kunst zeigt den Einfluß von P. PUVIS DE CHAVANNES und H. V. MARÉES und gehört zum Jugendstil. In seinen Landschaften suchte H. den stimmungshaften Einklang von Mensch und Natur. Er schuf auch Folgen von Lithographien (›Rhythmen‹, 1919/20) und Holzschnitte als Buchillustrationen.

Kunst aus dem Besitz der Stadt Darmstadt, Ausst.-Kat., Darmstadt (1981).

Hofschule Karls des Großen, Bez. für die Buchmalerei am Hof KARLS D. GR. in Aachen, nach einem HW (→Adahandschrift) auch **Ada-Gruppe** genannt. Weitere HW sind das →Godescalc-Evangeliar, Angilbert-Evangeliar aus St. Médard in Soissons (Paris, Nat.-Bibl.) und das →Lorscher Evangeliar.

W. KOEHLER: Die H. K. d. Gr. (1958).

Hofschule Karls des Kahlen. Bez. für die Spätstufe karoling. Buchmalerei unter KARL D. KAHLEN (843 bis 877), die, ausgehend von der →Reimser Schule und mit Verarbeitung von Stilelementen der Schule von →Tours, Prachthss. hervorbrachte. Der Sitz der H. K. d. K. ist unbekannt (Corbie?, St. Denis?). HW sind ein Psalter und ein fragmentar. Krönungsevangelistar (beide Paris, Bibl. Nat.), der →Codex Aureus von St. Emmeram in Regensburg (München, Bayr. Staatsbibl.) und die →Bibel von S. Paolo fuori le mura (Rom).

Hogarth [h'əʊgɑ:θ], William, engl. Maler und Kupferstecher, *London 10. 11. 1697, †ebd. 25. 10. 1764, schuf Stiche und Genrebilder unter holländ. Einfluß, seit den 1730er Jahren begann er mit ›modern moral subjects‹, d. h. mit der Darstellung, Kritik und Satire

William Hogarth: Kurz nach der Hochzeit; aus der Folge Mariage à la Mode, 1744 (London, National Gallery)

zeitgenöss. Zustände wie ›The Rake's Progress‹ (1735; London, Soane Mus.), die ›Mariage à la Mode‹ (1743 bis 1745; ebd., Nat. Gal.), ›Election‹ (1754; ebd., Soane Mus.), in denen er menschl. Verfehlungen aufs schärfste geißelte und dabei oft den einzelnen Personen porträthafte Ähnlichkeit mit Zeitgenossen verlieh. H. war einerseits strenger Patriot, verspottete andererseits die Sitten des alten England (›Calais Gate: The Roast Beef of Old England‹, 1748; London, Nat. Gal.). Wesentlich war, daß diese Bilder durch H. und die Stiche seiner Nachahmer bald weite Verbreitung fanden. H. gilt als Begründer der engl. Karikatur; daneben war auch sein Werk zur Kunsttheorie (›Analysis of Beauty‹, 1753) von Einfluß.

F. ANTAL: H. and his place in the European Art (London 1962); R. PAULSON: H., his life, art and times (ebd. 1971); W. BUSCH: Nachahmung als bürgerliches Kunstprinzip (1977); D. BINDMAN: H. (New York 1981); L. STAINTON: W. H., Werkverz. (a. d. Engl., 1981).

Höger, Fritz, Architekt, *Bekenreihe bei Elmshorn (Schlesw.-Holst.) 12. 6. 1877, †Bad Segeberg 21. 6. 1949, seit 1905 selbständiger Architekt in Hamburg. H. suchte den norddt. Backsteinbau den Aufgaben der Gegenwart entsprechend zu erneuern. Er baute v. a. Bürohäuser, die kraftvoll gegliedert und durch sparsame Verwendung von Ornamentformen und farbigen Ziegeln belebt sind.

HW: Chilehaus, Hamburg (1922/23); Sprinkenhof, ebd. (1927 bis 1931); Rathaus in Rüstringen (1929); Kirche in Berlin-Wilmersdorf (1930/31).

C. J. H. WESTPHAL: Der niederdt. Backsteinbaumeister F. H. (1938); Kunstbibliothek Berlin (Hg.): F. H. (1977).

Hoge Veluwe [h'o: xə ve: l'yvə], **De H. V.,** Nationalpark nördlich der niederländ. Stadt Arnheim, in dem sich das →Kröller-Müller-Museum befindet.

Hoggar, Gebirge in der Zentralsahara, S-Algerien, bis 3003 m ü. M. Der H. ist Lebensraum des Tuareg-Stammes Kel Ahaggar; ihre ländl. Gebrauchskunst (Leder, Metall) entspricht der der übrigen →Berber (jedoch keine Weberei). Im Hauptort Tamanrasset H.-Mus. (Tuareg-Volkskunst). Zahlreiche megalith. Rundgräber sowie →Felsbilder im Rundkopfstil, bes. im Atakor- und Tefedestgebiet.

Hoguet [og'ɛ], Charles, Maler, *Berlin 21. 11. 1821, †ebd. 4. 8. 1870, malte v. a. Seestücke, in denen der Einfluß von E. Isabey spürbar wird.

Hohenberg, Maler, →Altomonte.

Hohen|ems, Gem. in Vorarlberg, Österreich, 12 800 Ew.; das Schloß wurde 1562–67 als Residenz des Salzburger Erzbischofs Markus Sittikus von H. erbaut, eine zweigeschossige Renaissance-Dreiflügelanlage mit Kassettendecken im Haupttrakt. Über H. die spätgot. Burg **Glopper** und die Ruine der Burg **Altems.**

Hohenfurt(h), tschechisch **Vyšší Brod** [v'iʃi:-], Stadt im Südböhm. Kreis, an der oberen Moldau, ČSSR, etwa 2500 Ew. Das ehem. Zisterzienserkloster wurde 1259 gegr.; die got. Kirche entstand im wesentlichen im 14. Jh., ebenso der Kapitelsaal, die Bibliothek 1757; Museum mit Gemäldesamml. Aus der Kirche stammen die noch erhaltenen 9 Tafeln des ›Hohenfurther Altars‹, eines HW der →Böhmischen Malerschule.

Hohenfurth, Maler, →Meister von Hohenfurth.

Hohenschwangau, Schloß bei Füssen, Bayern, 1833–37 für Maximilian II. von Bayern durch D. Quaglio wiederaufgebaut. Fresken von M. v. Schwind (Mus.).

Hohenzollern, Burg am Rand der Schwäb. Alb, südlich von Hechingen, Bad.-Württ., Stammsitz des Hauses H., 1850–67 von F. A. Stüler neugotisch wiederaufgebaut; vom Vorgängerbau die spätgot. Michaelskapelle (1454–61) mit bemerkenswerten Glasfenstern erh. (Mus. mit Schatzkammer).

Hohhot, Hauptstadt der Inneren Mongolei, →Huhehot.

Hohkönigsburg, frz. **Haut-Koenigsbourg** [okønigzb'u:r], Burg bei Schlettstadt im Unterelsaß, stauf. Anlage, 1147 erwähnt, 1462 zerstört (dreiteilige roman. Fensterstellung am Palas und rundbogiges Tor mit stauf. Löwen erhalten), Erweiterung nach 1479 (u. a. Bollwerke), erneute Zerstörung 1635, im Auftrag Kaiser Wilhelms II. 1900–08 von B. Ebhardt wiederhergestellt (z. T. umstrittene Umbauten).

Hohl|eisen, U-förmiges gerundetes Schnitzwerkzeug der Holzbildhauer. H. gibt es in verschieden starken Rundungen bis zum Halbkreis.

Höhlenkunst, Höhlenbilder, die in Höhlen und Abris vorkommende paläolith. Wandkunst (→Eiszeitkunst). Für die Deutung der H. haben sich die Wechselbeziehungen von Bild und Höhlenraum auf statist. Grundlage als aufschlußreich erwiesen.

A. LEROI-GOURHAN: Vorgeschichtl. Kunst (a.d. Frz., 1973); F. NABER, D. BÉRENGER und C. ZALLES-FLOSSBACH: L'art pariétal paléolithique. Bonner Hefte zur Vorgesch., 14–16 (1976).

Höhlentempel, in eine Felswand gehauener oder in einer natürl. Höhle oder Grotte angelegter Tempel.

In Indien wurden Kloster- und Tempelanlagen mit z.T. beträchtl. Ausmaßen nach Vorbildern hölzerner Freibauten in den Fels geschlagen. Die ältesten H. entstanden im 3. Jh. v. Chr. (Barabar-Höhlen der Ajivika-Sekte), buddhist. Chaityahallen und Viharas mit zunehmend reicherem Reliefschmuck, seit dem 2. Jh. v. Chr. v. a. im nördl. Deccan entlang der Handelswege (Bhaja, Bedsa, Pitalkhora, Karla, Bagh, Kanheri u. a.) und mit jinist. H. im östl. Indien (Khandagiri-Udayagiri). In →Ajanta entstand bis zum 6.–7. Jh. die größte Ansammlung buddhist. H. mit Wandmalereien (BILD indische Kunst). Hinduist. H. mit großformatigen Felsreliefs gehen auf das 5. und 6. Jh. zurück (→Udayagiri, Badami) und finden ihre Höhepunkte in Elephanta (Anf. 7. Jh.) und →Elura (7.–9. Jh.) sowie im südind. →Mahabalipuram (7. Jh.). Entlang des Ausbreitungsweges des Buddhismus wirkten die ind. H. über Bamian bis nach Zentralasien (→zentralasiatische Kunst) und China.

In China lassen die H. ebenfalls ihre Herkunft von Holzbauten erkennen (Eingangsfassade und im Innern das Konsolenstützsystem). Die Höhlen stattete man mit Malerei, Plastik aus Lehmstuck oder in den Fels gehauenen Skulpturen aus. Den ersten Höhepunkt erlebte die Anlage von H. unter den nichtchines. Dynastien in den nördl. Provinzen seit Mitte des 5. Jh., einen zweiten Höhepunkt in der T'ang-Zeit (618–906). Die bedeutendsten Anlagen (auch Grottentempel genannt) sind die

Höhlentempel: Yünkang, China, Prov. Shansi; 5. Jh.

von →Yünkang, Lungmen, Maichishan und Tunhuang. (BILD chinesische Kunst)

Hohlglas, alle aus der Glasschmelze nicht platten- oder faserförmig hergestellten Glaserzeugnisse.

Hohlguß, die Technik der hohlgegossenen Plastik, die, auch um Material und Gewicht zu sparen, beim Bildguß größerer Werke notwendig wird, da beim Erkalten die verschieden starken Teile sich verziehen oder reißen. Vor dem Guß wird ein Formkern eingefügt, oder die Form wird mit dünnflüssigem Gipsbrei mehrfach ausgeschwenkt. Als H. wird auch das Gußverfahren bei Münzen und Medaillen bezeichnet, bei denen eine Seite erhaben, die andere hohl ist.

Hohlkehle, konkav gekehltes Profil, bes. an got. Gesimsen, urspr. zur Wasserführung (→Kaffgesims, →Wasserschlag).

Höhung, Maltechnik: Weißausmischung der →Lokalfarbe, die erhabene Teile des abgebildeten Gegenstandes plastisch erscheinen läßt. An der hellsten Stelle wird mit reinem Weiß das Licht (→Lichter) aufgesetzt.

Hoitsu, Sakai, japan. Maler, Kalligraph, Dichter, *Edo 1761, †ebd. 1828, der 2. Sohn des Fürsten SAKAI von Himeji, tätig in Kioto, gilt als letzter großer Meister der ›Rimpa-Schule‹, deren dekorativen Stil er in Komposition und Farbgebung mit neuem Realismus verband und durch die Verwendung von Silberfolie erweiterte. H. war ein Bewunderer des OGATA KORIN, dessen Gemälde und Entwürfe er in Holzdruck-Büchern veröffentlichte.

Hokusai [hoksai], Katsushika, japan. Maler und Meister des Farbholzschnitts, *Edo 21. 10. 1760, †ebd. 10. 5. 1849. H.s künstler. Entwicklung spiegelt sein Studium der versch. Stile und Künstler. Seine Anfangswerke (1779/80) waren Schauspieler-Holzschnitte und Buchillustrationen im Stil seines Lehrers SHUNSHO; es folgten bis 1795 Bijin-ga im Stil des KIYONAGA und UTAMARO, Surimono und Illustrationen von Gedichtsammlungen. 1798 entstanden Landschaften in Anlehnung an den europ. Kupferstich, seit 1800 Landschafts- und Figurenzeichnungen eigener Stilausprägung. H. war einer der fruchtbarsten und vielseitigsten Künstler des Ukiyo-e mit genialer Beherrschung von Komposition

Katsushika Hokusai: Die Woge; Farbholzschnitt aus der Folge ›36 Ansichten des Berges Fuji‹, 1823–33

und Zeichentechnik, sowohl in präziser Wiedergabe als auch in stilisierter Linie oder skizzenhafter Karikatur. Nach 1820 schuf er Illustrationen zu über 500 Büchern und zahlreiche Holzschnittfolgen mit Landschaften, Vögeln und Blumen. Diese →Farbholzschnitte waren in der 2. H. des 19. Jh. in Europa sehr begehrt.

Holzschnittwerke: Manga, 14 Bde. (1812–32); Die 100 Ansichten des Fuji, 3 Bde. (1834–35).

Holzschnittfolgen: 36 Ansichten des Berges Fuji (1823–33).

Holabird [h'əuləbə:d], William, amerikan. Architekt, *Amenia Union (New York) 11. 9. 1854, †Evanston (Illinois) 19. 7. 1923, Vertreter der Schule von →Chicago, wurde durch seine Arbeit bei W. LE BARON JENNY, später als Partner von M. ROCHE einer der Pioniere der Skelettbauweise für Büro- und Geschäftshäuser.

HW (alle Chicago): Bürohaus Tacoma Building (1887–89); Old Colony Building (1893/94); Marquette Building (1893/94).

C. W. CONDIT: The Chicago school of architecture (Chicago 1964).

Hans Holbein d. Ä.: Selbstporträt (Chantilly, Musée Condé)

Holbein, Augsburger Künstlerfamilie.

E. SCHILLING: Zeichnungen der Familie H. (1954); Die Malerfamilie H. in Basel, Ausst.-Kat., Basel (1960).

1) Ambrosius, Maler und Zeichner für den Holzschnitt, Sohn von 2), *Augsburg vermutlich 1494, †Basel 1519 oder 1520, folgte seinem Bruder Hans 1516 nach Basel und wurde hier 1517 Meister, 1518 Bürger. H. schuf ebd. für Verleger (v. a. J. FROBEN) Holzschnitte (Initialen, Titel u. a.) und malte einige Bilder.

HW: Knabe mit braunem Haar, Knabe mit blondem Haar (beide 1517; Basel, Kunstmus.); Porträt eines Jünglings (1518; Leningrad, Eremitage).

2) Hans d. Ä., Maler und Zeichner, Vater von 1) und 3), *Augsburg um 1465, †am Oberrhein (Basel oder Isenheim/Elsaß) 1524, seit 1494 in Augsburg, seit 1501 in Frankfurt a. M. nachweisbar, 1517–19 in Luzern. Er schuf große Altarwerke, Einzeltafeln, Porträts, Silberstiftzeichnungen und Entwürfe für Glasgemälde; in ihnen wird seine Auseinandersetzung mit der altniederländ. Malerei (ROGIER VAN DER WEYDEN, H. MEMLING) und der ital. Renaissance deutlich. Dennoch blieb H. ein Meister der dt. Spätgotik. Das Einzelne suchte er eingehend darzustellen (Basilikabilder, Flügel vom Kaisheimer Altar, Graue Passion), ebenso die Köpfe seiner Porträts. Ihre Verbindung von realist. Darstellung mit idealem Ausdruck bereitete die Porträtkunst seines Sohnes Hans d. J. vor. In seinem Kolorit wandte sich H. von der symbol. Farbigkeit des MA. ab und faßte in einer oft expressiven Farbgebung Licht- und Raumsituation zusammen.

HW: Weingartener Altar (1493; Augsburg, Dom); Dominikaner-Altar (1501; Frankfurt a. M. – Predella: Frankfurt a. M., St. Leonhard und Städelsches Kunstinstitut. Flügel: Frankfurt a. M., Städelsches Kunstinstitut; Basel, Kunstmus.; Hamburg, Kunsthalle; London, Privatsamml. und Vaduz, Fürstl. Liechtenstein. Gemäldegal.); Basilikabilder (1499, 1504; Augsburg, Bayer. Staatsgemäldesammlungen); Kaisheimer Altar (1502; München, Alte Pinakothek); Sebastiansaltar (1516; ebd.); Graue Passion (um 1498?; Donaueschingen, Fürstlich Fürstenberg. Gemäldegal.); Lebensbrunnen (1519; Lissabon, Mus. Nacional de Arte Antiga).

N. LIEB u. A. STANGE: H. H. d. Ä. (1960); H. H. d. Ä. und die Kunst der Spätgotik... (1965); H. H. d. Ä., Ausst.-Kat., Augsburg (1965).

Hans Holbein d. J.: Der Kaufmann Georg Gisze; 1532 (Berlin-West, Staatl. Museen)

3) Hans d. J., Maler und Zeichner für den Holzschnitt, Sohn von 2), *Augsburg 1497, begraben London 29. 11. 1543, lernte bei seinem Vater, ging 1515 nach Basel und besuchte von dort 1516/17 Frankreich, 1526/28 England. 1532 ließ er sich endgültig in London nieder und wurde 1536 (nach Vermittlung T. CROMWELLS) Hofmaler HEINRICHS VIII.

H. war der letzte der großen altdt. Maler. Die Formen der Renaissance, um die A. DÜRER noch im Zwiespalt mit der spätgot. Tradition gerungen hatte, nahm H. bereits mühelos auf. In Basel erschloß sich ihm die neue Welt des Humanismus; hier erhielt er bald eine Fülle von Aufträgen. Außer Fresken, die meist zugrunde gegangen, doch in Entwurfzeichnungen bekannt sind (Fassadenmalereien in Luzern und Basel; Wandbilder im Baseler Rathaussaal), entstanden Altarbilder, graph. Arbeiten, v.a. für Bücher, Zeichnungen für Glasgemälde und v.a. Porträts. 1519 malte H. nach einer Italienreise (Bekanntschaft mit der ital. Renaissancemalerei) das leuchtende Porträt des B. Amerbach, 1523 mehrere Erasmus-Porträts. Die relig. Werke hingegen (Passions-Altar, um 1525, Basel, Kunstmus.; Oberried-Altar, 1521/22 Freiburg i. Br., Münster) wirken zwiespältig und sind ohne tiefere Empfindung. In der Predella mit dem Toten Christus (1521) schuf H. ein Werk von erschreckender Realistik. Seine kühl-beobachtende Kunst erreichte in der Madonna des Basler Bürgermeisters N. Meyer (um 1529; Darmstadt, Schloß) die Klarheit der Renaissance. Um 1525 entstanden die Holzschnitte zum Totentanz, bedeutend in der gesamten abendländ. Graphik, 1538 die Holzschnitte zum A. T. Bei seinem ersten Aufenthalt in England scheint H. nur Porträts gemalt zu haben. Das

Gruppenbildnis der Familie seines Freundes T. Morus ist untergegangen, doch geben Zeichnungen und gemalte Kopien eine ungefähre Vorstellung davon. Trotz ehrenvoller Angebote blieb H. nicht in Basel. Nach England zurückgekehrt, erhielt er erste Aufträge von Kaufleuten der dt. Hanse, nicht nur für Porträts, sondern auch für Wandmalereien und Festdekorationen im Stalhof, dem Kontor der dt. Hanse. Bald schlossen sich Aufträge der engl. Aristokratie und des Hofes an. HEINRICH VIII. berief ihn zu Malereien nach Whitehall. H. malte hier v. a. ein (nur durch Kopien bekanntes) Repräsentationsbild des Königs und seiner Eltern. Die männl. Porträts überwiegen; unter den weibl. ragt das lebensgroße der Christine von Dänemark hervor, das in seinem Streben nach Monumentalität, in seiner Beschränkung auf Schwarztöne die maler. Kraft H.s eindringlich bezeugt. Seinen Modellen stand H. mit unbestechl. Sachlichkeit gegenüber. Wichtig schien ihm nur die Erfassung des Individuellen. Schließlich mied er alle Raumandeutungen und malte die Figur vor neutralem Hintergrund. Mit diesen Porträts begründete H. seinen Weltruhm. (BILD Porträt, BILD Zeichnung)

WW: Der Basler Rechtsgelehrte J. Meyer und seine Frau, Doppelporträt (1516; Basel, Kunstmus.); Adam und Eva (1517; ebd.); Porträt B. Amerbach (1519; ebd.); Predella mit dem Toten Christus (1521; ebd.); Der schreibende Erasmus von Rotterdam (1523; ebd.); Erasmus von Rotterdam am Schreibpult (1523; Paris, Louvre); Erasmus in der Stube mit dem Renaissancepilaster (1523; Longford Castle bei Salisbury, Wiltshire, Samml. Earl of Radnor); H.s Frau mit den beiden älteren Kindern (1528; Basel, Kunstmus.); Porträts dt. Kaufleute in London (G. Gisze, 1532; Berlin-West, Staatl. Museen; D. Born, 1533; Windsor Castle u. a.); Die Gesandten (1533; London, Nat. Gal.); Porträts der engl. Königsfamilie (Jane Seymour, 1536; Wien, Kunsthistor. Mus.; Anna von Cleve, 1539/40; Paris, Louvre u. a.) und Angehöriger des Hofs (Morette, um 1536; Dresden, Gemäldegal.; Howard, 1538/39; Windsor Castle u. a.); Christine von Dänemark (1538; ebd.); Holz- und Metallschnitte, v. a. für Bücher (Titelblätter, Randleisten, Initialen, Verlegerzeichen); Totentanz, 58 Holzschnitte (um 1525; Buchausgabe Lyon 1538); 91 Holzschnitte zum A. T. (um 1529/30; Buchausgabe Lyon 1538). – Zeichnungen, Porträts (viele in Windsor Castle). – Entwürfe für Wandmalereien, für das Kunsthandwerk u. a.

Das maler. Gesamtwerk von H. H., hg. v. L. HERTIG (a. d. Ital., 1974).

Holbein-Teppiche, Knüpfteppiche des 15. und 16. Jh.; so genannt nach der Vorliebe H. HOLBEINS D. J. für geometr. Muster, dargestellt z. B. auf dem Gemälde die ›Madonna des Basler Bürgermeisters J. Meyer‹ (um 1529; Darmstadt, Schloß). →Orientteppiche

Hole [həʊl], William Brassey, schott. Maler und Radierer, *Salisbury 7. 11. 1846, †Edinburgh 22. 10. 1917, studierte ebd. Er erhielt auf einer Italienreise künstler. Anregungen zu Bildern mit mytholog. Szenen; um 1883/84 folgten Fischerbilder. 1899–1902 schuf H. 8 Wandgemälde für die Wandelhalle der Nat. Portrait Gal. in Edinburgh. Radierungen entstanden nach eigenen Entwürfen und nach Werken großer Meister.

Holíč [h'ɔli:tʃ], Ort im Westslowak. Kreis, ČSSR, 8000 Ew. Die bed. großzügige Schloßanlage entstand um 1750 aus einer älteren Wasserburg als Sommersitz der Habsburger; im frz. Park (90 ha) befanden sich Brunnen, Plastiken sowie Fayencen aus der ehem. berühmten Fayence-Manufaktur (Gebäude 1736–43). Die got. Pfarrkirche von 1387 wurde Anf. des 17. Jh. verändert; die Kirche des Kapuzinerklosters entstand 1755, die prot. Kirche 1787, die ehem. Synagoge gegen Ende des 18. Jh.

Holkham [h'əʊkəm], Ort an der ostengl. Küste in der Cty. Norfolk mit bed. Schloß, **H. Hall** [-hɔːl], das 1734 von W. KENT im palladian. Klassizismus erbaut wurde. Der nur eingeschossige, von 4 kleineren Flügelbauten eingefaßte Hauptbau mit vortretenden Eckpavillons ist zur Gartenseite durch einen Säulenportikus mit Dreiecksgiebeln betont; im Innern eine nach dem Vorbild einer röm. Basilika mit ionischer Säulenreihe ausgestattete und in eine Exedra auslaufende, gewölbte Hall.

Holl, Elias, Baumeister, *Augsburg 28. 2. 1573, †ebd. 6. 1. 1646, wurde nach Lehrzeit bei seinem Vater Hans (*Augsburg um 1512, †ebd. 1. 1. 1594) 1596 Meister, 1602 ›Stadtwerkmeister‹ (Stadtbaumeister) von Augsburg und vollendete bes. durch seine öffentl. Bauten (Brücken, Tore, Wohn-, Speicher- und Zunfthäuser, Zeughaus und Rathaus) das Stadtbild. Aus Formen des ital. Frühbarock (Einfluß A. PALLADIOS bei einem Venedig-Aufenthalt um 1600) und einer Abwandlung der dt. Giebelhausfassade entwickelte H. einen klassisch ausgewogenen Baustil, der den Baukörper in symmetr. Proportionen gliedert und Außen- und Innenbau harmonisch verbindet. Überragend ist sein Rathaus, das durch Betonung der Senkrechten im Mittelrisalit diesen ausdrücklich von den Seitenflügeln abhebt. – H. gehört zu den bed. europäischen Baumeistern des Barock. – Nach dem Restitutionsedikt von 1629 verlor H. als Protestant sein Amt. (BILDER Architekturmodell, Architekturzeichnung)

HW in Augsburg: Zeughaus (1602–07), Stadtmetzig (1609), Weberkaufhaus (1611), Wertachbrugger Tor (1615), Rathaus (1615–20),

Elias Holl: Rathaus in Augsburg; 1615–20

Heiliggeist-Spital (1626–30). – Erweiterungsbauten zur Willibaldsburg bei Eichstätt (1609 ff.).
Augsburger Barock, Ausst.-Kat., Augsburg (1968).

Holland [h'ɔlənd], Henry, engl. Architekt, *20. 7. 1745, †London 17. 6. 1806; war Mitarbeiter von ›CAPABILITY‹ BROWN; seine von R. ADAM beeinflußten Werke stehen dem frz. Klassizismus nahe.

HW: Umbau des Carlton House, London (1783 ff.; 1826 abgerissen), und des Marine Pavilion, Brighton (1786; von J. NASH verändert); Landhäuser: Southill House, Bedfordshire (1795); Berrington Hall, Chelsea (1778).

Hollar, Wenzel, Radierer, Zeichner, *Prag 13. 7. 1607, †London 28. 3. 1677, lernte bei M. MERIAN. Sein Werk umfaßt 4000 Blatt, v.a. topographisch getreue Stadt- und Landschaftsansichten, mehrere Folgen von Frauentrachten und Porträts.
W. H., Ausst.-Kat., München (1977).

Hölle, der Ort, an dem nach der Bibel die abgefallenen Engel, v.a. der Teufel, und die Sünder (nach dem Tod) ihre Strafe erleiden.

In der Kunst wurde die H. im Zusammenhang mit Darstellungen des →Jüngsten Gerichts und der →Höllenfahrt Christi geschildert. Die abendländ. Kunst kennt spätestens im 8. Jh. den **H.-Rachen,** der die Sünder verschlingt, hat aber auch Vorstellungen von einer der Himmelsstadt entgegengesetzten **Höllenstadt,** in der Leviathan haust (die Entgegensetzung noch im 15. und 16. Jh., z.B. S. LOCHNER, Köln; J. COUSIN D. Ä., Louvre); auch die Vorstellung des **H.-Berges** (Fresken von GIOTTO in Padua, von NARDO DI CIONE in Florenz; Weltgerichtsaltar H. MEMLINGS in Danzig). An Einfallsreichtum im Aussinnen von Schrecken und Martern sind die H.-Szenen bei H. BOSCH (BILD) unübertroffen. Unter den späteren H.-Darstellungen ist die gewaltigste der ›Höllensturz der Verdammten‹ von P. P. RUBENS (München).

Hollein, Hans, Architekt, *Wien 30. 3. 1934, gründete 1964 ein Büro ebd., lehrt seit 1967 an der Staatl. Kunstakad. Düsseldorf und ist seit 1976 Leiter des Instituts für Design an der Schule für angewandte Kunst, Wien. H. gehört führend zu einer Gruppe österr. Architekten, die den orthodoxen Funktionalismus durch Medienerweiterung und skulpturale Zeichenhaftigkeit überwinden wollen.

HW: Kerzengeschäft Retti, Wien (1964/65); Österr. Beitrag zu 14. Triennale in Mailand (1968); Österr. Verkehrsbüro, Wien (1976–78); Städt. Mus. Abteiberg, Mönchengladbach (1972–82).

Höllenfahrt Christi, nach dem N. T. der Aufenthalt Christi zw. Tod und Auferstehung in der Unterwelt (Hölle), in der byzantin. Kunst seit dem 5. Jh. als Hinabstieg und eigtl. Auferstehungsbild (Anastasis, grch. ›Auferstehung‹) dargestellt; einzelne Motive (unter Christus der besiegte Hades, der nach Adams Fuß greift; die zersprengten Höllentore: Staurothek Fieschi, um 700; New York, Metropolitan Mus.) finden sich auch im Westen (Fresken in S. Maria Antiqua, Rom, 8. Jh.). Schon seit dem 10. Jh. wandelt sich hier die Vorstellung: Christus steigt aus der Unterwelt auf. Weitere Ausgestaltungen v.a. seit der Gotik zeigen den Einfluß des relig. Schauspiels. Spätere Darstellungen stammen von FRA ANGELICO, A. DÜRER, L. CRANACH D. Ä., TINTORETTO u. a.

Hollola, Gem. bei Lahti, S-Finnland, mit einer der wertvollsten ma. Steinkirchen (13. Jh.), bes. bemerkenswert die Backsteinornamente an der Giebelwand; frei stehender Glockenturm (17. Jh.).

Holmberg, Werner, finn. Maler, *Helsinki 1. 11. 1830, †Düsseldorf 24. 9. 1860, ebd. Schüler von H. GUDE, der erste eigenständige finn. Landschaftsmaler, schuf auf genauer Beobachtung beruhende stimmungsvolle Bilder seiner Heimat.

Holo, kleine Volksgruppe beiderseits des Kwango-Oberlaufes in S-Zaire und N-Angola, mit bed. Schnitztradition, die stark von den benachbarten Yaka, Suku und Chokwe beeinflußt ist, sich jedoch durch einen eigenen Stil auszeichnet. Neben versch. Kultfiguren, Figuren der Königin (›Holo dya Mukhetu‹), Zeremonialgegenständen (Kultbeile, Schutzvögel u. a.) fertigen die H. große Stülpmasken mit hölzernen Hörnern, aber auch mit Aufbauten aus Pflanzenfasern, ähnlich denen der Yaka. Als besonderes Erzeugnis der H.-Kunst gelten die ›H.-Rahmen‹. Sie dürften auf den Einfluß der christl. Mission von Ste. Marie de Matamba (im 17. Jh. gegr.) zurückgehen. Die H. griffen Kruzifix und in Glas gerahmte Votivbilder als Anregung für ihren ›Nzambi‹-Kult auf und schnitzten (meist kleine) menschl. Figuren, die – mit ausgebreiteten Armen – in einem durchbrochen gearbeiteten Rahmen stehen.

F. NEYT: L'art Holo du Haut-Kwango (München 1982).

Holographie [grch.], Verfahren der Bildaufzeichnung und Bildwiedergabe mit kohärentem Licht, das im Unterschied zur konventionellen Photographie die Speicherung und Reproduktion von Bildern mit dreidimensionaler Struktur ermöglicht; wird seit den späten 1960er Jahren auch von Künstlern verwendet (B. NAUMAN, R. INDIANA, in Dtl. D. JUNG, H. M. MIELKE). Den Möglichkeiten der H. bei Environments gingen v. a. Projektgruppen des ›Center of Advanced Visual Studies‹ in Cambridge (Massachusetts) und der Schwede C. F. REUTERSWÄRD nach; letzterer setzte die H. zusammen mit Laserstrahlen und Spiegeln auch für Bühnenbilder ein. 1979 fand in Berlin die 1. dt. Hologrammausstellung statt.

Holograph. Bilder, Ausst.-Kat., Berlin-West (1979).

Holoholo, Baholoholo, Bantustamm westlich des Tanganjikasees, Zaire, mit offenbar seit langem ausgestorbener Schnitzkunst; 2 Figuren dieses Stammes – Masken sind nicht bekannt – befinden sich im Mus. für Völkerkunde Berlin-West.

Holroyd [h'ɔlrɔɪd], Sir Charles, engl. Maler und Graphiker, *Leeds 9. 4. 1861, †London 17. 11. 1917, Schüler von A. LEGROS, radierte Landschaften und Figurenkompositionen. Ein Ikarus-Zyklus (voll. 1902) läßt die Auseinandersetzung mit der Renaissance erkennen. 1906–16 Direktor der Nat. Gal.

Holzbau, Holzarchitektur, urspr. und naturgegebene Bauart in waldreichen Gebieten der gemäßigten

Zonen, bes. in Mittel-, N- und O-Europa, auch in Nordamerika zur Pionierzeit und in Japan, das die ältesten erhaltenen Holzbauten besitzt: Horyuji, Tempelhalle und Pagode (zw. 670 und 714 errichtet).

Die früheste europ. Form ist der **Pfostenbau** aus eingerammten dünnen Rundhölzern mit lehmumhülltem Flechtwerk als Wandfüllung. Seit der jüngeren Steinzeit ist der **Bohlenbau** bekannt, zunächst aus senkrecht stehenden halbierten Stämmen und Brettern, dann mit tragenden Eckverstärkungen **(Bohlenständerbau)** und schließlich mit einer Schwelle, auf der die Hölzer befestigt wurden. Funde vom Blockbau lassen sich nicht vor der Bronzezeit nachweisen. In N-Europa und im Alpengebiet war er bald verbreitet, in O-Europa wurde er erst in histor. Zeit bekannt, ist hier aber lange angewendet worden, z. B. im Karpatengebiet und im alten Rußland.

Pfosten- und Bohlenständerbau sind die Vorgänger des →Fachwerks, das sich bes. reich in Dtl. und den Niederlanden, Belgien und England entwickelte und im 16. und 17. Jh. seinen Höhepunkt fand. Eine Sonderform, als Übergang zum Fachwerk, bildet das nord. **Stabwerk** aus Pfosten und Bohlen (norweg. Kirchen des 11. bis 13. Jh.). Eine Mischform ist das ostdt.-böhm. →Umgebinde. Schnitzereien und farbige Behandlung (z. B. Ochsenblut und Teer) kommen in fast allen Arten des H. vor. Außer einem Schmuckbedürfnis spielt hier auch die Wetterbeständigkeit eine Rolle.

In den Mittelmeerländern hat der H. aus Mangel an geeignetem Baustoff bereits in der Antike keine große Rolle gespielt. Es gab etruskische Tempel aus Holz, die mit Terrakotta verkleidet waren. Ob der grch. Tempelbau vom H. herzuleiten ist, gilt heute nicht mehr als sicher.

Da der frühere H. durch Feuer gefährdet war, wurde er in Europa schon frühzeitig eingeschränkt; 1272 erließ Breslau ein striktes Neubauverbot für H., 1294 schrieb Straßburg wenigstens steinerne Brandgiebel vor. Gleichwohl blieb der Fachwerkbau überwiegend im Gebrauch, auch für Rathäuser und öffentl. Bauten (bis ins frühe 20. Jh.). Bes. langlebig war der H. in O-Europa. Heute wird der H. konstruktiv nur noch bei Gebäuden untergeordneter Nutzung (Schuppen u. ä.) angewandt. Als Verkleidungsmaterial ist Holz erneut beliebt.

In Indien ist H. eine der ältesten Bauweisen, deren Elemente seit dem 3.–2. Jh. v. Chr. in Höhlen (später auch in Stein) übernommen wurden. Diese frühen Zeugnisse des ind. H. selbst sind jedoch nicht erh. Typische, auf Holz und Bambus zurückgehende Bauformen waren die mehrstöckigen Fassaden aus Stützen und Querbalken, gebogene Giebel (→Kudu) und Fenster sowie die Sparrenkonstruktion der Tonnendächer der →Chaityahallen. Nur in den holzreichen Bergregionen, wie Kulu und Nepal, konnten sich der H. und der Fachwerkbau mit Ziegelfüllung gegenüber der Steinarchitektur behaupten. Kennzeichnend sind hier die pagodenartig gestaffelten, von Konsolen gestützten Schrägdächer über quadrat. Grundrissen.

In Ostasien (China, Korea und im sehr waldreichen Japan) ist seit alters der H. die beliebteste Bauform.

Haus, Palast und Tempel (in Japan auch Schreine) wurden durch die Jh. in Ständerbauweise auf rechteckigem Grundriß errichtet. Die tragenden Pfosten und Querbalken bleiben dabei sichtbar an Außen- und Innenwänden. Der Deckenbalken ist geschwungen, um Druck und Gewicht des mit Stroh, Rinde oder Ziegeln gedeckten Walm-, Walmgiebel- oder Krüppelwalmdaches aufzufangen. (BILD Schrein)

Bei den Häusern der Naturvölker sind vielfach nur die tragenden Strukturen aus Holz, die Wände mit Bambus, Matten, Palmblattstengeln, Blättern u. a. verkleidet.

In Ozeanien finden sich an vielfältigen Formen der z. T. auf Pfählen errichteten Wohn-, Zeremonial-, Vorrats-, Kult- und Männerhäuser häufig künstlerisch und symbolisch bed. Dekorationen (→Baudekoration, →Holzbildhauerei), so z. B. bei den Abelam und Iatmül in Neuguinea und bei den Maori (BILD) in Neuseeland. Von außen ganz mit Dekorationen versehen sind die hölzernen Gemeinschaftshäuser der →Minangkabau auf Sumatra sowie die Reisspeicher und Wohnhäuser der →Toraja auf Celebes (Sulawesi), Indonesien. (BILD Palau-Inseln)

In Nordamerika ist künstler. Gestaltung des H. v. a. bei den Nordwestküsten-Indianern zu finden, bei den Haida durch Holzbildhauerei, bei den Kwakiutl durch Malerei. (BILD Kischi)

Lit.: →Fachwerk.

Holzbauer, Wilhelm, Architekt, *Salzburg 3. 9. 1930, wurde nach Gastprofessuren in den USA und in Österreich 1977 Prof. an der Hochschule für angewandte Kunst in Wien. In H.s Entwürfen werden geometr. Grundformen spielerisch variiert und nach formalen oder funktionalen Kriterien zum Gesamtgebäude zusammengesetzt.

HW: Studentenzentrum Salzburg (1966); Bildungshaus St. Virgil,

Wilhelm Holzbauer: Bildungshaus St. Virgil, Salzburg; 1966–76

Holzbildhauerei: Ignaz Günther, Bozzetto zu der Skulptur Hl. Magdalena, 1755 (München, Bayer. Nationalmuseum)

Salzburg (1966–76); Rathaus, Amsterdam (1967 ff.); U-Bahn-Stationen Wien (1971–78); Wohnanlage ›Wohnen morgen‹, Wien (1979).

Holzbildhauerei, Holzschnitzerei, die Kunst, aus Holz vollplast. Figuren **(Holzskulpturen),** Gruppen und Reliefs herauszuhauen oder ornamentales Zierwerk sowie kleinere Plastiken (oft serienmäßig) herauszuschnitzen. Beide Techniken werden meist an demselben Werk angewandt. Aus Stammholz (bis Anf. 19. Jh.), heute oft aus geleimtem Holzblock, wird mit grobem Schnitzeisen und dem Knüppel die Grundform herausgehauen. Die Einzelheiten werden mit feineren Schnitzeisen ausgeführt und mit Messern, Raspeln und Glaspapier geglättet. Angesetzt wird i. d. R. nur das über die Blockgrenzen Hinausreichende, fast immer aber die Hände. Bei den aus dem Stamm geschnittenen Figuren muß das Kernholz beseitigt sein, um Risse zu vermeiden. Weichholzfiguren wurden meist gefaßt (→ Fassung 1). – **Bildschnitzer** und **Schreiner** gehörten im MA. versch. Zünften an.

Holz ist neben Ton und Bein vermutlich der Werkstoff für die frühesten plast. Arbeiten. Als Material wurden i. d. R. einheim. Hölzer verwendet, z. B. in den Niederlanden, Norddtl. und Skandinavien vorwiegend Eichenholz, in Süddtl., wo dieses dem figürl. Schmuck von Schreinerarbeiten (Chorgestühl, Türflügel) vorbehalten blieb, i. a. Lindenholz, in den Alpenländern auch Arvenholz. Obstbaum- und bes. das harte Buchsbaumholz wurden vornehmlich für Kleinplastiken und Bozzetti verwendet. Bevorzugte Holzarten in Japan waren Kampfer, bes. in der frühen Großplastik, später japan. Zypresse, aber auch Kirsche und Nußeibe.

EUROPA UND MITTELMEERRAUM

Ägypt. Holzskulpturen sind zahlreich erhalten, für die klass. Antike (→chryselephantine Bildwerke) sind sie literarisch bezeugt. Von großer Bedeutung für die christl. Ikonographie sind die Reliefs der Holztüren frühchristl. Kirchen. Ihre Blüte erreichte die H., nach religiös begründetem Verzicht auf Bildwerke in der Frühzeit, jedoch erst im MA.: Monumentale Kruzifixe (Gerokruzifixus, um 970; Köln, Dom; BILD Gerokruzifixus) und Madonnenfiguren wurden gestaltet (Holztüren von St. Maria im Kapitol, Köln, Mitte 11. Jh.; Essener Madonna, um 980, und Imad-Madonna in Paderborn, um 1055, beide urspr. mit Goldblech überzogen; BILD salische Kunst). Im 14. Jh. entstanden im Rahmen der Andachtsbilder die Christus-Johannes-Gruppen, gleichzeitig in Spanien eindrucksvolle Madonnenfiguren und Kruzifixe. Im Hoch- und Spät-MA. gestaltete man Schnitzaltäre, die Flügel gemalt oder in Relief, das Mittelstück meistens geschnitzt. Den Höhepunkt der Darstellung erreichte die H. in der Spätgotik (T. RIEMENSCHNEIDER, V. STOSS, M. PACHER, H. LEINBERGER, J. SYRLIN D. Ä. und D. J., N. HAGENAUER, H. BRÜGGEMANN und C. BERG, in Flandern JAN BORMAN). Seit dem Ausgang des MA. verzichteten die Künstler als Folge eines gewandelten Kunstverständnisses verschiedentlich auf die farbige Fassung (Riemenschneider). Aus dem 17. und 18. Jh. stammen die Arbeiten von G. PETEL, B. PER-

MOSER, I. GÜNTHER, J. A. FEUCHTMAYER. Unter den neueren Künstlern sind u.a. zu nennen E. BARLACH, E. L. KIRCHNER, K. HARTUNG, K. EHLERS, O. BAUM.

AUSSEREUROPÄISCHE KULTUREN

In Indien ist die H. wie der Holzbau eine alte, jedoch kaum überlieferte Gattung dekorativer und ritueller Kunst: Die skulptierten Steinzäune und -tore der buddhist. Stupas von Bharhut und Sanchi können einen Einblick in die traditionelle ind. H. vermitteln. Reste geschnitzter Türrahmung und Architrave des 7. Jh. sind am Uttareshvara-Tempel von Ter, Deccan, erh. Zahlreich überliefert sind geschnitzte Buchdeckel buddhist. Manuskripte (Nepal, Tibet), Paneele und Figuren hölzerner Prozessionswagen (Nepal, Südindien) und kunsthandwerkl. Objekte der letzten Jahrhunderte.

In Japan war auf Grund seines Waldreichtums Holz ein beliebtes Material der Bildhauer und Kunsthandwerker. Buddhist. Gottheiten wurden seit dem 8. Jh. aus einem massiven Holzblock mit drapiertem Gewand herausgearbeitet (Ichi-boku-Technik); seit dem 11. Jh. entstanden aus mehreren Teilen zusammengesetzte Holzplastiken (Yosegi-Technik). Weiterhin wurden in Holz shintoist. Götterfiguren in einfacher japan. Gewandung und Porträtplastiken von Priestern, aber auch weltl. Personen gearbeitet. Masken entstanden meist in Yosegi-Technik, auch Netsuke wurden aus Holz geschnitzt. Als Bauschmuck wurden Reliefs über Schiebetüren (Ramma) an Portalen mit Blumen- und Tierdarstellungen angebracht (Nijo-Palast in Kioto, Nikko-Mausoleum; BILD Nikko). – Die japan. Holzbildwerke sind i. d. R. farbig gefaßt oder vergoldet.

Holzbildhauerei: Shô-Kannon aus Hinoki-Holz, mit Resten der Fassung, 1,40 m hoch; Japan, Fujiwara-Zeit, 11.–12. Jh.

In Indonesien spielt die H. in polychromen Schnitzarbeiten an den Häusern der →Toraja und der →Batak eine bed. Rolle, ebenso in Skulpturen auf Bali und Masken (→Wayang) auf Java und Bali.

In Ozeanien hat die H. überragende Bedeutung. Die Einzelplastik herrscht vor. Sie wurde fast immer aus einem Kernholz gearbeitet, die äußere Begrenzung durch die enge Stammform wo nötig durch à-jour-Arbeit oder die Verwendung trop. Bäume mit Brettwurzeln überwunden. Zusammengesetzte Figuren oder ganze Ensembles finden sich hier äußerst selten. Bes. kunstvoll sind z. B. die →Malanggane von Neuirland, →Korware von NW-Neuguinea, Mbis-Pfähle der →Asmat. Neben Götter- und Ahnenfiguren wurden vielfältige Masken, Verzierungen an Gebrauchsgegenständen (Nackenstützen, Booten, Schemeln u. a.) sowie Gebäuden (z. B. reliefartige Bildwerke als Architekturteile bei den Maori; →Baudekoration) geschaffen.

In Afrika ist die H. die bei weitem wichtigste Form des Kunstschaffens und wird von fast allen künstlerisch tätigen Volksgruppen ausgeübt, bes. bei den Bodenbauern von Sierra Leone im NW bis Madagaskar im SO. Holzbildhauer sind aus kult. Gründen häufig die Schmiede, da sie in vielen Gesellschaften wegen ihres Umgangs mit dem Feuer eine Sonderstellung einnehmen. Bei den →Lobi muß jeder Mann als Holzbildhauer tätig sein, wenn er von außerird. Wesen den Auftrag hierzu erhält. Generell ist die H. anonymes Schaffen für den Stamm, für eine bündische Organisation oder auch für Privatpersonen. Nur in Ausnahmefällen (→Yoruba) sind Künstler (Künstlerschulen, -familien) namentlich bekannt geworden. Erst in jüngerer Zeit konnten die Namen einiger Holzbildhauer aufgezeichnet werden. – Eine große Anzahl von Holzsorten wird für die H. verwendet und häufig unter rituellen Handlungen ausgesucht: von sehr weichem (oft für Masken) bis zum ›Eisenholz‹, das dem Termitenfraß länger standhält und deshalb meist zum Herstellen von Figuren dient.

In Amerika sind aus präkolumb. Zeit im mesoamerikan. Raum nur wenige Holzarbeiten erhalten. Dazu gehören z. B. die geschnitzten hölzernen Türstürze der Maya mit Hieroglypheninschriften (in Tikal) und aztek. Zungentrommeln. Aus dem andinen Bereich, v. a. aus der Inkazeit, stammen geschnitzte Holzbecher (Keru), Holzplastiken aus der späten Moche-Kultur sowie in Gräbern der Küstenkulturen (z. B. in Ica) gefundene, kunstvoll geschnitzte Ruder und Kielschwerter.

In Nordamerika sind hervorragende Beispiele der H. die Arbeiten der →Nordwestküsten-Indianer, im SW die Kachina-Puppen der Hopi und die monumentalen Götterfiguren der Zuni, im O die Masken der Irokesen sowie die Masken der Eskimo in S-Alaska.

Holzbrandmalerei, Brandmalerei, Einbrennen von Ornamenten und bildl. Darstellungen in Holz mit einem glühenden Stahl- oder Platinstift; v. a. von Hirten geübte Dekorationstechnik.

Holzen, ehem. Benediktinerinnenkloster bei Donauwörth, Bayern, 1698–1704 nach Plänen von F. BEER erbaut; die Kirche ist mit hervorragenden Wessobrunner Barockstukkaturen in seltener Pracht ausgestattet. Loretokapelle mit Hl. Stiege.

Holzer, Johann Evangelist, Maler, *Burgeis (Südtirol), 24. 12. 1709, †Schloß Clemenswerth bei Sögel (heute Kr. Emsland) 21. 7. 1740, Schüler von J. G. BERGMÜLLER in Augsburg. 1737 wurde er fürstbischöflich-eichstätt. Hofmaler. H. malte Fassadenfresken, Deckengemälde (St. Anton, Garmisch-Partenkirchen) und Altarbilder (1732; Kloster St. Stephan, Augsburg, u. a.) im Stil von G. B. TIEPOLO, die eine feine Abstufung von Licht und Schatten zeigen.

Holzinger, Franz Joseph Ignatius, Bildhauer und Stukkateur, *Schörfling am Attersee um 1691, †St. Florian (OÖ) 14. 8. 1775, arbeitete in Linz und seit 1724 in St. Florian (fast ausschließlich im Dienst des Stifts). Seine frühen Stuckarbeiten entstanden für Klöster in OÖ und Niederbayern. Besondere Begabung bewies H. als Bildhauer-Stukkateur (Figuren eines Seitenaltars, 1722–24; Kloster Metten, Stiftskirche). Aus der gleichen Zeit stammt eine aus weißem Marmor gehauene, ruhende Venus mit Amor (ehemals Graz, Palais Schwarzenberg, jetzt Hamburg, Mus. für Kunst und Gewerbe).

Holzmeister, Clemens, österr. Baumeister, *Fulpmes 27. 3. 1886, †Hallein 12. 6. 1983, war 1919–24 Lehrer an der Staatsgewerbeschule in Innsbruck, seit 1924

Prof. der Wiener, 1924–33 auch der Düsseldorfer Akad. H. baute in gemäßigt modernem Übergangsstil (→Nationalromantik) Kirchen, Schulen, Hotels, Kuranstalten, Wohnsiedlungen, in der Türkei repräsentative Staatsbauten. H. schrieb ›Bauten, Entwürfe und Handzeichnungen‹ (1937).

HW: Krematorium (Wien, 1924); Festspielhaus Salzburg (1926, Umbau 1960); Berghaus Hahnenkamm Kitzbühel (1930).
Autobiogr.: Architekt in der Zeitwende, 2 Bde. (1978).
C. H., Ausst.-Kat., Wien (1982).

Holzschnitt, die Kunst, eine Zeichnung in eine Holzplatte (Holzstock) zu schneiden sowie der von dieser auf Papier abgezogene Druck. Auf der geglätteten, meist mit einer dünnen Kreideschicht überzogenen Oberfläche eines etwa 2 cm dicken Holzstocks wird das Bild zuerst vorgezeichnet und dann von dem Formschneider, der, wie der Zeichner (im MA. ›Reißer‹), auch der entwerfende Künstler selbst sein kann, mit dem Messer, später auch Stichel so viel Holz ausgehoben, daß die übrigbleibenden Stege oder Flächen das Bild abdrucken können (Schwarzschnitt).

Abgedruckt wurde mit der Hand oder einem Lederballen, dem ›Reiber‹, später mit der Druckerpresse auf Papier (Hochdruck, im Unterschied zum Tiefdruck des Kupferstiches und dem Flachdruck der Lithographie).

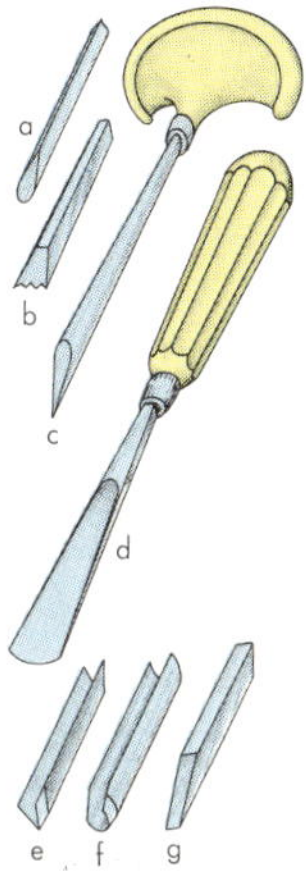

Holzschnitt: Holzschnittgeräte; a–c Stichel für Holzstich, d–g für Holzschnitt und Holzschnitzerei; d Rundeisen, e Geißfuß, f Hohleisen, g Flacheisen

Holzschnitt: Hans Baldung, ›Der Sündenfall‹ (Berlin-West, Staatl. Museen, Kupferstichkabinett)

Als Holzstöcke dienten bis zum 18. Jh. in der Längsrichtung des Stammes geschnittene und mit dem Schneidemesser bearbeitete Langholzplatten aus Birn- oder Nußbaum, in der Frühzeit auch Eibenholz. Für den im 19. Jh. bevorzugten →Holzstich wurde Hirnholz (meist Buchsbaum) verwendet. Von 2 oder mehr Platten gedruckt werden der Farbholzschnitt, der Clairobscur-Holzschnitt und der Camaïeu-Holzschnitt. Beim →Weißschnitt werden die Linien der Zeichnung vertieft geschnitten und erscheinen deshalb weiß gegen schwarzen Grund. Neben dem H. wurde in der Frühzeit auch der →Metallschnitt gepflegt, dessen Drucke, soweit es sich nicht um Abarten wie →Schrotschnitt oder →Teigdruck handelt, sich von Holzschnittdrucken nicht unterscheiden.

EUROPA

Aus dem Orient, wo schon im Altertum Holzmodel zum Bedrucken von Stoffen verwendet wurden (→Zeugdruck), gelangte die Technik des H. im MA. nach dem Westen.

Die Holzschneidekunst wurde durch die gleichzeitige Ausbreitung des Papiers als Bedruckstoff in der 2. Hälfte des 14. Jh. schnell verbreitet. Mit dem Aufstieg des Kleinbürgertums in den Städten wurde der H. dank seiner Verbreitungsmöglichkeit und Billigkeit volkstümlich. Der H. war für die Auflage von Drucken in gewünschter Anzahl geeignet, weil der Holzstock schnell gerissen und fast unbegrenzt strapaziert werden konnte. Anfangs diente er der Schaffung von →Einblattdrukken, Kalenderbildern und Spielkarten, bald auch zur Zusammensetzung von →Blockbüchern. Zeichner und Schneider gehörten anfänglich versch. Zünften an und arbeiteten anonym.

15. und 16. Jahrhundert

Nach Erfindung der Buchdruckerkunst bot sich der H. als Hochdruckverfahren für die Buchillustratoren an. ›Der Ackermann aus Böhmen‹ des Johannes von Tepl, in Bamberg bei A. Pfister 1460 gedruckt, eröffnete die Wiegendrucke mit Holzschnittillustrationen. Zu den erwähnenswerten Werken gehört die 1479 bei H. Quentell in Köln erschienene Bibel, deren Holzstöcke 1483 A. Koberger wieder verwendete. Eine stärkere Modellierung durch die Binnenzeichnung findet sich in den Drucken Kobergers und den beiden 1491 und 1493 erschienenen Riesenwerken des von M. Wolgemut und W. Pleydenwurff ›mit Figuren werklich gezierten‹ Schatzbehälters des S. Fridolin und der ›Weltchronik‹ des H. Schedel.

Die ersten frz. H.-Bücher erschienen 1478 in Lyon. Zu den besten Pariser Erzeugnissen gehört die zweibändige ›Mer des hystoires‹ (1488–89) des P. le Rouge, zu den volkstümlichsten die ›Danse macabre‹ des G. Marchant (1491/92). Ein beliebter Gegenstand des Buch-H. waren die Livres d'heures (→Stundenbuch).

In Italien setzten die H.-Bücher mit den 1467 in Rom von U. Hahn aus Ingolstadt gedruckten ›Meditationes‹ des Turrecremata ein. E. Ratdolt aus Augsburg brachte die H.-Illustration nach Venedig, wo neben dem

Holzschnitt: Hl. Dorothea; bayerisch, Anfang 15. Jh.

Schwarzschnitt bes. der Weißschnitt gepflegt wurde. Unter den einheim. Druckern wurde auch A. Manutius von ihm beeinflußt; die 1499 gedruckte ›Hypnerotomachia Poliphili‹ ist das Meisterwerk dieser Gattung. Den venezian. Formschnitten ebenbürtig sind die Florentiner, bes. in den Büchern des P. Pacini.

In Dtl. brachte A. Dürer den H. zu höchster Vollendung. In den Frühwerken, wie der ›Apokalypse‹ (1498), erreichte er eine bisher ungekannte Ausdruckskraft des linearen Stils, in den späteren ging er auf ruhigere Formgebung und gleichmäßigere Flächenfüllung aus. Seinem Vorbild folgten H. L. Schäufelein, W. Traut, H. Wechtlin, H. Springinklee, E. Schön; auch die hauptsächlich als Kupferstecher tätigen →Kleinmeister. Die Arbeit an den großen von Kaiser Maximilian in Auftrag gegebenen H.-Werken, wie der ›Ehrenpforte‹ und dem ›Triumphzug‹, verband Dürer mit den Augsburger Meistern, bes. H. Burgkmair und J. Breu.

Zu den eindrucksvollsten Arbeiten gehören die frühen H. von L. Cranach d. Ä. sowie die Blätter von H. Baldung und A. Altdorfer, der mit dichteren Strichlagen maler. Wirkungen erreichte; ihm folgte W. Huber. Einen ähnl. Stil pflegten in der Schweiz Urs Graf (Bild) und N. Manuel. Die H. H. Holbeins d. J., bes. die von H. Lützelburger geschnittenen Folgen des ›Totentanzes‹ (Lyon 1538) und der Bilder zur Bibel sind Höchstleistungen des Feinschnitts. In den Niederlanden gehören hierher bes. J. C. van Amsterdam und Lucas van Leyden. Eine Nachblüte erlebte der H. Mitte des 16. Jh. in den Arbeiten des Nürnbergers V. Solis und der Schweizer J. Amman und T. Stimmer.

Nach Augsburg brachte Radolt aus Venedig die Kunst des Farb-H. In Venedig pflegte U. da Carpi den farbigen H. ohne Schwarzplatte (Clairobscur-H.). Hier kam auch der reproduzierende H., gefördert von Tizian, auf, dessen Schüler Zeichnungen des Meisters frei übertrugen. Die meist großformatigen Drucke sind gleichwohl als ›Tizian-Holzschnitte‹ bekannt, so auch die Folge des ›Trionfo della Fede‹. An Tizians Stil schloß sich D. CAMPAGNOLA an. Auch andere namhafte Künstler nahmen den H. für Reproduktionszwecke in Anspruch, wobei dem Kopisten eine gewisse Selbständigkeit eingeräumt wurde.

17. und 18. Jahrhundert

Auf den Original-H., der im 17. und 18. Jh. durch den →Kupferstich verdrängt wurde, griffen vereinzelt immer wieder Künstler zurück. So sind von dem Rembrandtschüler J. LIEVENS 9 Blätter erhalten, die in ihrer Unmittelbarkeit vermuten lassen, der Künstler habe sie selbst geschnitten. Ende des 18. Jh. wurde der H. bei den dt. Romantikern wieder beliebt. Die soziale Stellung der Holzschneider hob sich; sie signierten jetzt neben dem Zeichner. In den ›Münchner Bilderbogen‹ (M. v. SCHWIND) und den ›Fliegenden Blättern‹ (C. SPITZWEG, W. BUSCH) lebte diese Kunst im 19. Jh. volkstümlich weiter.

19. und 20. Jahrhundert

In Paris erschienen die geistreichen Zeichnungen von J. GIGOUX zum ›Gil Blas‹ (1835) zuerst in der Technik des →Holzstichs. Auch H. DAUMIER stellte sich in sei-

Holzschnitt: Albrecht Dürer, ›Apokalyptische Reiter‹; 1498

nen H. für den ›Charivari‹ auf diese Technik um. Eine Nachblüte erwuchs dieser Kunst in den Werken von G. Doré.

In Dtl. griff F. W. Gubitz zuerst auf diese Technik zurück. Ihm folgten u. a. F. L. Unzelmann mit seinen Faksimilestichen der Illustrationen A. von Menzels zu F. Kuglers ›Geschichte Friedrichs d. Gr.‹ (1839–42). Malerische und realist. Tonstiche hoben die Bindung zw. Satz und Buchschmuck auf.

Eine Klärung suchte man zuerst in England zu bewirken. Die von W. Morris eingeleitete Wiederbelebung der alten Holzschneidekunst begnügte sich nicht mit der Nachbildung ital. Vorbilder; gegen 1890 fand sie den Weg zur japan. Kunst. W. Nicholson war der erste, der die Zusammenfassung aller Schatten in einer schwarzen Fläche versuchte, die Lichter in weißen Flächen dagegen stellte und nötigenfalls die Härte des Gegensatzes durch eine Tonplatte milderte. Ihm folgten in Paris um 1894 der Schweizer F. Vallotton, in Dtl. seit 1897 E. Orlik. Die Bewegung verlor sich jedoch in den Anfängen des folgenden Jugendstils.

In Frankreich erhielt sie einen mächtigen Auftrieb durch P. Gauguin. Er schnitt in Langholzplatten, die an der Oberfläche nicht einmal glattgehobelt waren, und druckte sie mit allen Zufälligkeiten ab. Damit begründete er zugleich den Stil des expressionistischen H. und den Brauch, daß der Künstler selbst seine Stöcke schneidet und abdruckt. Während ihm in Frankreich nur wenige Künstler, z. B. M. de Vlaminck, folgten und bes. in der Buchillustration der Linienschnitt in der Art A. Maillols bevorzugt wurde, griff noch in den 90er Jahren des 19. Jh. der Norweger E. Munch die Technik Gauguins für Schwarz- und Farbschnitt auf. Er wirkte damit vorbildlich auf die Expressionisten, unter denen, neben F. Masereel, E. Barlach, F. Marc, die Künstler der →Brücke und der Bildhauer G. Marcks die ausdrucksstärksten sind.

Seit dem Kubismus wird der H. sparsamer geübt, moderne Künstler ziehen die →Lithographie oder den →Siebdruck vor. Trotzdem bleibt die Tradition, wie HAP Grieshaber bewies, lebendig.

OSTASIEN

In China hat sich der H. in enger Verbindung mit dem Buddhismus ausgebreitet. Schon aus dem 6. Jh. kennt man von Holzstempeln gedruckte Gebetstexte. In →Tunhuang entdeckte Sir Aurel Stein ein in das Jahr 868 datiertes, im H.-Verfahren hergestelltes Exemplar des Diamant-Sutra mit techn. vollendeter voranstehender Titelillustration, das als eines der ältesten gedruckten Bücher der Welt anzusehen ist. In der Sung-Zeit (960–1279) finden der Buchdruck und die Buchillustration nach H. auch im profanen Bereich weite Verbreitung. Bücher werden nun nicht mehr in Rollenform (→Querrolle), sondern in der handlicheren Form des Faltdrucks (Leporello-Band) hergestellt, wobei das aus broschierten Heften bestehende Buch in einer Papphülle aufbewahrt wird. Zu den erstaunl. Leistungen auf dem Gebiet des H. gehören die sungzeitl. illustrierten Kataloge zu Sammlungen alter Sakralbronzen (K'ao Ku T'u

Holzschnitt: Edvard Munch, ›Mondschein‹; 1896

1092; Hsüan Ho Po Ku T'u Lu um 1125). In der Ming-Zeit entwickeln sich 3 Zentren für den Druck von mit H. bebilderten Werken: Chienan (Prov. Fukien), Nanking (bes. illustrierte Romane und Theaterstücke) und Hsinan (Prov. Anhui). Ende des 16. Jh. wird der Farb-H. entwickelt, dessen berühmteste Beispiele die Mallehrbücher →Zehnbambushalle und der →Senfkorngarten sind.

In Japan wurden Schrift und Bilddruck im 8./9. Jh. von China übernommen (buddhist. Amulettdrucke). Die ältesten Blockdruckbücher profanen Inhalts sind im Stil der Yamato-e Kunst und der Tosa-Schule mit handkolorierten Drucken illustriert, z. B. das Ise-Monogatari von Honami Koetsu von 1608. Hishikawa Moronobu gab der Buchillustration und dem Einblattdruck (Ichimai-e) einen eigenen graph. Stil. Über die weitere Entwicklung →Farbholzschnitt.

H. T. Musper: Der H. in 5 Jh. (1964); Der H., in: W. Speiser u. a.: Chines. Kunst (a. d. Frz., 1965); K. Sotriffer: Die Druckgrafik … (1966); Dt. H. bis Ende des 17. Jh., hg. v. H. Wendland (Neuausg. 1980).

Holzschnitzerei, →Holzbildhauerei.

Holzstich, Xylographie, von T. Bewick um 1775 erfundene Abart des →Holzschnitts, bei der als Druckstock eine quer zur Faserrichtung geschnittene Hirnholzplatte (z. B. Buchsbaum) verwendet wird. Auf dieser sehr widerstandsfähigen Platte werden mit dem Grabstichel und einem sehr spitzen Hohleisen zarte, dicht nebeneinanderliegende Linien und Punkte vertieft eingeschnitten und -gestochen. Sie erzeugen im Abdruck (weiße Zeichnung auf dunklem Grund) fein abgestufte hellere oder dunklere Flächentöne mit maler. Wirkung **(Tonholzstich, Tonstich).** Im 19. Jahrhundert wurde der H. vor allem zur Reproduktion von Gemälden und Zeichnungen in illustrierten Zeitschriften angewendet **(Faksimileholzstich).** – Weiteres →Holzschnitt, Abschnitt 19. und 20. Jahrhundert. (Bild S. 273)

Homburg, Bad H. vor der Höhe, Stadt am Taunus, Hessen, 51 100 Ew.; 1622–1866 Residenz der Landgra-

Holzstich: Thomas Bewick, ›History of British birds‹; 1797–1804

fen von Hessen-H. Frühbarockes Schloß (1680–95) mit ma. Butterfaßturm, 1834–41 durch G. MOLLER klassizistisch umgestaltet (Mus.). Im westl. Schloßhof eine Halle (1900) mit 10 roman. Doppelsäulen aus dem 1810 abgebrochenen Kreuzgang des Klosters Brauweiler. Erlöserkirche (1902–08), neuroman. Kuppelbau mit Jugendstileinflüssen, das Innere an der Markuskirche in Venedig orientiert.

Homer [h'əʊmə], Winslow, amerikan. Maler, *Boston 24. 2. 1836, †Prout's Neck (Maine) 29. 9. 1910, zeichnete für Ztschr., nahm als Zeichner am Bürgerkrieg teil, wandte sich dann der Malerei zu. Auf Studienreisen (USA, Paris, Großbritannien) entwickelte sich seine Kunst zu dem frischen Realismus, der bes. seine Aquarelle kennzeichnet. In Prout's Neck (seit 1883) malte er Küstenlandschaften und Meeresbilder (›Nach dem Tornado‹, 1899; Chicago, Art Institute; ›Der Golfstrom‹, 1899; New York, Metropolitan Mus. of Art).

L. GOODRICH: W. H. (New York 1959); G. HENDRICKS: The life

Winslow Homer: Der Golfstrom; 1899 (New York, Metropolitan Museum of Art)

and work of W. H. (ebd. 1979); W. H., Drawings 1875–1885, Ausst.-Kat., Syracuse, N. Y. (1979).

Homs, Hauptstadt der Prov. H. in W-Syrien am Orontes, 215 000 Ew., das antike **Emesa;** erhalten die ma. Stadtbefestigung mit einigen Toren, die Zitadelle (ausgenommen der Bab el-Hawa) weitgehend zerstört; die Moscheen von H. architektonisch unbed.; im N das Grab CHALID IBN WALIDS, Feldherr des Kalifen ABU BAKR und Eroberer von H. († 642).

Honaine [ɔna'in, frz.], Ruinen einer Berberhafenstadt an der NW-Küste Algeriens, 59 km nordwestlich von Tlemcen. Kasba (12. Jh.); im 14. Jh. durch die Berber-Dynastie der Meriniden Ausbau zum Hafen für Tlemcen: großes rechteckiges Hafenbecken, Stadtmauer aus Stampflehm mit 7 wuchtigen Rundtürmen, Stadttor, Moschee, Minarett, restauriertes Hammam. 40 km westlich bei Tiount Ruinen alter Berberbefestigungen.

Hondecoeter [h'ɔndəku:tər], Melchior d'H., niederländ. Maler, *Utrecht 1636, †Amsterdam 3. 4. 1695, Sohn des Geflügelmalers Gijsbert d'H. (*1604, †1653) und Enkel des fläm. Landschafters Gillis d'H. (†1638), der wie G. VAN CONINXLOO von Antwerpen in die Niederlande ging. H. malte Geflügelhöfe mit einheim. und exot. Vögeln. Seine gelegentlich dramatisch aufgefaßten Bilder (Hahnenkämpfe u. ä.) sind reich komponiert und von dekorativer Farbigkeit.

Honfleur [ɔ̃fl'œ:r], Hafenstadt im frz. Dép. Calvados, auf dem linken Ufer der Seinemündung, 9200 Ew., maler. Stadtbild mit alten Häusern, bes. um den alten Hafen (Vieux Bassin, 1608–84, 18. Jh.); spätgot. Holzkirche Ste. Cathérine (15. Jh.); Mus. Eugène Boudin (Gemälde des 17. Jh. und moderner frz. Maler).

Hongkong, Hong Kong, Hsiangkang, amtlich chines. **Xianggang** [hsjaŋ-], brit. Kronkolonie an der südchines. Küste, etwa 5 Mio. Ew. In der Hauptstadt Victoria das H.-Kunst-Mus. (City Hall) sowie Mus. Fung-ping-shan (H.-Univ.) mit umfangreicher Keramik-Samml. und großer Samml. nestorian. Kreuze der Yüan-Zeit. In Kowloon, am Ausgrabungsort eines 1955 entdeckten tonnengewölbten Grabes der späteren Han-Zeit (25–220 n. Chr.), das Mus. Lei-cheng-uk mit Grabfunden. Im Gebiet der New Territories Chines. Univ. mit Kunst-Gal. (Malerei und Kalligraphien, Ming-Zeit bis Moderne) sowie der Ort Kamtin mit gut erh. Festungsmauer (16./17. Jh.; Sippendorf).

Hongwe, Mahongwe, →Hungwe.

Honig, Maltechnik: H. wird in geringen Mengen gummi- oder leimhaltigen Wasserfarben zugesetzt und verhindert durch seine hygroskop. Eigenschaft vorzeitige Alterungsschäden. In dieser Funktion wird H. vielfach in ma. Quellen erwähnt.

Honolulu, Hauptstadt des Bundesstaates Hawaii, USA, auf der Insel Oahu, 365 000 Ew. Die 1927 eröffnete H. Academy of Arts enthält Werke der chines. Malerei und Bronzekunst, der japan. Kunst sowie eine moderne Samml. (u. a. V. VAN GOGH, P. GAUGUIN, H. MA-

TISSE, P. PICASSO); im Bishop-Mus. (1889) eine der bedeutendsten Samml. aus Ozeanien.

Honoré [ɔnɔr'e], **Meister H.**, weltlich-professioneller Miniaturist (1288–96 in Paris nachgewiesen), der für den frz. Königshof ein Schreiber-Maler-Atelier unterhielt. Seinen Stil kennzeichnet eine für diese Zeit schon sehr freie Auffassung im Verhältnis der Figuren zu dem sie umgebenden Raum: Dekretalen des Gratian, Tours, Bibl.; Breviar Philipps des Schönen(?), Paris, Bibl. Nat.

Hont|horst, Gerard van, holländ. Maler, *Utrecht 4. 11. 1590, †ebd. 27. 4. 1656, war Schüler von A. BLOEMAERT. 1610–20 hielt er sich in Italien auf, wo er sich CARAVAGGIOS Helldunkelmalerei aneignete, bes. für nächtl. Szenen mit künstl. Licht (daher in Italien **Gherardo della notte** genannt). Er malte relig. Bilder und genrehafte Halbfigurenstücke, außerdem wie sein Bruder Willem H. (*1594, †1666) Porträts, bes. von Fürstlichkeiten, häufig in ovalem Format. H. arbeitete 1628 in England für Karl I. und in Den Haag für das Oranierschloß Huis ten Bosch.

Hooch, Hoogh [ho:x], Pieter de, holländ. Maler, getauft Rotterdam 20. 12. 1629, †Amsterdam nach 1684, Schüler von N. BERCHEM; seit 1654 in Delft, wo er unter dem Einfluß der dortigen Genremalerei, v.a. J. VERMEERS, in nuancierter Licht- und Farbabstufung Szenen aus dem holländ. Bürgerleben, meist im abgeschirmten Bereich von Haus und Innenhöfen, schuf (BILD Genre). Das Licht ist meist indirekt durch gestaffelte Räume und offene Türen geführt. Nach seiner Übersiedlung nach Amsterdam um 1662 verlieren die Bilder an Sorgfalt in Zeichnung und Farbgebung.

P. C. SUTTON: P. de H. (New York 1980).

Hooghe [h'o:xə], Romeyn de, holländ. Maler, Radierer und Plastiker, getauft Amsterdam 10. 9. 1645, begraben Haarlem 15. 6. 1708, stellte in großen Folgen von Radierungen polit. und krieger. Zeitereignisse dar, auch polit. Karikaturen.

Hoogstraten [h'o:xstra:tə], Gem. in der belg. Prov. Antwerpen. Katharinenkirche (1525–50) im Flamboyant-Stil, mit sehr hohem Turm; wertvolle Glasmalereien (1528) und geschnitztes Chorgestühl (1531). Die Bauten des im 14. Jh. gegr. Beginenhofs stammen aus dem 17. und 18. Jh., u. a. barocke Kirche (1687). Rathaus (16. Jh., 1953 nach Kriegszerstörung rekonstruiert).

Hoogstraten [h'o:xstra:tə], Samuel van, holländ. Maler, Radierer und Kunstschriftst., *Dordrecht 2. 8. 1627, †ebd. 19. 10. 1678, Schüler seines Vaters und REMBRANDTS (um 1642) in Amsterdam, malte und zeichnete in dessen Art, später schuf er häufig perspektivisch konstruierte Bilder, z. B. das Guckkastenbild mit dem Inneren eines niederländ. Hauses (Nat. Gal., London).

Hookersgrün [h'ʊkəz-, n. dem engl. Maler W. Hooker, †1832], Maltechnik: lasierende Mischfarbe aus Preußisch Blau und Gummigutt.

Hoorn, Stadt in der niederländ. Prov. Nordholland,

24600 Ew. Aus der Blütezeit als Handels- und Hafenstadt im 16. und 17. Jh. sind zahlreiche Bauten erh., so das St. Jansgasthuis (ehem. Siechenheim) mit einem der schönsten niederländ. Frührenaissance-Giebel (1563), die Waage (1609) nach Entwurf von H. DE KEYSER, das Rathaus mit doppeltem Treppengiebel (1613), ehem. Ratsgebäude (heute ›Westfries. Mus.‹) mit reichverziertem Barockgiebel (1631/32) und viele Bürgerhäuser. Noorderkerk, eine dreischiffige spätgot. Hallenkirche (15. Jh.), mit bemerkenswerter Renaissanceausstattung; Oosterkerk mit spätgot. Chor und Querschiff (1518/19), das Langhaus mit Renaissancefassade (1615/16). Von der Befestigung (1508) sind u. a. der Turm Hoofdtoren (1532) und das Tor Nieuwe Oosterpoort (1578) im Renaissancestil erhalten.

Hopetoun House [h'əUptən haUs], Landschloß bei Queensferry, Lothian Region, Schottland, 1688–1702 von W. BRUCE erbaute (von W. ADAM umgestaltete) barocke Anlage mit durch Kolossalordnung, Attikageschoß und Eckpavillons ausgezeichnetem Hauptbau und durch Kolonnaden verbundenen niedrigen Flügelbauten im Stil des engl. Palladianismus.

Hopfer, Daniel, Waffenätzer, Radierer, Holzschneider, *Kaufbeuren um 1470, †Augsburg 1536, seit 1493 ebd. nachweisbar, übertrug das für die Verzierung von Waffen und Rüstungen gebräuchl. Ätzverfahren auf den Bilddruck. Diese Technik der Eisenradierung wurde von anderen Künstlern (A. DÜRER, A. ALTDORFER) übernommen.

P. JESSEN: Der Ornamentstich (1920).

Hopi, die westliche Gruppe der →Pueblo-Indianer, in NO-Arizona, USA, bei denen sich das traditionelle Kunsthandwerk, v. a. Weberei, Korbflechterei und Töpferei, am stärksten erhalten hat, v. a. aber die künstlerisch hoch entwickelte Herstellung von Kachina-Puppen und -Masken (→Kachinas).

Hoppenhaupt, Johann Michael, gen. H. d. Ä., Bildhauer und Dekorateur, *Merseburg 8. 10. 1709, †nach 1750, arbeitete nach 1740 mit seinem Bruder Johann Christian, gen. H. d. J. (*16. 8. 1719, † zw. 1778 und 1786), für den preuß. König FRIEDRICH II. Innendekorationen (neben Rocailleformen naturalist. Blumen und Früchte) für die Schlösser Sanssouci (Konzertzimmer; 1746/47 von Johann Michael) und Monbijou (1958 abgerissen).

Hopper [h'ɔpə], Edward, amerikan. Maler, *Nyack (New York) 22. 7. 1882, †New York 15. 5. 1967, malte typisch amerikan. Motive mit Menschen in architekton. oder landschaftl. Umgebung, in meist aktionslosen Situationen. H. gelangte mit subtilen maler. Mitteln zu einem Realismus, der in den 60er Jahren die Fotorealisten beeinflußte (›Mitternachtsvögel‹, 1942; Chicago, Art Institute). BILD American Scene.

E. H., Das Frühwerk, Ausst.-Kat., Münster (1981); G. LEVIN: E. H. 1882–1967 (a. d. Amerikan., 1981).

Hoppner [h'ɔpnə], John, engl. Maler dt. Abkunft, *London 4. 4. 1758, †ebd. 25. 1. 1810, war Schüler der Royal Academy (seit 1795 Mitgl.); sein Stil wurde von

J. REYNOLDS und G. ROMNEY beeinflußt. 1793 ernannte ihn der Prinz von Wales zum Hofmaler. H. war neben T. LAWRENCE beliebtester Porträtmaler (Frauen und Kinder) der aristokrat. Gesellschaft.

Hoprekstad [h'ɔpərsta], Stabkirche in Vik am Sognefjord, Norwegen, Mitte 12. Jh. errichtet, 1885–91 restauriert; got. Ciborium über einem Seitenaltar (wohl 1. H. 13. Jh.), das besterhaltene in Skandinavien, an den reich verzierten Pfosten ein geschnitzter Königskopf.

Horemans, Jan Josef, holländ. Maler, getauft Antwerpen 16. 11. 1682, †ebd. 7. 8. 1759, schilderte, von D. TENIERS D. J. und J. STEEN beeinflußt, Alltagsmotive seiner Zeit. Sein Sohn Jan Josef (*1714, †um 1789) malte in seiner Art.

Horen, grch. **Horai,** Göttinnen der 3 Jahreszeiten (Frühling, Sommer, Winter), bei HESIOD mit ethischer Bedeutung Töchter des Zeus und der Themis: Eunomia (gesetzl. Ordnung), Dike (Gerechtigkeit), Eirene (Friede). In der Kunst wurden sie seit archaischer Zeit v. a. auf Vasen und Reliefs, in röm. Zeit oft auf Wandbildern (Pompeji) dargestellt (später auch männlich). Die Neuzeit übernahm das Motiv (TINTORETTO).

Horezu [-z-], Stadt im Kr. Vîlcea, Rumänien, etwa 6000 Ew.; in der Nähe das Kloster **Hurez** [hur'ez], der wohl bedeutendste Sakralbau der Brîncoveanu-Zeit, erbaut 1688–97, die Kirche, eine Dreikonchenanlage mit offener Vorhalle, enthält wertvolle Wandmalereien.

Horizontale Plastik, Anf. der 1960er Jahre aufgekommene Tendenz, Plastik nicht vertikal (also letztlich am menschl. Körper), sondern horizontal, analog zur Landschaft, zu orientieren. Es handelt sich dabei um keinen neuen Stil, sondern um einen neuen Plastikbegriff. H. P. steht dem Betrachter nicht mehr körperlich gegenüber, sondern öffnet sich ihm räumlich als Aktionsfeld: Der Betrachter wird zum Benutzer. Frühe Beispiele finden sich nach 1930 bei ALBERTO GIACOMETTI, 1956 bei E. REUSCH, um 1960 bei A. CARO, seit 1965 bei C. ANDRE, D. RABINOWITSCH und R. MORRIS. Danach partizipieren Minimal Art, Land Art u. a. Richtungen an dieser Tendenz.

Horn, Rebecca, Künstlerin, *Michelstadt 24. 3. 1944, lebt in Berlin und New York. Ihre Arbeit umfaßt

Rebecca Horn: Motorisiertes Pfauenrad; 1980

›performances‹, Filme (seit 1970), Videobänder (seit 1972) und räuml. Inszenierungen (seit 1974). Ausgangspunkt ist meist eine ritualisierte Aktion mit dem eigenen Körper, dessen Sensorien die Künstlerin durch Tastinstrumente, Federfächer, Masken u. ä. erweitert. Dabei werden psych. Wahrnehmungen ebenso sensibel wie mediensicher poetisiert. (→Frauenkunst)

R. H., Ausst.-Kat., Köln (1977).

Hornburg, Stadt im Kr. Wolfenbüttel, Ndsachs., besitzt ungewöhnlich viele Fachwerkhäuser des 16. und 17. Jh., Marienkirche im Spätrenaissancestil (1614–16) und Burg der Bischöfe von Halberstadt (12. Jh., 1921 von B. EBHARDT historisierend wiederaufgebaut).

Hörnschapp [aus dän.] *der,* Eckschrank, der im Nieder-Dtl. der Spätrenaissance stark plastisch auf den 2 Ansichtsseiten dekoriert war.

Horny, Franz Theobald, Maler und Zeichner, *Weimar 23. 11. 1798, †Olevano (bei Rom) 23. 6. 1824, war Schüler der Weimarer Kunstschule und kam 1816 nach Rom zu J. A. KOCH und P. CORNELIUS. Für dessen Fresken im Casino Massimo zeichnete H. die Pflanzen der Rahmenornamente (Berlin-Ost, Staatl. Museen). Er stand C. P. FOHR nahe und malte dessen Porträt (Dresden, Kupferstichkabinett).

W. SCHEIDIG: F. H. (1954).

Höroldt, Herold, Johann Gregor, Porzellanmaler, *Jena 6. 8. 1696, †Meißen 26. 1. 1775, entwickelte als Vorsteher der Malerei an der Manufaktur Meißen (1720–65) viele Farben und Typen der Bemalung: u. a. den Chinoiserien-Dekor, ostasiat. Blumen, Hafenszenen, Landschaften. Sein Stil bestimmte jahrzehntelang den Dekor vieler europ. Porzellanmanufakturen.

A. SCHÖNBERGER: Meißener Porzellan mit Höroldtmalerei (1953).

Horoztepe: Muttergöttin, Bronze, um 2200 v. Chr.

Horoztepe [-z-], Ruinenhügel in der NO-Türkei (KARTE Alter Orient); in der Nähe ein Friedhof vom Ende der frühen Bronzezeit. In einem Fürstengrab kamen Bronzegeräte zutage, vergleichbar denen von Alaca Hüyük, darunter ein Sistrum (Rassel) und eine Stierstandarte sowie eine Figur der Muttergöttin mit einem Säugling an der Brust, die eine eigenständige Kunst N-Anatoliens um 2200 v. Chr. bezeugt.

Horror vacui [lat. ›Scheu vor der Leere‹], aristotel. Begriff, nach dem die Natur die Leere nicht kennt. Im übertragenen Sinn von der Kunstwiss. angewandt auf Stilformen, bei denen das Ornament als Füllung der Fläche dominiert (z. B. Flechtbandornamentik).

Horschelt, Theodor, Maler und Zeichner, *München 16. 3. 1829, † ebd. 3. 4. 1871, malte Schlachtenbilder, bes. aus Algerien und Rußland.

Horsens, Hafenstadt in Ostjütland, Dänemark, 54 100 Ew. Von mehreren ma. Klöstern ist nur die Kirche des Franziskanerklosters erh., 1261 gegr., spätgotisch umgebaut, mit norddt. Schnitzaltar (um 1500) und roman. Taufstein. In der Altstadt Erlöserkirche (13. Jh.); einige Handelshöfe des 18. Jh. erhalten.

Horst, Stadtteil von Gelsenkirchen, NRW, mit architekturgeschichtlich bedeutsamem Wasserschloß der ›Lippe-Renaissance‹ (1552–78; Eingangsflügel erh.): im Innern prachtvoller Kamin (1560–62).

Horta, Victor, belg. Architekt, *Gent 6. 1. 1861, †Etterbeek (Brüssel) 8. 9. 1947, gehörte zu den Erneuerern der belg. Architektur des 20. Jh. Die Bauten seiner Frühzeit zeichnen sich durch feingliedrige Eisenkonstruktion, reiche Verwendung von Glas und linienbetonte Ornamentik des →Jugendstils aus. Nach 1906 griff er auf klassizist. Tendenzen zurück.

HW (alle in Brüssel): Hotel Tassel (1892–93); Maison du Peuple (1896–99; 1965 abgerissen); Palais des Beaux-Arts (1922–28).

R. L. DELEVOY: V. H. (Brüssel 1958); Architect V. H., Betekenis van een stijl (ebd. 1971).

Horus

Hortus deliciarum [lat. ›Lustgarten‹], das um 1185 voll. Werk von 324 Pergamentblättern der HERRAD (deren Familienname von Landsberg nicht urkundlich gesichert ist), Äbtissin von Hohenburg (Odilienberg) im Elsaß. Das Werk, ein enzyklopäd. Belehrungs- und Erbauungsbuch für Nonnen in lat. Sprache, enthielt 344 kulturgeschichtlich bed. Miniaturen mit Darstellungen der Vergangenheit im Gewand der eigenen Zeit (1870 in Straßburg verbrannt).

Horus, ägypt. Hauptgott, in Gestalt eines Falken verehrt, der sich in der Person des jeweils regierenden Königs offenbarte; deshalb gehört der Horusfalke zum Titel des Königs. H. ist Welt- oder Lichtgott, seine Augen sind Sonne und Mond. Im späteren Mythos werden mehrere H.-Götter unterschieden: Der junge H. **(Harpokrates)** ist Sohn des Osiris und der Isis; **Haroëris** ist der ältere H., **H. von Edfu** schließlich die geflügelte Sonnenscheibe. Die Griechen setzten H. ihrem Gott Apoll gleich.

Horyuji [ho:rju:dʒi, japan.], älteste buddhist. Tempelanlage Japans, 10 km südwestlich von Nara; gegr. von Prinz SHOTOKU (573–621), vermutlich von korean. Priestern zw. 670 und 714 errichtet, nachdem der Vorgängerbau abgebrannt war. Im westl. Teil der Anlage (31 Gebäude) liegen das zweigeschossige Torgebäude und das zweigeschossige Hauptgebäude (Kondo; auch

Horyuji: Pagode, 7. Jh.

›Goldene Halle‹), das zu den ältesten Holzbauten der Welt (7. Jh.) gehört; im Innern bed. frühe Bronzeskulpturen, Holzstatuen und Wandmalereien (→japanische Kunst). Die fünfstöckige Pagode (7. Jh.) ist die älteste Pagode Japans. Die Lesehalle (Kodo, auch Dai-Kodo, aus dem Jahr 990) beherbergt eine vergoldete Holz-Trinität. 2 moderne Schatzhäuser (Mus.) bergen eine Fülle von Kunstgegenständen aus dem Tempelbereich (→Tamamushi-Schrein). Der östl. Tempelbereich (14 Gebäude) wurde 739 errichtet. Im Zentrum der Anlage steht die achteckige ›Halle der Träume‹ (Yumedono), mit dem vergoldeten Holzstandbild des Guze-Kannon.

Hosemann, Theodor, Maler und Zeichner, *Brandenburg 24. 9. 1807, †Berlin 15. 10. 1875, war zunächst in Düsseldorf Lithograph und bildete sich ebd. an der Akad. zum Maler. Seit 1828 war H. in Berlin und wurde hier 1857 Prof. an der Akad. – H. illustrierte Bücher (z. B. von E. T. A. HOFFMANN) und schilderte in humorvollen Genrebildern das Leben des Berliner Kleinbürgers in der Zeit des Biedermeier. Seine vielen Kinderbücher und Jugendschriften veranschaulichen realistisch das Leben der Kinder.

IRMGARD WIRTH: T. H., Maler und Illustrator im alten Berlin (1967); T. H., hg. v. H. LUDWIG (1974).

Hosios Lukas [neugrch. 'ɔsjɔz luk'as], orthodoxes Kloster in Mittelgriechenland, südwestlich von Levadia, benannt nach seinem selig (hosios) gesprochenen Gründer LUKAS VON STIRIS (†um 951). An die ältere Mönchkirche (Ende 10. Jh.; mit geringen Freskoresten des 12. Jh.) wurde gegen 1030 die Hauptkirche angefügt, ebenfalls ein Kreuzkuppelbau (8 Kuppelstützen) mit reichem, gut erhaltenem Mosaikschmuck, Marmorinkrustation und Intarsien; in der Krypta Fresken. – H. L. gehört wie Daphni und die Nea Moni auf Chios zu den bed. Denkmälern der byzantin. Kunst. (BILD S. 281)

Hospital, Einrichtung in ma. Städten zur Kranken- und Altenpflege, auch zur Fürsorge für Arme, Waisen und Invaliden. Die H. wurden oft von Orden (Hospitaliter, Hippolytbrüder, Kreuzherren, Johanniter) betreut und bestanden aus einem oder mehreren Sälen, z. T. mit hölzernen Kojen (Lübeck, Heiliggeist-H., 2. H. 13. Jh.). Zur H.-Kirche bestand eine Verbindung, damit die Kranken am Gottesdienst teilnehmen konnten. Standort der H. war zuerst das Zentrum um Markt und Kirche, seit dem späten MA. wurden sie an den Rand der Städte, oft in die Nähe von Flüssen, verlegt (Seuchengefahr). Bis zum 18. Jh. waren die H. i. d. R. einfache Bettenhäuser in der Form von Riegelbauten. Im 19. Jh. entwickelte der H.-Bau eigene Gebäudetypen, in denen nach Art der Krankheit und Behandlung unterschieden wird (Pavillonsystem, Trabantensystem).

U. CRAEMER: Das H. als Bautyp des MA. (1963); A. H. MURKEN: Die bauliche Entwicklung des dt. allgemeinen Krankenhauses im 19. Jh. (1979).

Hotei [japan. ›Leinwandsack‹], chines. **Pu-tai,** einer der 7 japan. Glücksgötter (→Shichi-fukujin). H. ist ein historisch nachweisbarer, kinderfreundl. chines. Bettelmönch (um 900); in der Zen-Kunst häufig dargestellt

Hosios Lukas: Mosaik am mittleren Gewölbe des Narthex; 11. Jh.

als wohlbeleibter, lächelnder Kahlkopf mit nacktem Bauch und geschultertem Sack.

Hotel [aus frz.], Beherbergungs- und Verpflegungsbetrieb; die Vorläufer sind Gasthäuser und Herbergen. Seine Entstehung als Gebäudetyp ist abhängig von der Verbreitung des Tourismus (Bäderreisen) und der Erfindung der Eisenbahn. Die architekton. Formensprache des Historismus hat an den Palast- und Luxus-H. als Schloßersatz höchste Steigerung erfahren. Zur äußeren Aufmachung gehörten ein aufwendiger Mittelrisalit mit überdachter Auffahrt, Seitenflügel, Balkons oder Loggien und turmbekrönte Eckbauten. Die luxuriösesten Ausprägungen finden sich an der frz. und ital. Riviera, häufig im Stil des Neubarock.

Michael Schmitt: Palast-H. (1982).

Hôtel [ot'ɛl, frz.], in Frankreich seit der Renaissance Bez. für palastartige Stadtgebäude als Wohnsitze des Adels (z. B. H. de Cluny, 1485–1510; Paris). Trotz der beschränkten Grundrißgrößen besaßen die H. meist prächtige Hof- und Gartenanlagen und entwickelten der verfeinerten Wohnkultur gemäße Raumgliederungen, die dann dem barocken Schloßbau Anregungen vermittelten (in Paris: H. Lambert, 1640, von L. LEVAU; H. de Beauvais, 1658–60, von J. LEPAUTRE; in Montmorency: H. de Goumay, 1712, von G. BOFFRAND). Die Urform des H. ist vorgebildet im ›H. de Ferrare‹ im Schloß Fontainebleau (1544–46; von S. SERLIO; erh. der Portalvorbau). Die Bez. H. wurde auch auf palastartige Bauten öffentl. Charakters übertragen: **H. de Ville** [-vil], Rathaus; **H. de Dieu** [-djø], Krankenhaus. Durch frz. Architekten wurde das H. als Form des Stadtpalais auch nach Dtl. gebracht.

Houbraken [h'ɔubra:kə], Arnold, niederländ. Kunstschriftsteller, Maler, Radierer, *Dordrecht 28. 3. 1660, †Amsterdam 14. 10. 1719, ist bes. durch sein Quellenwerk über die niederländ. Maler bekannt. Sein Sohn Jakob (*1698, †1780) war Kupferstecher.

De groote schouburgh der Nederlandsche konstschilders en schilderessen, 3 Bde. (1718–21; Neuausgabe 1976).

Houckgeest [h 'ɔukxe:st], Gerard, holländ. Maler, *Den Haag um 1600, †Bergen-op-Zoom August 1661, meist in Delft tätig, malte stark räumlich gestaltete Innenansichten holländ., bes. Delfter Kirchen. Er leitete den letzten Höhepunkt des holländ. Architekturbildes ein, den E. DE WITTE, von ihm ausgehend, erreichte.

Jean-Antoine Houdon: Voltaire; Bronzebüste, 1778 (Paris, Louvre)

Houdon [ud'ɔ̃], Jean-Antoine, frz. Bildhauer, *Versailles 20. 3. 1741, †Paris 15. 7. 1828, Schüler von J.-B. PIGALLE und J.-B. LEMOYNE, lebte 1764–68 in Rom (Marmorstatue des Hl. Bruno für S. Maria degli Angeli), war 1771 und 1773 in Dtl. (u. a. am Hof des Herzogs von Sachsen-Coburg-Gotha), 1785 in den USA (Washington-Denkmal, Richmond), arbeitete auch für den russ. Hof, war sonst in Paris tätig. Am bedeutendsten sind seine meist nur in Gips, seltener in Marmor und Bronze gestalteten über 200 Porträtplastiken, in denen er, die barocke Schulung überwindend, sein innerhalb der Zeit des Klassizismus ganz eigenständiges Formgefühl mit höchster techn. Meisterschaft und einer auf jede Pose verzichtenden, physiognom. Belebung verwirklichte (Willibald Gluck, 1775, Weimar, Staatl. Kunstsammlungen; Diderot, 1771, Paris, Louvre; Katharina II. v. Rußland, 1773, Schwerin, Staatl. Mus.; Sitzbild Voltaires, 1781, Paris, Comédie Française). Gründl. Naturstudium (Muskelmann, 1767, Gotha, Schloßmus.) bewahrte H. vor einem kalten Klassizismus.

L. RÉAU: H., 2 Bde. (Paris 1964).

Houel [u'ɛl], Jean-Pierre, frz. Maler, Graphiker und Schriftst., *Rouen Juni 1735, †Paris 14. 11. 1813, malte frisch beobachtete Landschaften von Paris, Rom, S-Italien und den Loire-Ufern.

HW: Voyage pittoresque de Sicile, de Malte et de Lipari, 4 Bde. (1782–87, mit 264 Tafeln nach Bau-, Kunst- und Naturdenkmälern).

Houston [hj'u:stən], Stadt in Texas, USA, 1,594 Mio. Ew. Mittelpunkt der Stadt ist das Civic Center mit modernen Hochhausbauten, darunter das in dreikantig-prismat. Formen gebaute ›Pennzoil Place‹ (1976; von P. C. JOHNSON). Im Sam H. Historical Park Häuser im Stil der Gründerzeit der Stadt (1836), im histor. Stadtzentrum am Old Market Square restaurierte Bauten. Die 1971 fertiggestellte Rothko Chapel enthält monumentale Bilder von M. ROTHKO; vor dem Bauwerk der ›Broken Obelisk‹ von B. NEWMAN. Das Mus. of Fine Arts (Erweiterungsbau von L. MIES VAN DER ROHE) besitzt eine umfangreiche Samml. von Kunstwerken vieler Epochen; das Contemporary Arts Mus. veranstaltet Ausstellungen moderner Kunst.

Hovestadt, Ortsteil von Lippetal, NRW, nördlich von Soest, besitzt ein höchst originelles Renaissance-Wasserschloß (1563–72, urspr. Landesburg der Kölner Erzbischöfe), dessen Backsteinfronten mit phantasievollem Ziegeldekor (Kreise, Rauten, Quadrate, Bänder, Löwenköpfe) überzogen sind. Vorburg und Wirtschaftsgebäude von J. C. SCHLAUN (1733).

Howden [h'aʊdən], engl. Stadt in der Nähe der Humbermündung in Yorkshire. Die Kirche des 1267 gegr. Kollegiatstifts wurde bis um 1320 als dreischiffige Querhausbasilika errichtet, der Vierungsturm in Formen des Perpendicular Style im frühen 15. Jh. aufgesetzt; Chor und achtseitiges spätgot. Chapter House sind Ruine. Der zweigeschossige Wandaufriß der kreuzrippengewölbten Kirche zeigt den Übergang von Formen der englischen Hochgotik zu den bewegteren des Decorated Style.

Höxter, Stadt an der Weser, NRW, 32800 Ew. Die Kilianskirche ist eine roman. Pfeilerbasilika (1075 gew.) mit Doppelturmfassade; Marienkirche (ehem. Minoritenkirche, um 1300); Fachwerkrathaus mit massivem Untergeschoß (um 1610); zahlreiche Fachwerkhäuser aus der Blütezeit der Stadt zw. Reformation und 30jährigem Krieg mit typ. Dekoration der Weserrenaissance, so bes. die Dechanei (1561), Tillyhaus (um 1584). Ehem. Benediktiner-Reichsabtei →Corvey.

Hoyland [h'ɔɪlənd], John, engl. Maler, *Sheffield 12. 10. 1934, kam 1964 durch die Begegnung mit B. NEWMAN und J. OLITSKI zu einer expressiven Farbfeldmalerei, die sich in den 1960er Jahren in konstruktiven Flächenrhythmen aufbaut. In den 1970er Jahren wird die Komposition durch den Gegensatz einer (handschriftlich markierten) Rechteckform zu den bewegteren Formen in Bildrandnähe bestimmt.

Hoyshala-Dynastie [-ʃ-], Dynastie in Karnataka, SW-Indien (1110–1327), die in den Städten Belur, Halebid und Somnathpur hinduist. Tempel in eigenartigem Mischstil (Vesara-Stil) in der Nachfolge der späten Chalukya-Architektur errichtete. Kennzeichnend ist der überreiche filigrane Reliefschmuck der Bauten.

Hradec Králové [hr'adɛts kr'a:lɔvɛ:], Stadt in der ČSSR, →Königgrätz.

Hradec u Opavy [hr'adɛts 'uɔpavi], Stadt in der ČSSR, →Grätz 2).

Hrdlicka [h'ərdlitska], Alfred, österr. Bildhauer und Graphiker, *Wien 27. 2. 1928, studierte 1952–57 bei F. WOTRUBA Bildhauerei. Sein Werk umfaßt expressiv-realist. Steinskulpturen, Zyklen von Zeichnungen und

Alfred Hrdlicka:
Studie zu ›Plötzensee‹; Zeichnung, 1969

Radierungen sowie Fresken. Mit einem Menschenbild, das von Sexualität, Terror und Gewalt geprägt ist, verbindet sich ein starkes humanes Engagement. Anklänge an die österr. Barockplastik spielen ebenso eine Rolle wie eine Neigung zu psych. Grenzsituationen. Ein HW ist das Engels-Monument in Wuppertal (1978), das H. in plast., eruptiven Formulierungen aus der menschl. Arbeitshand entwickelte.

A. H., Skulpturen und große Zeichnungen (1973); E. CANETTI u.a.: A. H., Graphik (1973); F. MEISEL: A. H., Zeichnungen (1981).

Hronský Beňadik [hr'ɔnski: b'ɛnjadjik], dt. **Sankt Benedikt,** ehem. Benediktinerkloster im Mittelslowak. Kr., ČSSR, 1075 geweiht; Klostergebäude im wesentlichen aus dem 16. Jh. Unter der dreischiffigen Hallenkirche von 1346–75 (Ende 19. Jh. restauriert) wurden Reste einer frühroman. Basilika gefunden. Aus dem Kloster stammt das ›Evangeliar von Nitra‹ (um 1100), die älteste in der Slowakei gefundene Handschrift.

Hsia Kuei, chines. Landschaftsmaler der Südl. Sung-Zeit, tätig etwa 1190–1230. Mitbegründer des Lyrischen Landschaftsstils der Ma-Hsia-Schule (→Ma Yüan) an der Akad. in Hangchou. Zu seinen HW zählt die Handrolle ›Reinheit und Weite von Strom und Berg‹ (Taipei, Palast-Mus.), die ihn als Meister der nassen Tuschlavierung ausweist.

Hsian, Stadt in China, →Sian.

Hsi|eh Ho, Si|eh Ho, chines. Porträtmaler um 500, Verfasser des Traktes ›Ku-hua p'in-lu‹, in dem er die ›6 Prinzipien der Malerei‹ (Liu-fa) entwickelte, die als Grundbegriffe chines. Kunstkritik galten und durch spätere Kunsttheoretiker immer wieder neu interpretiert wurden. Die 6 Prinzipien sind: 1. Schaffung einer lebensechten Atmosphäre (›geistige Resonanz‹), 2. Strukturbildung und Pinselführung (›Knochen-Methode‹), 3. Darstellung der Form der Dinge (›Einfühlung in das Objekt‹), 4. Angemessene Farbgebung, 5. Komposition, 6. Nachschaffen und Kopieren alter Meister.

Hsienyang, Stadt in China, →Sienyang.

Hsü Pei-hung [-pej-], auch **Ju Péon** genannt, chines. Maler, *Ihsing (Prov. Kiangsu) 1895, †Nanking 26. 9. 1953, studierte 1919–23 in Paris, kehrte 1927 nach China zurück, war seit 1949 Direktor der Kunstakad. in Peking; bes. bekannt als Tiermaler (Pferde).

Huaca del Sol [u'aka-], **Sonnenpyramide,** gestufte Lehmziegelpyramide der Moche-Kultur (um 500) am Ausgang des Moche-Tals, N-Peru, Grundfläche 228 × 136 m, Höhe 41 m.

Huana, Hungana, kleine Volksgruppe am O-Rand des Mbala-Gebiets westlich des Kwilu in S-Zaire. Die H. fertigten sowohl Zauberfiguren als auch Miniaturfiguren aus Elfenbein, die sich im Stil an die Arbeiten der →Mbala anlehnen. Nur wenige Stücke ihrer Kunst sind erh. (Mus. für Völkerkunde Berlin, Tervuren).

Huancavelica [uaŋkaβel'ika], Dep.-Hauptstadt in Peru, südöstlich von Lima, 3798 m ü. M., 22000 Ew.; gegr. 1571. Die Kirche S. Ana (17. Jh.) hat platereskes Portal, barocke Ecktürme und das für H. typ. Giebeldach; innen bed. Altartafeln (u. a. ›Virgen Viajera‹); Kirche S. Domingo (1662) mit churriguereskem Hauptaltar. An der Kathedrale (um 1673–1733) kontrastieren weiße Ecktürme zur durchgestalteten Portalfront (gewundene Säulen, Statuennischen, indian. Ornamentik) aus rotem Stein; im Innern churrigueresk-indian. Altäre. An der Kirche S. Bárbara (18. Jh.) dekorative Portalfront und Seitentor in andalus. Barockstil.

Huang Kung-wang, chines. Landschaftsmaler, *1269, †1354, einer der ›Vier Großen Meister der Yüan-Zeit‹. Sein HW, die Querrolle ›In den Fuchun-Bergen wohnen‹ (Taipei, Palast-Mus.), zeigt die Handschrift des Künstlers im Spiel der feinen Linienführung.

Huari [u'ari], archäolog. Fundort im zentralen Bergland von Peru (nahe bei Ayacucho), nach dem die gleichnamige Kultur und ihr Stil benannt sind. Vermutlich ausgehend von dem Ort H. und aufbauend auf den Kulturen von Tiahuanaco und Nazca, von denen sie z. T. stark beeinflußt ist, breitete sich die H.-Kultur von etwa 550–1000 über den größten Teil Perus aus, in der nördl. Fortsetzung des Tiahuanaco-Reiches. Ein 2. bed. Zentrum der H.-Kultur war um 800 →Pachacamac. Der H.-Tiahuanaco-Stil charakterisiert den mittl. der 3 großen Kulturhorizonte der →Andinen Hochkulturen. Die Kunst von H. ist durch einen strengen geometr. Stil gekennzeichnet; häufig dargestellt sind auch anthropomorphe Figuren, bei denen das Auge oft kreisrund und zweigeteilt ist mit einem dunklen und einem hellen Teil; ein weiteres Motiv ist ein katzenartiges Raubtier. Dieselben Stilmerkmale wie bei der Bemalung von Keramik sind auf den sehr schönen Textilien zu finden. Außerdem gab es stilistisch eigenständige Großsteinplastiken. Im Lauf der Entwicklung löste sich der H.-Stil immer mehr vom Tiahuanaco-Stil und beeinflußte seinerseits zahlreiche Lokalstile, von denen er im S Alt-Perus gegen Ende des 11. Jh. abgelöst wurde; im N folgte ihm etwa zur gleichen Zeit die Chimú-Kultur.

Huaxteken [uaʃt'e:kən], isolierter Maya-Stamm an der Golfküste im nördl. Teil des Bundesstaates Veracruz und in den angrenzenden Gebieten von Tamaulipas und San Luís Potosí, Mexiko, der in vorkolumb. Zeit schon früh den Kontakt zu anderen Stämmen der Maya-Sprachfamilie im S verloren hat. Die Keramik aus der vorklass. Zeit (2000 v. Chr.–300 n. Chr.) zeigt in Form und Technik Ähnlichkeit mit der der Maya, aber auch eigene charakterist. Merkmale: in klass. Zeit Keramik mit schwarzem Dekor auf cremefarbigem Grund, in nachklass. Zeit Gefäße in Tier- oder Menschenform. In der nachklass. Periode (1200–1520) erlebten die H. eine kulturelle Blüte; Zeremonialzentren dieser Zeit waren Las Flores und Tamuín. Ein besonderer Brustschmuck der H. waren aus großen Meerschnecken geschnitzte Anhänger. Die Skulpturen der H. zeigen keine Ähnlichkeit zu denen anderer Stile Mesoamerikas; manche Figuren haben riesige Ohrpflökke, durch die wahrscheinlich Federn oder Blumen gesteckt wurden; die Nachbildung der Geschlechtsmerkmale und die die Arme vom Körper trennenden Durchbrüche sind im übrigen Mesoamerika selten zu finden.

Hubbuch, Karl, Graphiker und Maler, *Karlsruhe 21. 11. 1891, † ebd. 26.12.1979, gehörte mit seinen graph. Zyklen ›Deutsche Belange‹ (1925–27) und ›La France‹ (1931) zum sozial orientierten Verismus. 1925 bis 1933 entwickelte er eine lasierende Maltechnik für seine ›Versuchsbilder‹, in denen er ebenfalls scharfe Gesellschaftskritik übte. Nach 1945 entstanden ›antifaschist.‹ Arbeiten, später realist. Porträts.

K. H., 1891–1979, Ausst.-Kat., Karlsruhe (1981).

Huber, 1) Patriz, Kunstgewerbler, Architekt, *Stuttgart 19. 3. 1878, †Berlin 20. 9. 1902, seit 1900 Mitgl. der →Darmstädter Künstlerkolonie, wo er die Einrichtung u. a. für das Haus Habich schuf; außerdem Entwürfe für Häuser der Kolonie Solacz bei Posen.

2) Wolf, Maler, Baumeister und Zeichner für den Holzschnitt, *Feldkirch (Vorarlberg) um 1485, †Passau 3. 6. 1553, ebd. seit etwa 1510 tätig, seit 1540 Hofmaler des Bischofs. Mehr als seine Bildtafeln weisen ihn seine Zeichnungen als vorzügl. Gestalter des Landschaftsraums aus; er malte auch Heilige, Landsknechte und Porträts. Sein Werk zeigt den Einfluß von M. PACHER und der Graphik A. DÜRERS. Er war neben A. ALTDORFER der bedeutendste Meister der →Donauschule. (BILD S. 287)

HW: Annenaltar (1515–21; urspr. Feldkirch, Pfarrkirche St. Nikolaus, heute – mit Ausnahme von 2 zurückgebliebenen Tafeln – Wien, Kunsthistor. Mus.); Abschied Christi (1519; ebd.); Marienaltar (um 1525–30; Berlin-West, Staatl. Museen und München, Bayer. Nationalmus.); Kreuzerhöhung (nach 1525; Wien, Kunsthistor. Mus.); Passionsaltar (um 1530; München, Alte Pinakothek und St. Florian bei Linz, Augustiner-Chorherrenstift). – Porträts (Dublin, London, Wien) und Landschaftszeichnungen.

F. WINZINGER: W. H., das Gesamtwerk, 2 Bde. (1979). – Weitere Lit.: →Donauschule.

Hubertusburg, ehem. kurfürstl. Jagdschloß in der

Wolf Huber: Beweinung Christi, Rückseite des Annenaltars; 1515–21 (Feldkirch, Pfarrkirche St. Nikolaus)

Gem. Wermsdorf bei Oschatz, Dt. Dem. Rep.; unter Einbeziehung von Teilen eines Baus von 1721 als barocke Vierflügelanlage 1743–51 von J. C. KNÖFFEL errichtet, Schloßkapelle mit Rokoko-Ausstattung.

Hubertusburger Steingut, in der 1770 gegr. sächs. Fayencemanufaktur Hubertusburg hergestellte Ware; wenige Erzeugnisse sind gesichert.

Hübner, 1) Carl Wilhelm, Maler, *Königsberg 17. 6. 1814, †Düsseldorf 5. 12. 1879, Schüler von W. v. SCHADOW, kritisierte in oft sentimentalen Bildern die sozialen Mißstände seiner Zeit (›Die schlesischen Weber‹, 1844).

Lit.: →Düsseldorfer Schule.

2) Julius, Maler, *Oels in Schlesien 27. 1. 1806, †Loschwitz (heute zu Dresden) 7. 11. 1882, ging 1826 mit seinem Lehrer W. v. SCHADOW nach Düsseldorf und gehörte dort an der Akad. zu den Begründern der Historienmalerei. Seit 1839 lebte H. in Dresden und wurde ebd. Prof. an der Akad. und Direktor der Gemäldegalerie. Bed. sind v. a. seine Porträts.

Lit.: →Düsseldorfer Schule.

3) Ulrich, Enkel von 2), *Berlin 17. 6. 1872, †Neubabelsberg (heute zu Potsdam) 30. 4. 1932, leitete seit 1914 in Berlin ein Meisteratelier der Akad. Er malte v. a. impressionist. Hafen- und Küstenbilder.

Hübsch, Heinrich, Baumeister, *Weinheim 9. 2. 1795, †Karlsruhe 3. 4. 1863, Schüler von F. WEINBRENNER, dem er 1829 als Leiter des Bauwesens in Baden nachfolgte. Seine Bauten in Karlsruhe (Polytechnikum, 1833–36; Kunsthalle, 1836–45; Theater, 1851–53; Orangerie, 1853–57) übernehmen den Klassizismus seines Lehrers. H. restaurierte die W-Fassade des Speyrer Doms (1854–58). In einer Schrift setzte er sich mit der grundlegenden Frage des Historismus auseinander (›In welchem Styl sollen wir bauen?‹, 1828).

Hude (Oldenburg), Gem. im Kr. Oldenburg, Ndsachs., 12 100 Ew., mit frühgot. Kirchenruine eines ehem. Zisterzienserklosters (1232 gegr.), auch als Ruine von maler. Wirkung und wesentl. Bedeutung für den norddt. Backstein-Klosterbau.

Hudson [hʌdsn], Thomas, engl. Maler, *Cty. Devonshire 1701, †Twickenham (heute zu London) 26. 1. 1779, lernte bei seinem Schwiegervater J. RICHARDSON D. Ä. und wurde zum beliebten Porträtisten seiner Zeit; 1741–43 Lehrer von J. REYNOLDS.

Hudson River School [hʌdsn r'ɪvə sku:l], eine Gruppe amerikan. Maler des 19. Jh., die im Hudson-Tal und in den Catskill Mountains malten und zeitweise auch lebten. Ihre Werke spiegeln ihr Interesse an der wilden, unberührten amerikan. Landschaft wider. Romant. Naturauffassung verbindet sich schon bei den Gründern (T. COLE, T. DOUGHTY, A. B. DURAND) mit realist. Landschaftsschilderungen, die dann die Werke der 2. Generation (J. F. KENSETT, F. CHURCH, A. BIERSTADT, T. MORAN) bestimmen. Außerdem erweitert diese den Themenkreis auf die Rocky Mountains und auf Südamerika.

F. A. SWEET: The H. R. S. (New York 1945); W. BORN: American landscape painting, an interpretation (New Haven, Connecticut, 1948); J. K. HOWAT: The H. R. S. and its painters (New York 1978).

Hu|ê, Stadt im mittleren Vietnam, 12 km vom Meer entfernt, rd. 200 000 Ew. Sie wurde mit Hilfe frz. Architekten Anf. des 19. Jh. (auf alten Grundmauern, wohl schon aus den ersten Jahrhunderten n. Chr.) als Kaiserstadt errichtet. Die Palastanlage ist eine Nachahmung der Anlage von Peking, die kaiserl. Gräber eine der Ming-Gräber, ohne ebenbürtige Qualität zu erreichen. H. wurde 1968 im Vietnamkrieg stark zerstört.

Huebler [h'u:blə], Douglas, amerikan. Künstler, *Ann Arbor (Michigan) 27. 10. 1924, konstruierte Anfang der 60er Jahre einfache stereometr. Skulpturen i. S. der Minimal Art. Seit 1966 beschränkt H. sich auf Konzepte in Form von Zeichnungen, Photos, Landkarten, Texten, die erst in der Vorstellung des Betrachters realisiert werden und H. zu einem der konsequentesten Vertreter der Concept Art machen.

Huejotzingo [uɛxɔts'iŋo], Stadt im Staat Puebla, Mexiko, 24 000 Ew. Ehem. Franziskanerkloster (1550 bis 1570 erbaut); im Klosterhof 4 Prozessionskapellen mit Gewändefiguren und reichen Verzierungen (Alfiz) an den Portalen. Die Portale der Wehrkirche zeigen Einflüsse des Mudéjar- und Platereskenstils; im Innern barocke Altarretabel.

Huelgas [u'εlɣas], **Monasterio de las Huelgas,** span. Zisterzienserinnenkloster, 2 km südwestlich von Burgos, etwa zw. 1180 und 1230 im Stil der frz. Gotik erbaut (in der Capilla de Las Claustrillas Dekor im Almohaden-Stil); Mus. im Kreuzgang (Samml. von Textilien, 12.–14. Jh.).

Huesca [u'eska], nordostspan. Stadt und Bischofssitz in Aragón, 37900 Ew.; dreischiffige Kathedrale (1274–1515, ohne Querschiff, auf fast quadrat. Grundriß) mit spätgot. Portikus; im Inneren reich skulptierte Alabasterretabel von D. FORMENT (1564 voll., mit Passionsszenen) und G. MORLANES D. Ä. (1507 ff.); romanisch-got. Kreuzgang (voll. im 19. Jh.); im Kapitelsaal das Bischöfl. Mus. mit Emailschreinen, 12. Jh., und Fresken, 13. Jh.; roman. Kirche S. Pedro el Viejo (1117–1260) mit 2 Tympana des 12. Jh. und figürl. Kapitellen im Kreuzgang; Rathaus (1578, Renaissancefassade mit Vorhalle); Mus. (span. Malerei, röm. Funde). Am Stadtrand roman. Kirche Nuestra Señora de Salas (12. Jh.) mit qualitätvollem Archivoltenportal; im Innern vergoldetes Silberretabel (1367).

Huet [y'ε], Paul, frz. Maler, Graphiker, *Paris 3. 10. 1803, †ebd. 9. 1. 1869, beeinflußt von engl. Landschaftern und E. DELACROIX; schilderte die heim. Natur in stimmungsvollen Gemälden, Radierungen, Lithographien.

Hufeisenbogen, hufeisenförmige (über den Halbkreis hinausgehende) Bogenöffnung (→Bogen), die vereinzelt bereits in der römisch-byzantin. Architektur vorkommt (Kappadokien, Syrien). Der H. wurde dann zu einem Charakteristikum an Bauten mancher islamischer Länder, besonders innerhalb des →maurischen Stils.

Hufnagel, Georg, →Hoefnagel.

Hügelgräber, lat. **Tumuli,** russ. **Kurgane,** vor- und frühgeschichtl. Gräber mit einer (gewöhnlich noch heute sichtbaren) Aufschüttung aus Erde, Lehm, Sand, Steinen oder Grassoden von urspr. meist annähernd kreisförmigem Grundriß. Über viele Gebiete, bes. Europas und Asiens (→koreanische Kunst), verbreitet, erschienen H. in Mittel- und N-Europa erstmals im entwickelten Neolithikum, bes. in der Bronzezeit, und traten nach der Hallstatt- und frühen Latènezeit i. a. zurück; im german. N hielten sie sich z. T. bis in die Wikingerzeit. An ihrer Basis weisen die H., die meist in Gruppen zusammenliegen, vielfach Einfriedungen (z. B. Steinringe) auf und enthalten in ihrem Inneren, je nach Zeit, Kultur und sozialer Stellung des oder der Bestatteten, versch. Einbauten und Sargformen. Über die etrusk. H. →Tumulusgrab.

Hugenottenstil, Baustil, den die Hugenotten in den Niederlanden und im protestant. Dtl. nach 1685 verbreiteten, im Vergleich zum Barock nüchtern und schmucklos. Hugenottenkirchen bevorzugen die Zentralform des Predigtbaus und den schlichten Predigtsaal; Stadt- und Vorstadtanlagen meist im Rasterschema: Kassel, Mannheim, Hanau u. a.

Hughes [hju:z], Arthur, engl. Maler und Illustrator, *London 27. 1. 1832, †ebd. 22. 12. 1915, erhielt seine Ausbildung an der Royal Academy und stand den Präraffaeliten nahe.

HW: April Love (1856; London, Tate Gal.); Rückkehr vom Meer (1863; Oxford, Ashmolean Mus.).

Hugo [yg'o], Victor, frz. Dichter, Zeichner, *Besançon 26. 2. 1802, †Paris 22. 5. 1885, schuf als Autodidakt zunächst Karikaturen, dann, angeregt durch Reisen (u.a. an den Rhein) und geschult an den Architekturphantasien G. P. PIRANESIS, Illustrationen zu seinen Werken und Landschaftsstudien von visionär-dämon. Stimmungen und romant. Naturbeseelung. Samml. in der Bibl. Nationale und im Mus. V. H., beide Paris.

Hugo von Oignies [-waɲ'i], Goldschmied, tätig im 1. Drittel d. 13. Jh. in dem von ihm mitgegr. Kloster in Oignies bei Namur. Sein umfangreiches Œuvre ist durch einige signierte Arbeiten relativ gesichert, es kennzeichnet die Spätphase maasländ. Kunst. Die Wirkung der Reimser Skulptur und stilist. Nähe zu →Villard de Honnecourt sind spürbar. Sein Können zeigt sich bes. in den Niello-Arbeiten und im kleinteiligen Goldfiligran des vegetabil-ornamentalen Rahmenwerks.

HW: Buchdeckel mit Kreuzigung und Maiestas Domini (um 1230; Namur, Trésor du Prieuré d'Oignies aux Sœurs de Notre Dame); Phylakterion (›bewahrendes Behältnis‹) des Hl. Martin (um 1230–35; ebd.); Reliquienkreuz (um 1230–35; Brüssel, Musées Royaux d'Art et d'Histoire).

J. J. M. TIMMERS: De kunst van het Maasland (Assen 1971); Rhein und Maas, Kunst und Kultur 800–1400, 2 Bde., Ausst.-Kat., Köln (1972/73).

Hugué [ug'ɛ], Manuel Martínez, →Manolo.

Huguet [uɣ'ɛt], Jaime (auch Jaume), span. Maler, *Valls (Tarragona) um 1414, †Barcelona 1492, unterhielt dort ab 1418 eine große Werkstatt; anfangs unter dem Einfluß B. MARTORELLS, ist er neben diesem der führende Maler Kataloniens in der 2. H. des 15. Jh. am Übergang zur Renaissance. Seine Altartafeln zeigen Reichtum und Verfeinerung der Farbgebung sowie das Bemühen um perspektiv. Wirkung.

HW (Altarwerke): Vinzenzaltar (1455–58; Barcelona, Mus. de Arte de Cataluña); Augustinusaltar (1486; ebd.); Hll. Abdon und Sennen (1458–60; Tarrasa, S. María); Dreikönigsaltar des Condestable (1464; Barcelona, Capilla Real Santa Águeda).

Huhehot, Hohhot, Huhohaot'e, amtlich chines. **Huhehaote,** Hauptstadt der chines. autonomen Region Innere Mongolei, über 350000 Ew. Die Pagode Wan-pu-hua-yen-ching auf oktogonaler Basis, zw. 983 und 1031 unter der Liao-(Kitan-)Dynastie erbaut, hat vor den Fassaden der einzelnen Geschosse Bodhisattva-Figuren, typ. Beispiele für Liao-Skulptur. Pagode Wu-t'a-chao (1740), eine von 4 kleineren Pagoden umgebene Stufenpagode mit grünglasierten Ziegeldächern und weißen Steinbrüstungen. Buddhist. Klöster sinotibet. Prägung, aus der Mingzeit Kloster Hsi-li-t'u-chao und Kloster Ta-chao. Moschee und Minarett aus der Ch'ing-Zeit (1644–1911).

Hui-tsung [hweɪ-], postumer Name des chines. Kai-

Hui-tsung: Kalligraphie eines Gedichts; Ausschnitt aus einer Querrolle (Taipei, Palastmuseum)

sers CHAO CHI, *Kaifang 1082, †1135. H.-t. war der letzte Herrscher der Nördl. Sung-Dynastie, passionierter Maler und Kalligraph und einer der größten kaiserl. Mäzene und Sammler der chines. Geschichte. Er erweiterte die kaiserl. Akad. für Malerei und Kalligraphie und führte ein dem Beamten-Examenswesen nachgebildetes Prüfungssystem ein. Zum erklärten Ziel der Akademiemalerei, welche sich vorzugsweise der Blumen-, Vogel- und Pflanzendarstellung widmete, machte er die treue Wiedergabe der Naturgegenstände, die ähnlich wie bei der europ. Aquarellmalerei ›knochenlos‹ (Mo-ku, d. h. ohne Konturlinien) nur mit Hilfe fein abgestufter Farben modelliert wurden. Als eines seiner Hauptwerke in diesem Stil gilt der ›Fünffarbige Papagei‹ (Boston Mus.), zu den bed. ihm zugeschriebenen Werken gehört die Kopie eines nicht erh. T'ang-zeitl. Originals von CHANG HSÜAN (1. H. 8. Jh.) ›Frauen bei der Bearbeitung neugewebter Seide‹ (ebd.). Seine Kalligraphien zeigen ihn als Schöpfer des pretiösen ›schlanken metallenen (›goldenen‹) Stils‹. Als 1. chines. Kaiser hat H.-t. umfangreiche Kataloge zu seinen Samml. von Sakralbronzen, Gemälden und Kalligraphien erstellen lassen.

Huitzilopochtli

Huitzilopochtli [uitsilop'ɔtʃtli], Stammesgott der Azteken, gleichzeitig Kriegs- und Sonnengott, erscheint oft als Kolibri, was im Namen (aztek. Hiutzil-in = Kolibri) zum Ausdruck kommt. Zusammen mit Tlaloc, dem Regengott, war ihm der Doppeltempel, die typ. Form aztek. Tempelarchitektur, in der Hauptstadt Tenochtitlán geweiht.

Hull [hʌl], engl. Stadt, →Kingston upon Hull.

Hulst [hylst], Städtchen in der niederländ. Prov. Seeland, im 17. und 18. Jh. wichtige Festung mit sehr gut erh. Umwallung mit 9 Bastionen (17. Jh.); St. Willibrorduskerk, eine spätgot. Basilika mit Vierungsturm, Chor mit Umgang und Kapellen (1462 beg.), dreischiffiges Langhaus (1481 beg.); Rathaus (1528–34).

Hültz, Johannes, Baumeister aus Köln, †Straßburg 1449, vollendete 1419–39 nach dem Tod ULRICHS VON ENSINGEN nach eigenen Entwürfen den durchbrochenen Helm des N-Turms am Straßburger Münster.

Humlebaek, Villenort südlich von Helsingør, Dänemark, mit dem Mus. →Louisiana.

Hummel, Johann Erdmann, Maler, *Kassel 11. 9. 1769, †Berlin 26. 8. 1852, Schüler der Kunstakad. in Kassel, wandte sich in Italien (1792–99) v. a. gegen den aufkommenden Klassizismus und wurde in Berlin (seit 1800) 1809 Prof. an der Akad. Ihn zogen bes. Probleme der Perspektive, Licht- und Spiegelungseffekte an, so bei den Bildern der ›Granitschale im Berliner Lustgarten‹ (1831; Berlin-West, Staatl. Museen). Zu Fragen der Perspektive und Schattenkonstruktion schrieb H. auch Lehrbücher. – Zu seinen Schülern gehörte K. BLECHEN.

G. HUMMEL: Der Maler J. E. H. (1954).

Humor, Kloster im Kr. Suceava, Rumänien; gegr. Anfang des 15. Jh. Die im 16. Jh. erneuerte Kirche ist ein wichtiges Denkmal moldauischer Architektur (→ Moldauklöster), an dem sich die Synthese byzantin. und got. Elemente zeigt; farbenprächtige Fresken an den Außenwänden; auch innen bed. Wandmalereien (16. Jh.).

Humpen, oft außergewöhnlich großes Trinkgefäß. H. ist kein feststehender Begriff, sondern erst seit dem 16. Jh. in Ostmittel-Dtl. belegt. Als H. bezeichnet werden zylindr. oder bauchige Trinkgefäße aus Metall, Fayence oder Glas, gewöhnlich mit niedrigem Fuß, Deckel und Henkel. Den H. unterscheidet vom Krug (Trink-, Schöpf-, Vorratsgefäß) nur Größe oder Funktion, während Kannen als spezif. Gießgefäße einen Ausguß besitzen.

Hundertwasser, Friedensreich, eigtl. Friedrich **Stowasser,** österr. Maler und Graphiker, *Wien 15. 12. 1928. In seinen stark farbigen, ornamental verschlungenen Bildern wirkt die Tradition des österr. Jugendstils fort. H. lebt seit 1974 häufig in Neuseeland, wo er sich die für sein Œuvre (auch Photographien) bezeichnenden weiteren Namen ›Regentag‹ und ›Dunkelbunt‹ zulegte. Er tritt auch mit ökologisch engagierten Manifesten und Aktionen an die Öffentlichkeit.

W. SCHMIED: H. (1974); F. H., Ausst.-Kat., Hamburg (1980).

Friedensreich Hundertwasser: Sonne und Spiraloide über dem Roten Meer; 1960 (Hamburg, Sammlung S. Poppe)

Hundszahn, engl. **dogtooth** [d'ɔgtu:θ], sägezahnartiges Ornament auf Profilen in der engl. Frühgotik.

Hunedoara, dt. **Eisenmarkt,** Hauptstadt des Kr. H., Rumänien, 83 000 Ew.; wird beherrscht von einem Meisterwerk der got. Profanarchitektur, der mächtigen Burg (14. Jh.), die im 15. und 16. Jh. zum Schloß ausgebaut und stark befestigt wurde (heute Mus.). Spätgot. orthodoxe Kirche mit Wandmalereien des 17. Jh.

Hungana, Volksgruppe in Zaire, →Huana.

Hungen, Stadt in der nördl. Wetterau, Hessen, 11 900 Ew.; 1602–1678 Residenz der Linie Solms-H. Malerisch verschachtelter Schloßbau (Mitte 15. Jh., Ausbau 1604–12); Pfarrkirche mit Chor von 1514–18 und Schiff in Spätrenaissanceformen (1596–1608).

Hungertücher, Fastentücher, niederdt. **Smachtlappen,** verhüllen seit dem frühen MA. bis ins 16./17. Jh. hinein den Hauptaltar einer Kirche während der Fastenzeit, um die Gläubigen zur Betrachtung des Leidens Christi und zur Buße hinzuführen. Die bildl. Darstellungen auf den H., gemalt oder gestickt, zeigen meist Szenen aus der Passion. Im 14./15. Jh. waren H. in S- und W-Europa weit verbreitet; in Westfalen blühte der Brauch nach der Reformation wieder auf. Beachtenswerte H. sind noch erhalten aus Gurk (1458), Zittau (1472), Freiburg i. Br. (1612), Telgte (1623).

P. ENGELMEIER: Westfäl. H. vom 14. bis 19. Jh. (1961).

Hungwe, Hongwe, Mahongwe, nördl. Unterstamm der →Kota in NO-Gabun. Nur sie und die benachbarten Chamai stellten die ›Naja‹- (fälschlicherweise: ›Ossyeba‹-) Reliquiarfiguren her, die aus einer mit Kupferstreifen parallel beschlagenen Holzskulptur bestehen und ihre Bez. von der Ähnlichkeit mit dem Kopf einer Brillenschlange ableiten.

Hunnenkunst, die Kunst des ostasiat. Hunnenreiches, das seit dem 3. Jh. v. Chr. die Stämme der Mongolei einigte und China bedrohte, ist durch Fürstengräber (→Noin Ula) und Streufunde (→Ordosbronzen) bekannt. Reiternomaden, die in der 2. H. des 4. Jh. n. Chr. in S-Rußland einbrachen und dort die Sarmaten vertrieben, bildeten dann das europ. Hunnenreich, das unter ATTILA (†453) seine größte Macht entfaltete. Die europ. Hunnen entwickelten eine eigenständige Kunst, die nicht als Fortsetzung sarmat. Tradition zu verstehen ist; ostasiat. Erbe kommt im rein dekorativen Gebrauch von Gold zum Ausdruck, auch Einfluß von Werkstätten aus dem bosporan. Raum ist sicher. Überliefert sind u. a. Schmuckarbeiten für Personen, Waffen und Geschirr, bei denen weniger kostbares Material (Bronze, selten Silber) mit Goldfolie überzogen und bunten Steinen (Granat, Karneol) besetzt wurde. Die Muster waren einfach: Die Reihung der Schmucksteine entsprach dem Besatz von Leder- und Stoffbinden mit Glasperlen (Frauendiademe); ebenso waren Filigran und gepunzte Wellenlinien Umsetzung geometr. Stick- und Applikationsmuster. Nur wenige Motive (Sonnenscheiben, Baumkronen) sind religiös deutbar. Die Eigenheiten der H. wurden in S-Rußland nach dem Zerfall des Attila-Reiches bald von byzantin. und mittelasiat. Einflüssen abgelöst. Die Neigung der H. zur Polychromie lebte in Europa (Kunst der Franken) weiter.

Hunt [hʌnt], **1)** Richard Morris, amerikan. Architekt, Bruder von 3), *Brattleboro (Vermont) 31. 10. 1828, †Newport (Rhodes Island) 31. 7. 1895. H. arbeitete 1854 unter H. LEFUEL am Ausbau des Louvre in Paris. 1855 kehrte er in die USA zurück; seine Arbeiten sind dem Historismus (Neurenaissance) verpflichtet.

HW: Tribune Building in New York (1873); Verwaltungsgebäude der Weltausstellung von 1893 in Chicago; Fassade des Metropolitan Mus. in New York (1900–02).

2) William Holman, engl. Maler, *London 2. 4. 1827, †ebd. 7. 9. 1910, Schüler der Royal Academy, gründete 1848 mit D. G. ROSSETTI und J. MILLAIS die Schule der Präraffaeliten. H., der literar. Themen in seinen Gemälden bevorzugte, verbindet Symbolismus mit realist. Gestaltung. H. schrieb ›Pre-Raphaelitism and the Pre-Raphaelite Brotherhood‹ (2 Bde., 1905).

HW: Claudio u. Isabella (1850; London, Tate Gal.); Das Licht der Welt (1854; Oxford, Keble College).

G. P. LANDOW: W. H. H. and typological symbolism (New Haven, Connecticut, 1979).

3) William Morris, amerikan. Maler, Bruder von 1), *Brattleboro (Vermont) 31. 3. 1824, †Isles of Shoals (New Hampshire) 8. 9. 1879, studierte in Düsseldorf und Paris, kehrte 1855 nach Amerika zurück. Seine Genrebilder, Porträts und Landschaften sind von der Schule von Barbizon beeinflußt.

Hurez [hur'ez], Kloster in Rumänien, →Horezu.

Hurri [x-], **Churri,** Bevölkerungsgruppe im 3./2. Jahrtsd. v. Chr. in NW-Mesopotamien und in N-Syrien. Die von einer indoarischen Oberschicht (Mitanni) geführten Hurri(ter) waren ein bed. Kulturvolk im Alten Orient (→mitannische Kunst).

Husaby, Gem. in Västergötland, Mittelschweden, mit einer der ältesten Kirchen des Landes (romanisch, Ende 11. Jh.); Chor, Apsis, quadrat. Turm mit 2 angebauten Treppentürmen; Kalkmalereien (15. Jh.).

Husum, Stadt in Nordfriesland, Schlesw.-Holst., 24800 Ew.; Blütezeit im 16./17. Jh. Renaissanceschloß (1577–82) mit manierist. Prachtkaminen (1613–15), Torhaus (Cornils'sches Haus, 1612); Marktkirche (1829–33 von C. F. HANSEN), ein HW des norddt. Klassizismus. Freilicht-Mus. Ostenfelder Haus (niederdt. Hallenhaus des 17. Jh.).

Hutter, Wolfgang, Maler, *Wien 13. 12. 1928, Sohn von A. P. GÜTERSLOH und dessen Schüler an der Wiener Akad., gehört (seit 1947) zur →Wiener Schule des Phantastischen Realismus. Er pflegt eine dekorativ-künstliche, von stillebenartigen Szenerien bestimmte Malerei; auch Entwürfe für Mosaiken und Wandteppiche (Wandgemälde im Salzburger Festspielhaus).

O. BREICHA: W. H. (1969).

Huy [ɥi], Stadt in der belg. Prov. Lüttich, an der Maas, beherrscht von der 1818–22 erbauten Zitadelle. Hochgot. Kollegiatskirche Notre-Dame (1311 beg.) mit

2 Chortürmen und W-Turm mit großem Rosenfenster (›Li Rondia‹), reich skulptiertes ›Bethlehemportal‹ (Geburt Christi, 14. Jh.); roman. Krypta (1066) des Vorgängerbaus. Reicher Kirchenschatz, u. a. Domitian- (1173), Mengold- (1177) und Marienschrein (um 1265). Got. Kirche St.-Pierre (15. Jh.). Marktplatz mit Rathaus im Louis-quinze-Stil (1766) und Bronzebrunnen (1406). Im ehem. Franziskanerkloster (1664–87) städt. Mus. (u. a. sakrale Kunst).

Huy [ɥi], **1)** →Reiner von Huy.

2) →Godefroid de Huy.

Huysmans [h'œjs-], Cornelis, fläm. Maler, getauft Antwerpen 2. 4. 1648, †Mecheln 1. 6. 1727, Schüler des J. D'ARTHOIS, malte unter dem Einfluß von N. POUSSIN ideale Landschaften.

Huysum [h'œjsəm], Jan van, holländ. Maler, *Amsterdam 15. 4. 1682, †ebd. 8. 2. 1749, schuf wie sein Vater und Lehrer Justus van H. (*1659, †1716) feingemalte hellfarbige Frucht- und Blumenstücke in reichem Aufbau, meist auf Kupfer- oder Mahagonitafeln in hervorragender Technik. H. gehörte zu den bestbezahlten Malern seiner Zeit und war der letzte bed. Vertreter der holländ. Blumen- und Früchtestillebenmalerei.

Hüyük, Höyük, türkisch für Ruinenhügel.

Hvar [hva:r], ital. **Lẹsina,** Hauptort der Insel H., Mitteldalmatien, Rep. Kroatien, Jugoslawien, etwa 2000 Ew. Die vom ›Spanischen Fort‹ (16. Jh., wiederhergestellt im 18. Jh.) beherrschte Altstadt zeigt venezian. Gepräge; Kathedrale, eine dreischiffige Basilika des 16. Jh. mit neuroman. Campanile; ehem. Franziskanerkloster (15.–16. Jh.) mit Schatzkammer (im ehem. Refektorium) und Kirche; Reste der got. Dominikanerkirche des späten 14. Jh. (Glockenturm 16. Jh.); Renaissance-Loggia (vollendet 1497) mit Uhrturm; Arsenal (1579–1611), heute Archiv und Mus.

H. W., Meister H. W., Bildhauer, Hans →Witten.

Hwaŏmsa, korean. Tempelanlage bei Kurae (Prov. S-Cholla). Die urspr. Anlage (6.–9. Jh.) ist 1593 abgebrannt. 1606 wurde sie von den zenbuddhist. Mönchen neu errichtet. 1643 wurde hier die größte Tempelhalle Koreas, Kakhwangjŏn auf einer noch erhaltenen sillazeitl. Steinbasis als zweistöckige Halle, 7 Interkolumnien breit und 5 Interkolumnien tief (13 m × 10 m), errichtet. Weiterhin wurden die Haupthalle, eine Steinlaterne, eine Löwenpagode und 2 fünfstöckige Steinpagoden (Tong-tap und Sŏ-tap), die sich auf dem Areal befinden, zum nat. Kunstschatz erklärt.

Hyalịthglas, ein tiefschwarzes, seltener rotes undurchsichtiges Glas, das um 1820–30 in S-Böhmen hergestellt wurde; häufig geschliffen und mit Goldornament dekoriert.

Hyderabad [h'aɪ-], **Haiderabad,** Hauptstadt von Andhra Pradesh, Indien, 2,14 Mio. Ew., kulturelles Zentrum auf dem Deccan und kath. Erzbischofssitz; 1589 von einem König der Qutb-Shahi-Dynastie gegr. Wahrzeichen der Stadt ist der 1591 auf einer Straßenkreuzung errichtete Torbau Char Minar mit 4 je 56,7 m hohen Minaretten. Die die Straße überspannenden, 15,2 m hohen Bögen des quadratisch angelegten Bauwerkes sind nach den Himmelsrichtungen ausgerichtet. Im oberen Teil des Torbaues Moschee.

Hyderabad: Char Minar

Hydria [grch. ›Wasserkrug‹], grch. Wassergefäß mit einem senkrechten und 2 waagerechten Henkeln, aus Ton oder Metall, zuweilen auch als Los- und Aschenurne verwendet (→Vasen).

Hygieia, grch. Göttin der Gesundheit, später Gemahlin des Heilgottes Äskulap, mit dem zus. sie in der Antike als jugendl. Frau mit Diadem v. a. auf Weihreliefs dargestellt wurde.

Hyksos [›Fürsten der Fremdländer‹], asiat. Eroberer, die Ägypten von der Mitte des 17. Jh. bis etwa 1550 v. Chr. beherrschten (15./16. Dynastie). Mittelpunkt ihres Herrschaftsgebietes war Auaris (→Tell el-Dab'a). Von Werken der bildenden Kunst aus der H.-Zeit ist kaum etwas erhalten.

Hyper|realismus, Richtung der zeitgenöss. Kunst; in der Malerei gleichbedeutend mit →Fotorealismus. In der Plastik werden mit H. auch die ›Faksimile-Skulpturen‹ von D. HANSON (BILD) und J. DE ANDREA u. a. bezeichnet. Sie bilden eine Parallele zum Fotorealismus, ohne an seinem Problem der Mediennutzung und -kritik teilzuhaben.

Hypnos, lat. **Somnus,** grch. Gott des Schlafs, Sohn der Nacht, Zwillingsbruder des →Thanatos. Auf grch. Vasen und röm. Sarkophagen erscheint er als geflügelter Jüngling, in der Plastik mit Flügeln an den Schläfen, in den Händen Mohn oder ein Horn, aus dem er den Schlaf ausgießt.

Hypogäum, Hypogaion [grch. ›unterird. Raum‹], ein unterird., meist gewölbter (Grab-)Raum der Antike und in frühchristl. Zeit, oft innerhalb von →Katakomben (H. Flaviorum in der Domitillakatakombe, Rom).

Hypokausten [grch. ›von unten geheizt‹], *Ez. das* **Hypokaust(um),** antike Raumheizung, bei der von einem zentralen Heizraum Heißluft durch Hohlräume unter den Fußboden und durch Tonröhren in die Wände geleitet wurde.

I

Ialysos, antike Stadt im NO der Insel Rhodos, schon von Homer erwähnt; geringe baul. Reste, wichtige Funde (Schmuck, Keramik) aus den spätmyken., geometr. und archaischen Nekropolen.

Iași [jaʃj], Stadt in Rumänien, →Jassy.

Iason, Jason, grch. Mythos: der Anführer der →Argonauten, gewann mit Hilfe der →Medea das Goldene →Vlies. Im Altertum, späten MA. und der Neuzeit v. a. zus. mit Medea oder den Argonauten dargestellt.

Iasos, antike Stadt in W-Kleinasien, auf einer kleinen Halbinsel im Golf von Mandalya (Türkei), von grch. Kolonisten aus Argos gegr. Durch Ausgrabungen wurden v. a. ein Theater und die Agora freigelegt. In der landeinwärts liegenden Nekropole wurden Gräber vom 3. Jahrtsd. v. Chr. bis in röm. Zeit gefunden, u. a. ein stattl. kaiserzeitl. Mausoleum innerhalb einer Umfassung; ebenfalls landeinwärts eine über 2 km lange Mauer (Große Landmauer, 5. oder 4. Jh. v. Chr.).

Iatmül, Iatmul, Stammesgruppe am mittleren Sepik, Papua-Neuguinea. Die I. bilden zus. mit den Sawos, ihren Nachbarn im N des Flusses, eines der Ausstrahlungszentren in der bes. vielfältigen Kunst von N-Neuguinea. Bes. bekannt und in Museen häufig vertreten sind Werke der Schnitzkunst: versch. Maskentypen (u. a. die langgezogene ›Mai‹-Maske, oft mit Schneckenschalenbesatz), figürlich ausgestaltete Aufhängehaken, Farbschalen, Musikinstrumente und weitere Kultgeräte, Bootssteven, Speerwerfer, übermodellierte und bemalte Schädel, Schädelgestelle, durchbrochen geschnitzte Bretter, Figurenstühle, Schlitztrommeln, Hauspfosten und weitere Bauteile von Männerhäusern. Eindrücklich sind Doppelmasken mit z. T. modellierten Gesichtern auf einer Unterlage aus Wulsthalbgeflecht. Der eher zurückhaltenden Bemalung kommt sinngebende Bedeutung zu (Dorf- und Klanahnen). Bei den Figuren dominieren Mischwesen (Vogel-Mensch, Krokodil-Mensch u. a.), menschl. (meist männl.) Ahnen, bei denen oft die Höhe (Länge) gegenüber der Breite und Tiefe betont ist, ferner Frauen mit vom Körper abgewinkelten gespreizten Beinen, am Männerhaus aus den Brettwurzeln trop. Bäume geschnitzt. Häufige Ornamente sind Spiralen und Kombination von Kurven sowie Schuppenmuster (Wasserwellen, Krokodile) und konzentr. Kreise (Seelilien). Ort der Verdichtung künstler. Schaffens war und ist das

Iatmül: Rednerpult für zeremoniale Streitgespräche im Männerhaus, in Gestalt eines sich an einen Hocker anlehnenden Ahnen; Tambanum, mittl. Sepik

Männer- und Kulthaus, wo auch die mit Narbentatauierung (Muster der Schöpferkrokodile) verbundenen Initiationen stattfinden.

M. STANEK: Geschichten der Kopfjäger. Mythos und Kultur der Iatmul auf Papua-Neuguinea (1982); J. WASSMANN: Der Gesang an den Fliegenden Hund (1982). Weitere Lit.: →Sepik.

Ibadan, Stadt in SW-Nigeria, im Yorubaland, 847000 Ew. Im Univ.-Mus. traditionelle Kunst der Yoruba. I. ist ein Zentrum der zeitgenöss. afrikan. Kunst; an den Flügeltüren der kath. Univ.-Kapelle Reliefschnitztafeln von LAMIDI FAKEYE (ebenso an der Kirche des Stadtteils Oke-Padi) und Aluminium-Reliefs von ASIRU OLATUNDE. An der prot. Univ.-Kapelle lebensgroße Holzskulpturengruppe ›Auferstehung‹ von BEN ENWONWU. In der Konferenzhalle der Univ. Mosaik von JIMOH BURAIMOH.

Iben, Ortsteil von Fürfeld, Kr. Bad Kreuznach, Rheinl.-Pf.; vom **Hof I.,** ehem. Wasserburg des 13. Jh., ist der Chor der frühgot. Burgkapelle (um 1240) erh. Übereinstimmungen mit der Kapitellplastik vom Westlettner des Mainzer Doms rechtfertigen die Zuschreibung an einen Schüler des →Naumburger Meisters.

iberische Kunst, die von den Iberern der Pyrenäenhalbinsel (5.–1. Jh. v. Chr.) ausgeübte Kunst, die in Skulptur, Kleinkunst und Vasenmalerei einen vielseitigen Ausdruck gefunden hat. Die Entstehung der i. K. ist v. a. auf grch. Einflüsse zurückzuführen; sie ist von Andalusien bis in das Vorland der Cevennen verbreitet. Die meisten Werke bezeugen eine enge kult. Bindung, bes. die Tempelarchitektur (Cerro de los Santos, El Cigarralejo) sowie Steinskulpturen von Menschen und Tieren im Bereich von Heiligtümern und Gräberfeldern (Elche, La Guardia). In der Gefäßmalerei kommen neben pflanzl. und geometr. Ornamenten Darstellungen von Kampf-, Jagd- und Tanzszenen vor.

Ibibio, Volk der Benue-Kongo-Gruppe, in SO-Nigeria östlich des Niger-Deltas, einschließlich Eket, →Ogoni und →Oron etwa 1,6 Mio. Menschen. Die bed. Schnitztradition der I. konzentriert sich v. a. auf die Herstellung von Masken für den Ekpo-Geheimbund. Die Skala der Maskentypen reicht von naturalistisch-ästhetisierenden über kubistisch aufgelöste bis hin zu furchterregenden großen Dämonenmasken, totenkopfähnl. und nasenlosen Krankheitsmasken. Viele der Masken tragen einen Klappkiefer, die meisten sind schwarz gefärbt mit gelegentl. Akzenten in weiß oder rot um Augen und Mund. Figuren sind bei den I. selten; sie werden oft als Tanzaufsätze mit bewegl. Armen gestaltet oder haben dämon. Charakter.

Ibiza [iβ'iθa], Stadt und Bischofssitz auf der gleichnamigen span. Baleareninsel. In der von Wehrmauern des 16. Jh. umschlossenen Oberstadt (Dalt Vila) die Kathedrale (urspr. gotisch, im 18. Jh. erneuert). Das Archäolog. Mus. enthält Funde aus Puig des Molins (einer pun. Nekropole), ferner röm. und hellenist. Funde.

Ibibio

Ibibio: Krankheitsmaske mit vier Gesichtern und sieben ringförmig gebogenen Hörnern aus schwarz gefärbtem Holz mit roten und weißen Farbresten; 50 cm, Durchm. 76 cm (München, Privatsammlung)

Ibn al-Bawwab, arab. Kalligraph aus Bagdad, †1022, brachte die wichtigsten Schriftarten, denen der Staatsmann und Kalligraph IBN MUKLA (†940) Regeln gegeben hatte, zu künstler. Vollkommenheit. Ein von ihm geschriebener und illuminierter Koran ist erh. (Dublin, Chester Beatty Library).

Ibo, Igbo, Volk in SO-Nigeria, etwa 9 Mio. Menschen, mit bed. Kunsttradition. An figürl. Plastik werden neben Schutzfiguren für das Haus (Ikenga) v. a. Ahnenfiguren hergestellt. Bei den nördl. I. sind sie als naturalist. Rundplastiken mit relativ weichen Linien, z. T. lebendigen Haltungen und sprechenden Gesichtern konzipiert. Die Figuren der südl. I. (BILD) zeigen dagegen einen sehr strengen Aufbau, der durch seine Abstraktion besticht und an die Kunstauffassung der westlich benachbarten →Ijo und →Urhobo erinnert. Die meist sehr subtil gestalteten Masken für die MMwo-Gesellschaft verkörpern den Geist eines verstorbenen schönen Mädchens (BILD afrikanische Kunst). Die Gesichter dieser Masken sind immer weiß bemalt, mit schwarzen Akzenten auf Schmucknarben, Augenbrauen u. a.; der Kopfputz ist meist sehr fein geschnitzt, mit hohen durchbrochen gearbeiteten Aufbauten, die gelegentlich die doppelte Länge des Gesichts erreichen. Daneben gibt es abstrakt gestaltete Masken (Maji) für die Initiationsfeierlichkeiten der Knaben, kleine, ästhetisierende (Mba) für das Yamsfest sowie versch. grob konzipierte für unterschiedl. Zwecke. Aus Terrakotta fertigen die I. neben Figuren z. B. Kulthäuser (Mbari): Altäre für versch. Gottheiten mit zahlreichen sakralen und profanen Figuren aus getrocknetem und bemaltem Lehm unter einem Dach. Die einzelnen Gottheiten werden dabei oft mit symbol. Attributen versehen und in Szenendarstellungen (›lebende Bilder‹) einbezogen.

Ibo: Ahnenfiguren aus Holz, mit Schmucknarben auf der Stirn; 146 und 158 cm (München, Privatsammlung)

Ibrik [pers.], **Ibriq,** im islam. Orient Bez. für eine Kanne aus Metall mit Tülle zum Ausschenken, speziell zum Spenden von Wasser zur kult. oder profanen Reinigung der Hände; künstlerisch reichgestaltete Gefäße (tauschiert, graviert), v. a. im MA.

Iburg, Bad I., Stadt im Teutoburger Wald, Ndsachs., mit der 1080 datierten Doppelanlage von Benediktinerkloster (barocker Neubau 1750–55 durch J. C. SCHLAUN) und Burg der Fürstbischöfe von Osnabrück (im 16. Jh. zur Residenz umgewandelt); im Rittersaal erste perspektiv. Deckenmalerei in Dtl. (1656–58). Ehem. Klosterkirche (Ende 13. Jh.).

Ica, Tal an der Südküste von Peru, archäolog. Fundort, dessen Name auch als Kultur- oder Stilbezeichnung verwendet wird. Der I.-Stil ist im gesamten Einzugsgebiet von Nazca verbreitet. Die Keramik ist durch Bemalung schwarz und weiß auf Rot mit kleinen, im Sinne eines Musters gereihten Figuren gekennzeichnet. Die Textilien sind über und über mit diagonal angeordneten Vogel- und Fischornamenten dekoriert. Zu den schönsten und charakteristischsten Arbeiten der I.-Kultur zählen in Gräbern gefundene, mit Schnitzereien verzierte Bretter und Spaten oder Ruder und Kielschwerter aus Holz aus der 2. Phase der Regionalkulturen (1100–1460).

ICOM, Abk. für **International Council of Museums** [ɪntən'æʃnl kaʊnsl ɔv mju:z'ɪəmz, engl.], Organisation zur Förderung der internat. Zusammenarbeit zw. Museen, untergeordnete Organisation der UNESCO; gegr. 1948, Sitz: Paris.

ICOMOS, Abk. für **International Council on Monuments and Sites** [ɪntən'æʃnl kaʊnsl ɔn m'ɔnjʊmənts ænd saɪts, engl.], internat. Interessenorganisation der Denkmalpflege, nachgeordnete Organisation der UNESCO; gegr. 1965, Sitz: Paris.

Ideale Landschaft, →Landschaftsmalerei.

Idealstadt, die Idealvorstellung einer nach einheitl. Gesichtspunkten geplanten und (selten) ausgeführten Stadt und ihrer gesellschaftl. und polit. Organisation. Die ästhet. Vorstellungen gehen dabei immer mit sozialutop. eine Verbindung ein. Der Grundriß der I. ist i. d. R. ein schemat. Abbild der gesellschaftspolit. Strukturen, die man mit der Architektur schaffen oder durch sie unterstützen will. Entwürfe von I. hat es schon im alten China gegeben. Die Vorstellungen von PLATON und ARISTOTELES hatten vorrangig die polit. Organisation der I. zum Ziel. VITRUV entwickelte auch planer. Vorstellungen über die Gestalt der Stadt. Im MA. entstanden zwar Städte in großer Regelmäßigkeit, jedoch ohne theoretisch entwickelte I.-Vorstellungen. L. B. ALBERTI knüpft in seiner Schrift ›De re aedificatoria‹ (1485) an Platon und Vitruv an. FILARETE entwirft in seinem ›Trattato dell'architettura‹ (1460–64) eine I. in Form einer Zentralanlage (nach seinem Auftraggeber ›Sforzinda‹ gen.). Von vielen Renaissancearchitekten sind Entwürfe überliefert, meist als reine Planentwürfe (FRANCESCO DI GIORGIO MARTINI, B. PERUZZI, LEONARDO DA VINCI u. a.). Zu den wenigen realisierten I. der Zeit gehören Palmanova (Prov. Udine) und Sabbioneta (Prov. Mantua). Von den ital. Traktaten beeinflußt wurde A. DÜRER, der 1527 eine I. in quadrat. Form entwarf. In der Spätrennaissance und im Barock überlagern sich Festungswesen und I.-Planung. In den Residenzstädten des Barock leben formale Prinzipien der früheren I.-Entwürfe fort (Mannheim, Karlsruhe). Ideale Stadtvorstellungen verbunden mit sozialutop. Theorien gibt es wieder im 19. Jh. (I. ›Viktoria‹ von J. S. BUCKINGHAM, 1849; Garden-City von E. HOWARD, 1898). BILD Renaissance

G. MÜNTHER: I., ihre Geschichte vom 15.–19. Jh. (1957); HELEN ROSENAU: The ideal city in its architectural evolution (London 1959).

Idensen, Ortsteil von Wunstorf bei Hannover, Ndsachs.; in der roman., reich gegliederten Alten Kirche (1120–29) bed. Wand- und Gewölbemalereien, die der Malerschule von Helmarshausen nahestehen.

Idol [grch. eidolon ›Bild‹, ›Gestalt‹] *das,* für Götter- und Grabkult bestimmte, meist kleine, den menschl. Körper abstrahierend wiedergebende Figuren aus Ton, Stein, Bronze, Elfenbein, bes. aus vorgeschichtl. Zeit. In neolith. Kulturen des Vorderen Orients und S-Europas handelt es sich meist um Frauenstatuetten, bei denen die Geschlechtsmerkmale bes. betont sind (Belege für einen Mutterkult). In gewissem Sinn können bereits die paläolith. →Venusstatuetten als Fruchtbarkeits-I. aufgefaßt werden. Die **Kykladenidole,** aus Inselmarmor hergestellt, sind Erzeugnisse der frühbronzezeitl. Kykladenkultur (→kykladische Kunst) des 3. Jahrtsd. v. Chr. Man kennt jetzt mehrere 100 Stück, meist Statuetten, gelegentlich aber auch bis zu ¾ Lebensgröße. Man unterscheidet 2 Haupttypen: schemat., violinförmige Gestalt, stark stilisiert, nackt, meist weiblich, nur zum Liegen bestimmt, und ebenfalls stark stilisierte, aber stehende oder sitzende Statuetten. Die ersteren, die auf den Kykladen bis ins Neolithikum zurückverfolgt werden können, lassen die Herkunft von den fettleibigen Idolen des älteren anatol. Neolithikums erkennen; auch die meisten anderen Kykladen-I. sind unterschiedlich stilisierte Darstellungen wohl einer weibl. Gottheit. Zu den Kykladen-I. gehören außerdem stilistisch gleichartige Darstellungen stehender und sitzender Flöten- und Harfenspieler sowie Gruppen von 2 und 3 Figuren. Kykladen-I. wurden auch in die Länder am Rand der Ägäis ausgeführt. Die Gattung starb ab, als in der frühen Palastzeit des beginnenden 2. Jahrtsd. v. Chr. die minoische Kultur ihre ägäische Umgebung überflügelte. Über Augen-I. →Tell Brak.

Kunst und Kultur der Kykladeninseln..., Ausst.-Kat., Karlsruhe (1976); S. Hood: The arts in prehistoric Greece (London 1978).

Idoma, Volksgruppe zw. Benue und Niger in SO-Nigeria, die in der Gestaltung ihrer Masken und Skulpturen von den benachbarten Stämmen beeinflußt ist. Die menschl. Masken sind wie die MMwo-Masken der →Ibo weiß gefärbt. Von den Stämmen des Cross-Fluß-Gebietes rühren dagegen die Tanzaufsätze in Gestalt eines menschl. Kopfes her, ein Relikt der Kopfjägertradition. Ein Merkmal vieler I.-Skulpturen (die seltener sind als die Masken) ist die etwas breite Nasenspitze, die oft ein wenig nach unten hängt.

Idrimi, Herrscher des altoriental. Königreichs von Mukisch in Alalach am Orontesbogen, um 1500 v. Chr. Sein 105 cm hohes Sitzbild aus Kalkstein (London, Brit. Mus.) dokumentiert in der gedrungenen Komposition und der flachen Körperdarstellung den Verfall des altsyr. Stils. Sein Gewand ist vollständig mit der Inschrift überzogen, die von der Wiedergewinnung der Macht in Mukisch durch I. berichtet.

Idstein, Stadt im Taunus, Hessen, 13 500 Ew.; 1355–1605 und 1629–1721 Residenz der Linie Nassau-I. Von der ma. Burg sind u. a. Torbau (1497) und Hexenturm (um 1400) erh. Dreiflügeliges Frühbarockschloß (1614 beg., Innenräume z. T. frühes 18. Jh.); Rathaus (1698); viele Fachwerkbauten (Killingerhaus, 1615). Unionskirche (ehem. Kirche des Augustiner-Chorherrenstifts), 1655–77 zum prachtvollen Emporensaal umgebaut, mit 38 Wand- und Deckenbildern der Rubens-Schule; im Chor Barockepitaph von M. v. Welsch (1727–31).

Idylle [grch. eidyllion ›kleines Bild‹], ein Bild, das ländl. Einfachheit in einem idealen unschuldigen Zustand zeigt. Idyllische Züge zeigen bereits Werke des Hellenismus, die frühchristl. Kunst und die Kunst des MA.: in Darstellungen der Verkündigung an die Hirten, des Propheten Amos als Hirte, in Kalenderbildern.

Zur selbständigen Bildgattung wurde die I. aber erst in der Renaissance (so bei GIORGIONE und seinem Kreis). Seither lebte sie vielfältig fort, trat aber im Barock vor den heroisch-pathet. Themen zurück. Die Schäferszenen des Rokoko (J.-A. WATTEAU, J. H. FRAGONARD, G. B. PIAZZETTA, N. GRUND) haben überwiegend gesellschaftl. Charakter und sind daher keine eigtl. I. Diese versuchte erst das spätere 18. Jh. zu gestalten: idealisch S. GESSNER, i. S. des ›Sturm und Drang‹ MALER MÜLLER. Im 19. Jh. begegnet die I. bei den Romantikern (den Brüdern OLIVIER u. a.), als bürgerl. I. bei L. RICHTER, als Kleinstadtidylle bei C. SPITZWEG.

Iesi, Stadt und Bischofssitz in der ital. Prov. Ancona, 41 800 Ew.; Stadtmauern des 14. Jh. (auf röm. Resten angelegt) umgeben den ma. Stadtkern. Im Palazzo della Signoria (1486–98 von FRANCESCO DI GIORGIO MARTINI erbaut) Mus. (archäolog. Funde und ma. Plastik) und Pinakothek (Werke von L. LOTTO); got. Kirche S. Marco (Backsteinbau der 1. Hälfte des 13. Jh.); Dom (Neubau 1732–41, Fassade 19. Jh.).

Ife, Stadt in SW-Nigeria, östlich von Ibadan, 157 200 Ew.; I. ist Mittelpunkt und wohl älteste Stadt des Yorubalandes; Sitz des Oni (geistl. und weltl. Oberhaupt der Yoruba) mit zahlreichen Heiligtümern.

Am Hof der Könige von I. schufen Berufshandwerker und -künstler für den Kult des sakralen Königtums Werke, die einen Höhepunkt afrikan. Kunst bilden. Sie werden in das 10.–14. Jh. datiert und stehen sowohl zeitlich wie nach dem Formenkanon zw. Nok und Benin. Stein-, Terrakotta- und Bronzefiguren zeichnen sich durch meisterhafte Porträtgestaltung aus; wegen ihres idealisierenden Naturalismus wurden sie von dem Völkerkundler L. FROBENIUS (der 1910 die ersten Stücke ›entdeckte‹) für grch. Werke gehalten. Die Blütezeit des Gelbgusses (›Bronzeköpfe‹) war im 13./14. Jh.; nach

Ife: Kopf eines Oni von Ife; Bronze, etwa 14. Jh. (London, Brit. Museum)

seinem Niedergang (wohl aus wirtschaftl. Gründen) wurde er in →Benin fortgesetzt. Bes. berühmt geworden sind die realist., z. T. lebensgroßen Terrakottaplastiken; sie fallen durch einen verfeinerten Realismus auf und sind oft geriefelt. Das Mus. of Ife Antiquities enthält, mit Ausnahme eines Oni-Bronzekopfes, vermutlich alle bisher entdeckten Bronzen sowie den Großteil der Terrakotten; ferner Werke aus Nok und Benin.

F. WILLETT: I. (a..d. Engl., 1967).

Iffley [ˈɪflɪ], Dorf südlich von Oxford, Mittelengland, mit Pfarrkirche (spätes 12. Jh.) mit mächtigem Chorturm. Die W-Fassade des Saalbaus besitzt ein reichgestuftes Portal, darüber ein Kreisfenster, der Giebel eine Dreierarkatur über Doppelsäulen. Im Innern ist der Turmbogen von freistehenden oktogonalen Säulen gestützt, ein für den späteren Early English Style typisches Motiv.

Ifugao, Stamm im N der Philippinen-Inseln Luzon, etwa 80 000 Menschen. Die I. heben sich kulturell und künstlerisch von den umgebenden Stämmen ab. Sie beherrschen kunstvolle Flecht- (Rattan) und Webtechniken, sind aber bes. bekannt durch ihre mit einfachsten Werkzeugen aus einem Stück Holz geschnitzten Skulpturen der Reisgötter (›bulol‹), die meist in hockender Stellung, die Arme auf den Knien, häufig paarweise männlich und weiblich, aber auch geschlechtsneutral dargestellt sind.

Igala, Volksgruppe in Zentralnigeria, östlich des Zusammenflusses von Niger und Benue, mit Idah als Hauptstadt und Sitz ihres Oberhauptes (Ata von I.). Von den einstigen Beziehungen zu →Benin zeugt eine Bronzemaske, die der Ata noch heute bei offiziellen Anlässen trägt, eine Arbeit aus dem 15. oder frühen 16. Jh. Obwohl Sprachforschungen auf eine alte kulturelle Verwandtschaft mit den Yoruba schließen lassen, sind doch die künstler. Bande zu den südlich benachbarten →Ibo vorherrschend; dies zeigt sich neben dem Ikenga-Kult v. a. bei den Masken. Die sehr seltenen Figuren zeichnen sich durch große künstler. Ausgewogenheit aus; sie sind oft weiß, gelb und schwarz gefärbt, haben vollplast. Formen und eine kunstvoll gearbeitete, kammartige Frisur.

Igala: weibliche Ahnenfigur aus schwarz, weiß und gelb gefärbtem Holz mit kammartiger Frisur, 80 cm (München, Privatsammlung)

Igarashi [-ʃi], Familie japan. Lackmeister (ab 15. Jh. tätig), arbeiteten u. a. nach Vorlagen des Malers → Koetsu, als Schule bekannt für Kagamaki-e (→Lackkunst). Berühmteste Vertreter des 17./18. Jh. waren IGARASHI DOHO I und II.

Igbo, Volk in SO-Nigeria, →Ibo.

Igbo-Ukwu, Ort auf dem Gebiet der Ibo in SO-Nigeria, 40 km südöstlich von Onitsha, etwa 15 000 Ew. Zahlreiche Werke aus Bronze und gebranntem Ton wurden in I.-U. ausgegraben, die wahrscheinlich Teile des Schatzhauses und Grabes eines Gottkönigs waren. Die Bronzeobjekte, Vasen und Gefäße in Form von Schneckenhäusern, Schalen in Kürbisform und Schmuckanhänger in Gestalt von Köpfen und Tieren, tragen verschwender. Schmuck auf ihrer Oberfläche,

Igeler Säule: Römisches Grabmal; um 250 errichtet

oft als Darstellung von Heuschrecken, Käfern und Grillen. Eine Einordnung der Kultur von I.-U. ist noch nicht möglich. Nach der Überlieferung hat eine Verbindung zu Idah (→Tsoede) bestanden; Radiokarbondaten weisen dagegen in eine weit frühere Zeit, ins 9. Jh.

T. SHAW: Unearthing I.-U. (Ibadan 1977).

Igeler Säule, 23 m hohes röm. Grabmal aus Sandstein in Igel, Kr. Trier, um 250 von den Brüdern SECUNDINIUS AVENTINUS und SECUNDINIUS SECURUS errichtet, reiche Spätform des rhein. →Pfeilergrabmals mit Reliefszenen aus Mythos und tägl. Leben.

Iglau, tschechisch **Jihlava** [j'ihlava], Stadt im Südmähr. Kreis, ČSSR, 51 000 Ew., wurde Anf. des 13. Jh. bei einer der im MA. wichtigsten Silberfundstätten Europas planmäßig mit einem 36 500 m^2 großen Marktplatz angelegt. Das gut erhaltene Stadtbild zeigt noch Teile der ma. Stadtbefestigung (14.–15. Jh.) mit dem Frauentor; ferner Bürgerhäuser aus Renaissance und Barock. Aus der Anfangszeit der Stadt stammen die ehem. Minoritenkirche (13. Jh.) mit spätgot. Chor (1499–1508) und später barock veränderter Fassade, die Pfarrkirche St. Jakob (13.–14. Jh.; mit wertvollen got. Plastiken) und die ehem. Dominikanerkirche Hl. Kreuz (14. Jh.). Die barocke Jesuitenkirche mit -kolleg entstand 1680–89. Das urspr. got. Rathaus wurde im 16. und 18. Jh. umgebaut, Fassade von 1786.

Ihne, Ernst Eberhard von (seit 1906), Baumeister, *Elberfeld (heute Wuppertal) 23. 5. 1848, †Berlin 21. 4. 1917, baute ebd. als Hofarchitekt (seit 1888) in eklekt. Stil (Elemente der Spätrenaissance und des Barock) das Schloß Friedrichshof bei Kronberg/Ts. (1889–93), in Berlin den Neuen Marstall (1896–1902), das Kaiser-Friedrich-Mus. (1897–1904, heute Bode-Mus.) und die Staatsbibl. (1903–14).

Ijo, Idio, Ijaw, älteste Volksgruppe im Nigerdelta. Ihre Skulpturen lassen Einflüsse der Itsekiri, Isoko und Urhobo im N und NW sowie der Ibo im N und NO erkennen. Von den Abuan und Ibibio im O dürfte dagegen die Technik des Zusammenfügens von einzelnen Holzteilen stammen, wie sie bei den großen Ahnenaltären (Duen fobara) und den Wassergeistmasken für den Ekine-Geheimbund angewendet wird. Diese Masken sind ganz abstrakt in amphiboider Form gestaltet, häufig mit menschl. Gesichtern und hervorstehenden, zylindr. Augen. Der persönl. Schutzgeist (Ejiri) der I. wird künstlerisch als Mischwesen zw. Elefant und Leopard konzipiert und ist häufig von einer Figur des opfernden Besitzers bekrönt.

Ijsselstein ['ɛjsəlstɛjn], Städtchen in der niederländ. Prov. Utrecht. Der von dem Bologneser Baumeister A. PASQUALINI 1532–35 erbaute W-Turm der spätgot. ref. Pfarrkirche (um 1500) ist ein HW der ital. Frührenaissance in den Niederlanden. Neugot. St. Nicolaaskerk (1885–87) mit westfäl. und niederrhein. Merkmalen; Rathaus mit Treppengiebeln (Anf. 16. Jh.).

Ikarus, grch. Mythos: Sohn des →Daidalos.

Ikat [malaiisch], Färbetechnik für Gewebe, aus der Gruppe der Reservemusterungen: Vor dem Weben

Ikat: Schultertuch, seidener Schuß-I. aus Palembang, Sumatra, um 1900 (Köln, Rautenstrauch-Joest-Museum)

werden die Kett- oder Schußfäden oder beide an den nicht zu färbenden Stellen gebunden (ikat) und in Farbe getaucht. Zentren der I.-Technik: S-, SO-, O-Asien, W-Afrika, Mallorca.

Ike no Taiga, japan. Maler, *1723, †1776; mit BUSON Pionier und Hauptvertreter der →Literatenmalerei. Durch elegante Leichtigkeit in der Darstellung und ungekünstelte Pinselführung hatte er auch in der Kalligraphie Bedeutung.

Ikone [grch. eikon ›Bild‹, ›Abbild‹] *die,* das Kultbild der Ostkirchen. Seine theolog. Begründung geht auf den →Bilderstreit zurück. Nach einem Schema sind die I. an der →Ikonostase angebracht. Auf dem Pult (Proskynetarion) in der Mitte der Kirche wird jeweils die I. des Tagesheiligen oder -festes ausgelegt. In orthodoxen Häusern finden sich I. als private Andachtsbilder. (→ Bilderverehrung)

Die Anfänge der I.-Malerei stehen wohl in der Tradition der spätantiken Porträtmalerei, v. a. Ägyptens. Die frühesten erh. I. (5.–7. Jh.) sind neben den koptischen die Sinai-I. (Katharinenkloster), die meist in enkaust. Technik hergestellt waren. Trotz ihres hieratisch-strengen Stils, der sich im Anschluß an den Bilderstreit herausbildete, lassen sie oft ein Nachleben des spätantiken Illusionismus erkennen. Aus der Verehrung als geoffenbarte Abbilder göttl. Gestalten und Ereignisse ergab sich ihre abstrakte, flächengebundene Formsprache und das jahrhundertelange Festhalten an den überlieferten Vorbildern, von denen mehrere als →Acheiropoieta (›nicht von Händen gemacht‹) galten. Urspr. durften I. nur von Priestern hergestellt werden; Farben und Materialien waren genau festgelegt.

Die Darstellung von Maria mit dem Kind, die zur beherrschenden I. der Ostkirche wurde, führte man auf jenes Bild zurück, das der Apostel Lukas, der Schutzpatron der Maler, von der Gottesmutter gemalt haben soll.

I. wurden meist auf Holz, das mit einem Malgrund bedeckt war, mit Mineralfarben (Eitempera) gemalt und mit einem Schutzfirnis aus gekochtem Leinöl überzogen. Für die Darstellung der göttl. Personen, des Zyklus der 12 Feste (Verkündigung, Geburt Christi, Darstellung im Tempel, Taufe Christi, Verklärung, Erwekkung des Lazarus, Einzug in Jerusalem, Kreuzigung, Christus in der Vorhölle, Himmelfahrt, Pfingsten, Entschlafen Mariä) und einzelner Heiliger bildete sich ein fester Kanon heraus. Dieser wurde bei den göttl. Personen mit besonderer Strenge beibehalten, während die Darstellung der Szenen stärker von der Entwicklung der Wand- und Buchmalerei beeinflußt wurde.

Durch die Zerstörungen der Türkenzeit (1453 Fall Konstantinopels) haben sich auf dem Balkan nur wenige ma. I. erh. Der geringe Denkmälerbestand erschwert es, byzantin. I. von serb. oder bulgar. zu unterscheiden. Aus der Zeit der makedon. Dynastie (867–1056) sind kaum I. bekannt. I. der Komnenen-Zeit (1056–1204) finden sich v. a. in Rußland, teils von grch., teils von russ. Meistern im Anschluß an grch.-byzantin. Vorbilder geschaffen. Am eindeutigsten byzantinisch sind die kostbaren, in Konstantinopel entstandenen Mosaik-I. des 12.–14. Jh., die als Geschenke an Klöster und Fürstenhöfe gelangten (Christusbilder in Berlin und Florenz; Diptychon mit den 12 Festen in Florenz; I. in Athos, in Athen, Paris, Berlin, Leningrad u. a.). Aus der beginnenden Paläologen-Zeit (um 1300) sind v. a. in Ohrid einige I. vorhanden, die eine neue Intensität relig. Empfindens ankündigen. Den visionären Stil der späteren Paläologen-Zeit (Ende 14. Jh.) verkörpern bes. die I., die dem in Rußland tätigen →Theophanes dem Griechen zugeschrieben werden.

Im östl. Mittelmeergebiet (Kreta, Zypern, Athos, Venedig) bildete sich nach der Eroberung des Balkans durch die Türken ein gräko-ital. Mischstil heraus. Ungebrochen entwickelte sich die I.-Kunst in Rußland. Im 14. und 15. Jh. entstand in Nowgorod, das wie Pleskau (Pskow) von Mongoleneinfällen verschont blieb, ein eigener Stil. Charakteristisch für Nowgoroder I. sind

Ikone: LINKS UNTEN Andrej Rubljow: Die Dreifaltigkeit; 1411 (Moskau, Tretjakow-Galerie). RECHTS UNTEN Der ungläubige Thomas; 14./15. Jh. (Zagreb, Kunstmuseum)

Ikone: Thronende Muttergottes mit Engeln, am Rahmen Evangelienszenen und Heilige; Ende des 16. Jh. (Athen, Benaki-Museum)

leuchtende Farben; Ocker und Zinnober geben ein warmes Kolorit, mit kräftigen Pinselstrichen sind die Linien sicher und beherrschend gemalt. Neben Nowgorod entstanden hervorragende Malerschulen v.a. in Susdal, Pleskau, Jaroslawl, Twer, Smolensk und Rjasan. In den Susdaler I. herrschen i. Ggs. zu den Nowgoroder I. kühle, bläuliche und silbrige Töne vor. Die Farbigkeit der Pleskauer I. ist gewöhnlich dunkel und beschränkt sich auf 3 Töne: Rot, Braun und Dunkelgrün, manchmal auch nur auf 2: Rotorange und Grün. Lichter werden mit Gold als parallele oder auseinandergehende Striche gemalt.

Als die Moskauer Großfürsten nach 1380 ihre Vormachtstellung ausbauten, zogen die Ikonen- und Buchmaler von Wladimir und Susdal an den Moskauer Hof. Noch vor 1395 kam THEOPHANES DER GRIECHE; etwa seit 1405 steht sein Schüler A. RUBLJOW an der Spitze einer Schule von Ikonen- und Freskenmalern, die leuchtende Farben, transparentes Licht und fein geführte Linien bevorzugen. In Moskau wurde die von Rubljow begonnene Tradition von DIONISSIJ und seinen Söhnen fortgesetzt und zu einer profaneren Behandlung relig. Themen erweitert, scharfe, klare Farben und Formen, Grazie und eine gewisse Eleganz kennzeichnen I. und Fresken. Von Moskau greift die neue Bewegung auch auf das seit 1478 von ihm abhängige Nowgorod, auf Twer und Jaroslawl über. Hier entstehen Ende 16. Jh. v. a. kleinformatige Haus-I. mit vielen minutiösen, subtil gemalten Szenen und feingliedrigen, schlanken Figuren in graziöser Gestik. Um den enormen Bedarf an I. befriedigen zu können, richteten die Zaren um die Mitte des 16. Jh. Ateliers für I.-Maler ein (›Zarenwerkstätte‹). Ihre größte künstler. Bedeutung erreichten sie zur Zeit BORIS GODUNOWS. Prunkvolle großformatige Tafeln und vielfigurige Szenen, reich vergoldet, werden bevorzugt. Diese Stilrichtung erlebte unter S. USCHAKOW ihren Höhepunkt. Die Malerwerkstätten der Nowgoroder Kaufmannsfamilie der STROGANOWS machten eine ähnl. Entwicklung durch. Um die unter abendländ. Einfluß vermehrt aufkommenden realist. und illusionist. Elemente zurückzudrängen, wurden mehrfach Musterbücher (russ. ›Podlinniki‹) der alten Bildtypen angelegt und die Maler zur Nachahmung der alten Vorbilder angehalten (z. B. Stoglaw-Konzil 1551). Zu diesem Zweck legten die Stroganows auch die ersten I.-Samml. Rußlands an. Durch die Massenproduktion der folgenden Jh. wurde der urspr. Charakter der I. immer mehr verändert, teils durch Aufnahme neuer Stoffe (Apokalypse, märchenhafte Legenden, moralisierende I.), teils durch den Einbruch abendländ. Bildauffassung und Wucherung des Details. Häufig wurden die I. mit prunkvollen Verkleidungen (russ. ›Risa‹ oder ›Oklad‹) aus Edelmetall bedeckt, die nur Gesicht und Hände frei ließen. I. gab es auch in Email oder Stickerei. Die I. der Altgläubigen blieben stärker der Tradition verhaftet. Durch Erlaß PETERS I. von 1707 wurden die Zarenwerkstätten aufgelöst und die Trennung der kirchl. und weltl. Malerei durchgesetzt. Die Herstellung von I. erfolgte nun in Klosterwerkstätten von Malermönchen. Gegen Ende des 17. Jh. bildeten sich im Gouvernement Wladimir neue Zentren der I.-Malerei in den 3 Dörfern Palech, Mstera und Choluj.

Zu Beginn des 20. Jh. wurden die künstler. Werte unter dem Einfluß der modernen Kunstrichtungen wieder entdeckt. Durch Weltkriege und Emigrationen gelangten I. in größerer Zahl auch in westeurop. und amerikan. Sammlungen. Seit 1955 gibt es ein I.-Mus. in Recklinghausen.

Frühe russ. I.-Malerei, hg. v. V. LASAREFF (1961); K. ONASCH: Die I.-Malerei (1968); H. SKROBUCHA: I. aus der Tschechoslowakei (1971); Die I.-Malerei – Technik u. Vorzeichnungen, hg. v. dems. (1978); ders.: Die Welt der I. (1980); W. FELICETTI-LIEBENFELS: Gesch. der russ. I.-Malerei (1972); M. ALPATOW: Early Russian Icon painting (Moskau 1974); K. WEITZMANN: Die I., Bildkunst der Ostkirche vom 6.–14. Jh. (1978); I., hg. v. K. WESSEL u. H. BRENSKE (1980); H. BELTING: Das Bild und sein Publikum im MA., Form und Funktion früher Bildtafeln der Passion (1981).

Ikonographie [grch. ›Bildbeschreibung‹], urspr. die Wiss. der Bestimmung von antiken Porträtdarstellungen. Als ihr Begründer gilt F. URSINUS, bes. erfolgreich war J. BERNOULLI. In der 2. H. des 19. Jh. wurde sie ein Zweig der Kunstgeschichte. Sie befaßt sich mit der Erforschung und Deutung der Bildgegenstände zunächst der alten und ma. christl. Kunst, die einen ausgesprochen didakt. Sinn hat und von theolog. Gedankenbildern getragen wird. Die Quellen der Forschung sind die relig. Literatur der Zeit und die in der christl. Zeit weiterwirkenden Schriften der Antike: A. T. und N. T., Apokryphen, liturg. Dichtung, Homilien, Relevationen, Visionen und z. B. der →Physiologus. Die I. beschäftigt sich heute sowohl mit den antikischen Themen der nachmittelalterl. Zeit als auch mit profanen Gegenständen.

J. BERNOULLI: Röm. I., 4 Bde. (1882–94); H. AURENHAMMER: Lex. der christl. I. (1959 ff.); Lex. der christl. I., hg. v. E. KIRSCHBAUM, 8 Bde. (1968–76); J. BIAŁOSTOCKI: Stil und I. (Tb. 1981).

Ikonoklasmus, Ikonomachie [grch. ›Bilderzerstörung‹, ›Bilderbekämpfung‹], urspr. der →Bilderstreit des 8./9. Jh. I. Ggs. dazu steht die Ikonodulie, der Bilderdienst (→Bilderverehrung).

Ikonologie [grch. ›Bildkunde‹], urspr. die wissenschaftl. Betrachtungsweise und Erklärung der Zusammenhänge von Inhalten in Werken der bildenden Kunst. Grundlage hierfür ist die →Ikonographie, die die Einzelheiten erkennend beschreibt und inhaltlich erklärt. – Im heutigen Sprachgebrauch bezeichnet I. auch die übergeordnete Idee selbst, die sich aus den ikonograph. Einzelheiten eines Kunstwerkes ergibt (z. B. der Vanitas-Gedanke in einem Stilleben). Auch Bauwerke mit den in Zusammenhang mit ihr entstandenen Kunstwerken können eine I. widerspiegeln (z. B. die Kathedrale als Himmlisches Jerusalem).

G. Bandmann: Ma. Architektur als Bedeutungsträger ([6]1979); E. Panofsky: Studien zur I. (a. d. Amerikan., 1980).

Ikonostase [grch. ›Bilderwand‹] *die,* in orthodoxen Kirchen eine mit →Ikonen geschmückte Wand mit 3 Türen (Hl. Pforte zum Altar, N- und S-Tür), die den Altarraum (grch. Hierateion ›Heiligtum‹) vom übrigen Kirchenraum (grch. Naos) trennt. Die Höhe der I. ist unterschiedlich. Sie wird im grch. Raum Templon genannt und weicht hier in ihrem Aufbau oft von der vielreihigen Bilderwand in Rußland ab.

Ausgangsform der I. sind die Schranken des Presbyteriums in frühchristl. und frühbyzantin. Kirchen, die aus von einem Architrav überdeckten Säulen bestehen und unten durch eine Brüstung abgeschlossen waren. Aus ihnen entwickelte sich im Abendland der →Lettner. Die Ostkirche beschränkte sich hingegen seit dem Bilderstreit fast ganz auf den flächigen Schmuck dieses architekton. Gebildes durch Ikonen. Ihre reichste Ausgestaltung fand die I. im Rußland des 15. Jh.; sie beherrschte hier den Kirchenraum in ähnl. Weise wie der Flügelaltar den Kirchenraum im Abendland. Seitdem die →Deesis im Mittelpunkt des ikonograph. Programms stand (seit dem 14. Jh.), scheint sich die Ausbildung der großen I. um 1400 in Moskau im Kreis um A. Rubljow vollzogen zu haben. Die Deesis erweiterte sich nun zur fürbittenden Versammlung der Kirche (Erzengel, Apostel, Kirchenväter und Märtyrer). Darüber folgten die Reihen der Feste der Propheten und der Vorväter. Die Mitteltür (russ. zarskije worota ›Königstor‹) zeigte die Bilder der Evangelisten und im Bogenfeld die Verkündigung, darüber die Eucharistie. Rechts von der Mitteltür hing die Ikone Christi oder des Kirchenheiligen (›Örtl. Ikone‹), links die der Gottesgebärerin. Neben den großen I. gab es kleine tragbare für Andachtszwecke. – Seit dem 17. Jh. trat unter abendländ. Einfluß das architektonisch-plast. Element der I. wieder stärker hervor. Auf z. T. riesige Barock-I. (etwa Smolensk, Uspenskij-Kathedrale, 1730–40) folgten I. im Stil des Rokoko und Klassizismus. Eine ähnl. Entwicklung vollzog sich auf dem Balkan und im Raum des östl. Mittelmeeres; hier hatte sich das plast. Element (Holzschnitzereien) neben der Malerei behauptet.

Lit.: →Ikone, →byzantinische Kunst.

Ikshvaku-Dynastie, ind. Dynastie des 3.–4. Jh. in O-Andhra, die als Nachfolger der Satavahanas die buddhist. Kunst in Nagarjunikonda förderte (Spätstil der Andhra-Kunst).

Iktinos, einer der größten Architekten des antiken Griechenland, erbaute mit KALLIKRATES 447–432 v. Chr. den Parthenon, entwarf das Telesterion in Eleusis und den Apollon-Tempel in Bassai. Erfinder des attischen Mischstils (Verwendung dor., att. und kyklad. Bauformen), bed. v. a. für die Entwicklung der Innenraumarchitektur.

Ilbenstadt, Teil der Stadt Niddatal in der südl. Wetterau, Hessen, mit ehem. Prämonstratenserabtei (1123 gegr.); roman. Klosterkirche (1159 gew.) mit mächtiger Doppelturmfassade, spätgot. Gewölbe und reicher Barockausstattung; barocke Abteigebäude (1707–15).

Ilchane, Ilkhane [türk. ›Stammesfürsten‹], mongol. Dynastie im Iran seit 1256, urspr. Buddhisten, seit etwa 1300 sunnit. Muslime; I. brachten die von ihnen beherrschten Länder Iran, Mesopotamien und Teile Kleinasiens wieder zu wirtschaftl. Wohlstand. Seit 1335 rieben sie sich in Bürgerkriegen auf. – Über die künstler. Leistungen unter den I. →islamische Kunst.

Ilische Tafeln [n. der Ilias], kleine, beidseitig skulptierte und mit Inschriften versehene Relieftafeln, wohl aus der frühen röm. Kaiserzeit stammend (17 Exemplare erh.); sie stellen Szenen aus Ilias, Odyssee u. a. Sagen und Mythen dar; ihr Verwendungszweck (Unterricht?, Votivgaben?) ist nicht geklärt.

Illescas [iʎ'eskas], span. Städtchen (rd. 3000 Ew.) nordöstlich von Toledo; Pfarrkirche im gotisch geprägten Mudéjar-Stil (13./14. Jh.); in der Kirche (16. Jh.) des Hospitals de la Caridad 5 Gemälde EL GRECOS, u. a. ›Vision des Hl. Ildefonso‹ (1600–04).

Illuminieren [lat.], das Herstellen von →Buchmalereien (Illuminationen, illuminierte Hss.); davon abgeleitet Illuminator (Buchmaler). – Bis ins 19. Jh. gebräuchl. Bez. für das →Kolorieren von Druckgraphik.

Illusionismus, Darstellungsweise in der Malerei, die eine täuschende Nachahmung der Wirklichkeit zu erreichen sucht. Mittels →Perspektive, Farbgebung, Licht- und Schattenverteilung wird eine Plastizität der einzelnen Gegenstände, Körper und des Raums geschaffen, die eine dreidimensionale opt. Wirkung auf einer zweidimensionalen Malfläche erzeugt. Seit der Antike galt der I. als besonderer Beweis künstler. Könnens und erlebte v. a. in der Kunst von Renaissance, Barock und Rokoko Höhepunkte (→Trompe l'œil, →Deckenmalerei).

Illustration [lat.], →Buchillustration.

Ilmenau, Kreisstadt im Bez. Suhl, Dt. Dem. Rep., 23 300 Ew. Die einschiffige, im Kern spätgot. Stadtkirche (1603, nach Brand 1752 wiederhergestellt) birgt einen reichen Kanzelaltar (um 1760). Bauten der Renaissance: Schloß (ehem. Amtshaus, 1616) und Rathaus (1625, nach Brand 1752 wiederaufgebaut). Im Heimat-

Mus. u.a. Porzellan der **Ilmenauer Manufaktur** (1777 gegr.), die heute noch besteht. Die Produkte zeigten in der Frühzeit Einflüsse von Meißen; um 1800 (Blütezeit des Unternehmens) wurde hier Ware im Stil von Wedgwood produziert.

Ilsenburg, Stadt am N-Rand des Harzes, an der Ilse, Dt. Dem. Rep., 7800 Ew., mit ehem. Benediktinerkloster. Roman. Kirche (1078–87), urspr. dreischiffig, im 16. Jh. stark verändert; im Mittelschiff Reste des Estrichs mit eingeritzten Zeichnungen. Vom Kloster sind der Ostflügel mit Sakristei, Kapitelsaal und Dormitorium sowie der Südflügel mit Refektorium erh.

Imago [lat. ›Bild‹] *die, Mz.* **Imagines,** Bild, Bildnis; **Imagines maiorum,** bei den Römern die aus Wachs gefertigten Gesichtsmasken der Ahnen, die im Atrium des Hauses aufbewahrt und bei Bestattungsfeiern in Erinnerung an ihre um den Staat verdienten Vorfahren mitgetragen wurden; **Imago clipeata,** Bildnis- oder Götterkopf auf dem Rundschild der Römer.

Imai, einer der besterhaltenen alten Orte Japans, etwa 30 km südlich von Nara; 1560 als Siedlung einer buddhist. Sekte zum Schutz vor militär. Angriffen entstanden, ist I. charakterisiert durch Wassergräben, Befestigungsmauer, T-förmige Straßenkreuzungen; histor. Handwerkerhäuser.

Imamkulu, Ort in Kappadokien, rd. 70 km südöstlich von Kayseri, Türkei; in seiner Nähe ein Felsblock mit hethit. Relief der Großreichszeit (etwa 1500–1200 v. Chr.). Die mytholog. Darstellung zeigt den hethit. Wettergott im Wagen über gestürzten Berggöttern, vor ihm eine Göttin im Mantel, hinter ihm ein Prinz.

Imari-Porzellan, das japan. →Arita-Porzellan, das vom Hafen Imari exportiert wurde. Vor der Export-Zeit (vor 1650) in Arita hergestelltes Porzellan heißt **Shoki-Imari** (›Frühperioden-I.‹). Nach Entwicklung von Überglasur-Emailtechniken (um 1650) entstand u.a. das **Ko-Imari** (›Alt-Imari‹ oder Arita) mit vollem, kräftigem Farbdekor, das von europ. Manufakturen kopiert wurde (›Imari-Dekor‹).

Imbe, Bizen [-z-], einer der ältesten Töpferorte von Japan, östlich von Okayama auf Honshu. Die Qualität des örtl. Tons ist so gut, daß man auf eine Glasur verzichten kann; durch die herumfliegende Asche in den Brennöfen entsteht eine rotbraunschwarze Verkrustung, die sehr geschätzt wird.

Imdugud [sumerisch], akkadisch **Anzu,** der Sturmvogel der sumer. Mythologie, der sowohl dämon. Züge trägt (er raubte die Schicksalstafeln) als auch apotropäische Eigenschaften (Schutz der Tiere) hat. Ikonographisch wurde er seit etwa 3000 v. Chr. bis zum Beginn des 2. Jahrtsd. v. Chr. als löwenköpfiger Adler mit ausgebreiteten Schwingen dargestellt.

Imervard-Kreuz, überlebensgroßer Holzkruzifixus, HW der dt. Hochromanik (nach 1173), Stiftung HEINRICHS DES LÖWEN (Braunschweig, Dom). Der Künstler IMERVARD (auf den Gürtelenden Christi die lat. Signatur: Imervard me fecit, ›Imervard hat mich gemacht‹) ist sonst nicht nachweisbar und findet in Dtl. auch keine

Imhotep,
als lesender Weiser,
Bronzestatuette
(Berlin-Ost, Staatl. Museen)

stilist. Parallelen. Christus erscheint im langen Gewand, im Typus des byzant. Gekreuzigten, des →Volto Santo in Lucca (Italien), und ist von großer Strenge und ungewöhnlich klaren und einprägsamen Formen.

Die Zeit der Staufer, Ausst.-Kat., Stuttgart (1977); R. BUDDE: Dt. roman. Skulptur 1050–1250 (1979).

Imhotep [ägypt.], grch. **Imuthes,** ägypt. Baumeister, Arzt, Schriftsteller, Ratgeber des Königs DJOSER (um 2600 v. Chr.), erbaute die Stufenpyramide von Sakkara und die in ihrem Bezirk gelegenen Tempel. In grch. Zeit wurde I. in Memphis und Theben als Gott der Heilkunst verehrt und galt als Sohn des Ptah. Er wird dargestellt als kahlköpfiger Priester, der in einer Papyrusrolle liest. (BILD S. 311)

IMI, Pseudonym des Künstlers →Knoebel.

Immendorff, Jörg, Maler und Plastiker, *Bleckede bei Lüneburg 14. 6. 1945, nahm 1964–66 an Aktionen seines Lehrers J. BEUYS in Düsseldorf teil. I. kritisiert mit seinen scheinbar naiven Bildern, Zeichnungen und bunt bemalten Plastiken Gesellschaft, Politik und Kunstbetrieb.

Imola, ital. Stadt und Bischofssitz in der Prov. Bologna, 59 700 Ew.; Dom S. Cassiano (urspr. 12./13. Jh.; 1781 neu gestaltet; Fassade 1849), Chiesa del Suffragio (1585), S. Agostino (18. Jh.) u. a. Kirchen; mehrere Paläste, u. a. Palazzo Comunale (12. Jh.; mehrfach verändert; Fassade 18. Jh.), Sersanti (15. Jh.; Fassade mit Backsteinornamentik), Vescovile (12. Jh.; mehrfach verändert; mit Diözesan-Mus.). Im ehem. Franziskanerkloster Gemäldesamml. und Bibliothek. Im W von I. Festungsbau des 13./14. Jh. (1499 verstärkt).

Impasto [ital.], Maltechnik: dicker, pastiger (pastoser) Farbauftrag. Das schattenbildende Relief des I. ist seit seiner Entdeckung durch die Venetianer des 16. Jh. künstler. Ausdrucksmittel.

Impasto-Keramik [ital.], vorgeschichtl. grobe, oft grau- bis braunschwarze Tonware Mittelitaliens mit geritzten oder flächig eingetieften (›geschabten‹) Ornamenten. Die I.-K. wurde in Etrurien im 7. Jh. v. Chr. vom →Bucchero abgelöst; Pithoi aus rotem Impasto wurden bis ins 6. Jh. v. Chr. in S-Etrurien hergestellt.

Impluvium [lat.], rechtwinklige Vertiefung im Fußboden des röm. →Atriums als Sammelbecken des Regenwassers, das durch die Dachöffnung (Compluvium) einströmte.

Impressionismus [frz. impression ›Eindruck‹], Stilrichtung der modernen Kunst, in der bes. Licht- und Farbeindrücke zur Geltung kommen.

Der I. kam zw. 1860 und 1870 in der frz. Malerei auf. Die in diesem Jahrzehnt v. a. in Paris und Umgebung lebenden Künstler C. MONET, É. MANET, BERTHE MORISOT, E. DEGAS, A. RENOIR, zu deren Kreis auch C. PISSARRO, A. GUILLAUMIN, P. CÉZANNE, A. SISLEY und F. BAZILLE gezählt werden, versuchten, die konventionelle, das Inhaltliche betonende Atelierkunst mit ihrer willkürl. Beleuchtung und dunklen Tonigkeit der Farbe zu überwinden. Sie stellten bes. Motive des tägl. Lebens, Stadtszenen und Landschaften in hellem natürl.

Impressionismus: Auguste Rodin, ›Balzac‹; 1898 (Paris, Musée d'Orsay)

Impressionismus: Claude Monet, ›Felder im Frühling‹; 1887 (Stuttgart, Staatsgalerie)

Licht dar; atmosphär. Stimmungen fanden v. a. neuen Anklang (→Freilichtmalerei). Unter dem Einfluß japan. Holzschnitte (→Japonismus 2) wurde auf eine einheitl. Perspektive verzichtet. Die Wirklichkeit wurde in ihrer Farbenvielfalt, ihren farbigen Schatten, in heller Palette und die Form auflösender Malweise erfaßt, vielfach in unvermischt nebeneinander gesetzten, die Luftperspektive aufhebenden Farbflecken, die erst aus dem räuml. Abstand des Betrachters gegenständl. Wirkungen ergeben. Die maler. Vorstellung beherrscht

Impressionismus: Edgar Degas, ›Ballettprobe‹; 1887/90 (Kopenhagen, Ny Carlsberg Glyptothek)

Impressionismus: Alfred Sisley, ›Schnee in Louvecienne‹, 1874 (Washington, Phillips Collection)

auch die Zeichenkunst und Druckgraphik. Um die Wiedergabe des opt. Eindrucks in seiner Augenblickswirkung bemüht, seinem Wesen nach unarchitektonisch und ohne Einfluß auf die Baukunst, ist der I. die höchste Entwicklungsstufe des Realismus, in der die Wirklichkeit als subjektive Wahrnehmung gemalt wird.

Die Bilder der Maler dieser neuen Richtung wurden zunächst zum großen Teil von der Jury des →Salons zurückgewiesen. É. Manet konnte sein ›Frühstück im Freien‹ (BILD É. Manet) 1863 im ›Salon des Refusés‹zeigen, seine ›Olympia‹ verursachte 1865 im Salon einen Skandal. Auf Anregung des Kunsthändlers P. DURAND-RUEL kam es 1874 zu der ersten gemeinsamen Ausstellung, der nur É. Manet, der auf offiziellen Erfolg im Salon hoffte, fernblieb, im Atelier des Photographen NADAR (eigtl. Félix Tournachon). Hier wurde C. Monets Landschaft ›Impression, soleil levant‹, 1872 (Paris, Musée Marmottan) gezeigt, die der Richtung nun den Namen ›I.‹ gab. C. Monet war um die Wiedergabe des opt. Eindrucks in seiner Augenblickswirkung bemüht und kam damit zu einer mehr andeutenden als ausführenden Form. Impressionist. Tendenzen waren bereits vorher in der Malerei zu beobachten, z. B. bei D. R. VELÁZQUEZ, F. HALS, F. DE GOYA, W. TURNER, J. CONSTABLE, F. V. RAYSKI. Doch erst É. Manet, C. Monet, C. Pissarro, A. Sisley, Berthe Morisot, A. Renoir und F. Degas entwickelten, die Leistungen der Schule von →Barbizon, G. COURBETS, E. BOUDINS und J. B. JONGKINDS weiterführend, den I. zum Zeitstil.

A. RODIN und auch E. Degas übertrugen die Prinzipien des I. auf die Plastik, indem sie die Oberflächen ihrer Bildwerke auflockerten und die feste Form durch das Spiel von Licht und Schatten malerisch gestalteten.

Impressionismus: Max Liebermann, ›Der Hof des Waisenhauses in Amsterdam‹; 1881/82 (Frankfurt am Main, Städelsches Kunstinstitut)

Dem I. folgte in Frankreich der →Neoimpressionismus (Pointillismus), den G. SEURAT nach 1885 vertrat. Nicht ohne Proteste setzte sich der I. mehr oder weniger in allen europ. Ländern durch. In Dtl., wo er durch K. BLECHEN, J. C. DAHL und A. v. MENZEL vorbereitet war, stieß er wegen seiner Gleichgültigkeit gegenüber dem Gegenstand (Fehde zw. M. LIEBERMANN und H. THOMA), seiner Beschränkung auf den Eindruck und wegen seiner radikalen Modernität auf leidenschaftl. Ablehnung. Führende Impressionisten in Dtl. waren der frühe W. LEIBL, L. GRAF VON KALCKREUTH, F. v. UHDE, W. TRÜBNER, L. CORINTH, M. SLEVOGT, R. STERL; in Dänemark P. S. KRØYER und V. HAMMERSHØI, in Norwegen F. THAULOW, in England W. SICKERT und der Amerikaner J. WHISTLER, in Schweden A. ZORN, in Italien A. SPADINI und der Bildhauer M. ROSSO, in den USA W. HOMER, T. EAKINS, C. HASSAN und MARY CASSATT (Weitere BILDER Mary Cassat, E. Degas, A. v. Menzel, C. Monet, Berthe Morisot, C. Pissarro, A. Renoir, M. Rosso, M. Slevogt, J. Whistler)

Viele bed. Werke des I., die bis 1986 im Jeu de Paume, aber auch im Musée de l'Orangerie, im Louvre (Paris) und in anderen frz. Museen untergebracht waren, sind jetzt zum großen Teil im Musée d'Orsay (→Orsay) in Paris ausgestellt.

H. KELLER: Die Kunst des frz. I. (1975); ders.: Aquarelle und Zeichnungen der frz. Impressionisten ...(1980); J. REWALD: Die Geschichte des I. (^{3}1979).

Imprimitur, Primatura [ital.], Maltechnik: gleichmäßige oder strukturierte Einfärbung des weißen Malgrundes. Die I. reguliert die Saugfähigkeit der Grundierung (→Lösche). Ihre eigtl. Aufgabe ist jedoch, das Kolorit und die Transparenz der Malerei zu beeinflussen.

Impruneta, Gem. südlich von Florenz, Italien, 11000 Ew. In der Basilika S. Maria dell'I. (urspr.

Indianer: Federzepter der Munduruku oder Mauhe (München, Staatl. Museum für Völkerkunde)

11. Jh., im 14. und 15. Jh. erneuert) 2 Aedicula-Tempelchen von MICHELOZZO an beiden Seiten des Chores, ausgestattet mit Majolikaarbeiten von L. DELLA ROBBIA.

Inandık, Ort in Zentralanatolien, rd. 40 km südlich von Çankırı, Türkei. Bei den Resten eines althethit. Tempels (um 1600 v. Chr.) wurden u. a. ein Reliefgefäß des aus →Bitik bekannten Typs, ein Stierrhyton und eine Schenkungsurkunde in hethit. Sprache gefunden.

Inari, japan. Reisgottheit, im MA. dem Fuchs gleichgesetzt, der als Reisbringer galt; auch als Gott des Wohlstandes verehrt. Es gibt heute etwa 40000 I.-Schreine mit Fuchsstatuen.

inc., Abk. für **incidit** [lat. ›hat gestochen‹], steht auf Kupferstichen hinter dem Namen des Stechers.

Indanthrenfarbstoff, geschützte Qualitätsbez. für bes. beständige →Teerfarben zur Textilfärbung. **Indanthrenblau,** ältester I., 1901 erfunden.

Indersdorf, ehem. Augustiner-Chorherrenstift (um 1126 gegr.) im Kr. Dachau, Oberbayern; die roman. Kirche wurde 1754/55 durch F. X. FEUCHTMAYER und M. GÜNTHER umgestaltet und gilt als eine der gelungensten Barockisierungen ma. Architektur überhaupt.

Indiana [ɪndɪ'ænə], Robert, eigtl. R. **Clark** [klɑːk], amerikan. Maler, Graphiker, *New Castle (Indiana) 13. 9. 1928, lebt in New York. Sein Werk wird durch die kolorist. Vergegenwärtigung vorgeprägter Zeichen (Zahlen, Buchstaben, Verkehrszeichen) bestimmt.

Indianer. Die vielfältigen künstler. Ausdrucksformen der Ureinwohner Amerikas und ihrer Nachkommen haben sich in Mexiko und Zentralamerika (→Mesoamerikanische Hochkulturen) sowie im W Südamerikas (→Andine Hochkulturen) zu beeindruckenden

Indianer: Effigy Mounds; Erdwall in Form einer Schlange, mehr als 400 m lang, etwa 1 m hoch (rd. 100 km östlich von Cincinnati, Ohio, USA)

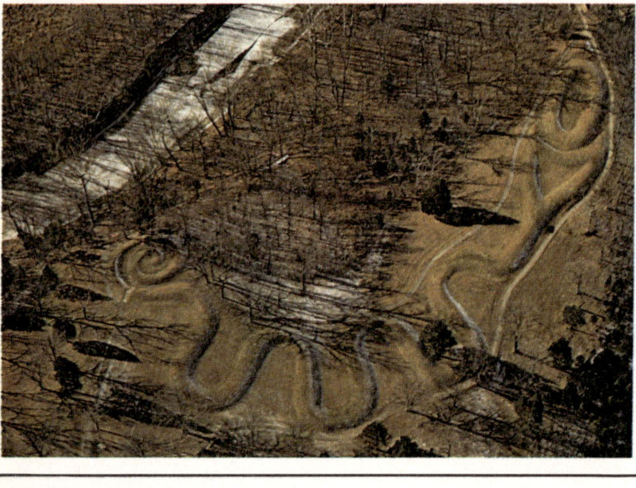

Hochkulturen entwickelt, die durch die span. Eroberer vernichtet wurden oder bei deren Ankunft schon untergegangen waren.

In Nordamerika gab es schon in vorgeschichtl. Zeit entwickelte Kulturen, so im SW die Anasazi-Kultur (seit etwa 200 v. Chr.), die in künstler. Hinsicht in ihrer ältesten Phase (Basketmaker-Kultur) charakterisiert ist durch Schwarz-auf-Weiß-Keramik und Korbflechtwaren; in ihrer jüngeren Phase (Pueblo-Kultur) ab 700 n. Chr. u. a. durch hochentwickelte (polychrome) Keramik, mehrstöckige Wohnanlagen (→Mesa Verde, →Chaco Canyon National Monument) und Wandmalereien in den Kivas. Die heutigen Pueblo-Indianer (Hopi, Zuni und Rio Grande Pueblos) sind Nachkommen dieser Tradition. In der Mogollon-Kultur (SW-New Mexico) findet sich um 100 n. Chr. die früheste Keramik des SW, die in der Mimbres-Tonware (11. und 12. Jh.) mit geometr. oder szenisch-figürl. Bemalung (schwarz auf weißem Grund) einen künstler. Höhepunkt erreicht (BILD Mimbres). Die Hohokam-Kultur, deren Nachfahren Pima und Papago sind, stellte Tonfigürchen, bemalte Keramik (rot auf ocker), kleine Steinskulpturen und Muschelschmuck her.

Im O und Mittelwesten der USA ist die Hopewell-Kultur (etwa 200 v. Chr. bis 400 n. Chr.) gekennzeichnet durch Erdhügel- und Erdwallanlagen (Mounds), z. T. in Form von geometr. Mustern oder Tieren (→Effi-

Indianer: OBEN geflochtenes Körbchen, mit Federn und Perlmuttscheiben verziert, Pomo; UNTEN Mokkasins aus Leder, mit Stachelschweinborsten, Elchhaar und Perlen verziert, Irokesen (beides New York, Brooklyn-Museum)

Indianer: Wampum-Gürtel der Algonkin, Längsfäden aus Leder, Länge (ohne Fransen) 60 cm (Wien, Museum für Völkerkunde)

gy Mounds). Sie enthielten Bestattungen mit reichen Beigaben, z. B. hervorragend gearbeiteten Gegenständen aus Metall (Schmuckstücke aus Silber, Kupfer, Meteoreisen), Stein (figürl. Pfeifen, Statuetten) und Ton (schön verzierte Gefäße); größere Erdwallanlagen dienten als Einfriedungen sakraler Bezirke. Die zeitlich anschließende Mississippi-Kultur, in denen die Hügel als Tempelbasen dienten, zeigt in ihren kunstvoll gestalteten Schmuck-, Kult- und Gebrauchsgegenständen (Figurengefäße, gravierte und durchbrochene Muschelscheiben u. a.) Einflüsse aus Mesoamerika.

Aus histor. Zeit gehört zu den eindrucksvollsten künstler. Leistungen die Schnitzkunst der →Nordwestküsten-Indianer, die in miniaturhaft kleinen Amuletten aus Walroßzahn wie in monumentalen geschnitzten Pfählen oder in großen Masken und Figuren aus Holz ihr großes Talent überliefert haben und heute wieder an diese alte Tradition anknüpfen. Erwähnenswerte Holzmasken gibt es sonst nur noch bei den Irokesen, bes. die grotesken →Masken ihrer ›False Face Society‹ (Falschgesichter-Bund), eines Geheimbundes.

Die Stämme des östl. Waldlands bis nach Labrador teilten die Vorliebe für farbenfrohe Gewänder mit den Prärie- und Plains-Indianern. Diese haben ihre Zeremonial-Kleidung zu farbigen Kunstwerken gemacht. Sie bemalten Leder und verwendeten zur Verzierung urspr. Fruchtkerne, Muscheln und v. a. bunt eingefärbte, platt gedrückte Stachelschweinborsten (→Quillwork). Die von den Europäern eingeführten Glasperlen haben ihre Kunst eher bereichert; sie behielten bei deren Verwendung ihre alten Motive, bevorzugt geometr. Ornamente, und ihren ausgezeichneten Sinn für Farben bei (→Perlarbeiten). Die Vorliebe der Waldland-Indianer für kurvenförmige Muster begünstigte die Übernahme europ. Blumenornamente.

Am besten haben sich alte Traditionen bei den seßhaften Stämmen des SW bewahrt. Beachtlich ist die Töpferei bei den →Pueblo-Indianern, bunt mit geometr. oder figürl. Dekor, in neuerer Zeit auch schwarz poliert. Ihre Masken sind vorwiegend aus Leder und Tuch, sie wirken eher flächig; das Maskenwesen selbst und die damit verbundenen Tänze und Zeremonien sind reich entwickelt (→Kachinas). Neben den noch heute geschnitzten Puppen waren am eindrucksvollsten die hohen hölzernen Kopfaufsätze der Zuni.

Die um 1300 aus dem N in den SW eingewanderten →Navajo haben viel von der Kultur der Pueblo-Indianer übernommen, z. B. Sandmalereien, und diese nicht selten übertroffen. Heute sind sie neben Hopi und Zuni die bedeutendsten indian. Silberschmiede Nordamerikas. Die besten Korbflechter (→Flechtarbeiten) waren neben den Nordwestküsten- die Kaliforn. Indianer; hervorragend sind die farbenprächtig mit Federn verzierten Geschenkkörbchen der Pomo.

In neuerer Zeit wurde in Nordamerika die Kunst der I. auch von weißen Künstlern gefördert und beeinflußt, so u. a. von der Künstlerkolonie von Taos in New Mexico, USA. Initiativen und Impulse gingen auch von den I.-Stämmen selbst sowie von der US-Regierungsbehörde ›Indian Arts and Crafts Board‹ (1934) aus; es wurden Schulen gegr. (u. a. Institute of American Indian Arts in Santa Fe, New Mexico) und junge Talente gefördert. Weltweit finden Ausstellungen indian. Kunstwerke wachsendes Interesse.

Zentralamerika. Die Kunst der indian. Hochkulturen Mesoamerikas hat v. a. in Mexiko und Guatemala vielfältig und nachhaltig zunächst die Kolonialkunst der Spanier, dann auch, bis in die heutige Zeit, Volks- und moderne Kunst beeinflußt. Von den naturvölk. Indianern haben die stark der Tradition verhafteten Huichol in W-Mexiko in jüngster Zeit unter europ. Einfluß begonnen (v. a. für Touristen), kunstvolle Fadenbilder zu fertigen, für die Wollfäden in überlieferten symbol. Mustern mit Wachs oder Harz auf Holztafeln geklebt werden. Auch die applizierten Muster auf den aus modernen Stoffen gefertigten Molas (Frauenblusen) der Cuna in Panama gehen auf alte Mythen zurück.

Westindien. Von den I., die vor der europ. Eroberung die Westind. Inseln bewohnten, sind nur wenige Zeugnisse künstler. Fähigkeiten erhalten, darunter kleine Skulpturen der Taino, geschnitzte Geisterfiguren, aus Holz, Knochen oder Stein gefertigt, die v. a. auf Puerto Rico und Hispaniola gefunden wurden.

Das außerandine Südamerika ist archäologisch noch wenig erforscht. Hervorragende Objekte frühen künstler. Schaffens, v. a. aus dem Gebiet des trop. Waldlands, sind v. a. durch Berichte früher Reisender bekannt. Das gilt für naturalist. Tier- und Dämonen-Masken (aus Rohr geflochten, mit Bast überzogen und bemalt) aus NW-Amazonien und dem oberen Xingu-Gebiet. Hersteller von ausgezeichneten →Federarbeiten waren u. a. die (schon im 17. Jh. untergegangenen) Tupinambá an der Küste Brasiliens und die Mundurukú in Amazonien, von kunstvollen Flechtarbeiten (Korbschalen, Matten, Körbe) die Aruak und Kariben im nördl. Südamerika (v. a. Guayana). Die vielfältig hergestellte Töpferware erreichte einen Höhepunkt in der von →Marajó. An Holzschnitzereien gab es kunstvoll verzierte Zeremonialstäbe, Keulen, aber auch Tierplastiken. Die Malerei war am höchsten entwickelt als Körperbemalung (→Körperschmuck) der trop. Waldland-Indianer. Die alten Fertigkeiten und Techniken der außerandinen südamerikan. Indianer, die in nur noch geringer Zahl überleben und weitgehend akkulturiert sind, finden sich heute nur noch selten.

R. D'HARCOURT: Primitive art of the Americas (Paris 1950); M. COVARRUBIAS: Indian art of Mexico and Central America (New York 1957); Indianer vom Amazonas, Ausst.-Kat., München (1960); G. DÖRNER: Mexikan. Volkskunst (1962); G. HARTMANN: Welt der I., Kunst und Kultur ... (1965); ders.: Brasilian. Tage, Ausst.-Kat., Ingelheim (1970); F. J. DOCKSTADER: Kunst in Amerika, 3 Bde. (1965 bis 1969); DOROTHY DUNN: American Indian painting of the southwest and plains area (Albuquerque 1968); CLARA L. TANNER: Southwest Indian craft arts (Tuscon [2]1968); J. J. BRODY: Indian artists and white patrons (Albuquerque 1971); A. SCHULZE-THULIN: Indian. Malerei in Nordamerika, 1830–1970 (1973); A. H. WHITEFORD: North American Indian arts (New York [2]1973); R.T. COE: Sacred circles. Two thousand years of North American Indian art (London 1976); J. HIGHWATER: Song from the earth. American Indian painting (New York 1976); PATRICIA J. BRODER: Hopi painting (ebd. 1978); W. HABERLAND: Nordamerika ([3]1979); C. FEEST: Native arts of North America (ebd. 1980); A. PANYELLA u. M. RIBALTA: Volkskunst Amerikas (1982).

Indianer: Diagonalgeflecht aus Surinam (Basel, Museum für Völkerkunde)

Indianische Blumen, Blumendekor in der Porzellanmalerei. Die stilisierten, aus ostasiat. Vorlagen entwickelten Blumen wurden im 18. Jh. fälschlich als ›indianisch‹ bezeichnet. Sie wurden von J. G. HÖROLDT in Meißen eingeführt und später von anderen Manufakturen übernommen, u. a. in Straßburg.

Indigo [span. ›indisch‹], Maltechnik: natürl. Pflanzenfarbstoff, der vornehmlich aus versch. trop. Straucharten, aber auch aus dem europ. Waid und dem Färberknöterich gewonnen wird. Als Textilfarbe ist I. schon in Ägypten nachgewiesen; als Malfarbe, bes. für die Buchmalerei, wird er seit dem frühen MA. verwendet; heute weitgehend durch Anilin verdrängt.

indische Kunst, die auf dem ind. Subkontinent mit den heutigen Staaten Indien, Pakistan, Bangladesh und Sri Lanka (ehem. Ceylon) sowie teilweise in den Randregionen Afghanistan und Nepal in mehr als 4 Jahrtsd. entstandene Kunst, die jeweils nach Landschaft, Kulturphase und Religionszugehörigkeit unterschiedene, doch meist miteinander verwandte Werke aufweist. In ihrer Gesamtheit wird die i. K. heute nach rd. 150 Jah-

indische Kunst: OBEN Mahajanaka Jataka (die Legende vom Großkaufmann), Felsmalerei, 6.–7. Jh.; Ajanta, Kloster I. UNTEN Radha und Krishna im Brinda-Hain, Rajput-Miniatur aus Kangra, etwa 1785 (London, Victoria and Albert Museum)

ren archäolog. und kunsthistor. Erforschung zu den bed. Komplexen der Weltkunst gezählt. Von wenigen Ausnahmen abgesehen ist die i. K. religiös bestimmt. Als ihre herausragenden Leistungen gelten die Verbildlichungen innigster Kontemplation (wie im Bild des Buddha) sowie sinnl. Lebensfreude, beides Ausdruck der kosm. Harmonie und der angestrebten Erlösung vom Kreislauf des Entstehens und Vergehens. Verbunden mit der Ausbreitung des Buddhismus und des Hinduismus über Teile Zentral- und O-Asiens sowie SO-Asiens beeinflußte die i. K. weitgehend die Kunst dieser Länder.

Vier kulturell wesentlich voneinander versch. Hauptphasen reihen sich (teilweise mit Überschneidungen und in unterschiedlicher räuml. Ausdehnung) aneinander: 1) in NW- und N-Indien die frühgeschichtl. Bauern- und Stadtkulturen altoriental. Prägung (Harappa-Kultur und ihre Vorläufer) im 3. bis Mitte des 2. Jahrtsd. v. Chr. ohne erkennbare Nachwirkungen auf die folgenden Epochen; 2) die Perioden des ind. Altertums bis MA. Sie beginnen mit der Einwanderung der vedischen Aryas (Indoarier) nach N-Indien gegen Ende des 2. Jahrtsd. v. Chr., werden jedoch in künstler. Zeugnissen erst in den letzten Jh. v. Chr. greifbar, woran sich in den folgenden eineinhalb Jahrtsd. die i. K. im engeren Sinn anschließt, das sind die archaischen bis klass. (3. Jh. v. Chr. – 6. Jh. n. Chr.) und spätklassisch-mittelalterl. Stile (7.–13. Jh.) mit den HW der Architektur, Plastik und Wandmalerei der buddhist., jinist. und hinduist. Kunst in vielfältigen regionalen Ausprägungen; 3) die indo-islam. Perioden seit den moslem. Eroberungen (ab 12./13. Jh., ausgenommen Teile S-Indiens, Sri Lanka und Nepal) mit ihrem Höhepunkt in der Mogulzeit (16.–17. Jh.); 4) die Neuzeit, die eine ›Hindu-Renaissance‹ mit westl., durch die europ. Kolonisierung bewirkten Einflüssen aufleben läßt und in die ind. Moderne internat. Prägung mündet.

indische Kunst: sitzender Buddha aus Gandhara, Pakistan; 3. Jh. (London, Privatsammlung)

indische Kunst: zwei weibliche Gestalten, aus Wolken auftauchend, Felsmalerei, 5. Jh., Sigiriya (Sri Lanka)

indische Kunst: Shiva als Ardhanarishvara, Gupta-Zeit, 5. Jh., Mathura

Karte zur **indischen Kunst**

indische Kunst: sitzender Buddha aus Mathura; 2. Jh. (Kalkutta, Indian Museum)

ARCHITEKTUR UND BILDHAUERKUNST

Die →Harappa-Kultur (rd. 2500–1500 v. Chr.) ging als erste städt. Hochkultur auf ind. Boden aus den frühbäuerl., durch unterschiedl. Keramiken klassifizierten Siedlungen in der Indus-Ebene und N-Indien hervor. Die planmäßig angelegten Hauptstädte →Mohenjo Daro und Harappa sowie die zahlreichen weit verstreuten Städte (Rupar, Kalibangan, Lothal) bargen Funde bemalter Keramik und v. a. Werke der Kleinkunst. Kalksteinfragmente bärtiger Priester (?), stilisierte weibl. Idole und realistisch erfaßte Tierfiguren in Terrakotta, Stein und seltener Bronze sowie die beschrifteten (noch nicht lesbaren) Steatit-Siegel mit Darstellungen von Tieren, Fabelwesen und relig. Motiven geben einen erst unvollständigen Einblick in diese fast abrupt erloschene Kultur.

In der vedischen Periode seit rd. 1200 v. Chr. formte sich nach der Einwanderung der nomadisierenden arischen Stämme, deren Religion in hl. Texten, den Vedas, überliefert ist, die brahman. Kastengesellschaft, Grundlage der späteren hinduist. wie der buddhist. Kultur Indiens. An ihren Siedlungsplätzen fanden sich neben den ersten Geräten aus Eisen feine, bemalte Keramik (›Painted grey ware‹ neben der ›Black and red ware‹), während andere künstler. Zeugnisse wohl auf Grund der Verwendung vergängl. Materialien wie Holz, Bambus und Lehm fehlen.

Die Maurya-Periode (4. – Anf. 2. Jh. v. Chr.) beschloß die Frühphase der Staatenbildung, in die auch die Entstehung des Buddhismus und des Jinismus (um 500 v. Chr.) fiel, durch die Gründung des über N- und Mittelindien bis Afghanistan reichenden Imperiums der Maurya-Dynastie, dessen bedeutendster Herrscher ASHOKA im 3. Jh. v. Chr. die ersten monumentalen plast. und architekton. Werke der i. K. hinterließ: die durch persisch-achaimenid. Künstler geschaffenen oder beeinflußten, hoch polierten monolith. Ediktsäulen aus

indische Kunst: Bhairavi Ragini, frühere Rajput-Miniatur, Nordindien, etwa 1525–50 (London, Victoria and Albert Museum)

indische Kunst: Durga-Tempel, Aihole, um 600

Chunar-Sandstein mit Glockenkapitellen und bekrönenden Tierfiguren höchster plast. Reife (Löwenkapitell von Sarnath) sowie die mit der gleichen Politur versehenen Barabar-Höhlen, unter denen die Lomas-Rishi-Höhle eine skulptierte Fassade in Hufeisenform (Kudu-Giebel) nach Vorbildern hölzerner Freibauten aufweist. Als Feinkeramik setzte sich die ›Northern black polished ware‹ mit metallisch glänzendem Überzug durch. Zur relig. Kunst sind die seit dem 4. Jh. v. Chr. entstandenen, anfangs handgeformten, später teils gemodelten Terrakotta-Statuetten meist weibl. Geschlechts zu zählen (Matrikas). Ihre stilist. Charakteristika (Schmuckapplikationen, Augenform) weisen auf das Entstehen lokaler Kunstschulen wie Mathura hin.

In der frühbuddhist./frühhinduist. Periode entwickelten sich unter den Dynastien der Shungas von Magadha und Ujjayini, der Mitras von Mathura und der frühen Satavahanas von Andhra die archaischen Kunststile der buddhist. Stupas von Bharhut (um 100 bis 75 v. Chr.) und Pauni sowie des ältesten von Sanchi (Stupa 2, um 100 v. Chr.), der Höhlenbauten von Bhaja und Pitalkhora mit den frühesten Chaityahallen und Viharas, an deren Fassaden und Wänden großformatige Felsreliefs höfische und mytholog. Szenen schildern, und der ersten steinernen Kultbilder der hinduist. Kunst (→Balarama von Mathura) sowie der Volksreligionen (Lakshmi, Yakshas und Nagas). Während die buddhist. Reliefkunst relig. Lehren und Legenden (Jataka) vermittelte, jedoch auf die menschl. Darstellung des Buddha verzichtete, standen im Hinduismus von Anfang an die Götterbilder in charakterist. Gestaltung (Attribute, Bekleidung, →Mudra) im kult. Mittelpunkt. Die (nicht nachgewiesenen) volkskultisch-hinduist. Tempelbauten, auch offene Kultstätten dieser Zeit, mochten allein der Beherbergung des Kultbildes dienen; dies war auch Anlaß für den späteren hinduist. Tempelbau. Kennzeichen des archaischen Skulpturenstils sind blockhafte, doch vitale Körperformen, eckige Posen und flache Modellierung der Gesichter sowie ein flacher Reliefschnitt, der trotzdem eine spontane, expressive Bildersprache zuließ. Kleidung und Schmuck der Figuren wurden detailliert dargestellt, Rankenwerk und Lotusrosetten bildeten die seither übl. Dekorationselemente an Stupazäunen.

Die Satavahana- und Kshatrapa-Periode vom Ende des 1. vorchristl. Jh. bis zum 1./2. Jh. n. Chr. führte zur Entfaltung der spätarchaischen Felsarchitektur und -plastik im N-Deccan (älteste Höhlen von Ajanta mit Resten von Wandmalerei, Karla, Nasik und Kanheri), der Stupabauten im östl. Andhra (Amaravati) und zur Popularisierung des hinduist. Bilderkults, der allmählich die volksrelig. Gottheiten in sich aufnahm. Es entstanden theologisch komplexe Kultbilder wie der fünfköpfige Shiva von Bhita (Panchavaktra), das Linga mit Shivafigur von Gudimallam (S-Indien) und im Verlauf des 1. Jh. in Mathura schon die ersten menschl. Bilder des Buddha und des jinist. Tirthankara auf Relieftafeln. Diese für die gesamte weitere Kulturgeschichte Indiens bed. Hinwendung zur Bilderverehrung wurde begleitet von einem neuen plast. Stil, der durch schwellende Körperformen und glatte Oberflächen gekennzeichnet ist. In Mathura bezeugen viele Fragmente von Skulpturen und Bauten, teils mit Stifterinschriften der Kshatrapas, den künstler. Aufschwung.

In der Kushana-Periode vom 2. bis 3. Jh. n. Chr. kam der frühhinduist., jinist. und buddhist. Bilderkult in den beiden Kunstzentren Mathura und Gandhara zur vollen Entfaltung. Die →Mathura-Kunst und die →Gandhara-Kunst zeigen deutlich Unterschiede, aber auch gegenseitige Einflüsse. Die Form des buddhist.

indische Kunst: Teli-ka-mandir, Gwalior, 10. Jh.

indische Kunst: Ein Bodhisattva; Buchdeckel einer Palmblatt-Handschrift der Prajnaparamita, Bengalen, 1175–1200 (Oxford, Bodleian Library)

Stupa durchlief in Gandhara eine Sonderentwicklung: Erhöhung der quadrat. Sockelzone mit hellenistisch-parth. Pilaster-Nischen-Gliederung unter Wegfall der Steinzäune. Zur Ausstattung der Kultanlagen dienten in grauem Schiefer gearbeitete Kultbilder und Szenenreliefs der Buddhalegende sowie synkretist. Schutzgottheiten baktrisch-ind. Herkunft. V. a. an Ziegelbauten wurde die Technik der Stuck- und Lehmplastik und der Wandmalerei auf Verputz angewendet, die über Gandhara hinaus nach Afghanistan (Hadda, Termes) und in den folgenden Jh. unter Aufnahme iranisch-sassanid. Einflüsse (Bamian, Fondukistan) nach Zentralasien gelangte. In Mathura wurden aus dem rötl. Sikri-Sandstein Kultbilder im Dienste aller ind. Religionen hergestellt. Aus der Notwendigkeit zu ikonograph. Vielfalt und nach theolog. Vorschriften entstanden die teils mehrköpfigen und vielarmigen hinduist. Götterbilder mit ihren charakterist. Attributen, Symboltieren und Beifiguren sowie die in kanonischen Stand- (→Sthanakamurti) und Sitzhaltungen (→Asana) und Mudras dargestellten Buddha- und Jinabildwerke. Außerhalb des Kushanareiches traten Amaravati und Nagarjunikonda als Kunstzentren hervor und regten die buddhist. Kunst in Sri Lanka an.

Gupta-Periode (320 – 6. Jh.): Verfeinerungen des spätkushanischen Skulpturenstils führten um die Mitte des 4. Jh. zur ›klassischen Kunst‹ der Gupta-Periode. In Mathura und Sarnath gelang die Gestaltung des Buddhabildes mit vollendetem Ausdruck innerer Sammlung. Weiche Modellierung und ausgewogene Proportionen kennzeichnen auch die hinduist. Werke wie den asket. Shiva oder Vishnu, dessen ikonographisch vielseitigen irdischen Erscheinungsformen nun einsetzten. Der Bildreichtum wurde v. a. durch die Entfaltung der Tempelbaukunst gefördert. An Ziegeltempeln (Bhitargaon, Ahicchatra) sowie den ersten, noch klein dimensionierten Steintempeln (Marhia, Bhumara Nachna Kuthara) wurden zunehmend Kultfiguren und Szenenreliefs angebracht. Einen Höhepunkt der Gupta-Architektur und -plastik bildet der vishnuit. Tempel von Deogarh, dessen restl. Turmaufbauten über der quadrat. Cella auf die folgende Ausbildung des für den Tempelstil N-Indiens (Nagara-Stil) typ. Shikhara verweisen.

Südlich des Guptareiches entstanden im Deccan seit dem 5.–6. Jh. in einer 2. Bauphase die buddhist. Höhlenbauten von Ajanta mit den bed. Wandmalereien und

indische Kunst: Löwenkapitell der Säule des Maurya-Kaisers Ashoka; Sarnath, 3.–2. Jh. v. Chr. (Sarnath, Museum)

in den Chalukya-Hauptstädten Badami, Aihole und Pattadakal vom 6. bis 8. Jh. neben reich reliefierten hinduist. Felsentempeln Gruppen von steinernen Freibautempeln, die teils dem Nagara-Stil in sich entwickelndem Stadium, teils dem von den Pallavas aus S-Indien übernommenen Dravida-Stil angehören. Im N-Deccan fand die Höhlenarchitektur und -plastik in Elephanta und in Elura ihre Vollendung, wo nach den buddhist. Höhlen der Chalukyazeit eine Gruppe hinduist. Felstempel und der monolith. aus dem Gestein gemeißelte Kailasa-Tempel sowie jinist. Höhlen unter den Rashtrakutas im 8.–9. Jh. entstanden.

Mittelalterl. Perioden (7. – 13. Jh.): Wie im Deccan wurden die Künste in den nachklassisch-mittelalterl. Epochen auch in den Regionen des Nordens und Ostens sowie in S-Indien, das als Kunstlandschaft eine eigene, von N-Indien versch. Stilentwicklung der Architektur und Plastik aufweist, durch die vielen lokalen, durch Stiftungen von Kultanlagen mit reichem Skulpturenschmuck wetteifernden Dynastien gefördert. Die gemeinsamen relig. Traditionen erwiesen sich als kulturell einigendes Fundament. Die Hauptmotive der hinduist. Plastik stammten aus den großen ind. Epen Mahabharata und Ramayana sowie aus den Legenden der mit ikonograph. und rituellen Anweisungen versehenen Puranas, in deren Zentrum Vishnu, Shiva und Brahma als Götterdreiheit (Trimurti), aber auch als rivalisierende Hauptgottheiten standen. Eine Sonderstellung erlangten die Devi und die Shaktis als weibl. kosm. Kräfte in der Tantra-Kunst, die sich in rituell-erot. Darstellungen sowie in abstrakter Symbolik (→Mandala) ausdrückte. Gleichermaßen bildete sich im Buddhismus, der gegen Ende des 1. Jahrtsd. in die ind. Randgebiete verdrängt wurde und nur in Kaschmir und im Reich der Pala-Dynastie in Bihar-Bengalen bis zum Einfall der Muslime überdauerte, die esoter. Richtung des Tantrayana, in dessen Pantheon die ›Dhyanibuddhas‹ (→Tathagata), Bodhisattvas und die Taras dominierten. An die stilist. Tradition von Sarnath anknüpfend, entstand in der Klosteruniversität Nalanda das

indische Kunst: Jami-Moschee in Delhi; 17. Jh.

künstler. Zentrum der in Terrakotta und v. a. in dunklem Basaltstein ausgeführten Reliefplastik und einer verfeinerten Bronzekunst, deren Einflüsse im benachbarten Nepal und bis nach Hinterindien spürbar sind. Der detailreiche Stil der Pala-Kunst setzte sich in Bengalen in den shivaitisch-tantrischen Plastiken der Sena-Dynastie bis zum Anf. des 13. Jh. fort.

In N- und Zentralindien wurden unter den mittelalterl. Dynastien, deren bedeutendste die Pratiharas und Chandellas waren, im ausgehenden 1. Jahrtsd. die kanon. hinduist. Ikonographie sowie die Tempelarchitektur im Nagara-Stil voll ausgebildet. In Khajuraho entstanden die von schlanken Shikharas überragten und aus mehreren an die Cella gereihten Mandapas komponierten Tempel, deren hohe Sockel und Außenwände mit figurenreichen erot. Reliefs überzogen sind. Wie in den teils vorausgehenden Tempeln Rajasthans (Osia, Kiradu, Nagda u. a.) zeichnete sich die abgetreppte Gliederung der Grundrisse in Risaliten bis in die Turmspitzen ab. Gemäß dem komplexen hinduist. Pantheon wurde der Panchayatana-Bautyp bevorzugt. Unter der Solanki-Dynastie bildeten sich im 10. bis 13. Jh. neben hinduist. Tempeln wie Modhera die seither ständig erweiterten jinist. Pilgerstädte Gujarats (Abu, Girnar, Satrunjaya), deren zahlreiche marmorne Tempel von Relieffiguren und Ornamenten in höchster Detailliertheit bedeckt sind. Die Gestaltung der Körper und Gesichter verlor in der mittelalterl. i. K. ihre frühere organ. Vitalität und verfiel in Schematismus und manierierte Posen.

Nach Orissa im südöstl. Indien gelangte der Nagara-Tempelstil von den Chalukyas über das Andhra-Gebiet, wobei gewisse Einflüsse des südl. Stils übernommen wurden, wie die in Etagen aufsteigenden Pyramidendächer über den an die Cella-Turmbauten (Deul) angeschlossenen Jagamohanas (Mandapas) der Tempel in Bhubanesvar verdeutlichen. Abschluß und Höhepunkt des Orissa-Stils bildet der im 13. Jh. als Tempelwagen (Ratha) gestaltete Surya-Tempel in Konarak.

In S-Indien begann mit der hinduist. Höhlenarchitektur und dem aus deren Gesimsformen herleitbaren Dravida-Tempelstil der Pallavas seit dem 7. Jh. (Tiruchirapalli, Mahabalipuram, Kanchipuram) eine kontinuierl. Stilentwicklung, die von der Pandya-Dynastie (monolith. Felstempel in Kalugumalai) übernommen und von den Cholas seit dem 10. bis 11. Jh. mit den großen Tempeln in Thanjavur, Gangaikondacholapuram und Darasuram weitergeführt wurde. Kennzeichnend für den Dravida-Stil wurde die horizontale Gliederung der durch Scheinarchitekturen mit Kudu-Fenstern besetzten Geschosse des Vimana-Turms über der quadrat. Cella, der eine Pfeilerhalle vorgelagert war. Die Außenwände oberhalb der Sockelzone mit Relieffries wurden durch pilastergesäumte Figurennischen gegliedert. Die Torbauten (Gopura) der umwallten, ständig erweiterten Tempelanlagen wuchsen unter den Cholas und v. a. seit dem 12. Jh. unter den Pandyas und den spätdravid. Nayaks im 17. Jh. in Gestalt und Anzahl (Chidambaram, Madurai, Srirangam). Die südind. Plastik unterlag seit der Zeit der Pallavas, die neben der Steinplastik (Felsreliefs von Mahabalipuram) die Bronzekunst mit grazilen, lebensnahen Kultfiguren auf einen frühen Hö-

indische Kunst: Shiva mit Parvati; Bronze, Tanjore, 11./12. Jh.

indische Kunst: Statuen des stehenden und sterbenden Buddha; Gal Vihare, Polonnaruwa

hepunkt brachten, und der ihrem Stil folgenden Cholas (Tempelfiguren aus Granit, Nataraja-Bronzen) zunehmender Vergröberung und Erstarrung. Als Sonderentwicklung sind die von detailreichen Reliefs überzogenen Tempel der Hoyshala-Dynastie in Halebid, Belur und Somnathpur aus dem 12.–14. Jh. zu nennen. Den Abschluß der originären Kunstentwicklung bilden die Paläste und Tempel der den muslim. Eroberern trotzenden Könige von Vijayanagar im 16. Jh.

Die indo-islamische Periode entwickelte sich ab dem Ende des 12. Jh. unter den islam. Eroberern. Sie zeigt in der Frühzeit eine stark von ind. Architekten best. Monumentalkunst. Die ersten Moscheen wurden sogar aus Spolien hinduist. oder jinist. Tempel wie in Ajmer und Delhi errichtet. Auch die einheimisch-i. K. geriet zunehmend unter den Einfluß der von mehreren Dynastien nach Indien gebrachten oder in Indien entwickelten Kunstrichtung. So wurden z. B. die Paläste der Moguln zum Vorbild hinduist. Palastarchitektur. Der islam. Spitzbogen verdrängte den ind. Kielbogen. Anstelle der ind. Kragsteinkuppeln wurden ind. Tempel mit von den islam. Eroberern nach Indien gebrachten ›echten‹ Kuppeln bedeckt.

Unter der Mogul-Dynastie, die 1526 BABUR begründete, begann unter AKBAR die monumentale Festungs-, Palast-, Mausoleum- und Gartenarchitektur, die sich durch Verwendung kostbarer Baumaterialien (roter Sandstein, weißer Marmor) auszeichnet (1556–1605 Bauten in Fatehpur Sikri, Forts in Agra und Lahore, Mausoleum Humayuns in Delhi). Sie wurde von seinen Nachfolgern JAHANGIR (1605–27, Mausoleum Akbars in Sikandra bei Agra, Mausoleum Itimad-ud-Daulas in

Agra), Shah Jahan (1628–59, Mausoleum Jahangirs bei Lahore, Perlmoschee und Palastbauten im Fort von Agra, Rotes Fort und Jama Masjid in Delhi, Taj Mahal), der v. a. die elegant konturierten Zackenbögen populär machte, und Aurangzeb (Badshahi Masjid in Lahore, Mausoleum der Rabia Daurani in Aurangabad) fortgeführt. Die 11 von 1707–1858 regierenden Mogulkaiser setzten nach Kräften die Bautradition mit weniger kostbaren Materialien fort (Mausoleum des Safdar Jung in Delhi).

MALEREI

Die ältesten erhaltenen ind. Malereien sind, von prähistor. Felszeichnungen abgesehen, die im 1. Jh. v. Chr. entstandenen Wandmalereien in den Chaityas 9 und 10 von Ajanta. In ihnen treten innerhalb einer Komposition die Handlungsträger (Personen oder Tiere) mehrmals auf, so daß beim Betrachter eine textliche Vertrautheit vorausgesetzt wurde, die es ihm erlaubte, die Handlungsträger in ihrer richtigen Abfolge zu betrachten. Waren die Personen in der Frühphase relativ klein, so wuchsen sie in der Spätphase (etwa 7. Jh.) zu lebens- bis überlebensgroßen Gestalten an. Mit Ajanta vergleichbare Wandmalereien sind in hinduist. und jinist. Höhlenanlagen und Freibautempeln, wenn auch oft nur fragmentarisch, im gesamten ind. Subkontinent und Sri Lanka nachgewiesen. Alten ikonograph. Texten und Farbresten an Skulpturen, Holz- und Elfenbeinschnitzereien zufolge wurden auch die Kultfiguren bemalt. Die Malerei auf transportablen Bildträgern (Palmblatt, Rinde) ist literarisch weitaus älter als die ältesten erhaltenen illustrierten Manuskripte, wofür das in großen Teilen Indiens feucht-heiße Klima verantwortlich zu machen ist. Die ältesten bebilderten Hss. sind wiederum buddhist. Ursprungs (etwa 10.–11. Jh.). Entsprechende jinist. Hss. aus vergleichbarer Zeit sind

indische Kunst: Shalabhanjika am Ost-Tor des Steinzauns um den Großen Stupa von Sanchi; 1. Jh. v. Chr.

indische Kunst: Fenstergitter am Parashurameshvara-Tempel, Bhubaneshvar; um 750

weitaus seltener belegt. Jedoch entstanden nach Zerschlagung der letzten buddhist. Dynastien im 13. Jh. v. a. in Gujarat zahlreiche illustrierte jinist. Manuskripte. Ab dem Ende des 14. Jh. wurde das bis dahin übliche Palmblatt allmählich durch Papier abgelöst, was eine Veränderung des Höhen- und Seitenverhältnisses zur Folge hatte: Die Manuskriptblätter verloren ihr längliches, durch die Art der Palmblätter bestimmtes Format. Im 15. Jh. dominierten die Farben Blau, Rot und Gold. Von nun an ließen auch hinduist. Auftraggeber ihre Texte illustrieren. Etwa gleichzeitig mit dieser Entwicklung entstanden illustrierte islam. Hss. in den einzelnen Sultanaten (→Sultanatsmalerei), wobei das Hochformat bevorzugt wurde. Stellenweise vermischten sich zu Beginn des 16. Jh. stilist. Elemente der jinist. Miniatur- und der Sultanatsmalerei, was die Reifung der frühen →Rajput-Malerei nicht unbeeinflußt ließ. Etwa ab 1560 wurde unter AKBAR die zunächst stark persisch geprägte →Mogul-Malerei begründet, die aber im Lauf der Zeit in den Sog der Rajput-Malerei geriet – und umgekehrt. Viele der in den kaiserl. Mogul-Ateliers ausgebildeten Künstler malten auch für mehr oder weniger unabhängige, hinduist. Herrscher, so daß unter Zusammenarbeit mit den nicht am Mogulhof ausgebildeten Malern mehrerer Provinzwerkstätten versch. Malschulen der Rajput-Malerei entstanden. Die Mogul- und Rajput-Malerei wurde endgültig durch das Aufkommen der Photographie verdrängt; die heimischen Maler arbeiteten vereinzelt für ihre Kolonialherren (naturkundl. Studien). Gegen Ende des 19. Jh. erlebte die ind. Malerei eine ›Renaissance‹ unter A. TAGORE und weiteren bengal. Malern, die Stilelemente der Wandmalereien Ajantas und der Miniaturen gelegentlich zum Vorbild nahmen und eine künstlerisch niveauvolle Kunstrichtung entwickelten, die von europ. Einflüssen weitgehend unabhängig sein wollte. Die heutige ind. Malerei paßt sich vielfach internat. Strömungen an.

⇒ Bronzekunst · buddhistische Kunst · Grabbauten · hinduistische Kunst · Höhlentempel · Holzbau · Holzbildhauerei · Intarsia · jinistische Kunst · Moschee · Palast · Porträt · Relief · Stupa · Tempel · Terrakotta · Wandmalerei

K. FISCHER: Schöpfungen ind. Kunst (1959); H. MODE: Die buddhist. Plastik auf Ceylon (1963); H. G. FRANZ: Buddhist. Kunst Indiens (1965); ders.: Hinduist. u. islam. Kunst Indiens (1967); A. VOLWAHSEN: Indien. Bauten der Hindus, Buddhisten u. Jains (Freiburg/Schweiz 1968); ders.: Islam. Indien (1969); H. HÄRTEL u. J. AUBOYER: Indien u. Südostasien (1971); H. PLAESCHKE: Buddhist. Kunst – Das Erbe Indiens (1972); ders. u. INGEBORG PLAESCHKE: Hinduist. Kunst (1978); dieselben: Ind. Felsentempel u. Höhlenklöster (1982); C. SIVARAMAMURTI: Indien: Kunst u. Kultur (1975); K. u. CHRISTA-M. FISCHER: Ind. Baukunst islam. Zeit (1976); M. TADDEI: Indien (a. d. Ital., [2]1978); G. MICHELL: Der Hindu-Tempel (1979); J. BOISSELIER: Ceylon ([2]1980): – **Malerei:** M. SINGH: Indien. Bilder aus den Ajanta-Felstempeln (a. d. Engl., 1954); D. BARRETT u. B. GRAY: Ind. Malerei (a. d. Engl., 1963).

Indischgelb, lasierende Farbe, früher aus dem Urin von Kühen, die durch Fütterung mit Mangoblättern krank gehalten wurden, gewonnen; nach Europa seit dem 18. Jh. eingeführt, heute durch Teerfarben ersetzt.

Individuelle Mythologie, auf der Documenta 5 (1972) gezeigte Richtung der zeitgenöss. Kunst, in der ein einzelner Künstler seine Gefühlswelt (des Traums, der Erinnerung, der utop. Projektion) als in sich geschlossenes System absolut setzt (kult. Räume von P. THEK, M. BUTHE).

indojavanische Kunst, →indonesische Kunst.

indonesische Kunst. Teile Indonesiens, bes. Java und Bali, Sumatra und Celebes, kamen bereits in den ersten Jahrhunderten n. Chr. mit Strömungen der ind.

indonesische Kunst: Shiva, Bronze, 19 cm hoch, Java, Zentraljavanische Periode, 7.–10. Jh. (Stuttgart, Linden-Museum)

indonesische Kunst: Lara Jonggrang, Haupttempel des Komplexes bei Prambanan; 9. Jh.

indonesische Kunst: Tathagata Akshobhya, Bronze, 10,5 cm hoch, Mitteljavanische Periode (Stuttgart, Linden-Museum)

Kultur in Berührung. Zu den frühesten erh. künstler. Zeugnissen in Indonesien gehören Bronzefiguren des Buddha aus dem 5./6. Jh. im Stil der ind. Gupta-Kunst, gefunden bei Sempaga auf Celebes und Kota Bangun auf Borneo.

INDOJAVANISCHE KUNST

Die Kunst Javas etwa zw. dem 7. und 15. Jh. wird als indojavanisch oder auch hindubuddhistisch bezeichnet, weil zu dieser Zeit die relig. Kunst Javas weitgehend von ind. Einflüssen, v. a. durch die ind. Stile der Gupta-, Pala- und Pallava-Zeit, trotz immer auch stark eigenständiger Züge, geprägt war. Die bed. Tempel- und Grabanlagen (→Candi) sowie die Skulpturen der Zentraljavan. Periode (um 750–900) belegen die Vorherrschaft des Mahayana-Buddhismus, wenngleich die ältesten erh. Tempel auf dem →Dieng-Plateau (8. Jh.) shivaitisch sind.

Hauptbauwerke der Zentral- oder Mitteljavan. Periode (so gen., weil das Herrscherhaus im Zentrum der Insel residierte) sind die Candis →Mendut, →Plaosan, →Sewu, →Pawon, →Sari und v. a. →Borobudur. Diese buddhist. Candis bilden eine Mischung aus Stupa und Grabmonument für den urspr. altjavan. Ahnenkult. Es sind i. a. Bauten aus mehrfach terrassiertem Sockel, Cella und pyramidenförmigem Dach. Der Borobudur, sowohl Stupa als auch Mandala, stellt eine einmalige Gestaltung innerhalb der buddhist. Welt dar. Die bedeutendste shivait. Tempelanlage auf Zentraljava ist →Prambanan mit dem Haupttempel →Lara Jonggrang. Die Skulpturen dieser Zeit, vielfach Reliefs, aber auch Vollplastiken und bes. Kleinbronzen, sind trotz ihrer stilist. Eigenständigkeit deutlich als indisch inspiriert zu erkennen.

Die Kunst der Ostjavan. Periode, nach dem Sitz des Herrscherhauses im O der Insel bezeichnet, zw. dem 10. und dem 15. Jh., ist v. a. hinduistisch, doch erlebte die buddhist. Kunst im 13. Jh. eine erneute Blüte als Ausdruck des spezifisch javan. Synkretismus zw. tantrischem Shivaismus und Vajrayana-Buddhismus; dies ist bes. mit Kultbronzen zu belegen. – Bedeutsamste Bauwerke der Ostjavan. Periode sind die Candis →Kidal, →Jago, →Singasari, →Panataran.

Karte zur **indonesischen Kunst**

indonesische Kunst: Batik mit Wayang-Figuren und Ornamenten, Java, 19./20. Jh.

Am Ende dieser Periode vor der Übernahme durch islam. Eroberer Anfang des 16. Jh. steht die Kunst der Majapahit-Dynastie, die nun fast nur noch Kleinkunst und Architekturdekor, v. a. in Terrakotta und Stuck, geschaffen hat mit nicht mehr relig., sondern eher alltäglich-weltl. Themen in reizvoller, z. T. realist. Ausführung.

Gegen Ende der Ostjavan. Periode beginnen sich autochthon-altjavan. (prä-indojavan.) Elemente stilistisch und inhaltlich nach und nach durchzusetzen, um nach der Islamisierung dominierend zu werden, versteckt hinter indojavan. und z. T. muslim. Rahmen, bes. im Theater (Wayang) und in textilen Künsten.

Die Kunst des Islam auf Java (ab 16. Jh.) beschränkt sich, ihrem Bilderverbot gemäß, auf architektonische Denkmäler wie Moscheen und Friedhöfe (z. B. Sendang Duwur im O), die in der Anfangszeit noch von javan. Formen geprägt sind und dann allgemein-islamisch wurden.

BALINESISCHE KUNST

Bali wurde i. Ggs. zu Java nicht islamisiert, daher bewahrte die balinesische Kunst sowohl prä-indojavanische als auch balinesisch-hinduistische Traditionen und Formen bis heute. Die sehr zahlreichen balines.

indonesische Kunst: OBEN Relief an der Tempelanlage von Borobudur; UNTEN Relief vom Candi Sari

Tempel für Götter, für den Toten-(Ahnen-)Kult und für Fruchtbarkeitskulte sind i. d. R. in 3 Höfe geteilt mit einem Haupttor als →Candi Bentar, wobei sich das Hauptheiligtum, der →Meru, im 3. Hof befindet und, reichlich mit polychromen Reliefs geschmückt, den Sitz der Gottheit enthält. – Hauptheiligtümer sind →Pura Besakih am Südhang des Gunung Agung, die in den Felsen gehauenen ›Königlichen Gräber‹ bei Tampaksiring und Goa Gajah (Elefantenhöhle) bei Bedulu. Der Tempel von Pejeng zeigt, wie stark Bali von Java beeinflußt war.

Die Malerei auf Palmblatt, Tierhaut und Stoff sowie das Kunsthandwerk (Schnitzarbeiten, Kleinfiguren aus verschiedensten Materialien, Batik-Arbeiten, Schattenspielfiguren und Masken) sind äußerst feine Arbeiten und stehen seit alters ausnahmslos im Dienste der besonderen balines. Ausprägung des Hinduismus, vermischt mit alten Toten-, Ahnen- und Fruchtbarkeitskulten.

NATURVÖLKER

Die Kunst der Naturvölker Indonesiens belegt bis heute den gemeinsamen Ursprung der Altmalaien

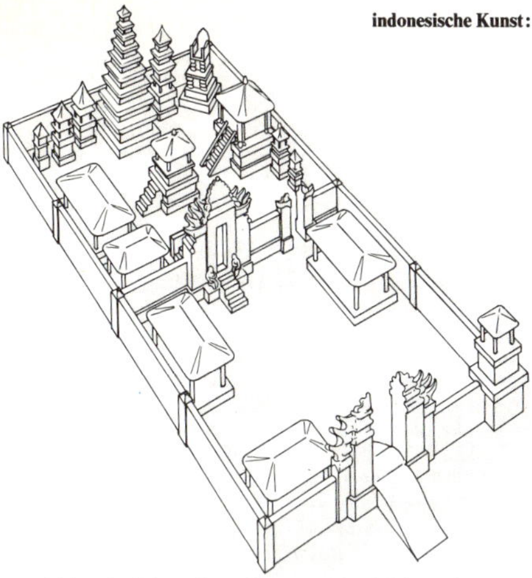

indonesische Kunst: Schema einer balinesischen Tempelanlage

(wohl im 2. Jahrtsd. v. Chr. aus Südchina) durch Darstellungen, die den Seelen-, Ahnen- und Totenkult bezeugen. Auf den Gebieten der versch. textilen Techniken (→Textilkunst), der Bearbeitung von Holz u. a. organ. Materialien (Häuser, Skulpturen, Waffengriffe) sowie Metall (Waffen, Schmuck) werden immer wieder entsprechende Motive und Symbole verwendet. Die Künste der →Dayak auf Borneo, der →Batak auf Sumatra, der →Toraja auf Celebes (Sulawesi) und der Bewohner von →Nias (ebenso die der →Ifugao auf den Philippinen) belegen die starke Verbindung zu den tradierten Werten trotz Überformung durch christl. und islam. Missionierungen sowie Verwestlichung.

CLAIRE HOLT: Art in Indonesia (New York 1967); H. HÄRTEL u. JEANNINE AUBOYER: Indien und Südostasien (1971); A. J. BERNET KEMPERS: Ageless Borobudur (Den Haag 1976); ders.: Monumental Bali (ebd. 1978); U. RAMSEYER: The art and culture of Bali (Oxford 1977); H. HELFRITZ: Indonesien, Du Mont Kunst-Reiseführer (1977); F. A. WAGNER: Indonesien, die Kunst ... (a. d. Niederländ., 1979); Java und Bali, Ausst.-Kat., Stuttgart (1980).

Indra, altind. Hauptgott der vedischen Religion, in der hinduist. Kunst als dreiäugiger Herrscher des Himmels mit dem Elefanten Airavata als Reittier und dem Attribut Vajra, seit etwa dem 6. Jh. als Dikpala der O-Region dargestellt. Wie Brahma wurde auch I. vom Buddhismus übernommen und seit dem 1. Jh. n. Chr. in Reliefs der Buddhalegende abgebildet (Mathura- und Gandhara-Kunst).

Induno, 1) Domenico, ital. Maler, Bruder von 2), *Mailand 15. 3. 1815, †ebd. 5. 11. 1878, malte biedermeierl. Porträts, Genrebilder und auch zeitgenöss. Ereignisse.

2) Gerolamo, ital. Maler, Bruder und Schüler von 1), *Mailand 1827, †ebd. 19. 12. 1890, malte außer Genrebildern und Porträts Darstellungen seiner Kriegserlebnisse (u. a. aus dem Krim-Krieg).

Indus-Kultur, →Harappa-Kultur.

Industrie|archäologie, junger Forschungsbereich der Denkmalpflege, befaßt sich mit techn. Denkmälern, die er gleichberechtigt neben die klass. Baudenkmäler als Zeugnisse der Technik und der menschl. Arbeit stellt, so Industrie- und Fabrikanlagen, Objekte des Berg-, Wasser-, Brücken- und Eisenbahnbaus. Der Name I. leitet sich ab von der ›industrial archeology‹ in England, einem Zweig der Denkmalpflege.

R. SLOTTA: Techn. Denkmäler in der Bundesrep. Dtl., 3 Bde. (1975–80); ders.: Einführung in die I. (1982).

Industrie-Design, Industrial Design [ɪndˈʌstrɪəl dɪzˈaɪn, engl.]. Der vom ›British Council of Industrial Design‹ (gegr. 1944) abgeleitete Begriff I.-D. umfaßt eine in ihren Motivationen noch expansive, v. a. jedoch als ›gestaltend‹ bezeichnete Mitarbeit an industrieller Produktion im weitesten Sinn. Noch bestehende Schwierigkeiten bei der Definition des international diskutierten Berufsbildes des **Industrie-Designers** ergeben sich aus der Bandbreite der Industrie-Branchen, ihren versch. Materialien und technolog. Gegebenheiten. Daher reichen die Wirkungsmöglichkeiten des I.-D. heute vom manufakturellen Bereich (Textilien, Porzellan, Glas, Tafel- und Hausgerät u. a.) bis zur Entwurfs-Mitarbeit am spezifisch techn. Produkt (Feinwerktechnik, Maschinen-, Fahrzeug- und Flugzeugbau).

Entwicklung. Anfänge sind zu suchen in der Reform- und Gegenbewegung zur 1. industriellen Revolution, in Großbritannien wie in Dtl., hier später (1907) vom DWB (→Werkbund) formuliert in der Forderung nach ›Veredelung der gewerbl. Arbeit‹. Weitere Impulse lieferten: Bauhaus-Ideen (›Kunst und Technik als neue Einheit‹), deren Rückfluß nach 1945 durch die Rückkehr von Emigranten, die in den USA gelebt hatten, schließlich (1955 ff.) die Hochschule für Gestaltung Ulm (M. BILL), die Hochschule der Künste Berlin (W. WAGENFELD, W. BRAUN-FELDWEG), die Folkwangschule Essen, ferner die Pionierarbeit der Braun-AG (F. EICHLER, H. GUGELOT, D. RAMS), das Landesgewerbeamt Stuttgart, der ›Rat für Formgebung‹ Darmstadt und ›Die Neue Sammlung‹ im Bayer. Nat.-Mus., München. Zunächst standen, ausgehend von der traditionellen Geschmacks- und Gebrauchsgüterindustrie, ästhet. Kriterien im Vordergrund. Funktionalismus und Purismus der russ. Suprematisten, gefiltert durch De →Stijl, →Bauhaus und seine Nachfolge in Ulm, übernahmen bald in Verbindung mit arbeitsphysiolog. und ergonom. Tendenzen die Führung, die sie im letzten Jahrzehnt an soziale und ökolog. Forderungen abgeben mußten. Diese Richtung lehnt eine mit dem amerikan. Begriff ›styling‹ (bes. Fahrzeugbau) verbundene kommerzielle Motivation (›Häßlichkeit verkauft sich schlecht‹) ab und erkennt moral. Kategorien an. Daher lautete die Definition des Verbandes Dt. Industrie-Designer (1976): ›Auf der Grundlage ästhet., wirtschaftl. und ergonom. Analysen plant und entwirft der Designer adäquate Strukturen, Formen und Farben für industriell zu fertigende Erzeugnisse und Systeme, die der Bedürfnisbefriedigung und einer menschgerechten Umwelt dienen‹. Geschmackswandel der Zeit (›Nostalgiewelle‹), gekoppelt mit Technologien der 2. industriellen

Ingeborg-Psalter: Moses auf dem Berg Sinai; um 1200 (Chantilly, Musée Condé)

Revolution (Automation), lenkt inzwischen das Interesse bes. junger Designer stärker dem ästhetisch neutralen techn. Produkt zu.

W. WAGENFELD: Wesen und Gestalt der Dinge um uns (1948); M. BILL: Form (1952); W. BRAUN-FELDWEG: Industrial Design heute (1966); T. MALDONADO: Disegno industriale (Mailand 1976); Design 1900–1960, hg. v. T. FAULKNER (Newcastle upon Tyne 1976); K. HOHMANN: Produktdesign (1978); G. SELLE: Die Gesch. des Design in Dtl. ... (1978).

Ztschr.: form (seit 1957).

Informelle Kunst, Informel [ɛ̃fɔrm'ɛl, frz.; von der auf den Kritiker M. Tapié zurückgehenden frz. Wortprägung: signifiance de l'informel, ›Bedeutsamkeit des Formenlosen‹], Benennung einiger, v. a. europ. Gruppen der neuen gegenstandsfreien Malerei und Graphik, die seit etwa 1945 i. Ggs. zur geometr. Abstraktion abgegrenzte Formen und feste Kompositionsregeln ablehnen, um durch frei erfundene Zeichen oder durch Rhythmus und Struktur ineinandergreifender Flecken und Linien Geistiges unmittelbar auszudrücken. Die I. K. fußt, wie der →Abstrakte Expressionismus, auf dem →Automatismus. Die →École de Paris war als Entstehungszentrum für die I. K., wie für den →Tachismus, von größter Bedeutung.

Informel, Ausst.-Kat., Leverkusen (1973).

Ingeborg-Psalter, Psalter der Königin Ingeborg von Dänemark, Gemahlin König PHILIPP AUGUSTS von Frankreich (Chantilly, Mus. Condé). Er gehört zu den bedeutendsten Zeugnissen der frz. Kunst im Übergang der Romantik zur Gotik und ist wahrscheinlich um 1200 (in Paris?) entstanden. Seine zweigeteilten, ins Rechteck komponierten Miniaturen mit Szenen aus dem Leben Jesu verweisen auf die Kenntnis got. Glasfenster und byzant. Vorbilder.

Ingelfingen, Stadt am Kocher, Bad.-Württ., 5200 Ew.; typ. Residenzstadt eines kleinen Fstt. (1701–1805 Sitz der Linie Hohenlohe-I.) mit fast vollständig erh. Befestigung, spätgot. Nikolauskirche (1490–1502) und dreiflügeligem Barockschloß (1705–30).

Ingelheim, Stadt im Kr. Mainz-Bingen, Rheinl.-Pf., 19 000 Ew. In **Nieder-I.** errichtete KARL D. GR. im späten 8. Jh. eine bed. Königspfalz (nur geringe Reste erh., BILD karolingische Kunst); die evang. Saalkirche stammt aus dem 10. und der 2. H. des 12. Jh.; die Remigiuskirche ist ein schlichter Barockbau (1739) mit roman. Turm (um 1230). In **Ober-I.** die spätgot. Burgkirche inmitten einer gut erh. ma. Wehranlage des 15. Jh., im Innern zahlreiche Grabdenkmäler des 15./16. Jh.

Ingenieurbau, Teilgebiet der Bautechnik, betrifft die Bauten, die v. a. durch technisch-konstruktive und stat. Gesichtspunkte geprägt werden (Brücken, Stahl- und Stahlbetonskelettbauten, Hochhäuser, Türme, Industriebauten, Hallen u. ä.).

Ingolstadt, Stadt an der Donau, Oberbayern, 88 200 Ew.; 1392–1445 Residenz der Herzöge von Bayern, 1472–1802 Univ.-Stadt. Im 16. und 19. Jh. zur zeitweilig stärksten Festung in S-Dtl. ausgebaut. Die Liebfrauenkirche mit übereck gestellten Türmen (1425 beg.) ist ein HW bayer. Spätgotik; mächtiger manierist. Hochaltar (1572). In der Moritzkirche (13./14. Jh.) Barockausstattung (um 1765), in der Minoritenkirche (1275 beg.) viele Grabdenkmäler (v. a. 16. Jh.). Schönster Barockbau ist St. Maria Victoria (1732–36 von den Brüdern ASAM), eine Verbindung von Kirche und Thronsaal; im Kirchenschatz ›Türkenmonstranz‹ (1708). Im Neuen Schloß, einer turmreichen originellen Baugruppe des 15. Jh. mit spätgot. Innenräumen, das Bayer. Armee-Mus. Der ›Herzogskasten‹ ist ein Rest vom Alten Schloß (13. Jh.). In der Alten Anatomie (1723–35) Medizinhistor. Mus.

Ingres [ɛ̃gr], Jean Auguste Dominique, frz. Maler und Zeichner, *Montauban 29. 8. 1780, †Paris 14. 1. 1867, kam nach Studien bei seinem Vater und an der Akad. in Toulouse 1796 nach Paris, 1797 zu J. L. DAVID und gewann 1801 den Rompreis. 1806–20 in Rom, 1820–24 in Florenz, studierte er die Antike und bes. RAFFAEL und gelangte zu einem persönl. Stil, in dem sich die durch die Linie bestimmte Form mit eingehender Naturbeobachtung verbindet. 1825 wurde I. Mitgl. der Akad. Neben gemalten und vielen sehr subtil gezeichneten Bildnissen (Herr, Frau und Tochter Rivière, 1804/05, alle Paris, Louvre; La belle Zélie, 1806, Rouen, Mus. des Beaux-Arts et de la Céramique; Mme. de Senonnes, 1814, Nantes, Mus. des Beaux-Arts; die meisten Bildniszeichnungen im Mus. I. in Montauban) entstanden mytholog. Bilder und histor. Kompositionen (Vergil liest Augustus die ›Aeneis‹ vor, 1812, Toulouse, Mus. des Augustins; Apotheose Homers, 1827, Paris, Louvre). I. ist ein Meister der Aktdarstellung, auch darin Klassizist (Die Badende von Valpençon, 1808; Die große Odaliske, 1814; Das türkische Bad, 1862; alle Paris, Louvre). Als im Pariser Salon von 1824 sein ›Gelübde Ludwigs XIII.‹ (Montauban, Kathedra-

J. A. D. Ingres: Madame de Senonnes; 1814 (Nantes, Musée des Beaux-Arts)

le) einen großen Erfolg erzielte, kehrte er nach Paris zurück, erhielt viele Aufträge und gründete eine Schule. Über Anfeindungen verärgert, ging er als Direktor der frz. Akad. 1834 nochmals nach Rom, kehrte aber 1841

J. A. D. Ingres: Die Badende von Valpençon, 1808 (Paris, Louvre)

als gefeierter Maler wieder nach Paris zurück. I., der Klassizist Frankreichs schlechthin, verfolgte seine Prinzipien mit großer Strenge und bekämpfte aufs schärfste die frz. Romantik, bes. T. GÉRICAULT, E. DELACROIX, später auch den Realismus G. COURBETS, deren von der Farbe beherrschte Malerei er als Verirrung und Bedrohung der Kunst empfand. Indem I. von der linienbetonten Zeichnung ausging (er war einer der bedeutendsten Zeichner Frankreichs im 19. Jh.), erstrebte er keine realist. Naturwiedergabe, sondern die Darstellung einer auf Grund von Formwissen gestalteten idealen Natur.

D. TERNOIS: Montauban – Musée I. (Paris 1965); R. ROSENBLUM: J. A. D. I. (London 1967); H. NAEF: Die Bildniszeichnungen von J. A. I., 2 Bde. (1976).

Initiale: LINKS Initialseite ›Initiu(m) Evangelii‹; Beginn des Markus-Evangeliums, irische Handschrift um 750 (St. Gallen, Stiftsbibliothek). RECHTS Initiale T aus dem ›Canon Missae‹, 1485 von Fust und Schöffer in Mainz in drei Farben gedruckt (Mainz, Gutenberg-Museum)

Initiale *die,* **Initial** *das,* Anfangsbuchstabe, oft durch Größe, Schmuck und Farbe hervorgehoben, bes. in Hand- und Druckschriften. Schon in spätantiken Hss. wurden durch sparsam verwendete I. die Anfänge von Abschnitten gekennzeichnet. Im MA. hatten die Bücher reich verzierte und kolorierte I., in den merowing. Hss. mit Fisch-Vogel-Motiven, in der insularen Buchmalerei mit Flechtwerk, das neben andern Elementen ganze Seiten füllt, in der otton. und roman. Zeit mit Rankenornamentik, in der got. v. a. mit bildlichen, in die Buchstabengestalt eingefügten Darstellungen. (BILD S. 342)

J. J. ALEXANDER: I. aus großen Hss. (1978).

Inka, urspr. altindian. Herrschertitel, später die Bez. aller Bewohner des I.-Reiches im Hochland von Peru, die Ketschua sprachen. Das Imperium der I. wurde durch militär. Expansion (1440–1532) bis Südkolumbien und Mittelchile ausgedehnt. Die Kenntnisse über die I.-Kultur, die keine eigene Schrift entwickelt hatte, stützen sich nicht nur auf archäolog. Funde, sondern auch auf Berichte indian. und span. Zeitgenossen der Eroberungszeit. Bed. waren die Leistungen der I. auf dem Gebiet der Architektur; neben Straßen bauten sie zur Sicherung ihrer Macht bed. →Festungen, bei denen große unregelmäßige, exakt behauene Steinblöcke zusammengefügt wurden. Außerdem fertigten sie kleine Steinplastiken und aus dem anstehenden Fels gehauene Skulpturen für Wasserspiele und astronom. Stationen. Abgesehen von der Architektur haben die I. künstlerisch wenig Neues geschaffen, vielmehr haben sie einzelne Elemente aus früheren Zeiten neu belebt (→ Keru) oder Stile eroberter Völker übernommen, woraus sich Mischformen ergaben. Eine Neuschöpfung sind lediglich spitzbodige große Amphoren. Muster auf Keramik und Textilien sind vorwiegend geometrisch und polychrom, Motive aus der natürl. Umwelt meist stilisiert. Charakterist. Formen der I.-Keramik sind weitausladende Gefäße und flache Tonschalen mit einem Vogel- oder anderen Tierkopf oder einer knopfartigen Scheibe als Griff.

H. Ubbelohde-Doering: Kunst im Reiche der I. (1952); Julie Jones: Art of Empire. The Inca of Peru (New York 1964); H. D. Disselhoff: Das Imperium der I. und die indian. Frühkulturen der Andenländer (1974).

Inkarnat [ital., aus lat. caro ›Fleisch‹] *das,* **Karnation, Fleischfarbe,** Maltechnik: Haut- oder Fleischton, auch das gemalte Nackte.

Inkrustation [lat.], **Inkrustierung, 1)** Baukunst: die Verkleidung von Mauern und Fußböden mit Steinplatten bes. von Marmor, die, zu Mustern zusammengefügt, die Fläche gliedern und dekorativ beleben. Die schon in der antiken (Rom, Pantheon) und byzantin. Kunst geübte Technik war vom frühen MA. bis zum Barock bes. in Italien verbreitet (Venedig, Dogenpalast; Scuola di San Marco mit perspektiv. Marmoreinlagen) und ist ein

Inka: Ausschnitt eines Gewebes in Gobelintechnik mit reicher Ornamentik, Peru (Washington D. C., Dumbarton Oaks Collection)

Inka: Sacsayhuamán, Festung mit Polygonalmauerwerk

Inkrustation an der Fassade von San Miniato al Monte in Florenz (1075 ff.)

Kennzeichen bes. der Kirchenbaukunst von Florenz (S. Miniato al Monte, 12. Jh.; Campanile des Domes, 14. Jh.; S. Maria Novella, voll. 1470, BILD L. B. Alberti). In neuerer Zeit hat der Jugendstil (Krematorium in Delstern bei Hagen von P. BEHRENS, 1906–07) diese Technik wieder aufgegriffen.

2) Keramik: seit dem Neolithikum ein Verfahren zur farbigen Verzierung von Tongefäßen. Die I. erfolgt durch Ausfüllung eingedrückter oder eingestochener Muster mit Kreide.

3) Kunsthandwerk: in die Oberfläche eines Gegenstandes eingelegte Verzierung, bei der härtere Materialien wie Stein, Glas, Metall u. a. in eine weichere, sich verhärtende Masse gebettet werden; eine bereits im 16. Jh. in Italien für Möbel beliebte Technik.

4) Nadelarbeit, bei der die Ornamente i. Ggs. zur Applikationsarbeit nicht aufgesetzt, sondern untergearbeitet oder eingesetzt sind.

Inkunabeln [lat. incunabula ›Wiege‹], **Wiegendrucke,** die frühesten, bis zum Jahr 1500 einschließlich hergestellten Erzeugnisse der Buchdruckerkunst. Die I. sind, wie die anschließenden →Frühdrucke, wichtig für die Geschichte des Buchdrucks und der spätmittelalterl. Schrift und spiegeln das geistige Leben des Spät-MA. wider. Die Zahl der I. wird auf 40 000 versch. Werke geschätzt (davon etwa 30 000 Bücher, der Rest Klein- und Einblattdrucke), die in rd. 500 000 Exemplaren erhalten sind. Die Auflagenhöhe betrug im Durchschnitt

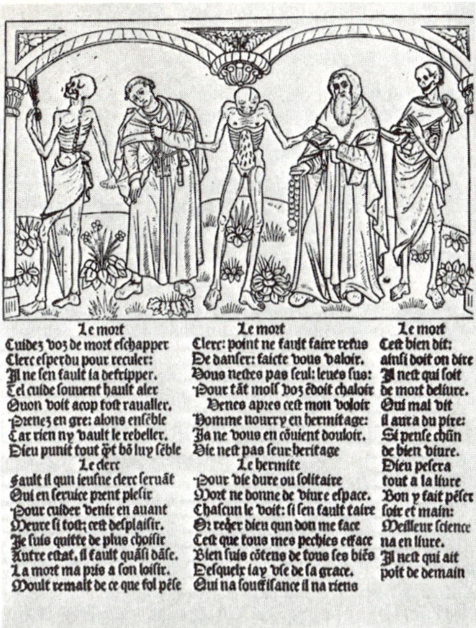

Inkunabeln: Seite aus der ersten Ausgabe des 1485 bei Guy Marchant in Paris gedruckten Werkes ›La Danse Macabre‹. 16 × 10,5 cm (Grenoble, Bibliothèque Municipale)

300 Exemplare. – I. der Lithographie nennt man die ersten Erzeugnisse des Steindrucks bis 1821. Neuerdings werden auch Erstlinge der Radierung, des Kupferstichs und selbst der Photographie I. genannt.

Gesamtkatalog der Wiegendrucke (1925 ff., Bd. 1 bis Frederici, 1940, Neudruck 1968; seit 1972 gibt die Dt. Staatsbibliothek Berlin-West die Fortsetzung heraus); F. GELDNER: Die dt. Inkunabeldrucker, 2 Bde. (1968/70).

Innen|architektur, die Formgebung von Innenräumen; sie umfaßt die Materialwahl, die Gliederung der Wand-, Decken- und Fußbodenflächen, die Farbgebung, die natürl. und künstl. Beleuchtung, die Möblierung und den Einbau besonderer Einrichtungen. – Bauwerke, bes. Paläste, wurden schon im 16. Jh. in Frankreich und Italien von Architekten außen und innen im Stil einheitlich gestaltet. Im 18. Jh. prägten v. a. in England die Möbelschreiner die I. In der Gründerzeit wurden Aufträge für Einrichtungen an Maler und Dekorateure vergeben. Im Jugendstil gewann der Innenarchitekt als selbständiger Beruf an Bedeutung.

Unter neuen Gesichtspunkten sahen der Dt. Werkbund (gegr. 1907), die Dt. Werkstätten und das Bauhaus (gegr. 1919) auch den Beruf des Innenarchitekten. Soziales Gewissen, die neue Sachlichkeit, Funktion und Konstruktion in Wechselbeziehung sowie Konstruktion und Material im Blick auf serienmäßige Herstellung spielten eine große Rolle.

Innenhof, allseits umbauter Hof; als →Atrium im altröm. Haus der Hauptwohnraum, um den sich die Schlaf- und Nebenräume gruppierten.

Inness ['ınıs], George, amerikan. Maler, *Newburgh (New York) 1. 5. 1825, †Bridge of Allan (Schottland) 3. 8. 1894, Autodidakt, bereiste mehrmals Europa, wo er von der Schule von Barbizon beeinflußt wurde. I. malte schlichte Bilder der amerikan. Landschaft, in denen er atmosphär. Stimmungen festhielt (›Das Lackawanna-Tal‹, 1855; Washington, Nat. Gal.)

Innichen, ital. **San Candido,** Marktgem. im oberen Pustertal, Südtirol, 3000 Ew.. Ältestes Kloster Tirols (zw. 769 und 783 gegr.) mit Stiftskirche St. Kandidus und Korbinian (roman. Neubau, um 1200–1230, mit Vorhalle; über dem S-Portal Fresko von M. PACHER, 1480; im Inneren bed. roman. Kreuzigungsgruppe, um 1200); spätbarocke Pfarrkirche St. Michael (1760).

Innsbruck, Hauptstadt des österr. Bundeslandes Tirol, am Inn, 120 300 Ew.; seit 1363 in österr. Besitz, mit Unterbrechungen bis 1665 Residenz der Tiroler Linie der Habsburger. Die Altstadt hat ihr histor. Bild mit ihren Lauben und Erkerhäusern gut bewahrt. Hier liegen u. a.: die ›Ottoburg‹, ein 1494/95 erbauter Wohnturm, das ›Goldene Dachl‹ (15. Jh.), ein breiter Erker mit Figuren und Wappen, urspr. Zuschauerloge der Stadtresidenz bei Festen auf dem Stadtplatz, das Helbling-Haus

Innsbruck: Inneres der Hofkirche mit dem Grab Kaiser Maximilians I.; 1553–63

mit Frührokokofassade (um 1732) und das Alte Rathaus mit Stadtturm (14. Jh.). Nach NO schließen sich an: Pfarrkirche St. Jakob (1717–22), bedeutendste Barockkirche Nordtirols, mit Stuck und Deckenfresken von E. Q. und C. D. ASAM (1722/23), am Hochaltar Gnadenbild von L. CRANACH D. Ä.; Hofburg (beg. 14. Jh.), unter MARIA THERESIA 1754–70 im Rokoko-Stil um- und neugebaut, unter den Prunkräumen bes. bemerkenswert der ›Riesensaal‹ mit Deckenfresko von F. A. MAULBERTSCH; die Hofkirche wurde 1553–63 zur Aufstellung des Maximiliansgrabes im Renaissancestil erbaut, Inneres barockisiert; Sarkophag Kaiser MAXIMILIANS I. mit Figur des knienden Kaisers und Relief seiner Taten, 28 (von 40 geplanten) überlebensgroßen Bronzestatuen seiner Ahnen, 23 Statuetten und 20 Büsten habsburg. Heiliger und röm. Kaiser. Nach O schließen sich die Alte Univ. (ehem. Jesuitenkolleg, 16./17. Jh.) und die Jesuitenkirche (1627–40) mit Fürstengruft an. Südlich der Altstadt barocke Spitalkirche (1701–05) und Landhaus (1725–28), der monumentalste Barockpalast in I. Am Innrain frei stehend auf der Straßenmitte die barocke Pfarrkirche St. Johann (1729 bis 1735) mit reich gegliedertem Äußeren, Deckenfresko von J. SCHÖPF. Jenseits des Inn Pfarrkirche Mariahilf, ein barocker Zentralbau (1647–49). Mehrere Adelssitze erh.: Palais Fugger (Taxis), 1679–90 als frühester Innsbrucker Palast mit Grundriß nach ital. Vorbild errichtet, mit Deckengemälde von M. KNOLLER (1785/86), Palais Sarntheim (1671–86), Palais Tannenberg (Enzenberg, 1712–23), Palais Pfeiffersberg (um 1721, jetzt Jesuitenkolleg), Palais Lodron (1744) u. a. In Wilten Prämonstratenserkloster und Stiftskirche (1651–67, hochbarocke Fassade 1716), Pfarrkirche (1751–55) im Rokokostil mit Stukkaturen von F. X. FEUCHTMAYER. Im Vorort Amras Schloß →Ambras. – Mus. Ferdinandeum (Gemäldegal. mit dt. und niederländ. Meistern); Mus. für Tiroler Volkskunst und Kunstgewerbe.

JOHANNA FELMAYER: Die profanen Kunstdenkmäler der Stadt I. (1972).

Inro, in Japan mehrteiliger Behälter für Stempel und Medizin, aus einem Miniatursatz ovaler Dosen, die genau aufeinanderpassen und von einer Seidenschnur, die durch die durchbohrten spitzen Enden der Ovale läuft, zusammengehalten werden. Diese ist unten in einer Schleife verknotet, oben mit einem verschiebbaren Knopf (Ojime), oft aus Metall oder Koralle, arretierbar und endet in einem →Netsuke, das das Tragen am Gürtel ermöglicht. I. wurden von Männern getragen. Sie sind seit dem 16. Jh. gebräuchlich und fanden ihre kunstvollste Bearbeitung im 18. Jh. Sie bestehen meist aus lackiertem, künstlerisch dekoriertem Holz, aber auch aus Elfenbein mit Korallen-, Muschel- oder Metall-Einlegearbeiten. Eine Sonderform ist das Etui-I., das in einer nur zweiteiligen Hülle (manchmal aus Bambus) – in der Form eines normalen I. – ein entsprechend kleineres mehrteiliges I. enthält (→Lackkunst). BILD S. 348

in situ [lat.], in natürl. Lage; an Ort und Stelle.

Insterburg, seit 1946 **Tschernjachowsk,** Stadt im

Inro
(Paris, Musée Guimet)

Inro mit der Darstellung eines Reisewagens in Perlmutteinlage; japanische Arbeit; um 1500 (Privatbesitz)

Gebiet Kaliningrad (Königsberg/Pr.), UdSSR, ehem. Kreisstadt in Ostpreußen, 33 400 Ew. Die 1336 gegr. Burg des Dt. Ordens ist eine Vierflügelanlage ohne Türme mit Ringmauer und Vorwerk (1457 zerstört, nach Wiederaufbau um 1700 Magazin, später Kaserne). Die 1583 zur Stadt erhobene Siedlung wurde im 2. Weltkrieg fast völlig zerstört. Die Lutherkirche (Saalbau von 1610–12) mit ehem. reicher Spätrenaissance-Ausstattung ist heute Lagerhaus.

Insula [lat. ›Insel‹], bei den Römern das für viele Wohnparteien eingerichtete Mietshaus; es nahm meist ganze Baublöcke zentraler Stadtgebiete ein; der Ggs. war Domus, das Einfamilienhaus.

insulare Buchmalerei, Hochblüte der Buchmalerei in England und Irland zw. 650 und 800 n. Chr. Die i. B. schöpft aus dem Repertoire keltisch-geometr. und german. Tiergeflecht-Ornamentik. Ornament und reine Umrißzeichnung herrschen vor. Auffällig ist die starke und reine Farbigkeit. Die menschl. Gestalt erscheint stark stilisiert und wird in farbige Flächen aufgelöst. Sie gleicht sich in ihrer Ornamentalisierung optisch den reich geschmückten Zierseiten und -buchstaben an, die ihre Dekorationsmotive aus der Emailkunst der Gold- und Silberschmiede beziehen. Das ›Book of Durrow‹ (um 680; Dublin, Trinity College) ist das früheste HW der i. B. und das früheste der vollständig dekorierten Evangelienbücher. Es enthält Kanontafeln, reine Schmuckseiten und ganzseitige Bilder der Evangelistensymbole. Wahrscheinlich kurz vor 690 in Irland entstanden ist das Echternacher ›Willibrord-Evangeliar‹, das durch Missionare auf das Festland gelangte (Paris, Bibl. Nat.). Ein weiteres HW ist das ›Book of Lindisfarne‹, vor 698(?) im Kloster Lindisfarne geschaffen (London, British Library). Die ganzfigurigen Darstellungen der Evangelisten (anstelle bloß ihrer

insulare Buchmalerei:
Symbol des Evangelisten
Matthäus aus dem
Book of Durrow; um 680
(Dublin, Trinity College Library)

Symbole) verraten ikonographisch und motivisch die Kenntnis spätantiker-frühbyzantin. Werke. Unübertroffen in Phantasiereichtum und Kompliziertheit der Ornamentik, die sich sowohl der ganzseitigen Miniaturen wie der Textseiten bemächtigt, ist das ›Book of Kells‹ (Dublin, Trinity College), wohl nach 800 entstanden. Für seine Kanontafeln nimmt man als Vorbild Hss. der →Hofschule Karls des Großen an. Einflüsse der i. B. erstreckten sich bis nach Bobbio (Italien) und auf die →anglofränkische Buchmalerei.

C. Nordenfalk: I. B. (a. d. Engl., 1977).

Abkürzungen

Endungen oder Wortteile werden zur Raumersparnis weggelassen, wo sie ohne Schwierigkeit ergänzt werden können, z. B. abgek. für abgekürzt; Abt. für Abteilung; geistl. für geistliche(r); künstler. für künstlerische(r). An stärkeren, formelhaften Abkürzungen werden verwendet:

Abk.	Abkürzung
ags.	angelsächsisch
ahd.	althochdeutsch
Akad.	Akademie
allg.	allgemein
Am.	Amos (A. T.)
Anf.	Anfang
Apg.	Apostelgeschichte (N. T.)
Art.	Artikel
ASSR	Autonome Sozialistische Sowjetrepublik
a. St.	alten Stils
A. T.	Altes Testament
Aufl.	Auflage
Ausst.-Kat.	Ausstellungskatalog
Ausw.	Auswahl
Auton. Geb.	Autonomes Gebiet
Bad.-Württ.	Baden-Württemberg
Bar.	Baruch (A. T.)
Bd., Bde.	Band, Bände
bed.	bedeutend
beg.	begonnen
begr.	begründet
Beitr.	Beitrag, Beiträge
bes.	besonders
best.	bestimmt
Bev.	Bevölkerung
Bez.	Bezirk, Bezeichnung
Bibl.	Bibliothek, Bibliothèque, Biblioteca
Bundesrep. Dtl.	Bundesrepublik Deutschland
Chr.	Christus; Chronik (A. T.)
Cod.	Codex
Coll.	Collection
ČSSR	Tschechoslowakei
Cty.	County oder -ties
d. Ä.	der (die) Ältere
Dan.	Daniel (A. T.)
Dep.	Departamento
Dép.	Département
dgl.	dergleichen, desgleichen
d. Gr.	der Große
d. h.	das heißt
Distr.	Distrikt
d. J.	der (die) Jüngere
dt.	deutsch
Dt. Dem. Rep.	Deutsche Demokratische Republik
Dtl.	Deutschland
Dtn.	Deuteronomium (A. T.)
ebd.	ebenda
ed., Ed.	editio, Edition
ehem.	ehemalig, ehemals
eigtl.	eigentlich
Einl.	Einleitung
Enz.	Enzyklopädie
Eph.	Epheserbrief (N. T.)
Erg.	Ergänzung
erh.	erhalten
Esr.	Esra (A. T.)
Est.	Esther (A. T.)
e. V.	eingetragener Verein
evang.	evangelisch
Ew.	Einwohner
Ex.	Exodus (A. T.)
Ez.	Einzahl; Ezechiel (A. T.)
f., ff.	folgend, folgende (z. B. Seiten, Jahre)
Faks.-Ausg.	Faksimileausgabe
Fam.	Familie
Frhr.	Freiherr
frz.	französisch
Fstt.	Fürstentum
Gal.	Galerie, Galérie, Galleria; Galaterbrief (N. T.)
gegr.	gegründet
Gem.	Gemeinde
gen.	genannt
Gen.	General; Genesis (A. T.)
Gen.-Gouv.	Generalgouvernement, Generalgouverneur
Ges.	Gesetz; Gesellschaft
Gesch.	Geschichte
Ges. W.	Gesammelte Werke
gew.	geweiht
Gfsch.	Grafschaft
ggf.	gegebenenfalls
Ghzgt.	Großherzogtum
Gouv.	Gouverneur, Gouvernement
grch.	griechisch
H.	Hälfte
Hab.	Habakuk (A. T.)

Hag. .... Haggai (A. T.)
Hb., Hbb. .... Handbuch, -bücher
hd. .... hochdeutsch
hebr. .... hebräisch
Hebr. .... Hebräerbrief (N. T.)
Hg. .... Herausgeber(in)
hg. v. .... herausgegeben von
Hi. .... Hiob (A. T.)
Hl., hl. .... Heilige(r), heilig
Hld. .... Hohelied (A. T.)
Hos. .... Hosea (A. T.)
Hs., Hss. .... Handschrift(en)
HW .... Hauptwerk(e)
Hwb. .... Handwörterbuch
Hzgt. .... Herzogtum
i. a. .... im allgemeinen
i. d. R. .... in der Regel
i. e. S. .... im engeren Sinn
i. Ggs. .... im Gegensatz
i. J. .... im Jahre
internat. .... international
i. S. .... im Sinn
ital. .... italienisch
i. w. S. .... im weiteren Sinn
Jahrtsd. .... Jahrtausend
Jak. .... Jakobusbrief (N. T.)
Jb. .... Jahrbuch
Jdt. .... Judith (A. T.)
Jer. .... Jeremia (A. T.)
Jes. .... Jesaja (A. T.)
Jh. .... Jahrhundert
Jo. .... Joel (A. T.)
Joh. .... Johannesevangelium (N. T.), Johannesbrief (N. T.)
Jon. .... Jona (A. T.)
Jos. .... Josua (A. T.)
jr. .... junior, der jüngere
Jud. .... Judasbrief (N. T.)
Kap. .... Kapitel
Kat. .... Katalog
kath. .... katholisch
Kgr. .... Königreich
Klgl. .... Klagelieder des Jeremia (A. T.)
Kol. .... Kolosserbrief (N. T.)
Kön. .... Könige (A. T.)
Kor. .... Korintherbrief (N. T.)
Kr. .... Kreis
Kt. .... Kanton
lat. .... lateinisch
Lb. .... Lehrbuch
Lev. .... Levitikus (A. T.)
Lex. .... Lexikon
Lfg. .... Lieferung(en)
Lit. .... Literatur
Lk. .... Lukasevangelium (N. T.)
Lw. .... Lehnwort
MA., ma. .... Mittelalter, mittelalterlich
magy. .... magyarisch
Makk. .... Makkabäer (A. T.)
Mal. .... Maleachi (A. T.)
max. .... maximal
md. .... mitteldeutsch
Metrop. Area .... Metropolitan Area
Metrop. Cty. .... Metropolitan County
mhd. .... mittelhochdeutsch
Mi. .... Micha (A. T.)
Mio. .... Million(en)
Mitgl. .... Mitglied
Mk. .... Markusevangelium (N. T.)
mlat. .... mittellateinisch
mnd. .... mittelniederdeutsch
Mos. .... Mose (A. T.)
Mrd. .... Milliarde(n)
Mt. .... Matthäusevangelium (N. T.)
Mus. .... Museum, Musée, Museo
Mz. .... Mehrzahl
N .... Nord(en)
n. .... nach
Nachdr. .... Nachdruck
Nah. .... Nahum (A. T.)
Nat. .... National
n. Ausg. .... neue Ausgabe
n. Chr. .... nach Christi Geburt
Ndsachs. .... Niedersachsen
Neh. .... Nehemia (A. T.)
Neuaufl. .... Neuauflage
ngrch. .... neugriechisch
nhd. .... neuhochdeutsch
nhg. .... neu herausgegeben
nlat. .... neulateinisch
NO .... Nordost(en)
NÖ .... Niederösterreich
NRW .... Nordrhein-Westfalen
n. St. .... neuen Stils
N. T. .... Neues Testament
Num. .... Numeri (A. T.)
NW .... Nordwest(en)
O .... Ost(en)
Ob. .... Obadja (A. T.)
Offb. .... Offenbarung des Johannes (N. T.)
o. J. .... ohne Jahr
OÖ .... Oberösterreich
orth. .... orthodox
österr. .... österreichisch
Petr. .... Petrusbrief (N. T.)
PH .... Pädagogische Hochschule
Phil. .... Philipperbrief (N. T.)
Phlm. .... Philemonbrief (N. T.)
Präs. .... Präsident
prot. .... protestantisch
Prov. .... Provinz

Abkürzungen

Ps.	Psalmen (A. T.)
rd.	rund
ref.	reformiert
Reg.-Bez.	Regierungsbezirk
relig.	religiös
Rep.	Republik
Rheinl.-Pf.	Rheinland-Pfalz
Ri.	Richter (A. T.)
Röm.	Römerbrief (N. T.)
Russ. SFSR	Russische Sozialistische Föderative Sowjetrepublik
S	Süd(en)
S.	San, Santo, Santa, São
Sach.	Sacharja (A. T.)
Sam.	Samuel (A. T.)
Samml.	Sammlung
Schlesw.-Holst.	Schleswig-Holstein
Schriftst.	Schriftsteller
Sir.	Jesus Sirach (A. T.)
Skt.	Sanskrit
SO	Südost(en)
Spr.	Sprüche (A. T.)
SS.	Santi, Santissima, Santissimi
SSR	Sozialistische Sowjetrepublik
St.	Sankt, Saint
Ste.	Sainte
svw.	soviel wie
SW	Südwest(en)
Tb.	Taschenbuch
TH	Technische Hochschule
Thess.	Thessalonicherbrief (N. T.)
Tim.	Timotheusbrief (N. T.)
Tit.	Titusbrief (N. T.)
Tl., Tle.	Teil(e)
Tob.	Tobias (A. T.)
TU	Technische Universität
u. a.	unter anderem(n), und andere(s)
u. ä.	und ähnliche(s)
UdSSR	Sowjetunion
u. d. T.	unter dem Titel
ü. M.	über dem Meeresspiegel
u. M.	unter dem Meeresspiegel
Univ.	Universität, University, Université
urspr.	ursprünglich
USA	Vereinigte Staaten
usf.	und so fort
usw.	und so weiter
u. U.	unter Umständen
u. v. a.	und viele(s) andere
v. a.	vor allem
v. Chr.	vor Christi Geburt
Verf.	Verfasser
versch.	verschieden(e)
Verz.	Verzeichnis
vgl.	vergleiche
voll.	vollendet
Vors.	Vorsitzender
VR	Volksrepublik
W	Westen
Wb.	Wörterbuch
Weish.	Buch der Weisheit (A. T.)
Wiss.	Wissenschaft
WW	Weitere(s) Werk(e)
Wwschaft	Woiwodschaft
z. B.	zum Beispiel
Zeph.	Zephanja (A. T.)
z. T.	zum Teil
Ztschr.	Zeitschrift
zus.	zusammen
zw.	zwischen
z. Z.	zur Zeit
^{3}1977	3. Aufl. 1977
3(1977)	Band 3 (1977)

Weitere Zeichen: * geboren, † gestorben, ∞ verheiratet, Ø Durchmesser.